ATLANTE GEOGRAFICO

per la scuola

Orientarsi nello spazio
La Terra e i suoi ambienti
L'Italia fisica
L'Italia politica
Le regioni d'Italia
Le regioni d'Europa
I continenti extraeuropei

PER IMPARARE

Esercizi e attività
per imparare la Geografia

GIUNTI Junior

Sommario

Parte 1 – Orientarsi nello spazio

6 L'ORIENTAMENTO
- I PUNTI CARDINALI • LA BUSSOLA
- LA STELLA POLARE
- MERIDIANI E PARALLELI
- LATITUDINE E LONGITUDINE

8 DISEGNARE IL MONDO
- LE CARTE GEOGRAFICHE • DAL GRANDE AL PICCOLO
- CARTE FISICHE, POLITICHE, TEMATICHE
- CARTE DI IERI... COME QUADRI
- CARTE DI OGGI... AL COMPUTER

Parte 2 – La Terra e i suoi ambienti

12 IL NOSTRO UNIVERSO
- LA TEORIA DEL BIG BANG
- LE STELLE • LE COMETE
- I PIANETI E I SATELLITI

14 LA STORIA DELLA TERRA

16 ANATOMIA DELLA TERRA
- I GRANDI FENOMENI NATURALI
- LE ERUZIONI VULCANICHE

18 LA TERRA E LA LUNA
- I MOTI DELLA TERRA • LE STAGIONI
- LA LUNA • LE FASI LUNARI
- LE ECLISSI

20 L'UOMO SULLA TERRA
- LA DISTRIBUZIONE DELLA POPOLAZIONE
- TANTI POPOLI, TANTE CULTURE

21 UN MONDO DIVISO IN DUE
- RICCHEZZA E POVERTÀ: UN MONDO DISUGUALE
- FAME, MALATTIE, ANALFABETISMO

22 LE FONTI DI ENERGIA
- LE RISORSE ENERGETICHE
- LE NUOVE FONTI DI ENERGIA

23 L'ACQUA
- L'ACQUA POTABILE: UNA RISORSA SCARSA
- RISPARMIARE L'ACQUA, DISTRIBUIRLA MEGLIO

24 I MARI E IL CICLO DELL'ACQUA
- TERRE EMERSE E SUPERFICI MARINE
- IL CICLO DELL'ACQUA • I MARI • LE ONDE

26 LE TERRE EMERSE
- LA MONTAGNA • IL FIUME • IL LAGO

28 LA VITA NELLE FORESTE
- LE FORESTE DI CONIFERE
- LE FORESTE DI LATIFOGLIE
- LA MACCHIA MEDITERRANEA
- LE FORESTE EQUATORIALI

30 LA VITA NELLE PIANURE
- LA PRATERIA • LA PAMPA
- LA STEPPA • LA SAVANA

32 I DESERTI E LE TERRE POLARI
- I DESERTI CALDI • I DESERTI FREDDI
- LE TERRE POLARI

34 IL PLANISFERO FISICO

36 IL PLANISFERO POLITICO

Parte 3 – L'Italia fisica

38 ITALIA FISICA
- IL CLIMA E I VENTI
- LE ZONE CLIMATICHE
- IL MICROCLIMA

40 L'ITALIA E I SUOI AMBIENTI
- I RILIEVI E LE PIANURE
- I MARI E LE COSTE
- I FIUMI E I LAGHI

46 I PARCHI NATURALI
- UN'ESCURSIONE AL PARCO

48 I PROBLEMI DEL TERRITORIO
- FRANE, CROLLI E SMOTTAMENTI
- ALLUVIONI E INONDAZIONI • LA TERRA TREMA
- I TERREMOTI IN ITALIA • I VULCANI

50 *Educazione alla sicurezza*

51 UOMO E AMBIENTE
- UN EQUILIBRIO DELICATO • L'INQUINAMENTO DELL'ARIA • L'INQUINAMENTO DI ACQUA E SUOLO

52 *Educazione all'ambiente*

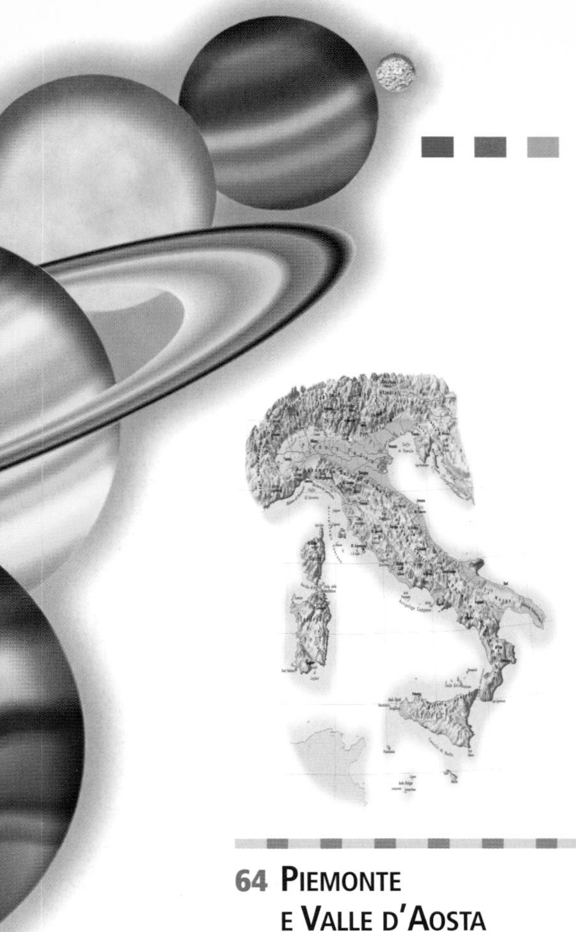

Parte 4 – L'Italia politica

54 ITALIA POLITICA
- GLI ITALIANI IN NUMERI
- IL CENSIMENTO DELLA POPOLAZIONE

56 LE ATTIVITÀ DELL'UOMO
- AGRICOLTURA E ALTRE ATTIVITÀ DEL SETTORE PRIMARIO
- INDUSTRIA E ARTIGIANATO • IL TURISMO
- IL LAVORO IN ITALIA

58 *Educazione stradale*

59 LE VIE DI COMUNICAZIONE
- STRADE, FERROVIE, PORTI...
- UNA RETE MONDIALE • LA GLOBALIZZAZIONE

60 VIVERE IN CITTÀ
- SERVIZI E INCONVENIENTI
- STRADE CITTADINE

61 LA VITA SOCIALE
- LO STATO ITALIANO

62 UNO STATO, TANTE REGIONI
- LE REGIONI • LE PROVINCE • I COMUNI
- I SERVIZI COMUNALI

63 L'IMMIGRAZIONE
- IMMIGRAZIONE E INTEGRAZIONE
- TANTI PAESI, TANTE RELIGIONI

Parte 5 – Le regioni d'Italia

64 PIEMONTE E VALLE D'AOSTA
68 LOMBARDIA
72 TRENTINO-ALTO ADIGE
74 VENETO
78 FRIULI-VENEZIA GIULIA
80 LIGURIA
82 EMILIA-ROMAGNA
86 TOSCANA
90 UMBRIA
92 MARCHE
94 LAZIO
98 ABRUZZO
100 MOLISE
102 CAMPANIA
106 PUGLIA
110 BASILICATA
112 CALABRIA
114 SICILIA
117 SARDEGNA

Parte 6 – Le regioni d'Europa

120 L'EUROPA FISICA
122 L'EUROPA POLITICA
124 L'UNIONE EUROPEA
128 LA REGIONE IBERICA
132 LA REGIONE FRANCESE
135 LA REGIONE BRITANNICA
138 LA REGIONE GERMANICA
142 LA REGIONE ALPINA
144 LA REGIONE SCANDINAVA
148 LA REGIONE DANUBIANA
152 LA REGIONE BALCANICA
156 LA REGIONE SARMATICA

Parte 7 – I continenti extraeuropei

160 ASIA FISICA
161 GLI STATI DELL'ASIA
162 ASIA POLITICA
166 AFRICA FISICA
167 GLI STATI DELL'AFRICA
168 AFRICA POLITICA
172 AMERICA SETTENTRIONALE FISICA E POLITICA
174 GLI STATI DELL'AMERICA SETTENTRIONALE
176 AMERICA MERIDIONALE FISICA E POLITICA
178 GLI STATI DELL'AMERICA MERIDIONALE
180 OCEANIA FISICA E POLITICA
181 GLI STATI DELL'OCEANIA
182 ARTIDE E ANTARTIDE

184 LE PAROLE DELLA GEOGRAFIA
187 INDICE DEI NOMI

199 **Atlante attivo**
Esercizi e attività per imparare la Geografia

L'orientamento

L'uomo per muoversi nello spazio ha bisogno di fissare dei punti di riferimento. Quando camminiamo per la nostra città, anche se non ce ne rendiamo conto, teniamo presenti sempre alcuni elementi che ci permettono di orientarci: una piazza, un monumento, un cartello sono i punti di riferimento grazie ai quali possiamo andare per la strada giusta senza perderci. L'orientamento è poi fondamentale in quelle situazioni in cui non si possono avere dei riferimenti concreti, come quando si vola con un aereo o si naviga in mare aperto.

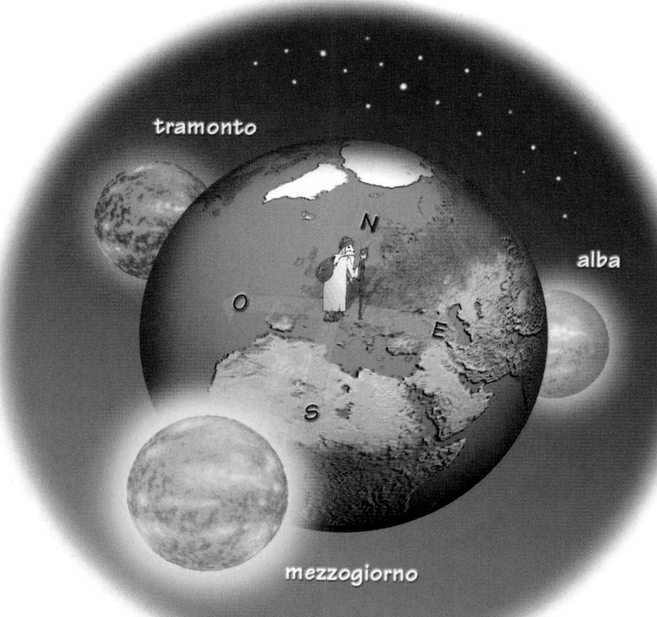

L'ORIENTAMENTO DI GIORNO
Durante il giorno l'orientamento avviene tenendo presente la posizione del Sole, che al mattino sorge a Est (Oriente), a mezzogiorno indica il Sud e la sera tramonta a Ovest (Occidente).

I punti cardinali

Per orientarsi bisogna tenere presenti le quattro direzioni fondamentali, chiamate **punti cardinali**: Est, Ovest, Sud, Nord. L'uomo ha individuato tali punti di riferimento osservando la posizione del Sole nel cielo. Infatti al mattino il Sole sorge sempre in un punto che viene chiamato **Est** (Oriente o Levante); la sera tramonta nel punto opposto, chiamato **Ovest** (Occidente o Ponente). Durante il tragitto da Est a Ovest, quando a metà giornata splende in alto nel cielo, il Sole indica il **Sud** (Meridione o Mezzogiorno); la posizione opposta, dove il Sole non si vede mai, si chiama **Nord** (Settentrione o Mezzanotte).

La Stella Polare

Di notte, quando non è possibile orientarsi con il Sole, il punto di riferimento principale è la **Stella Polare**. Questo astro è molto luminoso e indica sempre il Nord. È la prima stella dell'Orsa Minore, una costellazione che è sempre visibile nel cielo del nostro emisfero. Chi abita nell'emisfero meridionale fa invece riferimento a una costellazione chiamata Croce del Sud.

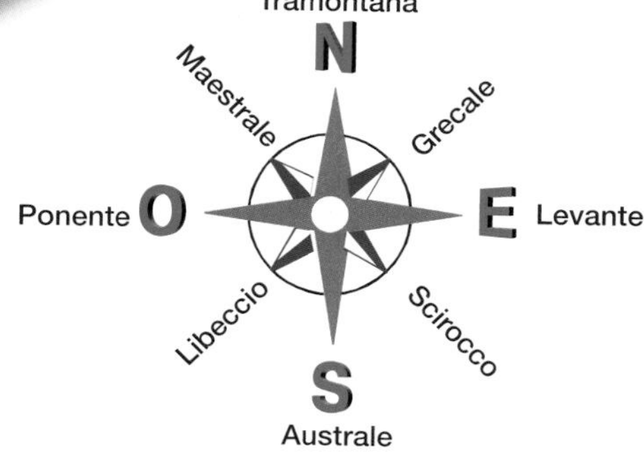

LA ROSA DEI VENTI
I punti cardinali e le posizioni intermedie formano la Rosa dei Venti, così chiamata perché gli antichi diedero alle varie direzioni il nome del vento che da esse soffiava.

La bussola

Se, a causa delle condizioni atmosferiche, non è possibile osservare il cielo, si ricorre alla **bussola**. Questo strumento è molto semplice ed era già usato in Cina nel Medioevo. La bussola contiene un ago calamitato che indica sempre il Nord. Orientando la bussola secondo la direzione dell'ago (Nord), si possono trovare tutte le altre direzioni.

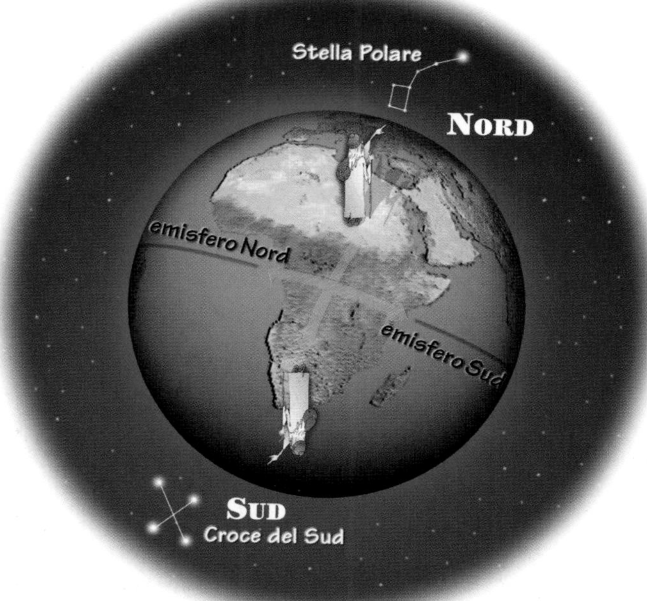

L'ORIENTAMENTO DI NOTTE
Durante la notte l'orientamento nel nostro emisfero avviene facendo riferimento alla posizione nel cielo della Stella Polare, che indica sempre il Nord. Nell'altro emisfero, invece, si prende come riferimento la costellazione della Croce del Sud, che indica, appunto, il Sud.

Meridiani e paralleli

Osservando una carta geografica si notano delle linee verticali e orizzontali che formano un reticolato. I geografi hanno introdotto queste linee immaginarie per individuare con esattezza un qualsiasi punto sulla superficie terrestre. Le linee orizzontali corrono attorno al globo terrestre, formando dei cerchi paralleli fra loro, chiamati **paralleli geografici**. L'**Equatore** è la circonferenza più ampia e divide il nostro pianeta in due parti uguali, l'emisfero Nord (detto anche settentrionale o boreale) e l'emisfero Sud (detto anche meridionale o australe). Ogni punto lungo questa linea si trova alla stessa distanza dai due Poli. A partire da questo parallelo di riferimento, o **parallelo 0**, si contano 90 paralleli a Nord e 90 a Sud, la cui circonferenza diminuisce man mano che si avvicinano ai Poli. Le linee verticali, chiamate **meridiani geografici**, formano delle semicirconferenze che corrono da un Polo all'altro e dividono la superficie terrestre in spicchi. Per convenzione si è stabilito che il meridiano fondamentale, o **meridiano 0**, è quello che attraversa l'osservatorio astronomico di Greenwich, in Inghilterra. A partire da esso si contano 180 meridiani verso Ovest e 180 meridiani verso Est. Il meridiano di Greenwich è anche il punto di riferimento fondamentale per la determinazione dei **fusi orari**. Infatti, per stabilire con precisione l'ora nei vari punti della Terra, la superficie terrestre è stata divisa in 24 spicchi (fusi) nel senso dei meridiani, uno spicchio per ogni ora. A partire dal fuso del meridiano di Greenwich, ogni fuso a Ovest segna un'ora di meno, ogni fuso a Est un'ora in più.

Latitudine e longitudine

In base alla griglia immaginaria formata da meridiani e paralleli si ricavano la latitudine e la longitudine, che sono le coordinate geografiche necessarie per conoscere l'esatta posizione di un qualsiasi punto sulla carta.

La **latitudine** indica la distanza di un punto su un parallelo dall'Equatore. Tutti i punti che si trovano alla stessa distanza dall'Equatore hanno la medesima latitudine, che viene misurata in gradi, verso Nord e verso Sud.

La **longitudine** di un punto indica, invece, la sua distanza dal meridiano fondamentale di Greenwich. Anch'essa si misura in gradi, e viene definita longitudine Est o longitudine Ovest a seconda che il punto esaminato si trovi a Est oppure a Ovest del meridiano di Greenwich. La longitudine può essere misurata anche in ore: in tal senso esprime la differenza tra l'ora locale e l'ora del meridiano di riferimento.

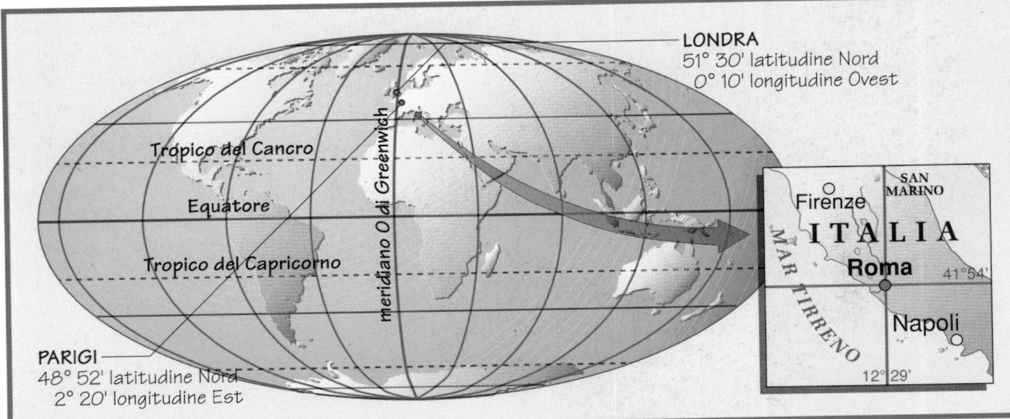

È possibile definire la posizione assoluta di qualsiasi località: Roma, per esempio, si trova a Lat. 41° 54' N e Long. 12° 29' E; Londra a Lat. 51° 30' N e Long. 0° 10' O (vicinissima a Greenwich); Parigi a Lat. 48° 52' N e Long. 2° 20' E.

ROMA
41° 54' latitudine Nord
12° 29' longitudine Est

Disegnare il mondo

Le carte geografiche

Sin dall'antichità l'uomo ha tentato di riprodurre la Terra nel modo più fedele e chiaro possibile: le **carte geografiche** sono il ritratto della Terra, l'immagine del mondo, il disegno delle sue forme e delle singole parti. Le carte danno un volto e una forma ai singoli Paesi, ci dicono i nomi degli Stati e delle Regioni della Terra, mostrano dove sono i mari, le pianure, le montagne, i fiumi, le città.

Le carte geografiche forniscono tutte le informazioni relative al territorio che rappresentano tramite simboli convenzionali. Per poterli interpretare correttamente bisogna fare riferimento alla **legenda**, posta generalmente in un angolo della carta, che ne spiega il significato.

Un'ulteriore convenzione relativa all'orientamento delle carte prevede che per il lettore il Nord sia sempre in alto, il Sud in basso, l'Ovest a sinistra e l'Est a destra.

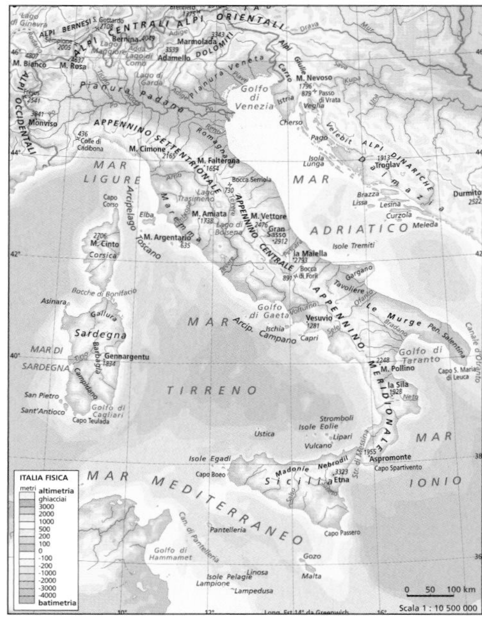

La scala di riduzione

Consideriamo due esempi di carte: una carta geografica generale e uno spezzone di carta regionale. Nella carta fisica dell'Italia, con scala 1 : 10 000 000 circa (1 cm = 100 km), sono indicati i corsi d'acqua, le montagne, le pianure, i mari. La carta della Toscana (scala 1 : 1 600 000) è una carta fisico-politica, nella quale sono segnati, oltre ad alcuni fiumi e montagne, i principali centri abitati, le strade e le ferrovie.

Dal grande al piccolo

Non è possibile rappresentare su carta a grandezza naturale nessuna porzione della superficie della Terra, per quanto piccola. Necessariamente, quindi, la carta deve rimpicciolire di un certo numero di volte le dimensioni reali di un territorio. Per questo sulle carte geografiche troviamo le **scale di riduzione**, che spiegano il rapporto tra le dimensioni reali e il disegno.

Quando leggiamo, per esempio, l'indicazione 1 : 10 000 significa che le misure reali sono state ridotte di 10 000 volte: a ogni centimetro sulla carta corrispondono 10 000 centimetri nella realtà. Se invece si usa la scala 1 : 1000 vorrà dire che a un centimetro sulla carta corrispondono 1000 centimetri (ossia 10 metri). È fondamentale dunque conoscere la scala di riduzione per conoscere l'effettiva grandezza degli oggetti rappresentati sulla carta e la distanza che c'è tra di loro.

Carte fisiche, politiche, tematiche

Esistono diversi tipi di carte a seconda delle indicazioni che si vogliono fornire.

Le **carte fisiche** descrivono la morfologia del territorio, cioè indicano i rilievi, le pianure, i fiumi e altri elementi naturali. Specificano anche l'altezza delle montagne, la lunghezza dei corsi d'acqua e la profondità del mare. Oltre che con queste indicazioni numeriche, le carte "parlano" del territorio sfruttando anche i colori nelle loro diverse gradazioni: le montagne più alte sono colorate in marrone scuro, che si schiarisce progressivamente man mano che l'altitudine dei rilievi diminuisce fino ad arrivare alla pianura, rappresentata

Come ricavare la distanza fra due città?

È molto semplice. Misura con un righello nella prima cartina la distanza fra Torino e Milano: troverai che è di 4,9 cm. Moltiplica tale numero per 2 500 000, che è la scala di questa carta, e otterrai 122,5 km, che è appunto la distanza in linea d'aria fra le due città. Prova a ricavare nella seconda cartina (che è di scala diversa) la distanza fra Milano e Pavia.

in verde; lo stesso procedimento è valido per le distese marine, colorate in azzurro.

Le **carte politiche** indicano i confini nazionali e le divisioni amministrative del territorio all'interno di ciascuno Stato. In queste carte si trovano i nomi di tutti i centri abitati, indicati diversamente a seconda del numero degli abitanti, delle loro dimensioni e del ruolo amministrativo che rivestono.

Infine le **carte tematiche** servono per conoscere la distribuzione sul territorio di determinati elementi o di fenomeni specifici. Tra le carte tematiche più comuni e utilizzate ci sono le carte stradali, che riportano le strade con le distanze; le carte turistiche, che riportano i sentieri di montagna con i segnavia o la localizzazione di monumenti; le carte nautiche per i marinai, con indicazioni dei porti, dei fari, degli scogli.

Altre carte ancora riguardano un particolare argomento, cioè la distribuzione sul territorio di aspetti economici, culturali, demografici, climatici.

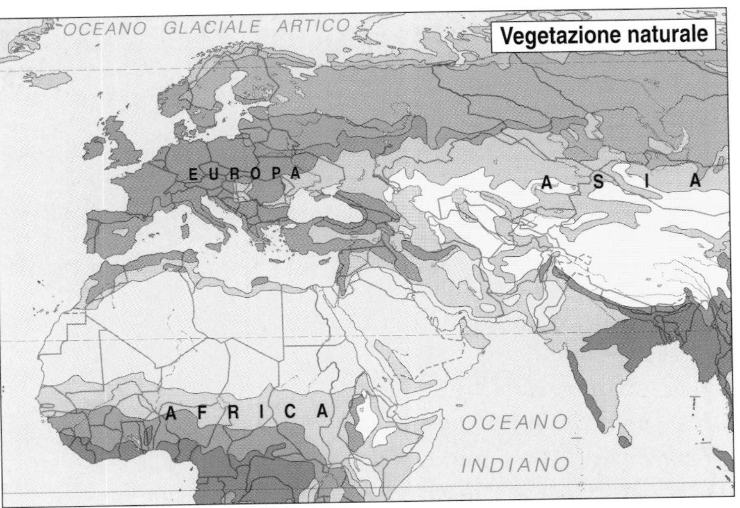

Questa carta tematica della vegetazione mostra chiaramente il contrasto tra le grandi aree forestali, quelle a prateria e quelle desertiche.

L'insieme di tutte le rappresentazioni dell'Italia su carte topografiche è chiamato Quadro d'Unione.

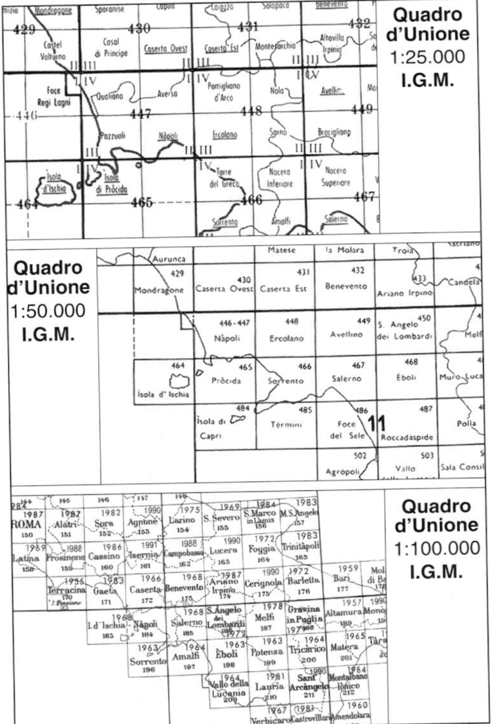

Un disegno... da leggere

Una fotografia rappresenta un dato paesaggio e gli oggetti appaiono come sono nella realtà. La carta, invece, è un disegno, e per rappresentare un territorio deve fare uso di simboli o segni convenzionali. Nelle carte figurano inoltre cose che non appaiono sul terreno, come i confini degli Stati, delle Regioni, delle Province e dei Comuni. Ecco alcuni segni usati nelle **carte topografiche** italiane, curate dall'Istituto Geografico Militare di Firenze. Queste carte, che rappresentano tutto il territorio dello Stato italiano, hanno diverse scale:

- i **fogli**, con scala 1 : 100 000 (1 cm sulla carta corrisponde a 100 000 cm sul terreno, cioè a 1 km);
- i **quadranti**, con scala 1 : 50 000 (1 cm corrisponde a 50 000 cm, cioè 500 m sul terreno);
- le **tavolette**, con scala 1 : 25 000 (1 cm è uguale a 25 000 cm, cioè 250 m).

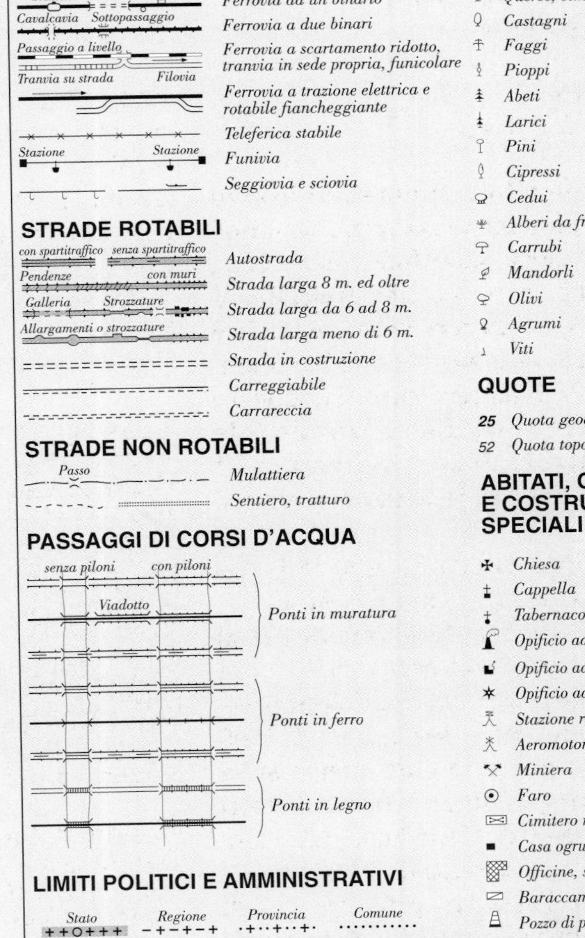

Carte di ieri...

Claudio Tolomeo visse ad Alessandria d'Egitto nel II secolo d.C. Questo grande matematico e cartografo greco disegnò la Terra dall'Etiopia alla Cina, dall'Africa centrale ai Paesi nordici, con una precisione eccezionale per quei tempi. Costruì anche il primo **atlante**, con una serie di carte delle varie regioni del mondo.
Pochi secoli più tardi, però, si dimenticarono le conoscenze dei Greci e si dimenticò perfino che la Terra fosse sferica. Le carte del mondo nel Medioevo divennero il frutto della fantasia o di credenze religiose. Si disegnarono così dei **mappamondi** in cui gli oceani formavano un anello d'acqua intorno alle terre emerse, disegnate in forme molto lontane dalla realtà, e spesso si poneva Gerusalemme, città santa, al centro del mondo.
Occorsero più di mille anni per disegnare planisferi ricavati da precise osservazioni astronomiche e conoscenze reali. Intorno alla seconda metà del Quattrocento si riscoprirono Tolomeo e altri geografi antichi e si ripresero le carte di un tempo arricchendole di nuovi dati.

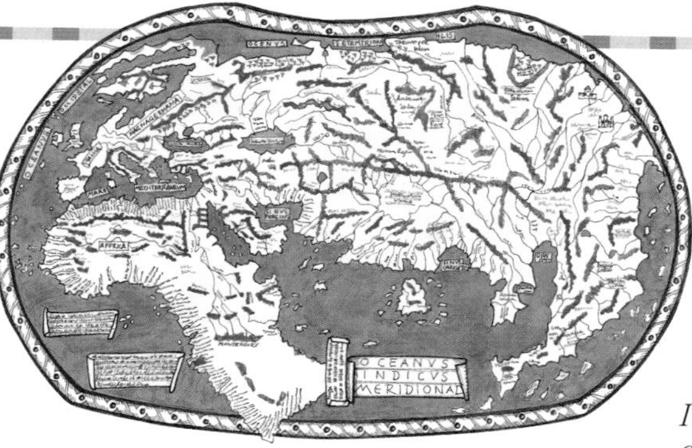

A sinistra, una carta disegnata intorno al 1490 dal cartografo tedesco Martellus.
Sotto, atlante del Mediterraneo realizzato nel XVII secolo, con numerose raffigurazioni di città con relative bandiere, animali africani (tra cui un unicorno), Rose dei Venti.
Il tipo di illustrazioni fa ritenere che l'opera non fosse destinata a un uso pratico.

... come quadri

Le carte geografiche antiche erano molto diverse da quelle di adesso: erano ornate con fregi e immagini, con ritratti di personaggi e divinità. Soprattutto dopo il Mille le carte erano ricche di figure umane, di alberi, di animali e di mostri. Vi erano dipinte le leggende dell'antichità e il paradiso terrestre; nei mari venivano collocati i mostri che si pensava popolassero gli abissi.
All'epoca delle grandi scoperte geografiche, fra la fine del Quattrocento e il Cinquecento, la fantasia dei cartografi non ebbe più limiti. E nelle carte delle terre appena scoperte, ancora in gran parte ignote, furono dipinti elementi tratti dai racconti dei viaggiatori: popoli indigeni, animali, navi e battaglie.

In questa antica cartina dell'Italia, l'asse della penisola è più orientato verso Nord-Est rispetto a quanto sia in realtà, e il disegno delle coste è molto falsato. Questo perché i cartografi di un tempo non avevano una conoscenza completa ed esatta del territorio da rappresentare, ma dovevano basarsi su pochi punti di riferimento, spesso forniti dai naviganti.

Le proiezioni geografiche

Se prendete un corpo sferico, per esempio un'arancia, tagliate una parte di buccia e provate a stenderla su un piano, vedrete che la buccia si deforma e si rompe. Questo perché non si può portare su un piano una superficie sferica, come nel caso della Terra, senza che la sua immagine non risulti deformata. Anche i cartografi hanno dovuto affrontare questo problema per rappresentare la Terra sulla carta, e hanno scelto, per disegnare il mondo, fra proiezioni geografiche diverse tra loro (si chiamano proiezioni perché proiettano i punti della sfera sulla superficie piana): chi ha cercato di mantenere uguale la forma delle varie parti della Terra, chi invece si è sforzato di conservare in proporzione la loro estensione. Si osservi la Groenlandia nelle due proiezioni a destra: nella proiezione di Mercatore (sotto) è molto grande, ma con la sua forma esatta; in quella di Robinson (sopra) è tutta sformata, ma con un'estensione proporzionata alla realtà.

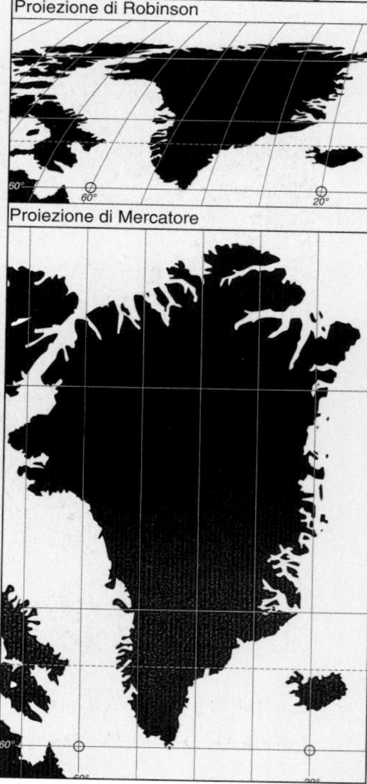

Carte di oggi...

Un tempo, per realizzare le carte geografiche, bisognava misurare direttamente il territorio, rilevando sul posto le diverse caratteristiche fisiche del luogo. Oggi, con il progresso della scienza e della tecnica, i cartografi possono ricorrere a mezzi più veloci e sofisticati. Un grosso passo avanti si è avuto con l'introduzione della **fotografia aerea**. Durante tale operazione, un aereo sorvola il territorio, fotografando le varie zone in successione. Le foto ottenute vengono affiancate come in un puzzle, in modo da ricostruire con precisione il paesaggio reale. A questo punto si disegnano le carte geografiche, e si riproducono con appositi simboli tutti i vari elementi presenti nella zona.

Quando sul territorio sono presenti dei rilievi, il procedimento è un po' più complesso. Infatti, per non avere una visione piatta, le alture devono essere fotografate da punti di vista diversi. Tali immagini vengono poi elaborate attraverso un apparecchio specifico chiamato **restitutore fotogrammetrico**.

Fotografia aerea di Sidney. Il cartografo ricava da fotografie di questo tipo utili informazioni per il suo lavoro.

... al computer

A partire dalla seconda metà del Novecento è stato possibile rilevare vastissime porzioni di territorio grazie all'introduzione dei **satelliti artificiali**. Questi apparecchi molto sofisticati girano in orbita attorno alla Terra e sono in grado di fornire immagini di zone molto ampie, come interi continenti o addirittura i due emisferi. In questo modo si può avere uno sguardo complessivo e molto dettagliato dell'intero pianeta. Grazie ai satelliti, inoltre, oggi abbiamo anche una carta geografica molto dettagliata della Luna.

Le immagini ottenute dagli aerei e dai satelliti spesso sono elaborate da computer in grado di fornire carte geografiche sempre più precise. La perfezione del disegno elettronico, infatti, permette di ottenere carte molto dettagliate e realistiche, anche con effetti tridimensionali.

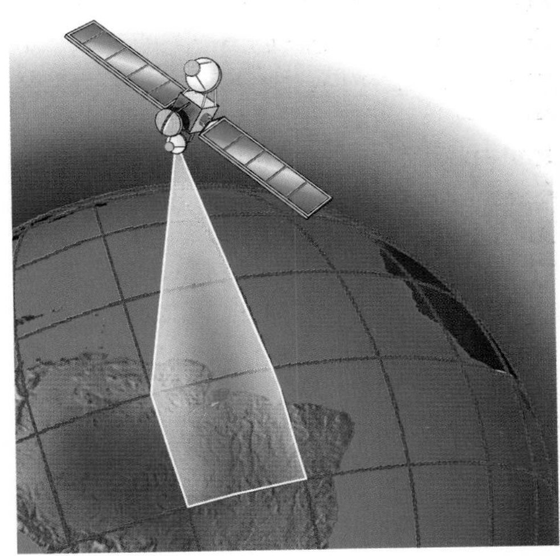

L'Italia fotografata da un satellite da una grande altezza.

La faccia nascosta della Luna

La Luna, pur girando su se stessa come la Terra, ci mostra sempre la stessa faccia, tanto che quella opposta è stata vista per la prima volta da un essere umano solo durante la missione dell'Apollo 8 nel 1968. Qui di fianco è visibile la parte nascosta della Luna, ricostruita come se fosse un immenso puzzle attraverso le fotografie scattate dai veicoli spaziali nel corso degli ultimi decenni. Anche per la Luna è stata usata una rete di coordinate analoga a quella adottata per la Terra: Equatore, meridiani, paralleli. Le osservazioni con i telescopi dalla Terra e le esplorazioni degli astronauti hanno confermato che la superficie lunare è coperta di enormi crateri, solchi, valli, catene montuose e molte altre formazioni geologiche.

Il nostro Universo

La teoria del Big Bang

Circa 15 miliardi di anni fa, l'Universo come oggi lo conosciamo non esisteva ancora. Improvvisamente avvenne un'enorme esplosione che gli studiosi hanno chiamato **Big Bang**, cioè "grande scoppio". Dopo questa esplosione la materia iniziò a diffondersi ovunque, creando l'Universo.

Per miliardi di anni non ci fu altro che un confuso e caotico insieme di nubi gassose, che si muovevano senza sosta. Poi, molto lentamente, nelle zone in cui alcuni di questi gas si concentravano in modo particolare, iniziarono a condensarsi i primi nuclei di materia. Dapprima si formarono le **galassie**, poi le **stelle**, i **pianeti** e gli altri corpi celesti.

La cometa di Halley

La cometa di Halley, nella sua orbita ellittica intorno al Sole, passa vicino alla Terra a intervalli regolari di circa 76 anni. La sua ultima apparizione è del 1986, la prossima è prevista per il 2061. Un tempo si credeva che le comete portassero sfortuna: persino la terribile epidemia di peste che colpì l'Europa nel Trecento fu attribuita al passaggio di una cometa!

Il cielo stellato

Quando guardiamo il cielo in una notte limpida possiamo vedere migliaia di corpi luminosi... ma attenzione! Alcuni sono stelle, altri sono pianeti illuminati dal Sole, altri intere galassie! Nella foto sotto, ottenuta attraverso un potente telescopio, vediamo una porzione del cielo.

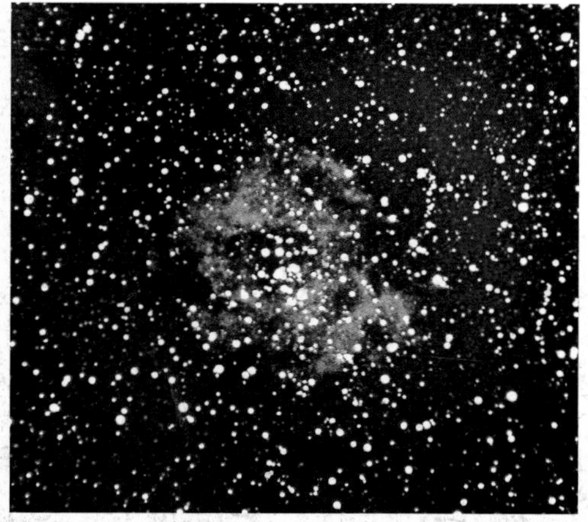

Le stelle

Le **stelle** sono corpi celesti di forma sferica, al cui interno avvengono reazioni termonucleari capaci di generare luce e calore. Riunite a centinaia di miliardi in ampi agglomerati, formano le **galassie,** che a loro volta sono sparse per tutto l'Universo. Le stelle, insieme ad altri corpi celesti fra cui i pianeti e i loro satelliti, costituiscono complessi sistemi: quello di cui fa parte il Sole prende il nome di **sistema solare.** La stella più vicina alla Terra è infatti il **Sole**, che dista circa 150 milioni di chilometri. Sulla sua superficie la temperatura è altissima e raggiunge i 6000 gradi; ma all'interno arriva addirittura a toccare i 10 milioni di gradi. La galassia in cui si trova il nostro sistema solare si chiama **Via Lattea**.

Le comete

Le **comete** sono corpi celesti che hanno stimolato la fantasia umana sin dall'antichità. Generalmente sono composte da un nucleo centrale e da una lunghissima coda luminosa, formata da gas. Esse percorrono il nostro sistema solare ad altissima velocità, disegnando vaste orbite ellittiche. Alcune, durante questo percorso, si avvicinano alla Terra e possono essere osservate a occhio nudo.

I pianeti e i satelliti

I **pianeti** sono corpi celesti freddi, che non brillano di luce propria. Il nostro sistema solare comprende nove pianeti che, in ordine di distanza dal Sole, sono: **Mercurio, Venere, Terra, Marte, Giove, Saturno, Urano, Nettuno** e **Plutone**. Essendo di massa minore, i pianeti girano attorno al Sole, da cui ricevono luce e calore. Intorno ai pianeti ruotano altri corpi celesti più piccoli, i **satelliti**. La Terra ha un solo satellite, la Luna, ma vi sono pianeti che ne hanno più di uno: intorno a Giove, per esempio, ruotano ben 60 satelliti.

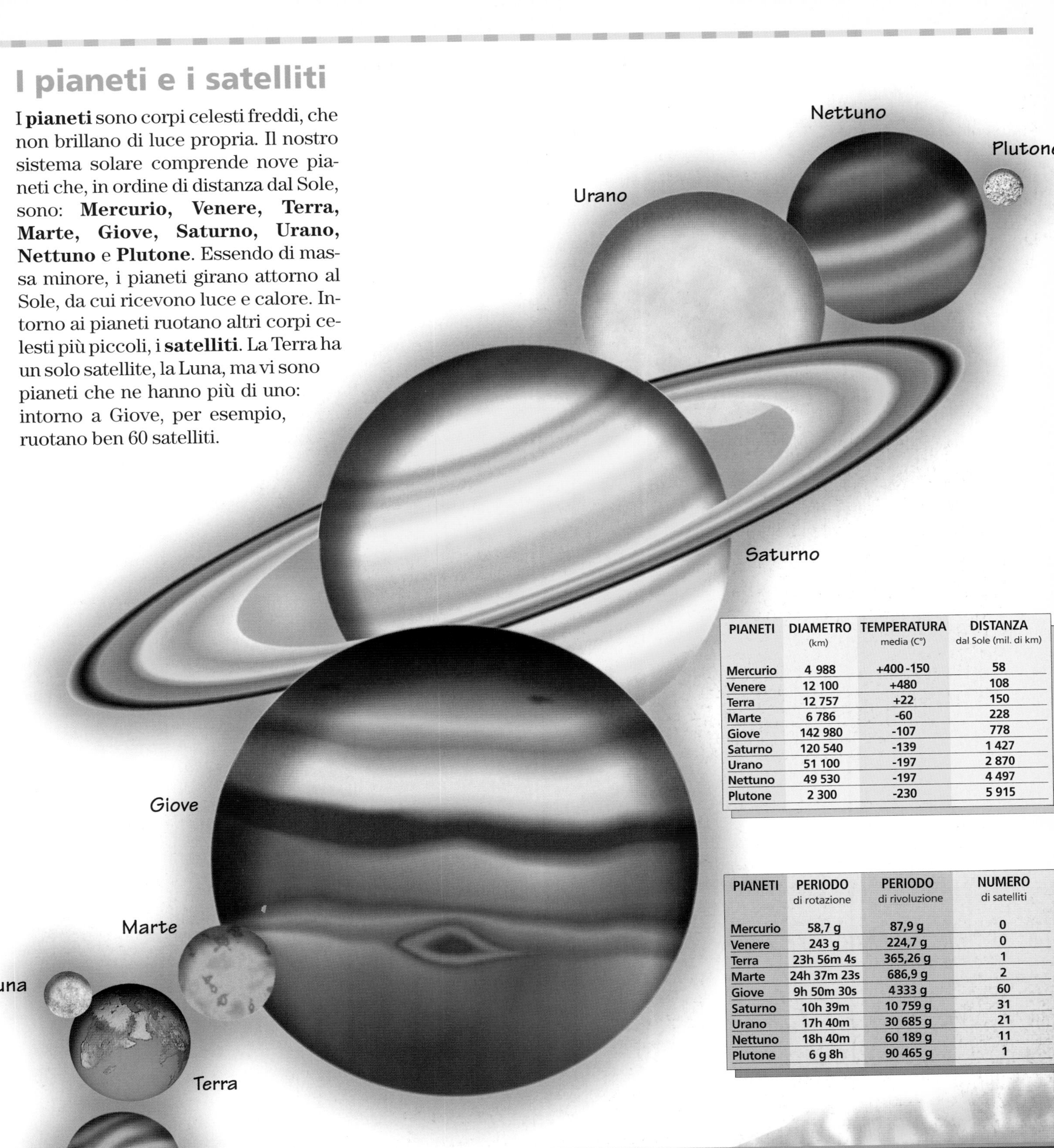

PIANETI	DIAMETRO (km)	TEMPERATURA media (C°)	DISTANZA dal Sole (mil. di km)
Mercurio	4 988	+400 -150	58
Venere	12 100	+480	108
Terra	12 757	+22	150
Marte	6 786	-60	228
Giove	142 980	-107	778
Saturno	120 540	-139	1 427
Urano	51 100	-197	2 870
Nettuno	49 530	-197	4 497
Plutone	2 300	-230	5 915

PIANETI	PERIODO di rotazione	PERIODO di rivoluzione	NUMERO di satelliti
Mercurio	58,7 g	87,9 g	0
Venere	243 g	224,7 g	0
Terra	23h 56m 4s	365,26 g	1
Marte	24h 37m 23s	686,9 g	2
Giove	9h 50m 30s	4 333 g	60
Saturno	10h 39m	10 759 g	31
Urano	17h 40m	30 685 g	21
Nettuno	18h 40m	60 189 g	11
Plutone	6 g 8h	90 465 g	1

La storia della Terra

La Terra nacque circa 5 miliardi e mezzo di anni fa. Il nostro pianeta era una massa di materia incandescente. Il vapore acqueo presente nell'aria si raffreddò rapidamente, trasformandosi in pioggia. La Terra si ricoprì di immense distese di acqua, ovunque c'erano vulcani in eruzione e violenti terremoti sconvolgevano la superficie terrestre. Nei mari si crearono le condizioni adatte alle prime forme di vita.

1 Per un lunghissimo periodo di tempo, da circa 4 miliardi di anni fa a circa 500 milioni di anni fa, c'è stata vita solo nei mari: prima le alghe e i batteri, poi le spugne, i coralli, le stelle marine, i ricci di mare e i trilobiti (specie di granchi primitivi con tante zampette e una dura corazza).

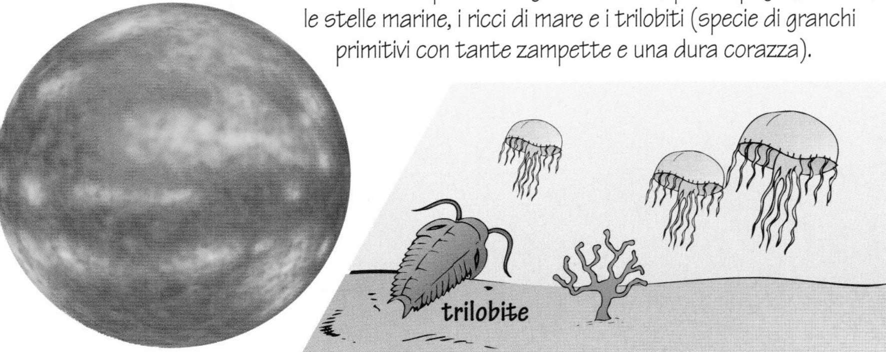

1 500 MILIONI DI ANNI FA

2 Nei 100 milioni di anni successivi compaiono gli squali, i pesci corazzati e i siluri. Le prime piante iniziano a popolare la terraferma: sono solo funghi e piccoli muschi, ma è un passo importante per la vita.

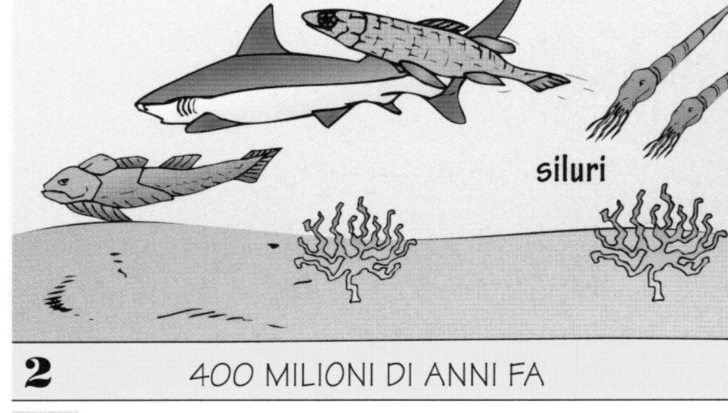

2 400 MILIONI DI ANNI FA

5 miliardi e mezzo di anni fa

7 Le specie di piante e di animali che riescono a sopravvivere popolano di nuovo tutta la Terra. Le vaste praterie accolgono sterminate mandrie di erbivori, cacciate da tigri con enormi denti a sciabola.

7 50 MILIONI DI ANNI FA

6 Fu una meteorite, una cometa o le eruzioni vulcaniche provocate dallo spaccarsi di Pangea a causare 65 milioni di anni fa, la scomparsa di quasi i tre quarti di tutte le specie viventi? Ancora non si sa.

6 65 MILIONI DI ANNI FA

50 milioni di anni fa

Com'era accaduto per i dinosauri, anche i mammiferi iniziarono a svilupparsi in grandezza. Il mammifero gigante più noto è certo il mammut, che popolò tutta la Terra attraversandola con grandi migrazioni. Di questi animali ci sono rimasti alcuni corpi conservati nei ghiacciai siberiani: questi antenati degli elefanti erano un po' più piccoli, ma molto più pelosi. Recenti ritrovamenti di ossa farebbero risalire la loro scomparsa a circa 6000 anni fa, ovvero al tempo dei faraoni!

8 Gli ominidi, i primi antenati dell'uomo, sono coperti da una folta peluria; a differenza delle scimmie procedono già in posizione eretta. Usano semplici utensìli come pietre scheggiate e bastoni appuntiti.

8 4 MILIONI DI ANNI FA

9 L'*homo sapiens* appare sulla Terra circa 50 000 anni fa. L'*homo sapiens* è in grado non solo di accendere e utilizzare il fuoc ma anche di costruirsi armi per cacciare e capanne in cui rifugiarsi. Compaiono anche i primi oggetti d'arte e di magia e i primi dipint

9 50 000 ANNI FA

3 Altri 100 milioni di anni passano lentamente: le piante diventano sempre più grandi e resistenti e foreste di enormi felci rendono verdi le terre emerse. Alcuni animali iniziano a vivere fuori dall'acqua: sono i primi anfibi che escono dagli acquitrini, mentre i primi insetti fanno udire il loro ronzio nell'aria calda e umida.

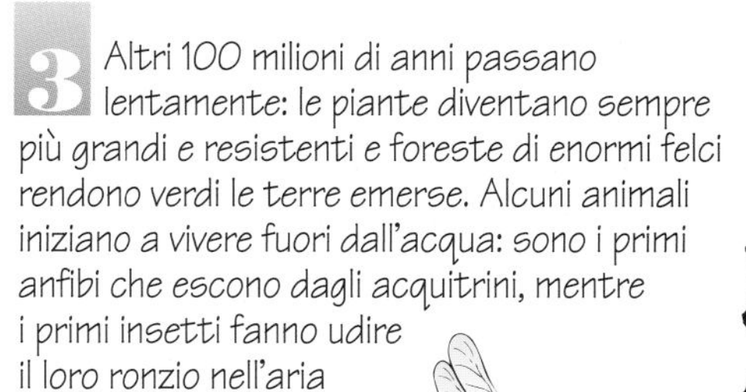

300 MILIONI DI ANNI FA

4 Siamo così arrivati a circa 200 milioni di anni fa. La Terra si popola di un nuovo tipo di animali: i rettili. Nel mare, accanto ai pesci, alle meduse, ai coralli, ai crostacei e ai molluschi, vivono anche stranissimi rettili dal collo lungo e dal muso simile a quello di un coccodrillo. Sulla terraferma iniziano a vedersi i primi dinosauri, che in circa 100 milioni di anni popolano ogni ambiente terrestre. Alcuni sono erbivori, altri feroci carnivori. Compaiono anche piccoli animaletti piumati: una prima forma di uccello. Fra le piante troviamo le grandi sequoie.

4 200 MILIONI DI ANNI FA

200 milioni di anni fa

In questo periodo le terre emerse sono tutte unite fra loro: esse formano un solo continente, la Pangea, che vuol dire, appunto, "tutta-terra". Anche l'oceano è uno solo: lo chiamiamo Pantalassa, "tutto-mare". Ma già poche decine di milioni di anni dopo, intorno a 150 milioni di anni fa, la Pangea inizia a spaccarsi. Nel giro di 100 milioni di anni si formeranno i continenti che oggi conosciamo.

5 I dinosauri sono i padroni delle terre emerse, ma compaiono anche uccelli come aironi e papere; pesci d'acqua dolce come la carpa; rettili come coccodrilli, lucertole, tartarughe e testuggini; mammiferi simili a topi; marsupiali come l'opossum. Gli pterodattili planano nei cieli, i plesiosauri ancora cacciano in mare. Innumerevoli insetti iniziano a collaborare con le piante: ci sono già i primi fiori.

100 MILIONI DI ANNI FA

Verso il futuro

Il vero salto verso il futuro è stato fatto quando l'uomo ha scoperto il metodo scientifico, abbandonando le antiche superstizioni. A causa però delle attività umane molte specie animali e vegetali stanno scomparendo rapidamente: saremo noi la causa di una nuova catastrofe naturale?

10 L'evoluzione della cultura umana nei primi tempi è stata piuttosto lenta, ma in seguito il processo è andato man mano sempre più velocizzandosi: i primi alfabeti, le prime scoperte astronomiche, le piramidi con la loro perfezione architettonica, risalgono a circa 6000 anni fa. Circa 1000 anni fa c'erano i Crociati, e circa 500 anni fa Cristoforo Colombo ha scoperto l'America. L'uomo è sbarcato sulla Luna nel 1969, mentre i personal computer cominciano a diffondersi dal 1980 in poi.

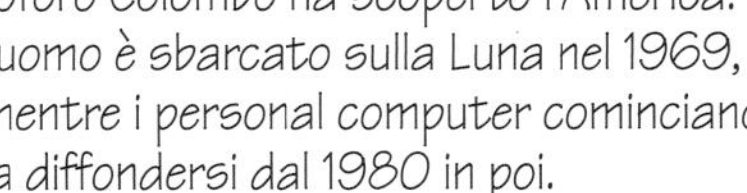

5500 ANNI FA

1000 ANNI FA

NEL 1492

Anatomia della Terra

Durante l'evoluzione della Terra, gli elementi più pesanti sprofondarono verso il centro, mentre quelli più leggeri si accumularono sulla superficie. L'attuale struttura della Terra è il risultato di questo processo: il ***nucleo*** *è costituito da metalli allo stato fluido e compatto, a temperature altissime; attorno a esso vi è il* ***mantello****, formato da rocce semifluide. Infine troviamo la* ***crosta****, formata da roccia compatta, una sorta di "buccia" che costituisce i continenti e il fondo degli oceani.*

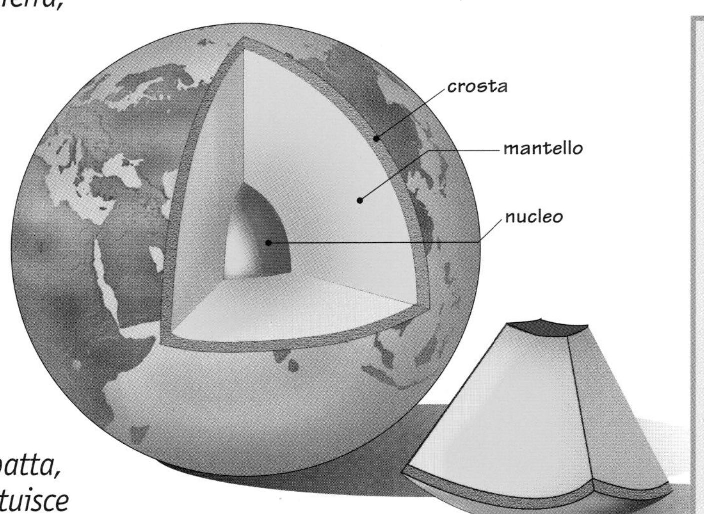

Le misure della Terra

- Diametro equatoriale: 12 756 km
- Diametro polare: 12 714 km
- Lunghezza del Meridiano: 40 009,2 km
- Lunghezza dell'Equatore: 40 076,6 km
- Superficie delle terre emerse: 149 400 000 km²
- Superficie degli oceani: 360 700 000 km²
- Superficie totale: 510 100 000 km²
- Distanza media dal Sole: 149 509 000 km

I grandi fenomeni naturali

La crosta terrestre è costituita da grandi blocchi in movimento, detti **placche** o **zolle**. Queste talvolta si scontrano, si ripiegano, si accavallano e formano le montagne; altre volte sprofondano le une sotto le altre, formando le fosse oceaniche. Naturalmente, questi fenomeni non avvengono in tempi brevi, ma sono il frutto di piccoli movimenti che si svolgono nell'arco di lunghissimi periodi di tempo. Tali movimenti sono anche la causa più frequente dei **terremoti**. Non a caso le aree disposte lungo le fosse oceaniche, o lungo i punti di frizione tra le placche, sono zone ad alta densità sismica.

Il terremoto si verifica quando il movimento delle placche provoca una rottura delle rocce della crosta. Il centro del terremoto (**ipocentro**) è proprio il luogo di rottura, e da lì partono le onde sismiche che in cerchi concentrici sempre più grandi arrivano sulla superficie (**epicentro**) e fanno tremare la terra. Altrettanto può avvenire sul fondo del mare, dove la vibrazione sposta enormi masse di acqua, creando i **maremoti**.

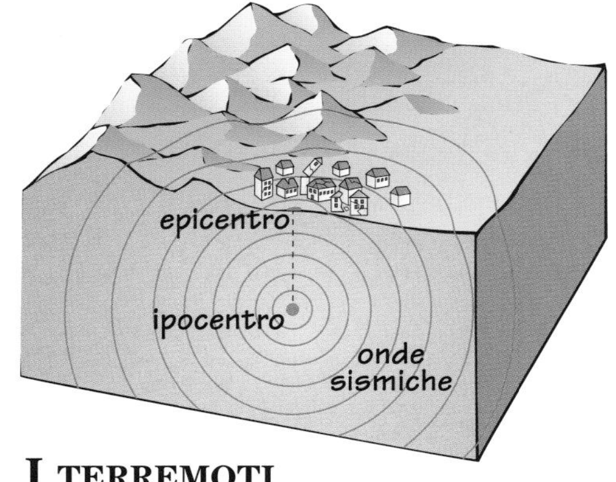

I TERREMOTI
I terremoti, o sismi, sono originati dalla frattura di masse rocciose poste a grande profondità. Tali fenomeni liberano enormi masse di energia che arrivano fino in superficie sotto forma di onde, causando danni e distruzioni.

I CONTINENTI SI MUOVONO!
*La crosta terrestre è divisa in grandi zolle rocciose separate da profonde fratture, in lento ma costante movimento (qualche centimetro all'anno). In origine esisteva un unico grande continente chiamato Pangea (**A**) che, dividendosi (**B** e **C**), ha dato origine nel corso delle ere geologiche agli attuali continenti.*

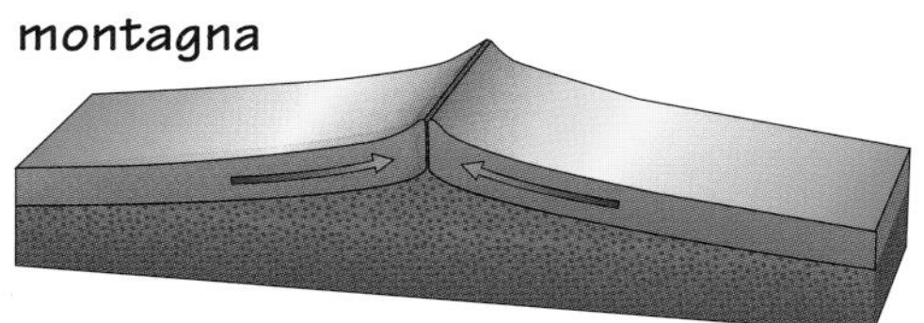

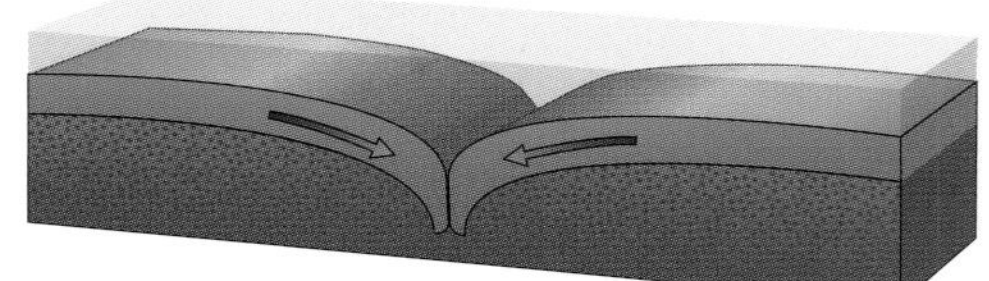

LO SCONTRO FRA LE ZOLLE
Le zolle terrestri, scontrandosi, provocano profonde trasformazioni sulla superficie terrestre. Sono anche all'origine dell'innalzamento delle montagne e della creazione di profonde fosse oceaniche.

Le eruzioni vulcaniche

In alcune particolari condizioni può succedere che le rocce solide del mantello passino allo stato fluido (il **magma**) ed escano alla luce attraverso spaccature della crosta terrestre, formando così i **vulcani**. Il magma, spinto dalla pressione, fuoriesce sotto forma di **lava**, portando con sé ceneri, gas e lapilli. Anche le eruzioni vulcaniche, quindi, dipendono dalla struttura interna della Terra. All'esterno della crosta, la lava fuoriuscita si solidifica lentamente, contribuendo a formare la caratteristica forma conica dei vulcani.

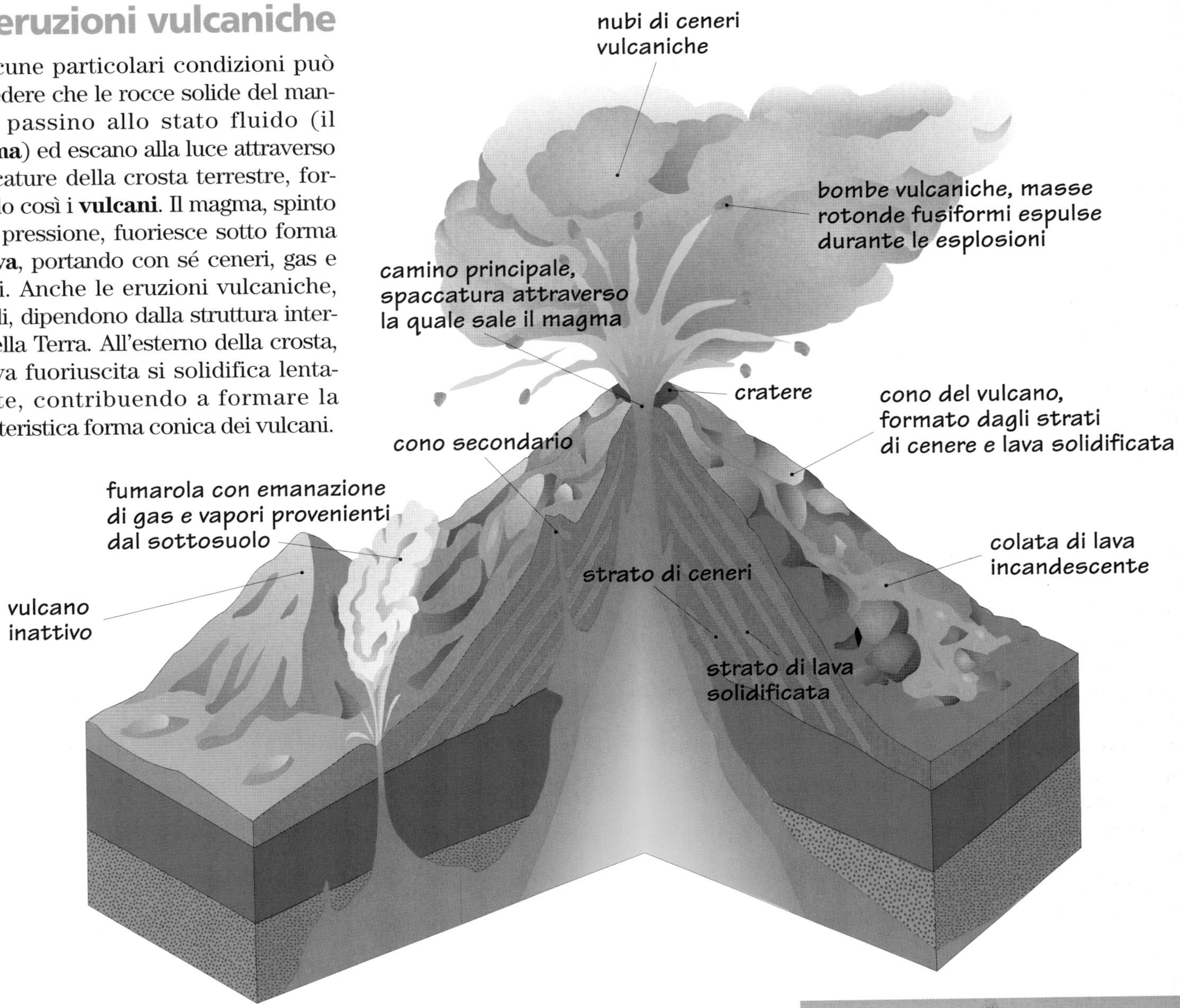

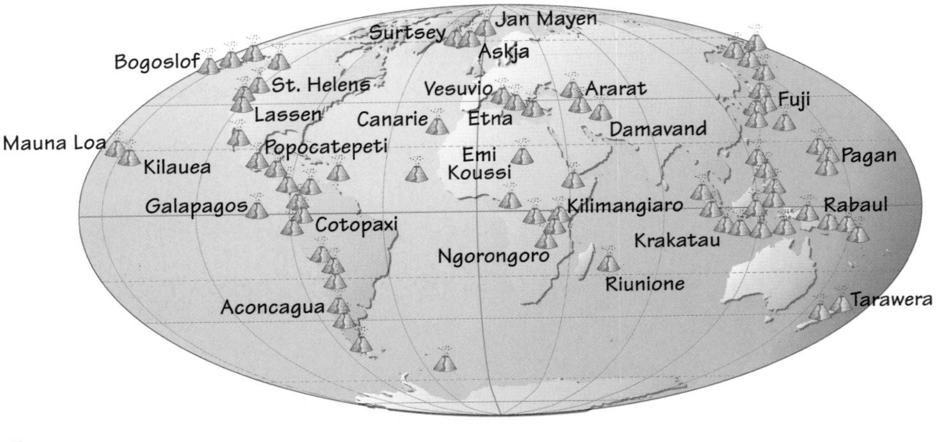

La mappa dei vulcani

I vulcani si concentrano in gran numero nelle zone di frizione della superficie terrestre, in particolare lungo le coste dei continenti e là dove vi sono profonde spaccature nelle zolle continentali. Non tutti i vulcani sono attivi: esistono anche quelli in stato di quiescenza (cioè "addormentati") e quelli ormai spenti, che a volte possiamo scambiare per semplici montagne (come, in Toscana, il monte Amiata).

La Terra e la Luna

I moti della Terra

Perché in un giorno si alternano ore di luce (dì) e ore di buio (notte)? Perché durante l'anno si alternano quattro stagioni? La risposta a queste due domande risiede nei movimenti del globo terrestre.

La Terra compie il **moto di rotazione** in 24 ore, girando su se stessa, da Ovest verso Est. Il dì e la notte sono il risultato di questo movimento: essendo la Terra di forma sferica, i raggi solari sono in grado di illuminarne solo metà per volta, mentre l'altra, ancora nel buio, dovrà aspettare che la Terra finisca il giro su se stessa.

L'altro movimento che la Terra compie è il **moto di rivoluzione** intorno al Sole. Durante questo giro, che dura circa 365 giorni, l'asse della Terra rimane sempre nella stessa inclinazione. Per questo la superficie terrestre viene colpita dai raggi solari in modo differente per intensità e inclinazione. A giugno, per esempio, l'emisfero Nord viene raggiunto in modo più diretto e più a lungo, e questo determina in tali zone la stagione estiva; contemporaneamente, nel Sud del pianeta i raggi arrivano assai più inclinati ed… ecco la stagione invernale! La Terra, muovendosi lungo l'asse di rivoluzione attorno al Sole, determina così l'alternarsi delle varie stagioni: a dicembre, le parti si saranno invertite e l'emisfero Nord sarà in pieno inverno, mentre quello Sud si troverà in piena estate.

Le stagioni

Durante il moto di rivoluzione attorno al Sole, la Terra si trova in particolari posizioni astronomiche, che segnano il passaggio fra le varie stagioni. Il 21 giugno è il **solstizio d'estate**, inizio della stagione estiva e, nel nostro emisfero, il dì più lungo dell'anno. Il 23 settembre è l'**equinozio d'autunno**, e il dì e la notte hanno la stessa durata. Il 21 dicembre è il **solstizio d'inverno**, il dì più corto dell'anno. Infine il 21 marzo, con l'**equinozio di primavera**, il dì e la notte hanno la stessa durata.

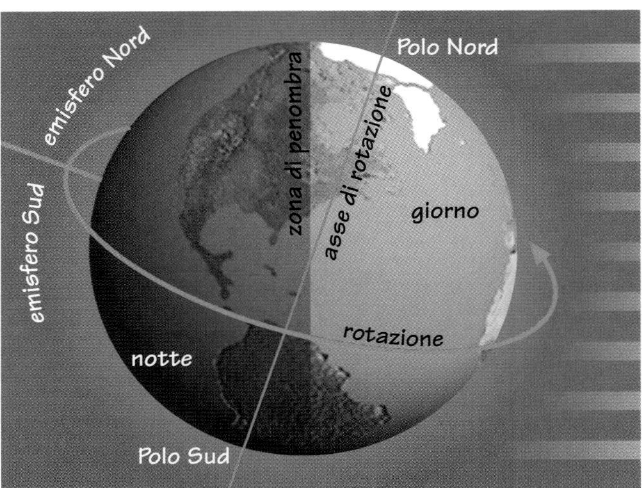

IL MOTO DI ROTAZIONE: IL DÌ E LA NOTTE

La sfera terrestre, girando su se stessa, offre ai raggi solari le diverse parti della sua superficie, causando in questo modo l'alternarsi del dì e della notte. Se infatti la Terra non girasse su se stessa, metà del pianeta sarebbe sempre illuminata dal Sole (e quindi caldissima) e l'altra metà sempre al buio (e quindi completamente ghiacciata).

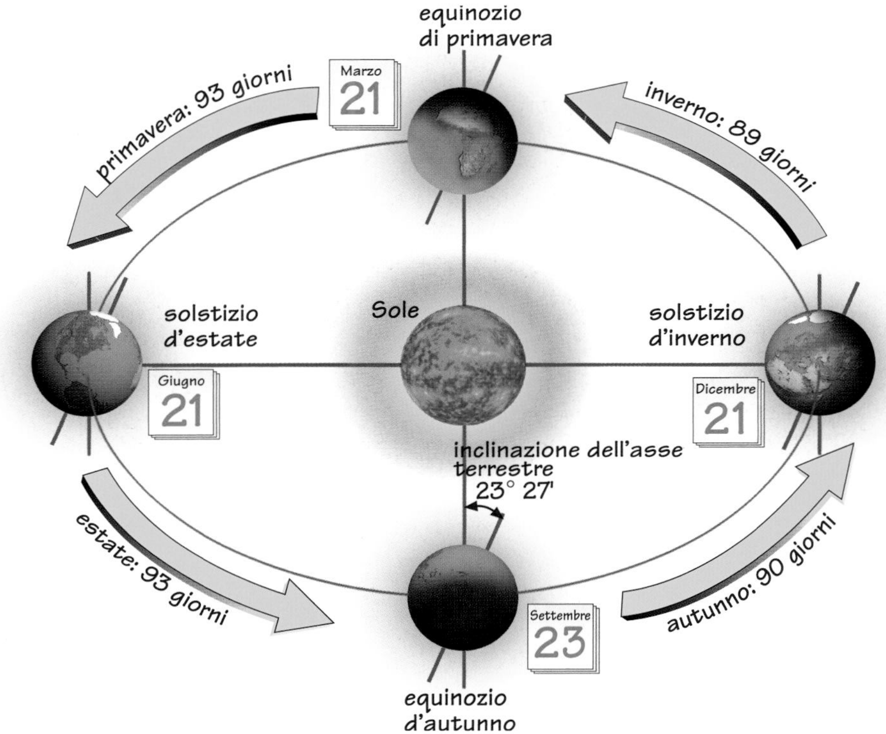

IL MOTO DI RIVOLUZIONE: L'ALTERNARSI DELLE STAGIONI

La Terra, oltre a girare ogni giorno su se stessa, compie in un anno una rotazione completa attorno al Sole. Le stagioni derivano dalla diversa posizione della Terra rispetto al Sole e dalla sua inclinazione. Tale inclinazione determina la diversa durata del dì e della notte e l'intensità con cui i raggi solari colpiscono il nostro pianeta. Durante l'estate, per esempio, nel nostro emisfero le giornate sono più lunghe e il Sole è più alto sull'orizzonte; durante l'inverno accade l'esatto contrario.

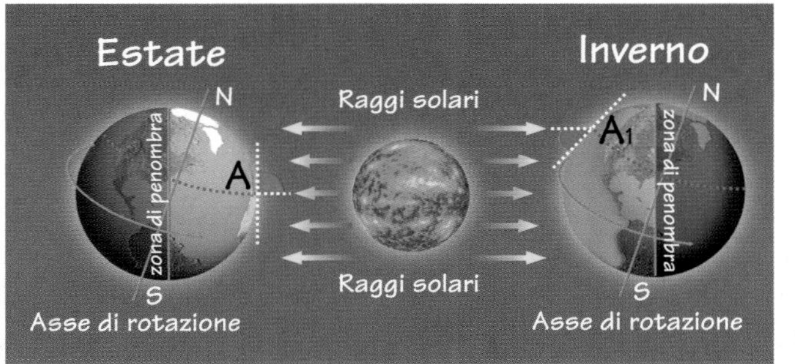

I raggi del Sole colpiscono le stesse zone della superficie del nostro pianeta (A e A_1) con diversa inclinazione durante l'estate e l'inverno: ecco perché nel nostro emisfero è così caldo in estate e freddo in inverno! Nell'altro emisfero accade esattamente il contrario.

La Luna

Nello spazio, attorno ai pianeti, ruotano dei corpi celesti che non emettono luce e calore propri: i **satelliti**. Anche la Terra ha un satellite, che la accompagna nel suo movimento attorno al Sole: la **Luna**. La Luna dista dalla Terra 384 000 chilometri e ha un raggio di 1738 chilometri, circa un quarto di quello terrestre.

Il 21 luglio 1969 l'uomo è sbarcato sulla Luna; da allora è stato possibile studiare gli esemplari di polveri e rocce lunari raccolti in varie spedizioni. L'età delle rocce, tutte di origine vulcanica, varia tra i 4,3 e i 3,1 miliardi di anni. Ritrovamenti di età così antica indicano che il suolo lunare non è cambiato da quando (circa 3 miliardi di anni fa) cessarono le ultime eruzioni. Sulla Luna non esistono forme di vita né atmosfera; è invece possibile che nel sottosuolo vi sia dell'acqua ghiacciata. Vista dalla Terra, la Luna, illuminata dal Sole, mostra i suoi **crateri** e le famose macchie scure, dette **oceani**.

Le fasi lunari

La Luna percorre una sua orbita di **rivoluzione** intorno alla Terra e di **rotazione** su se stessa. La durata dei due movimenti è la medesima (circa 29 giorni e mezzo): per questo motivo dalla Terra si osserva sempre la stessa faccia della Luna. Nel compiere il suo movimento, però, il satellite riflette in maniera differente la luce del Sole, modificando apparentemente la sua forma. La Luna si presenta al nostro sguardo, infatti, secondo quattro fasi: Luna **nuova** o novilunio; Luna **crescente**; Luna **piena** o plenilunio; Luna **calante**.

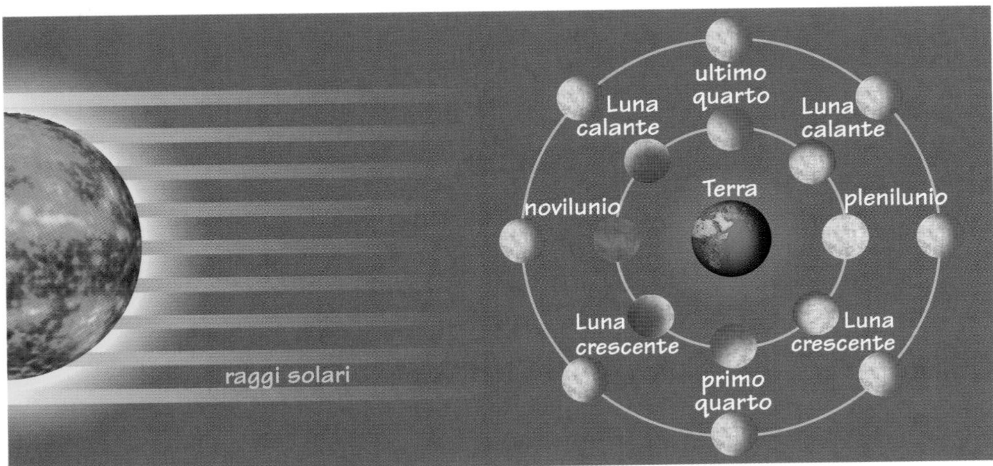

Le eclissi

L'**eclissi solare** consiste in un oscuramento temporaneo del Sole, che viene nascosto dalla Luna. Quando ciò accade, si può vedere attorno al satellite la **corona**, un'"aureola" bianca e luminosa.

Esistono anche le **eclissi lunari** in cui è la Luna a essere nascosta, completamente o solo in parte. A oscurarla è il cono d'ombra della Terra che si pone tra il Sole e la Luna.

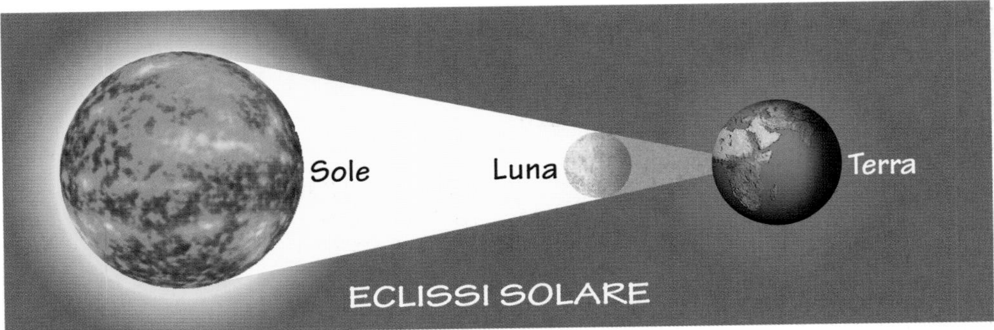

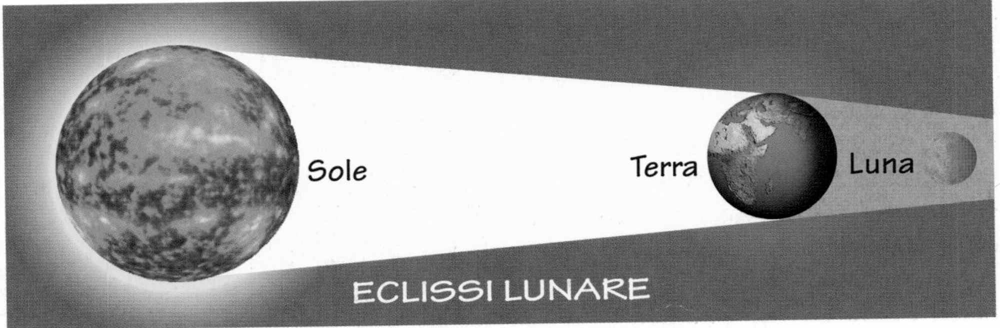

L'uomo sulla Terra

La distribuzione della popolazione

Attualmente sulla Terra vivono oltre 6 miliardi di persone, distribuite in modo non omogeneo: infatti circa il 90% della popolazione abita nell'emisfero settentrionale del pianeta, mentre solo il 10% vive in quello meridionale. Le aree dove la concentrazione demografica è maggiore sono l'Europa centro-occidentale e alcune zone del continente asiatico (India e Cina).

Oggi, grazie ai progressi della medicina, la vita media dell'uomo si è allungata e la popolazione mondiale è vertiginosamente aumentata. Questa crescita è in atto soprattutto nei Paesi più poveri e meno sviluppati, dove non avviene una pianificazione delle nascite, con conseguenti problemi di sovrappopolazione, di scarsità di cibo e di emigrazione verso zone che offrono una miglior qualità della vita. Nei Paesi industrializzati, invece, la popolazione cresce lentamente o addirittura diminuisce.

Tanti popoli, tante culture

Fino a qualche anno fa si classificava la popolazione mondiale tenendo conto delle diverse caratteristiche fisiche: l'umanità era così divisa in **razze** in base al colore della pelle, ai tratti del viso, alla conformazione del cranio. Oggi gli studiosi preferiscono distinguere le popolazioni del mondo in base alla **cultura**. Questo sia perché le migrazioni hanno "mescolato" le razze, tanto da renderle poco riconoscibili, sia perché si ritiene che sia più giusto classificare un popolo in base alle scelte che ha sviluppato nel corso della sua storia. Così lingua, religione, organizzazione politica sono gli aspetti di cui si deve tener conto. Non esiste una cultura migliore di un'altra: ciascuna è parte integrante della storia di un popolo e in quanto tale va conosciuta e rispettata.

LE PRINCIPALI RELIGIONI NEL MONDO

I popoli della Terra professano religioni diverse: ciascuno ha proprie forme di culto che si basano nell'atto di fede verso una divinità (religioni monoteiste) o verso più divinità (religioni politeiste). Ci sono poi quelle forme religiose che credono nella presenza della divinità diffusa in tutte le cose del mondo (religioni animiste). Nella cartina sono indicate le principali religioni e le loro aree di diffusione, che riflettono le situazioni culturali o ambientali che hanno favorito il diffondersi e lo svilupparsi delle diverse forme di fede.

Un mondo diviso in due

Ricchezza e povertà: un mondo disuguale

Le differenze delle condizioni di vita tra i popoli e gli individui del nostro pianeta sono enormi.
Una prima grande differenza riguarda lo squilibrio della ricchezza tra il **Nord** e il **Sud** del mondo. Il **Nord**, che comprende, oltre all'Europa, al Nordamerica e al Giappone, anche l'Australia e la Nuova Zelanda, ospita circa il 20% degli abitanti della Terra e questi dispongono dell'84% della ricchezza mondiale. Nel **Sud** (i Paesi in via di sviluppo, chiamati anche **Terzo mondo**) vive il restante 80% della popolazione mondiale, che ha solo il 16% della ricchezza totale.
Alcuni dati fanno riflettere: la ricchezza delle tre famiglie più ricche degli Usa equivale a quella prodotta in un anno da 48 Stati africani con 600 milioni di abitanti. Questo enorme squilibrio è poi aggravato dalla grande disuguaglianza nel reddito tra le persone, soprattutto nel Sud del mondo: in Paesi come il Brasile, il Guatemala o il Sud Africa il 20% più ricco della popolazione si appropria del 64% del reddito totale, mentre al 20% più povero non va che il 2,5% di tale reddito. È un panorama drammatico: un quarto della popolazione mondiale vive in una situazione di assoluta povertà. Eppure basterebbe l'1% del reddito globale per garantire a tutti le condizioni minime di sopravvivenza.

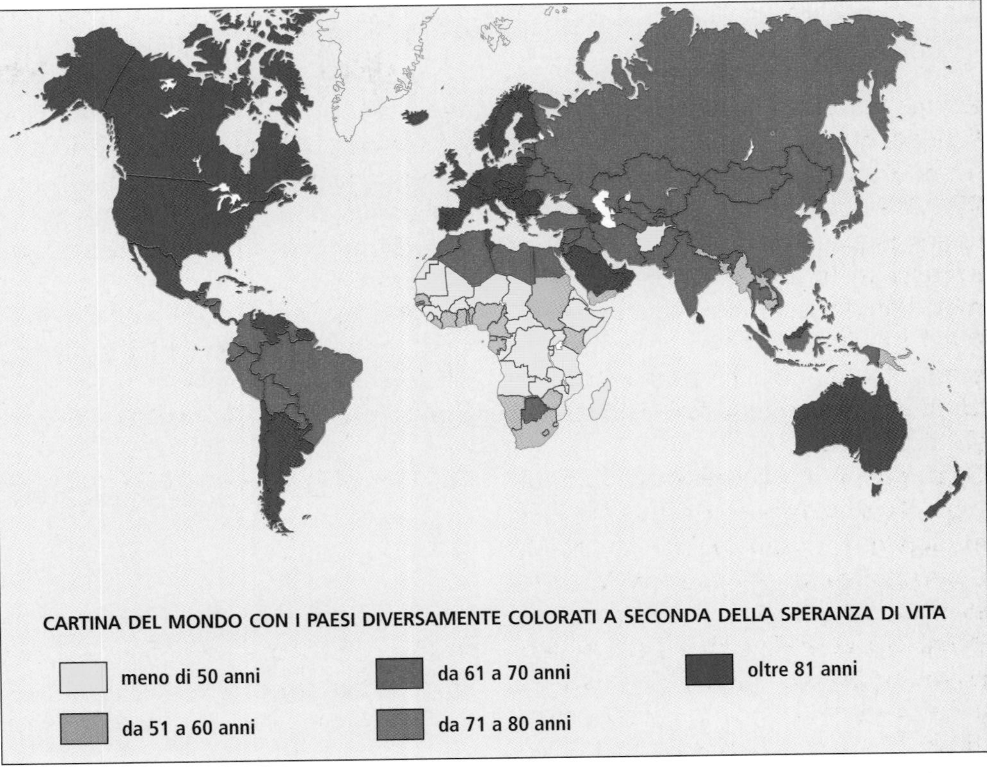

Fame, malattie, analfabetismo

La **povertà**, specialmente nei Paesi in via di sviluppo, significa anzitutto fame. Secondo i dati ONU oggi nel mondo oltre 800 milioni di persone soffrono per fame e malnutrizione e circa 24 000 muoiono ogni giorno a causa di ciò: tre quarti di queste sono bambini al di sotto dei cinque anni. La **malnutrizione** cronica causa inoltre una minore resistenza alle **malattie**: nei Paesi del Terzo mondo molti bambini muoiono per malattie come morbillo e dissenteria, che da noi vengono curate senza problemi.
In questi ultimi anni l'AIDS, che nel mondo ricco sta diminuendo, è diventata la principale causa di morte nei Paesi dell'Africa a sud del Sahara, ancora una volta per la povertà e per la mancanza di cure adeguate, dato che le medicine più efficaci risultano troppo care per le popolazioni di questi Paesi.
Povertà vuol dire anche impossibilità di ricevere un'istruzione: sono quasi un miliardo gli adulti **analfabeti** nel mondo e decine di milioni i bambini e le bambine che non possono frequentare una scuola e quindi sperare in un futuro migliore.

Le fonti di energia

Le risorse energetiche

Nel corso della storia l'uomo ha imparato a sfruttare le diverse fonti energetiche che la natura gli ha messo a disposizione. Dapprima ha utilizzato l'energia degli animali, poi quella dell'acqua e del vento; in seguito ha imparato a produrre energia attraverso la combustione del legno, del carbone, del petrolio, dei gas naturali. Dal momento che il nostro pianeta è popolato in maniera non omogenea, diverso è anche il fabbisogno energetico. I Paesi più sviluppati, che hanno un'economia avanzata basata sullo sviluppo industriale, sono quelli che hanno maggiori consumi di energia.

Il **carbone** deriva dalla decomposizione degli alberi, che una volta morti sono stati ricoperti dal terreno, subendo così nel corso dei millenni profonde trasformazioni chimiche.

Il **petrolio** è oggi la principale fonte di energia. È una sostanza liquida che deriva dalla decomposizione di microrganismi marini, animali e vegetali. Il petrolio si trova nel sottosuolo, e dopo essere stato estratto viene portato nelle raffinerie, dove viene lavorato. Dal petrolio si ottengono numerosi prodotti: la benzina, il gasolio, il cherosene, gli olii lubrificanti e varie sostanze che servono per la produzione delle plastiche.

IL SOLE: UNA FONTE INESAURIBILE DI ENERGIA!

Quasi tutte le fonti energetiche del pianeta dipendono direttamente o indirettamente dal Sole: è grazie infatti all'energia che ci giunge sotto forma di raggi dalla nostra stella che si sono potuti formare il petrolio e il carbone, che si generano venti e correnti, e che, in definitiva, è possibile la vita stessa sul nostro pianeta. Nelle foto, da sinistra: piattaforma oceanica per l'estrazione del petrolio e generatori di energia solare ed eolica.

Le nuove fonti di energia

Le risorse energetiche del nostro pianeta non sono inesauribili. Infatti, continuando a sfruttare in maniera indiscriminata giacimenti che hanno impiegato miliardi di anni per formarsi, si rischia di esaurire la nostra "scorta di energia". Inoltre spesso l'uso delle fonti energetiche più diffuse causa gravi problemi ambientali. Per questi motivi è oggi così attuale la ricerca di fonti di energia più pulita e rinnovabile.

L'attenzione si è indirizzata da un lato verso l'**energia nucleare**, che ha grandissime potenzialità ma che presenta gravi rischi ambientali; dall'altro all'utilizzo sempre più massiccio del **metano**, un gas che si trova in abbondanza in natura, e che è meno inquinante. Già da tempo è allo studio la possibilità di sfruttare forme di energia assolutamente pulite, come l'**energia solare** e l'**energia eolica** (del vento), ma gli impianti che servono per utilizzare questi tipi di energia sono ancora troppo costosi e dipendenti dalle condizioni atmosferiche.

LA ROTTURA DELL'EQUILIBRIO: LA TERRA IN PERICOLO

L'inquinamento dell'aria e dell'acqua, la produzione di enormi quantità di rifiuti, la distruzione delle foreste, l'utilizzo di materiali nocivi sono diventati una minaccia per l'uomo, che rischia di rendere inabitabile la Terra e di alterare in modo irreversibile l'equilibrio ambientale. Nelle foto, una discarica di rifiuti e il disboscamento nella foresta amazzonica.

L'acqua

L'acqua potabile: una risorsa scarsa

La Terra è chiamata anche il **Pianeta azzurro**, perché oltre due terzi della sua superficie sono coperti da oceani e mari. L'acqua salata in essi contenuta rappresenta il 97% di tutta l'acqua del pianeta e solo il 3% è dunque costituito da acqua dolce.
Com'è distribuita l'acqua dolce? L'1,72% è intrappolato nelle calotte polari, nei ghiacciai e nelle nevi eterne. L'1,18% si trova nel sottosuolo. L'**acqua dolce superficiale** (quella che si accumula nei laghi e scorre nei fiumi) è solo lo 0,01% di tutta l'acqua presente sulla Terra. Ma è proprio da questa ridottissima parte che l'uomo attinge principalmente per le sue attività e i suoi bisogni. Oggi circa il 70% dell'acqua dolce viene impiegata in attività agricole, circa il 20% viene impiegata dalle industrie e solo il 10% è destinato ai consumi delle persone.
Purtroppo di questa risorsa così scarsa e preziosa si continua a fare un grande spreco, per cui negli ultimi 50 anni la quantità di acqua dolce disponibile per ogni essere umano si è dimezzata. Secondo i dati dell'ONU oltre un miliardo di persone nel mondo non hanno accesso all'acqua potabile e altri 2 miliardi non ne possono usufruire in quantità sufficiente. Una delle conseguenze è che 2 milioni di bambini e neonati muoiono ogni anno nei Paesi poveri a causa di malattie (dissenteria, tifo, colera ecc.), provocate soprattutto dalla carenza di acqua potabile e di impianti sanitari adeguati. Sono dati drammatici e purtroppo la situazione in futuro è destinata a peggiorare se non si troverà un rimedio.

Risparmiare l'acqua, distribuirla meglio

Una prima esigenza è quella di eliminare e ridurre gli sprechi: in agricoltura si possono per esempio usare sistemi di irrigazione più efficienti, come i canali coperti e l'irrigazione a goccciolamento, che diminuiscono la perdita d'acqua dovuta all'evaporazione. È poi necessario curare una migliore manutenzione degli acquedotti, riducendo le perdite che costituiscono uno spreco intollerabile: si pensi che nel Sud Italia, dove l'acqua è più scarsa, queste perdite arrivano fino al 50% di tutta l'acqua distribuita! Non meno importante sarà nel prossimo futuro la lotta per ridurre l'inquinamento delle acque causato dalle attività industriali e soprattutto da quelle agricole, che utilizzano una crescente quantità di pesticidi e fertilizzanti chimici.
Tutte queste iniziative, assolutamente necessarie, potranno però rivelarsi insufficienti in molti Paesi, nei quali la popolazione è in continuo aumento, e dunque si dovranno trovare nuove strade per aumentare la disponibilità di acqua dolce. Una di queste potrà forse essere la **desalinizzazione** delle acque marine, cioè la trasformazione dell'acqua del mare in acqua dolce. Questo procedimento però oggi consuma molta energia e risulta perciò troppo caro, soprattutto per i Paesi poveri.

Cosa puoi fare tu

Anche tu e la tua famiglia potete dare un contributo al risparmio dell'acqua.

- Fai la doccia al posto del bagno, consumerai il 75% d'acqua in meno. Sotto la doccia ci si lava, non si gioca...
- Quando ti lavi i denti tieni aperto il rubinetto solo il tempo necessario (a che serve tenerlo aperto mentre spazzoli i denti?).
- Applica il rompigetto ai rubinetti di casa (con questo congegno una famiglia di tre persone può risparmiare fino a 6000 litri di acqua all'anno).
- Attenti al rubinetto che gocciola o al water che perde: se non li si ripara, si sprecano decine di litri d'acqua al giorno.
- Per lavare le stoviglie non è indispensabile usare acqua corrente (se si raccoglie l'acqua necessaria nel lavello si risparmiano migliaia di litri all'anno).
- Usa sempre la lavatrice e la lavastoviglie a pieno carico.
- Se scopri delle perdite d'acqua lungo le strade, avvisa subito l'autorità competente.

I mari e il ciclo dell'acqua

Terre emerse e superfici marine

La superficie del nostro pianeta è formata da grandi distese di acqua e da terre emerse. Le prime sono gli oceani e i mari, le seconde sono i continenti e le isole.

L'acqua occupa il 70% della crosta terrestre, lasciando alla terra solo il 30%. In effetti, se si guardano le foto scattate dai satelliti, la sfera terrestre apparirà prevalentemente di colore blu. La parte del pianeta che è ricoperta principalmente da terre emerse viene detta **emisfero continentale**, la parte invece in cui predominano gli oceani e i mari viene detta **emisfero oceanico**. I continenti sono sei: l'**Africa**, l'**Asia**, l'**Europa**, l'**America**, che comprende l'America del Nord e quella del Sud, l'**Oceania** e l'**Antartide**. Quest'ultimo continente, che è più grande dell'Europa e che resta ghiacciato tutto l'anno, non è abitato.

Le distese marine sono sempre in movimento a causa delle correnti e delle maree; le più estese sono l'**Oceano Atlantico**, l'**Oceano Indiano** e l'**Oceano Pacifico**.

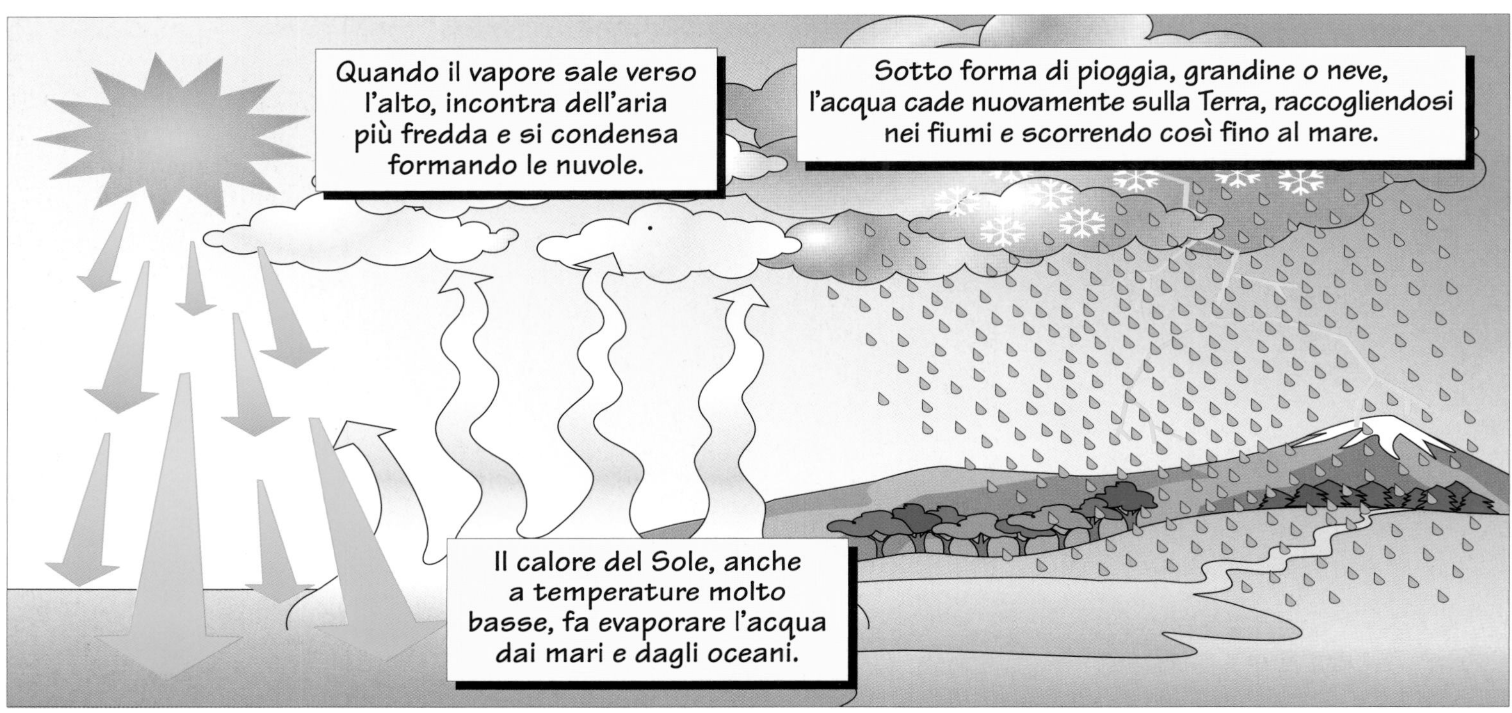

Il ciclo dell'acqua

L'acqua è presente sul nostro pianeta in forma liquida, solida e gassosa. Il calore del Sole trasforma l'acqua presente sulla terra in **vapore**, che tende a salire verso l'alto nell'atmosfera. Qui il vapore acqueo si raffredda e si condensa, tornando allo stato liquido sotto forma di piccole goccioline. Se l'aria è molto fredda, queste si trasformano in tanti cristalli di ghiaccio.

Le gocce o i cristalli si uniscono formando le **nuvole**. Il vapore acqueo continua a condensarsi e le gocce divengono via via più grandi e più pesanti, fino a essere costrette a... cadere sotto forma di pioggia, di neve o di grandine.

Le falde acquifere

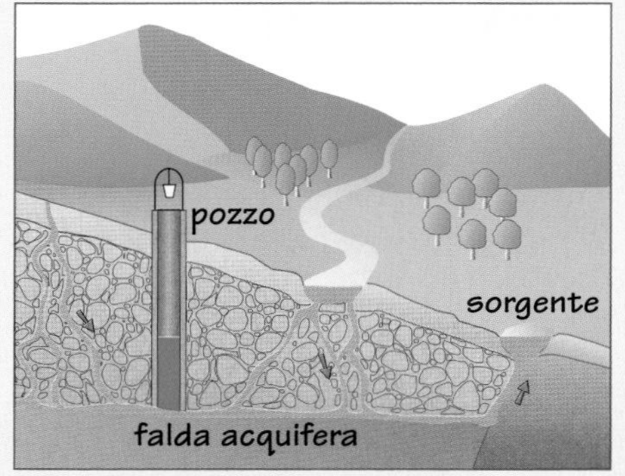

L'acqua non è presente solo sulla superficie terrestre, ma riesce a penetrare anche nel sottosuolo, soprattutto dove le rocce sono ricche di fratture e hanno una struttura porosa che le rende permeabili. Sotto terra quindi si trovano accumuli di acqua, detti **falde acquifere**. Quando trova una via di uscita, l'acqua sgorga in superficie, dando origine alle **sorgenti**.

In altri casi è l'uomo che estrae l'acqua di cui ha bisogno con l'utilizzo di strumenti adatti, come le pompe e i pozzi. Il pozzo è un foro verticale nel terreno, che giunge ad attingere acqua da una falda acquifera. Anche le piante cercano l'acqua nelle profondità del terreno con le loro radici, che sono particolarmente lunghe nei terreni aridi e inospitali.

I mari

Le ampie distese marine costituiscono un mondo sommerso davvero affascinante. Come accade per le terre emerse, il paesaggio marino presenta al suo interno situazioni assai differenti: per fare un esempio, ci sono mari con fondali sabbiosi e altri con vere e proprie catene montuose sommerse. La maggior parte degli organismi viventi nel mare si trova nei primi 100 metri di profondità, ossia fin dove può arrivare la luce del Sole. All'origine dell'equilibrio della vita marina ci sono le piante e, più precisamente, il **fitoplancton**, organismi vegetali piccolissimi che compiono la fotosintesi clorofilliana, con cui producono ossigeno. Queste utilissime "piantine" sono alla base della catena alimentare del mare.

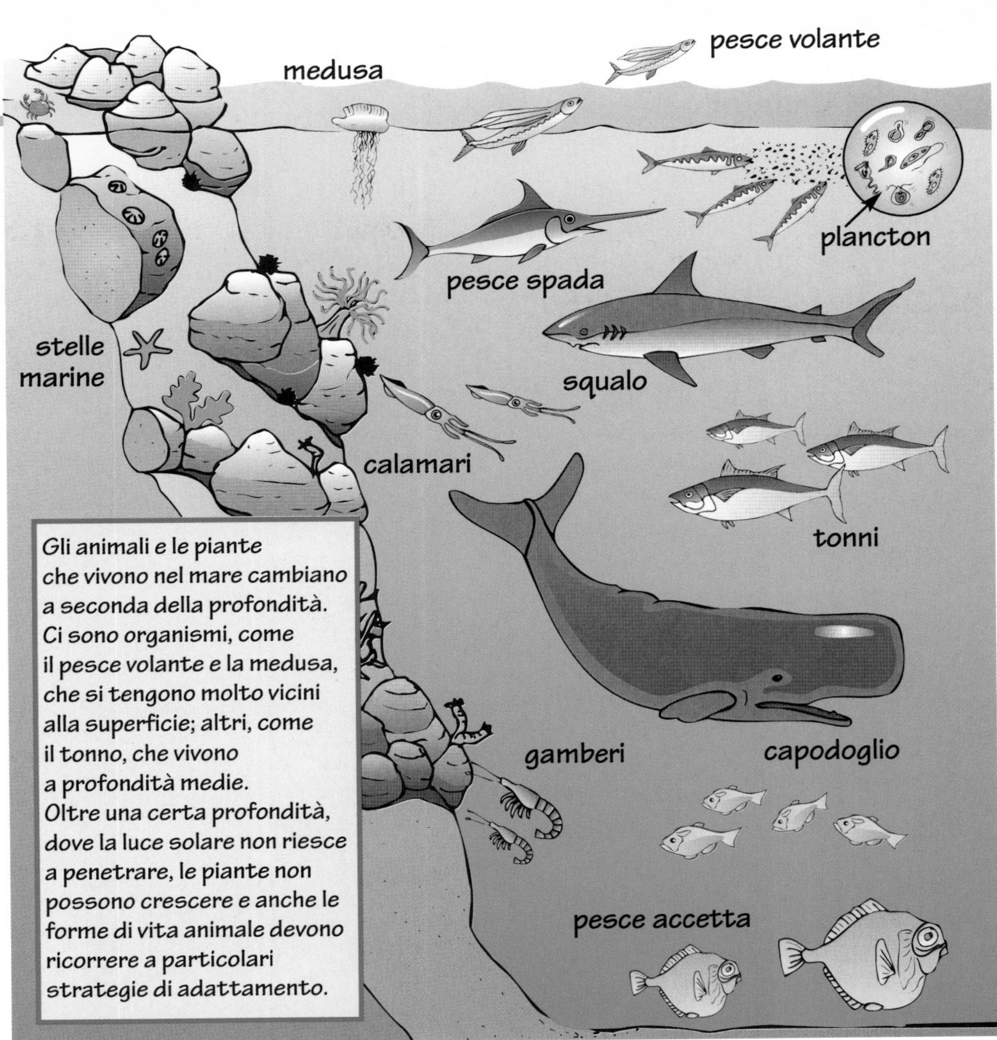

Le onde

Il mare si muove continuamente, ma non sempre i suoi movimenti sono visibili. Sotto la sua superficie è percorso dalle **correnti marine**, che muovono ampi flussi d'acqua anche a grande profondità. Più visibili sono le **onde**, che il vento produce sulla superficie del mare. L'onda è una porzione d'acqua a cui il vento trasmette la propria energia, muovendola così in una specie di altalena dall'alto verso il basso. In prossimità delle coste, le onde urtano contro la riva, traendo da questo movimento una spinta di ritorno, che si scontra con l'onda successiva in arrivo: è questo il fenomeno della **risacca**.

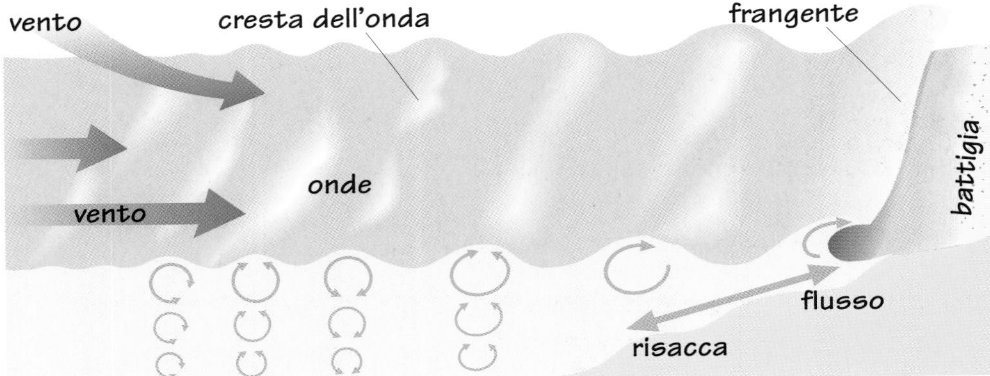

• La Grande Barriera Corallina (nella foto) è uno degli spettacoli più affascinanti al mondo. Si estende lungo la costa nord-orientale dell'Australia: è larga circa 170 metri e lunga 2100 chilometri. La Barriera è costituita dagli scheletri di piccolissimi organismi marini, coralli e madrepore, che vivono in estese colonie. Formatasi in un periodo lunghissimo di tempo, è abitata da una ricca fauna.

• Mediamente la profondità del mare è di 3700 metri; vi sono zone anche più profonde, ma neppure nella parte più oscura degli abissi mancano forme di vita. Un esempio delle strategie di adattamento può essere dato dalla rana pescatrice, capace di emettere una sorta di luce per attirare i pesci di cui si nutre.

Le terre emerse

La montagna

La montagna è un rilievo della superficie terrestre che raggiunge altitudini elevate. È composta da una massa rocciosa e da terra. Le montagne possono essere isolate, ma più spesso si presentano in successione, formando le **catene montuose**, o in gruppi, che costituiscono i **massicci montuosi**.
Ad alta quota si trovano le **nevi perenni** e i **ghiacciai**, masse enormi di ghiaccio, solitamente a forma di ferro di cavallo rivolto verso il fondovalle. I ghiacciai sono in perenne movimento e nel corso del tempo, a seconda della situazione climatica, avanzano o si ritirano. In questo movimento il ghiacciaio provoca, con l'erosione delle rocce, la formazione delle valli (dalla tipica forma a U) e le **morene**, depositi di sassi e detriti trasportati dai ghiacci.
L'uomo si stabilisce difficilmente a quote molto alte, perché il freddo è intenso e le coltivazioni impossibili. Per questo è il fondovalle a essere maggiormente popolato e – come del resto accade anche per la flora e per la fauna – man mano che si sale si diradano i luoghi abitati e le vie di comunicazione. Restano presenti fino all'altezza delle nevi perenni solo alcune specie vegetali che si sono adattate ai climi freddi, come gli abeti e i larici; salendo ancora, si possono trovare solo alcuni fiori, come i crocus e le stelle alpine, insieme ai muschi e ai licheni. Gli animali caratteristici dell'habitat montano sono gli stambecchi, le marmotte, i camosci e le aquile.

In montagna la vegetazione cambia col variare dell'altitudine.

Ogni fiume ha il suo carattere: stretto, largo, impetuoso, lento...

Il fiume

Il fiume può nascere da una sorgente o direttamente da un ghiacciaio. È un corso d'acqua che scorre all'interno di un solco scavato nel terreno da sassi e detriti trasportati dall'acqua, detto **letto**, limitato ai lati da due **argini**. Quando il fiume nasce è un piccolo ruscello che diviene poi torrente con un flusso impetuoso e irregolare, spesso interrotto da cascatelle dovute alla pendenza del suolo. Un fiume può gettarsi in un altro: si dice allora che ne è **affluente**. Al termine del suo corso arriva nel mare: il punto di "uscita" si chiama foce, che può essere a forma di imbuto, e prende il nome di **foce a estuario**; oppure può aprirsi in diversi rami, prendendo il nome di **delta**. Pioppi, salici e canneti sono caratteristici della flora dell'ambiente fluviale; la fauna tipica comprende la lontra, il castoro, l'airone, e varie specie di pesci, come il luccio e la trota.

Il Nilo

Il fiume più lungo del mondo è il Nilo, che scorre in Africa per ben 6670 km. Lungo il suo percorso incontra il lago Vittoria, dal quale, come emissario, fuoriesce verso l'Etiopia con il nome di Nilo Bianco. A Khartoum, in Sudan, il Nilo Bianco riceve le acque del Nilo Blu, nato sulle montagne dell'Etiopia e immissario del lago Tana, poi forma il grande bacino artificiale del lago Nasser. Il Nilo Blu trasporta più acqua del Nilo Bianco, ma quest'ultimo ha un percorso più lungo. Questo fiume ha la sua foce a delta in Egitto, nel Mare Mediterraneo.

Il Po è il fiume italiano più lungo (652 km). Nasce dal Monviso, in Piemonte, e dopo aver attraversato tutta la Pianura Padana (che da lui prende il nome) sfocia nel Mar Adriatico aprendosi in un ampio delta.

Un lago vulcanico, o craterico, si forma quando l'acqua riempie il cratere di un vulcano ormai spento. Nella foto, il lago di Nemi nei Colli Albani.

Il lago

Il lago è una distesa di acque permanenti all'interno di una cavità naturale della superficie terrestre. Spesso l'acqua arriva ai laghi tramite uno o più fiumi che vi si gettano, detti **immissari**; gli **emissari** sono invece i corsi d'acqua che nascono dai laghi. I diversi tipi di laghi si distinguono principalmente a seconda delle loro origini. Oltre che da immissari, la formazione di un lago può derivare anche da forti piogge che non trovano sbocco, da ghiacciai e da sorgenti. Tra le piante dell'ambiente lacustre si trovano i tigli, le querce, i bambù; tra gli animali, le rane, i germani reali, i tarabusi, le bisce d'acqua e varie specie di pesci, come il persico, il cavedano e la carpa.

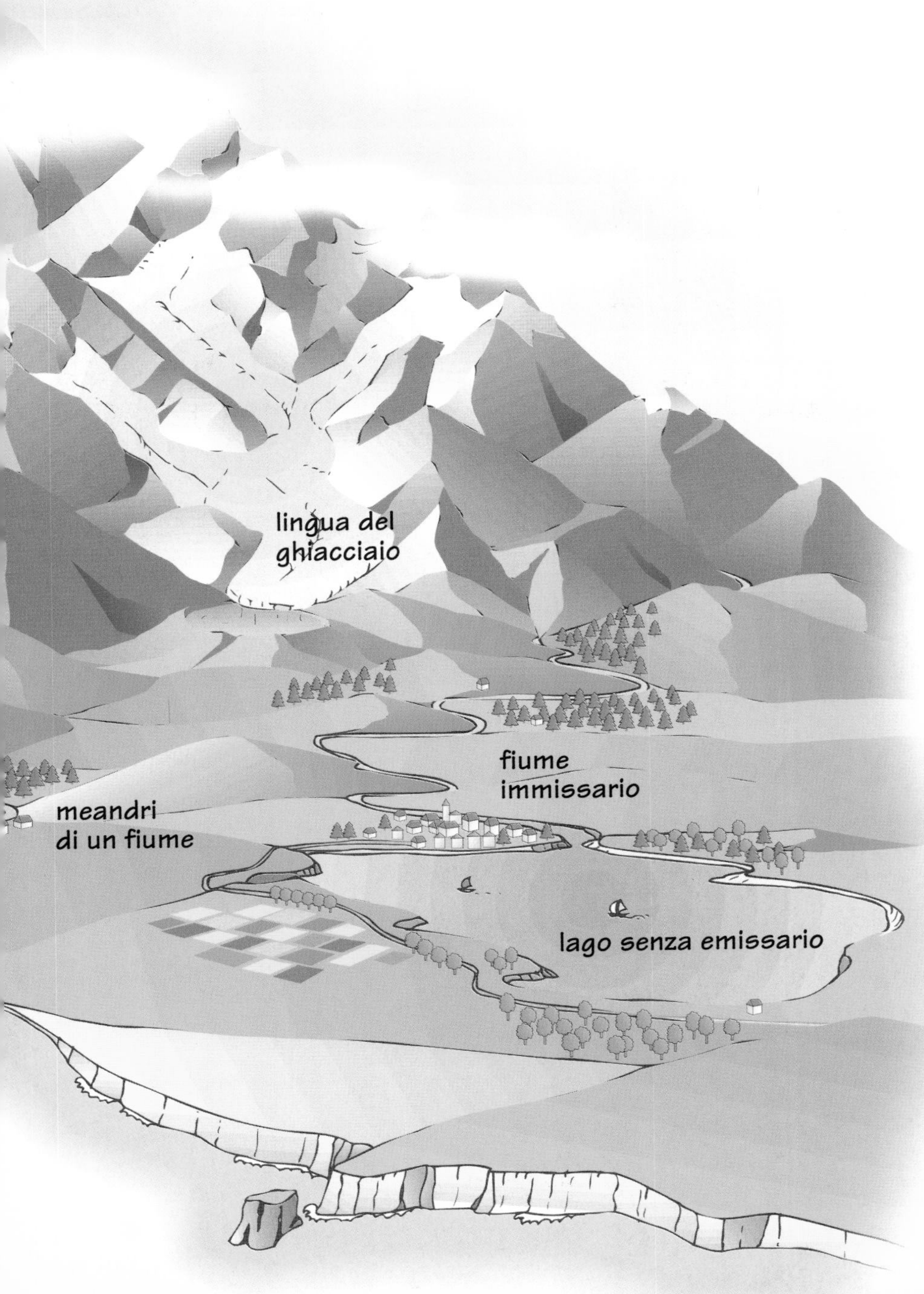

Che lago è

1) **Glaciale**, quando è scavato da masse di ghiaccio nel loro lento movimento; 2) **Tettonico**, quando occupa un sito risultante dallo sprofondamento della crosta terrestre; 3) **Vulcanico**, quando occupa il cratere di un vulcano spento; 4) **Morenico**, quando deriva da uno sbarramento morenico di una valle; 5) **Costiero**, quando una striscia di sabbia chiude un'insenatura, separando uno specchio d'acqua dal resto del mare; 6) **Artificiale**, quando l'uomo pone uno sbarramento per bloccare il flusso dell'acqua.

La vita nelle foreste

Le foreste di conifere

Nei Paesi a clima rigido, con abbondanti nevicate d'inverno ed estati umide e fresche, crescono alberi sempreverdi con frutti a forma di cono e foglie ad ago; a questo tipo di piante, dette **conifere** o **aghifoglie**, appartengono pini, abeti e larici. Nel continente asiatico le foreste di conifere prendono il nome di **taiga**, che in russo significa "bosco grande". La taiga è abitata da popolazioni seminomadi, che vivono di caccia e di allevamento.

aquila

ermellino

castoro

Le foreste di latifoglie

La parola **latifoglia** deriva dal latino e significa "foglia larga": appartengono a questo gruppo alberi come il castagno, il faggio e la quercia. Le foreste di latifoglie sono presenti in zone a clima temperato e fresco. Queste foreste prendono anche il nome di **decidue**, che significa "dotate di foglie caduche", perché ogni autunno gli alberi si spogliano quasi completamente del loro fogliame. Anticamente le foreste di latifoglie coprivano gran parte dell'Europa: i ripetuti disboscamenti per dare terra all'agricoltura e creare insediamenti urbani hanno determinato un impoverimento della flora e della fauna.

1) Capriolo
2) Orso bruno
3) Merlo
4) Cervo nobile
5) Daino
6) Scoiattolo
7) Tasso europeo
8) Lepre
9) Cinghiale
10) Puzzola

gufo reale

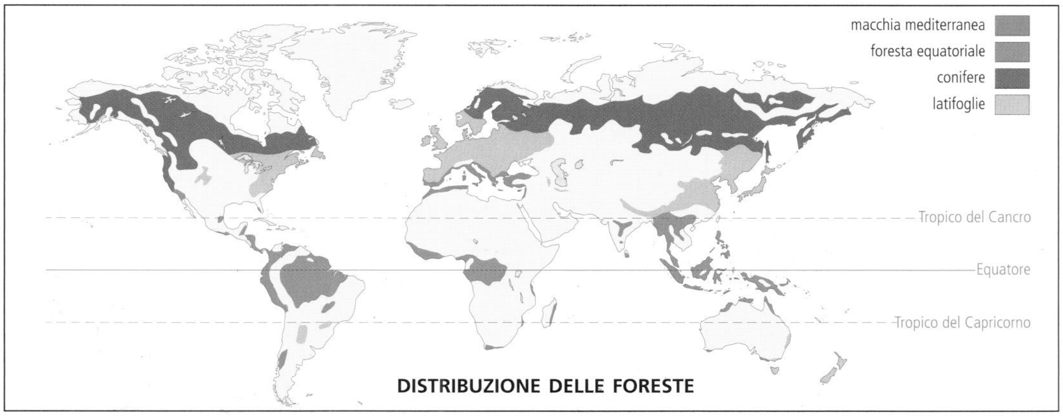

macchia mediterranea
foresta equatoriale
conifere
latifoglie
Tropico del Cancro
Equatore
Tropico del Capricorno

DISTRIBUZIONE DELLE FORESTE

La macchia mediterranea

La macchia mediterranea è un tipo di ambiente caratteristico delle zone in cui inverni miti si alternano a estati calde e secche. Questo **clima**, detto **marittimo**, è presente lungo le coste del mare Mediterraneo, in California, in Australia e in Africa del Sud. Il tipo di vegetazione è differente da continente a continente: nelle nostre regioni comprende varie specie di alberi sempreverdi (lecci, querce da sughero, olivi, eucalipti, pini marittimi) e di arbusti molto aromatici (ginestra, lavanda, rosmarino).

Le foreste equatoriali

Nei territori lungo l'Equatore la temperatura rimane sempre mediamente intorno ai 30 gradi, ed esiste un'unica stagione caldo-umida, con piogge abbondanti e frequenti. L'ambiente è caratterizzato dalla presenza di grandi foreste, chiamate **equatoriali** o **pluviali**. Il clima particolare di questi luoghi ha permesso alla natura di "sbizzarrirsi": infatti nelle foreste equatoriali si trovano moltissime varietà di piante, tanto rigogliose da creare dei veri e propri labirinti verdi. Tra gli alti alberi, le piante rampicanti dotate di liane e i folti cespugli, vivono molte specie di animali, tra le quali le scimmie, i pappagalli, i serpenti, e una grande varietà di insetti e rettili. Per l'uomo è difficoltoso adattarsi a tale ambiente, e ormai sono poche le popolazioni che vivono nelle foreste equatoriali, come i Pigmei in Africa, o gli Indios della foresta amazzonica.

1) Leopardo
2) Cefalofo
3) Serval
4) Okapi
5) Cercopiteco
6) Bucorvo
7) Pangolino
8) Babbuino
9) Potamocero
10) Gorilla
11) Pitone

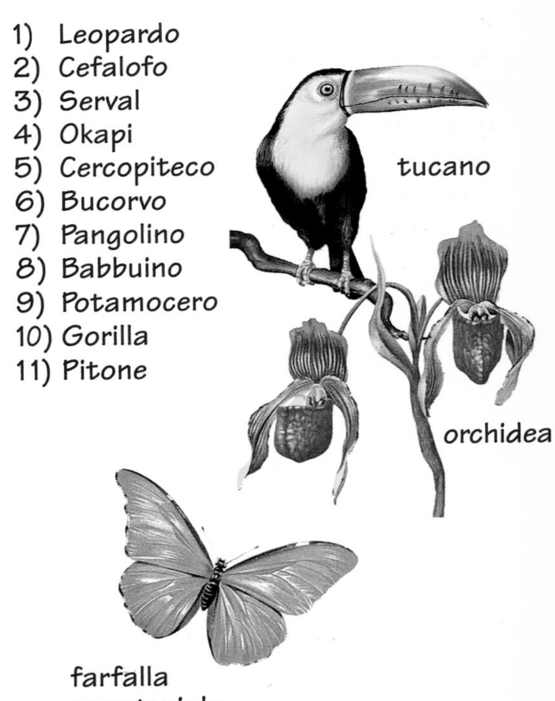

La vita nelle pianure

La prateria

Le **praterie** sono aree verdi e pianeggianti con pochi alberi e bassi arbusti, che si trovano principalmente nelle zone temperate dell'America e nel bassopiano australiano. Nelle praterie nordamericane, fino a un secolo fa, correvano numerose mandrie di bisonti, di cui oggi restano solo pochi esemplari. Oggi queste grandi distese sono in gran parte occupate da immense coltivazioni di mais e di grano o da allevamenti di bestiame.

Animali tipici delle praterie sono i bufali, i coyote, le volpi, i piccoli roditori e, in Australia, i canguri e i conigli.

canguro

1) Bisonte
2) Antilocapra
3) Coyote
4) Cane della prateria
5) Civetta
6) Gallo della salvia
7) Allodola dalla gola gialla
8) Citello
9) Serpente a sonagli

La pampa

Nell'America del Sud le grandi distese pianeggianti vengono chiamate **pampas**. Le differenze rispetto alle praterie o alle steppe non sono particolarmente rilevanti: anche nella pampa gli alberi sono praticamente assenti e la forma di vegetazione predominante è costituita dagli alti ciuffi del ginesio, o "piume delle pampas". In queste pianure si trovano esemplari di una specie che rischia l'estinzione, il puma.

1) Formichiere gigante
2) Marà
3) Nandù
4) Cervo delle pampas
5) Armadillo gigante
6) Kaimichi dal collare
7) Crisocione
8) Paca grande
9) Armadillo a sei fasce
10) Viscaccia
11) Yaguarondi
12) Coniglio selvatico
13) Aguti dorato
14) Capibara

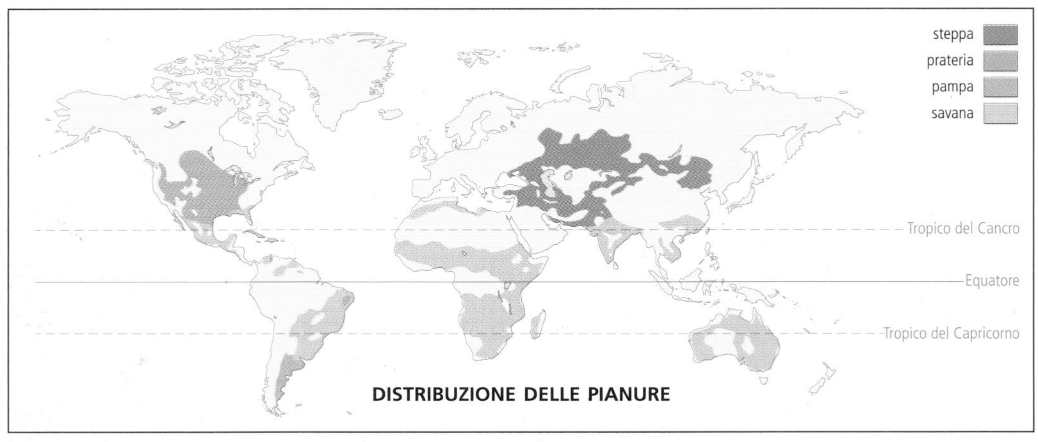

La steppa

Come le praterie, anche le **steppe** sono pianure enormi e sono caratteristiche di regioni temperate a piovosità scarsa; sono particolarmente diffuse in Russia, in Ungheria e in Asia. In queste distese la vegetazione è composta da arbusti, cespugli, licheni, muschi, salvie selvatiche e ranuncoli. Le zone più fredde della steppa non sono adatte alle coltivazioni, ma possono ospitare grandi mandrie di animali, alcuni dei quali un tempo erano selvatici e solo successivamente sono stati addomesticati da popolazioni nomadi locali: si tratta di cavalli, asini, yak e cammelli. Nelle steppe asiatiche vi sono anche grosse antilopi, chiamate saighe.

1) Aquila delle steppe
2) Cavallo di Przewalskii
3) Saiga
4) Marmotta bobak
5) Gallina prataiola
6) Otarda
7) Manul

yak

La savana

La **savana** è presente in Africa e in Australia, soprattutto ai margini dei deserti e nelle zone a clima tropicale, dove si rileva un unico periodo di piogge all'anno. A favorire l'espansione delle savane ha contribuito, insieme al clima secco, anche la mano dell'uomo, che ha distrutto porzioni sempre più grandi della foresta equatoriale. In un ambiente sottoposto a lunghi periodi di siccità, la vegetazione non è rigogliosa: troviamo erbe alte e alberi isolati come il baobab e l'acacia. Tra gli animali, vanno ricordati i grandi predatori, come il leone, il ghepardo, lo sciacallo, la iena, insieme a mandrie di erbivori come le antilopi, le gazzelle, le zebre, gli gnu e i bufali.

1) Struzzo
2) Leone
3) Elefanti
4) Antilopi
5) Giraffe
6) Avvoltoi
7) Zebre

rinoceronte

I deserti e le terre polari

La parola "deserto" deriva da un verbo latino che significa "abbandonare". Con questo termine vengono identificate vaste zone nelle quali l'uomo non può abitare stabilmente, per le difficili condizioni climatiche e ambientali. Istintivamente quando si parla di deserti vengono subito alla mente ampie aree sabbiose, anche se in realtà esistono diversi tipi di deserto. L'Europa è l'unico continente nel quale non troviamo ampie zone desertiche, le quali, sul nostro pianeta, costituiscono il 15% delle terre emerse.

I deserti caldi

1) Volpe pigmea
2) Eloderma
3) Topo mercante
4) Tartaruga del deserto
5) Pecari dal collare
6) Skunk striato
7) Lince rossa
8) Crotalo
9) Ratto canguro

La zona in cui si trova il maggior numero di deserti caldi è la fascia contenuta tra il Tropico del Cancro e il Tropico del Capricorno, dove il clima è caldo e molto secco. Questi deserti possono essere sabbiosi (il **Sahara**, in Africa) o rocciosi (in Australia). La temperatura, in queste regioni, subisce una notevole escursione termica diurna, ossia varia molto dal giorno (può raggiungere oltre i 50 °C) alla notte (fino a –10 °C). La pioggia cade molto raramente e talvolta la siccità si prolunga anche per qualche anno. Quando queste condizioni permangono a lungo nell'ambiente non si sviluppa più alcuna forma di vita.
Le **oasi** sono luoghi all'interno dei deserti dove le acque sotterranee affiorano in superficie, permettendo la crescita rigogliosa di vegetazione. Molte oasi sono abitate e coltivate, e offrono soste rigeneranti durante i lunghi tragitti delle carovane. La fauna desertica non è molto varia: alle altissime temperature resistono i rettili, gli insetti e alcuni mammiferi caratteristici, come i cammelli e i dromedari, il coyote e il puma.

dromedario

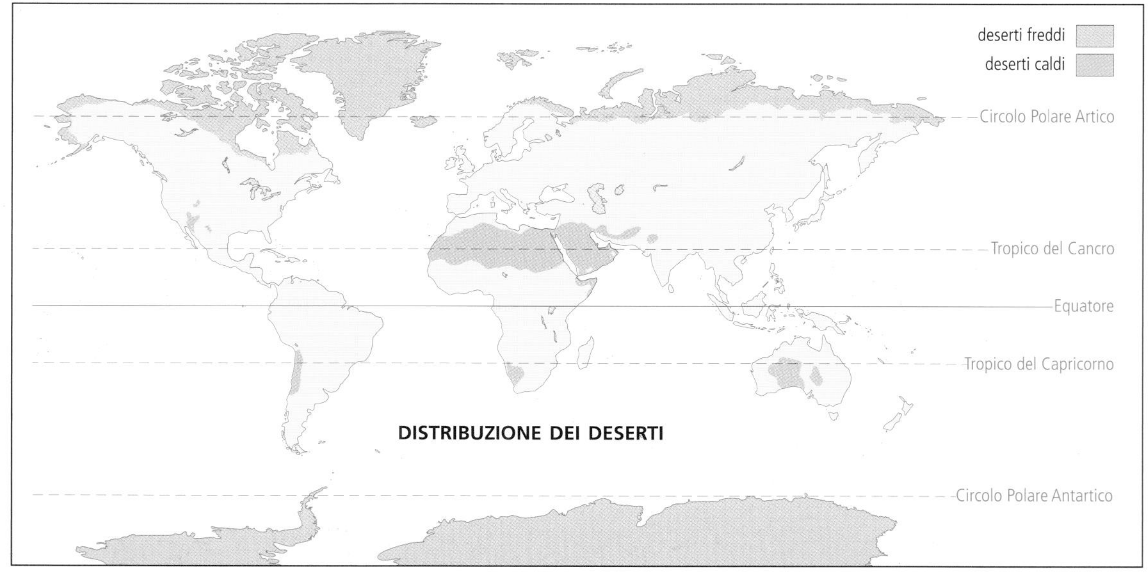

I deserti freddi

I più vasti deserti freddi sono il **deserto del Gobi** in Cina, e la **Patagonia** in Sud America.
Anche la **tundra** è considerata un deserto freddo: con questo termine si indicano infatti le zone confinanti con le regioni polari. Ogni estate la neve della tundra si scioglie formando vaste distese paludose coperte di vegetazione: muschi, licheni, erbe basse. Durante l'estate compaiono anche alcuni animali: renne, caribù, buoi muschiati e uccelli migratori. Queste zone sono abitate da popolazioni nomadi, come i Lapponi nel Nord Europa.

renne

Le terre polari

Intorno ai Poli troviamo un ambiente molto particolare e suggestivo: il ghiaccio ricopre tutto, e la vegetazione – a causa delle bassissime temperature – è quasi del tutto assente. A Nord il **Circolo Polare Artico** delimita l'**Artide**, mentre a Sud il **Circolo Polare Antartico** delimita l'**Antartide**; la zona centrale dell'Artide, tutt'intorno al Polo Nord, è costituita dalla **banchisa** (ampia distesa marina ricoperta da uno strato di ghiaccio perenne), mentre l'Antartide è proprio un continente, completamente ricoperto dai ghiacci. L'ambiente polare non è adatto a ospitare insediamenti umani: solo alcune popolazioni nomadi di cacciatori, allevatori di renne e pescatori abitano l'Artide, mentre l'Antartide è disabitata. Nel 1959 tutte le nazioni hanno sottoscritto uno storico trattato: l'Antartide non farà mai parte di alcuno Stato. Ciò per permettere agli studiosi di svolgere liberamente ricerche scientifiche sul clima e sull'inquinamento ambientale.

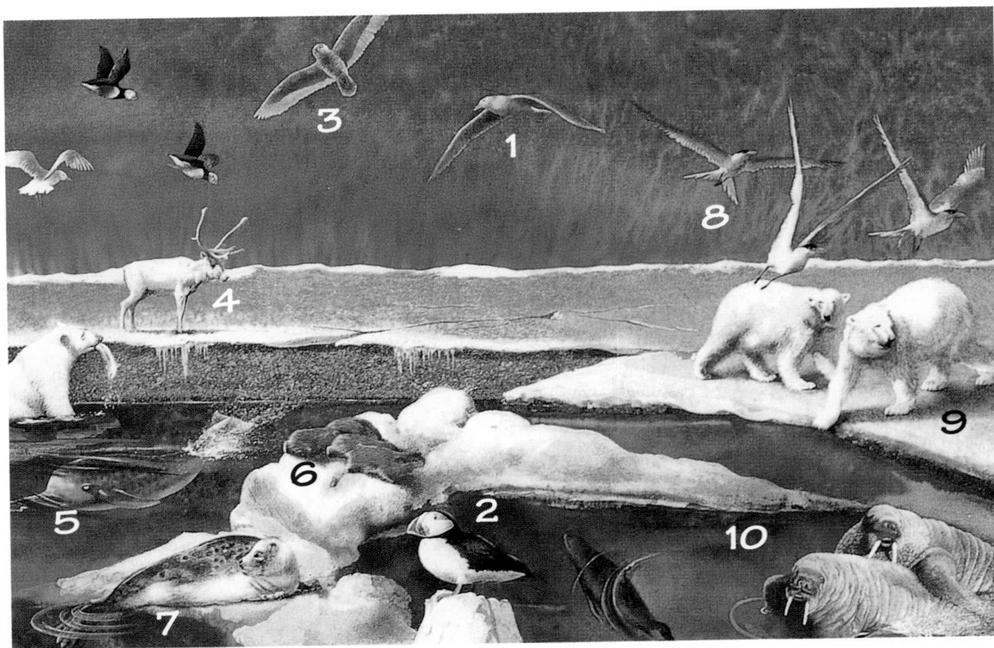

1) Fulmaro glaciale
2) Pulcinella di mare
3) Civetta delle nevi
4) Renna artica
5) Narvalo
6) Lemming
7) Foca comune
8) Sterna
9) Orso bianco
10) Tricheco

pinguino

Il planisfero fisico

OCEANO GLACIALE ARTICO
Limite estivo del pack (agosto)
Terra Francesco Giuseppe
Terra del Nord
C. Celjuskin
Isole della Nuova Siberia
Svalbard
Isola degli Orsi
MARE DI BARENTS
Novaja Zemlja
MARE DI KARA
Pen. del Tajmyr
Hatanga
MARE DI LAPTEV
MARE DELLA SIBERIA ORIENTALE
Wrangel
Capo Nord
Altopiano della Siberia Centrale
Stretto di Bering
Circolo Polare Artico
Scandinavia
Finlandia
1895
Monti Urali
Ob
Bassopiano Siberiano Occidentale
Enisej
Lena
Siberia
M.ti di Verhojansk
M. Pobeda
3147
AMERICA SETT.
L. Onega
L. Ladoga
Bassopiano Sarmatico
Volga
Jekaterinburg
Mosca
Mar Baltico
ASIA
Lago Bajkal
Amur
MARE DI OHOTSK
Kamčatka
4750
Vulcano di Ključ
MARE DI BERING
Aleutine
Carpazi
Dnepr
Depressione Caspica
Don
Irtyš
Altaj
4506
L. Balhaš
Mongolia
Grande Khingan
Sahalin
Curili
Harbin
Lago d'Aral
MAR CASPIO
-132
Danubio
MAR NERO
Caucaso
5642
El'brus
Pen. Balcanica
Istanbul
Anatolia
Tian Shan
Ürümqi
-154
Depressione di Turfan
Gobi
Pechino
Hokkaido
MAR DEL GIAPPONE
Corea
Arcipelago Giapponese
Honshu
Tokyo
OCEANO PACIFICO
Amudarja
Elburz
5670
Teheran
Pamir
Hindukush
K2
8611
Kunlun Shan
Huang He
Cipro
MEDITERRANEO
Altopiano dell'Iran
Zagros
Mesopotamia
Eufrate
Tibet
Brahmaputra
Himalaya
Indo
Gongga Shan
7556
Bassopiano Cinese
Shanghai
Kyushu
Is. Izu
Il Cairo
-133
M. Morto
-400
Depressione di Qattara
Canale di Suez
Des. Libico
Nilo
G. Persico
MAR ROSSO
Penisola Arabica
Riyadh
New Delhi
Gange
8848
M. Everest
Chang Jiang
MAR CINESE ORIENTALE
Ryukyu
Xi Jiang
Taiwan/Formosa
Isole Volcano
Isole Hawaii
Tropico del Cancro
Sahara
Tibesti
3415
Khartoum
MARE ARABICO
Mumbai
Deccan
Calcutta
Golfo del Bengala
Hong Kong
Hainan
MAR DELLE FILIPPINE
Wake
Lago Ciad
Sudan
4620
Ras Dascian
-156
Aden
Golfo di Aden
Socotra
Capo Guardafui
Laccadive
Andamane
Bangkok
Indocina
Mekong
MAR CINESE MERIDIONALE
Luzon
Manila
Filippine
11034
Isole Marianne
Is. Marshall
AFRICA
Acrocoro Etiopico
C. Comorin
Nicobare
Str. di Malacca
4101
Mindanao
Is. Palau
Micronesia
Palmyra
Ruwenzori
5109
Bacino del Congo
Lago Vittoria
Maldive
Ceylon
Malacca
Borneo
Isole Caroline
Melanesia
Is. Gilbert
Equatore
5895
Kilimangiaro
L. Tanganica
Lubumbashi
Seicelle
Chagos
Arcip. delle Mentawai
Singapore
Sumatra
Celebes
5030
Arcipelago di Bismarck
Nuova Guinea
Is. Salomone
Amirante
Comore
Giacarta
Insulindia
Giava
7450
Christmas
Timor
MAR DEGLI ARAFURA
C. York
OCEANIA
Isole Cook
L. Malawi
Zambesi
Tsaratanana
2876
Antananarivo
Madagascar
Isole Cocos
Pen. di Capo York
MAR DEI CORALLI
Nuove Ebridi
Mascarene
Maurizio
Riunione
Can. di Mozambico
Limpopo
Gran Barriera Corallina
Isole Figi
Isole Tonga
Des. del Kalahari
Namib
Gran Deserto Sabbioso
Australia
Gran Catena Divisoria
Nuova Caledonia
Tropico del Capricorno
Johannesburg
Orange
M.ti d. Draghi
3482
OCEANO INDIANO
Gran Deserto Vittoria
L. Eyre
-18
Norfolk
Darling
Perth
Capo Leeuwin
Nullarbor Plain
Sydney
Lord Howe
Capo di Buona Speranza
Amsterdam
Saint Paul
Murray
2228
M. Kosciusko
MAR DI TASMAN
Auckland
Isola del Nord
Nuova Zelanda
Stretto di Bass
Tasmania
Isola del Sud
M. Cook
3764
Is. Chatham
Isole Crozet
Isole Principe Edoardo
Isole Kerguelen
Is. Auckland
Is. Bounty
Heard
Macquarie
Limite estivo del pack (marzo)
Circolo Polare Antartico
Terra di Enderby
Terra di Wilkes
Terra della Regina Maud
Antartide
ALTIMETRIA E BATIMETRIA
livello medio del mare
ghiacciai
6000
4000
2000
1000
200
0
depressioni
200
1000
2000
4000
5000
metri 6000
E
F
G
H
J
40°
80°
120°
160°
1
2
3
4
0°

Il planisfero politico

OCEANO GLACIALE ARTICO

OCEANO PACIFICO

OCEANO ATLANTICO

ANTARTIDE

EUROPA

1	**PAESI BASSI** Amsterdam	11	**CROAZIA** Zagabria
2	**BELGIO** Bruxelles	12	**ANDORRA** Andorra la Vella
3	**LUSSEMBURGO** Lussemburgo	13	**SAN MARINO** San Marino
4	**REP. CECA** Praga	14	**BOSNIA-ERZEGOVINA** Sarajevo
5	**SLOVACCHIA** Bratislava	15	**UNIONE DI SERBIA E MONTENEGRO** Belgrado
6	**SVIZZERA** Berna	16	**CITTÀ DEL VATICANO**
7	**LIECHTENSTEIN** Vaduz	17	**ALBANIA** Tirana
8	**AUSTRIA** Vienna	18	**MACEDONIA** Skopje
9	**UNGHERIA** Budapest	19	**MALTA** Valletta
10	**SLOVENIA** Lubiana	20	**AZERBAIGIAN** Baku

0 1000 2000 km

1 cm = 1000 km

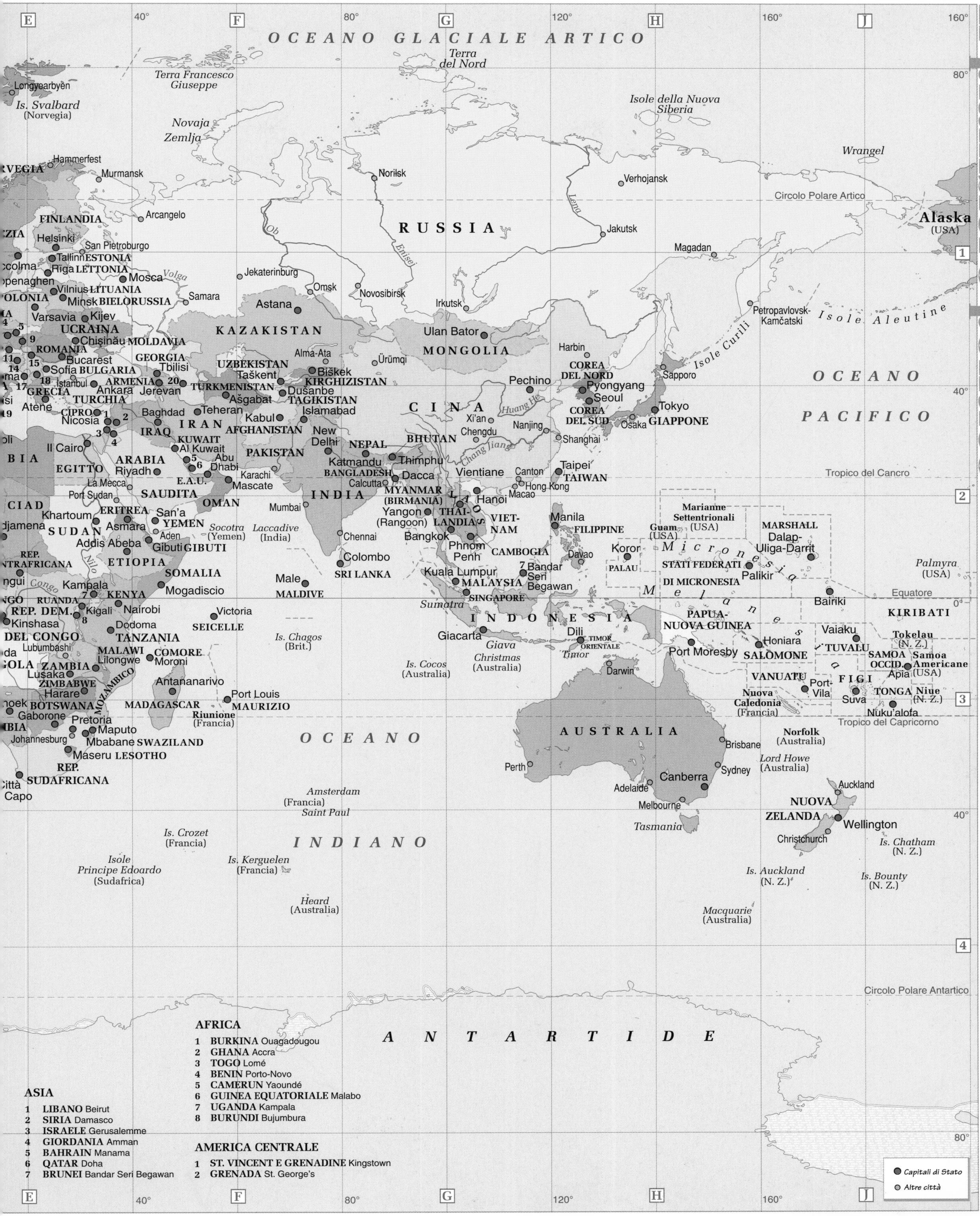

OCEANO GLACIALE ARTICO
Terra del Nord
Terra Francesco Giuseppe
Longyearbyen
Is. Svalbard (Norvegia)
Novaja Zemlja
Isole della Nuova Siberia
Wrangel
Hammerfest
Murmansk
Norilsk
Verhojansk
Circolo Polare Artico
Alaska (USA)
FINLANDIA
Arcangelo
Ob
Enisei
Lena
RUSSIA
Jakutsk
Magadan
Helsinki
San Pietroburgo
Tallinn ESTONIA
Riga LETTONIA
Mosca
Volga
Jekaterinburg
Omsk
Novosibirsk
Irkutsk
Vilnius LITUANIA
Minsk BIELORUSSIA
Samara
Petropavlovsk-Kamčatski
Isole Aleutine
Isole Curili
Varsavia
Kijev
UCRAINA
Astana
KAZAKISTAN
Ulan Bator
MONGOLIA
Chişinău MOLDAVIA
ROMANIA
Bucarest
GEORGIA
Tbilisi
Alma-Ata
Ürümqi
Harbin
Sofia BULGARIA
ARMENIA
Jerevan
UZBEKISTAN
Taškent
Biškek
KIRGHIZISTAN
COREA DEL NORD
Sapporo
OCEANO
Istanbul
Ankara
GRECIA
TURCHIA
TURKMENISTAN
Ašgabat
Dušanbe
TAGIKISTAN
Pechino
Pyongyang
Seoul
Atene
CIPRO
Nicosia
Baghdad
Teheran
IRAQ
IRAN
Islamabad
Kabul
AFGHANISTAN
CINA
Huang He
COREA DEL SUD
Tokyo
GIAPPONE
Osaka
PACIFICO
Xi'an
Chengdu
Nanjing
Shanghai
New Delhi
NEPAL
BHUTAN
Chang Jiang
Il Cairo
KUWAIT
Al Kuwait
EGITTO
ARABIA SAUDITA
Riyadh
Abu Dhabi
PAKISTAN
Katmandu
Thimphu
BANGLADESH
Dacca
Taipei
TAIWAN
Tropico del Cancro
La Mecca
E.A.U.
Karachi
Mascate
Calcutta
Vientiane
Canton
Hong Kong
Macao
Port Sudan
OMAN
INDIA
MYANMAR (BIRMANIA)
LAOS
Hanoi
CIAD
Khartoum
ERITREA
San'a
YEMEN
Mumbai
Yangon (Rangoon)
THAILANDIA
VIET-NAM
Manila
FILIPPINE
Marianne Settentrionali (USA)
MARSHALL
N'Djamena
SUDAN
Asmara
Socotra (Yemen)
Laccadive (India)
Chennai
Bangkok
Guam (USA)
Dalap-Uliga-Darrit
Addis Abeba
Aden
Gibuti GIBUTI
Phnom Penh
CAMBOGIA
Koror
PALAU
Micronesia
REP. CENTRAFRICANA
ETIOPIA
Nilo
Colombo
SRI LANKA
Davao
STATI FEDERATI DI MICRONESIA
Palikir
Palmyra (USA)
Congo
Kampala
SOMALIA
Male
MALDIVE
Kuala Lumpur
MALAYSIA
Bandar Seri Begawan
Equatore
RUANDA
KENYA
Mogadiscio
SINGAPORE
Melanesia
Bairiki
REP. DEM. DEL CONGO
Kinshasa
Kigali
Nairobi
Victoria
SEICELLE
Sumatra
INDONESIA
PAPUA-NUOVA GUINEA
KIRIBATI
Dodoma
TANZANIA
Is. Chagos (Brit.)
Giacarta
Dili
TIMOR ORIENTALE
Vaiaku
Tokelau (N. Z.)
Lubumbashi
MALAWI
COMORE
Moroni
Giava
Timor
Honiara
TUVALU
ZAMBIA
Lilongwe
Is. Cocos (Australia)
Christmas (Australia)
Port Moresby
SALOMONE
SAMOA OCCID.
Apia
Samoa Americane (USA)
Lusaka
ZIMBABWE
MOZAMBICO
Antananarivo
Darwin
VANUATU
Port-Vila
FIGI
Harare
Port Louis
MAURIZIO
Nuova Caledonia (Francia)
Suva
TONGA
Niue (N. Z.)
Windhoek
BOTSWANA
Gaborone
MADAGASCAR
Riunione (Francia)
AUSTRALIA
Nuku'alofa
Tropico del Capricorno
Pretoria
Maputo
Mbabane SWAZILAND
Johannesburg
OCEANO
Brisbane
Norfolk (Australia)
Maseru LESOTHO
REP. SUDAFRICANA
Perth
Sydney
Lord Howe (Australia)
Città del Capo
Canberra
Adelaide
Auckland
Amsterdam (Francia)
Saint Paul
Melbourne
NUOVA ZELANDA
Wellington
Tasmania
Is. Crozet (Francia)
INDIANO
Christchurch
Is. Chatham (N. Z.)
Isole Principe Edoardo (Sudafrica)
Is. Kerguelen (Francia)
Is. Auckland (N. Z.)
Is. Bounty (N. Z.)
Heard (Australia)
Macquarie (Australia)
Circolo Polare Antartico
ANTARTIDE
AFRICA
1 BURKINA Ouagadougou
2 GHANA Accra
3 TOGO Lomé
4 BENIN Porto-Novo
5 CAMERUN Yaoundé
6 GUINEA EQUATORIALE Malabo
7 UGANDA Kampala
8 BURUNDI Bujumbura
ASIA
1 LIBANO Beirut
2 SIRIA Damasco
3 ISRAELE Gerusalemme
4 GIORDANIA Amman
5 BAHRAIN Manama
6 QATAR Doha
7 BRUNEI Bandar Seri Begawan
AMERICA CENTRALE
1 ST. VINCENT E GRENADINE Kingstown
2 GRENADA St. George's
Capitali di Stato
Altre città
40°
80°
120°
160°
0°
E
F
G
H
J
1
2
3
4

ALTIMETRIA E BATIMETRIA
4000 metri
3000
2000
1000
500
200
100
0
livello medio del mare
100
200
1000
2000
3000
metri 4000
FRANCIA
GERMANIA
Lago di Costanza
AUSTRIA
Vaduz
LIECHTENSTEIN
Berna
SVIZZERA
Lago di Neuchâtel
Lago di Ginevra
UNGHERIA
SLOVENIA
Lubiana
Zagabria
CROAZIA
BOSNIA-ERZEGOVINA
Sarajevo
UN. DI SERBIA MONTENEGR
ALBANIA
ALGERIA
TUNISIA
Tunisi
MALTA
Valletta
Malta
Gozo
MONACO
S. MARINO
CITTÀ DEL VATICANO
2007 Rax
Vetta d'Italia 2912
Grossglockner 3797
Brennero 1375
Picco 3496 Tre Signori
Palla Bianca 3738
Tauri
Alpi Orientali
Alpi Centrali
Alpi Bernesi
S. Gottardo 2108
Jungfrau 4158
Bernina 4049
Ortles 3905
Marmolada 3343
Coglians 2780
Carnia
Drava
Mur
Sava
Danubio
Sempione 2005
2115 Spluga
Stelvio 2758
Adige
Cervino 4478
Gran S. Bernardo 2473
4807 M. Bianco
M. Rosa 4637
Lago Maggiore
Valtellina
Adda
Lago di Como
Adamello 3554
Trento
Dolomiti
Prealpi Venete
Tagliamento
Alpi Giulie
Carso
Trieste
M. Nevoso 1796
879 Passo di Vrata
Aosta
Alpi Occidentali
Gran Paradiso 4061
Sesia
Ticino
Milano
Lago d'Iseo
Oglio
Serio
Lago di Garda
Brenta
Piave
Pianura Veneta
Fréjus 2541
3538 Rocciamelone
Lomellina
Pianura Padana
Mincio
Venezia
Golfo di Venezia
601 Colli Euganei
Istria
Veglia
Torino
1850 Monginevro
Monferrato
Po
Trebbia
Emilia
Secchia
Panaro
Polesine
Delta del Po
35
Cherso
Velebit
3841 Monviso
Tanaro
Langhe
Taro
Enza
Reno
Valli di Comacchio
Capo Promontore
Colle di Cadibona 436
1799 M. Maggiorasca
Appennino Settentrionale
1039 La Cisa
Romagna
Bologna
Pago
Colle di Tenda 1908
Genova
M. Cimone 2165
Savio
3297 Argentera
Golfo di Genova
Riv. di Ponente
Riv. di Levante
1368 Abetone
Alpi Apuane
70
Isola Lunga
Dalmazia
Alpi Dinariche
1913 Troglav
M. Falterona 1654
Firenze
Arno
1407 M. Fumaiolo
Bocca Serriola 730
Ancona
572 M. Conero
MAR LIGURE
Gorgona
Arcipelago Toscano
Chianti
Tevere
1701 M. Catria
MAR ADRIATICO
2613
Colline Metallifere
Val di Chiana
Lago Trasimeno
Perugia
Appennino Centrale
Chienti
Brazza
Lissa
Lesina
270
Capo Corso
Capraia
Can. di Corsica
Ombrone
Maremma
Curzola
Meleda
Elba
1738 M. Amiata
M. Vettore 2476
Lago di Bolsena
Nera
Pianosa
M. Cinto 2706
M. Argentario 635
Montecristo
I. d. Giglio
2216 M. Terminillo
Gran Sasso 2912
L'Aquila
Pescara
Pelagosa
Lago di Scutari
1053 M. Cimini
Isole Tremiti
Corsica
Lago di Bracciano
la Maiella 2793
Lago di Varano
Testa del Gargano
Roma
Conca del Fucino
Sangro
Bocca di Forlì 891
Biferno
Lago di Lesina
Gargano 1055
Golfo di Manfredonia
316
Agro Pontino
Ciociaria
2241 la Meta
Campobasso
Bocche di Bonifacio
2050 M. Miletto
Appennino Meridionale
Tavoliere
1233
Asinara
Golfo d. Asinara
Arcip. della Maddalena
Capo Circeo
Garigliano
Volturno
Irpinia
Ofanto
Bari
Gallura
1359 M. Limbara
Lago di Coghinas
I. Ponziane
Golfo di Gaeta
Ventotene
Ischia
Napoli
Vesuvio 1281
Le Murge
Canale d'Otranto
C. Caccia
MAR TIRRENO
Sardegna
Barbagia
Arcipelago Campano
G. di Napoli
Capri
Golfo di Salerno
Sele
Potenza
Basento
Bradano
Agri
M. Alburno 1742
Cilento
Lucania
Penisola Salentina
Capo d'Otranto
169
MAR DI SARDEGNA
Gennargentu 1834
Tirso
Golfo di Taranto
2248 M. Pollino
3620
Golfo di Policastro
Capo S. Maria di Leuca
2890
Campidano
Flumendosa
750
Iglesiente
la Sila 1928
Punta Alice
Neto
San Pietro
Cagliari
G. di Cagliari
C. Carbonara
Sant'Antioco
505
Capo Teulada
Golfo di S. Eufemia
Capo Rizzuto
Catanzaro
Golfo di Squillace
Stromboli
Isole Eolie
Lipari
Alicudi
Vulcano
Ustica
G. di Castellammare
Canale di Sardegna
Str. di Messina
MAR IONIO
Punta Raisi
Capo S. Vito
Palermo
1955 Aspromonte
Isole Egadi
Capo Spartivento
Val di Mazara
Madonie
Nebrodi
3323 Etna
Capo Boeo
Sicilia
Simeto
Golfo di Catania
MAR MEDITERRANEO
La Galite
Stretto di Sicilia
13
Salso
Val di Noto
Golfo di Gela
Capo Bon
Capo Passero
C. Isola d. Correnti
Can. di Pantelleria
Pantelleria
Canale di Malta
1650
4020
Golfo di Hammamet
Linosa
Lampione
Isole Pelagie
Lampedusa
Long. Est 14° da Greenwich
0 50 100 km
1 cm = 50 km
A B C D E F G
1 2 3 4 5 6 7
8° 10° 12° 14° 16° 18°
46° 44° 42° 40° 38° 36°

Italia fisica

L'Italia è una penisola. Su tre lati, infatti, è bagnata dal mare: a nord-ovest dal Mar Ligure, a ovest dal Mar Tirreno, a est dal Mar Adriatico e a sud dal Mar Ionio. Tutti questi mari fanno parte del Mar Mediterraneo. La catena delle Alpi segna invece il confine dell'Italia a nord. L'Italia comprende due grandi isole, la Sardegna e la Sicilia, e alcuni arcipelaghi, cioè gruppi di piccole isole: l'Arcipelago Toscano, l'Arcipelago Campano, le isole Eolie, le isole Egadi, le isole Tremiti.

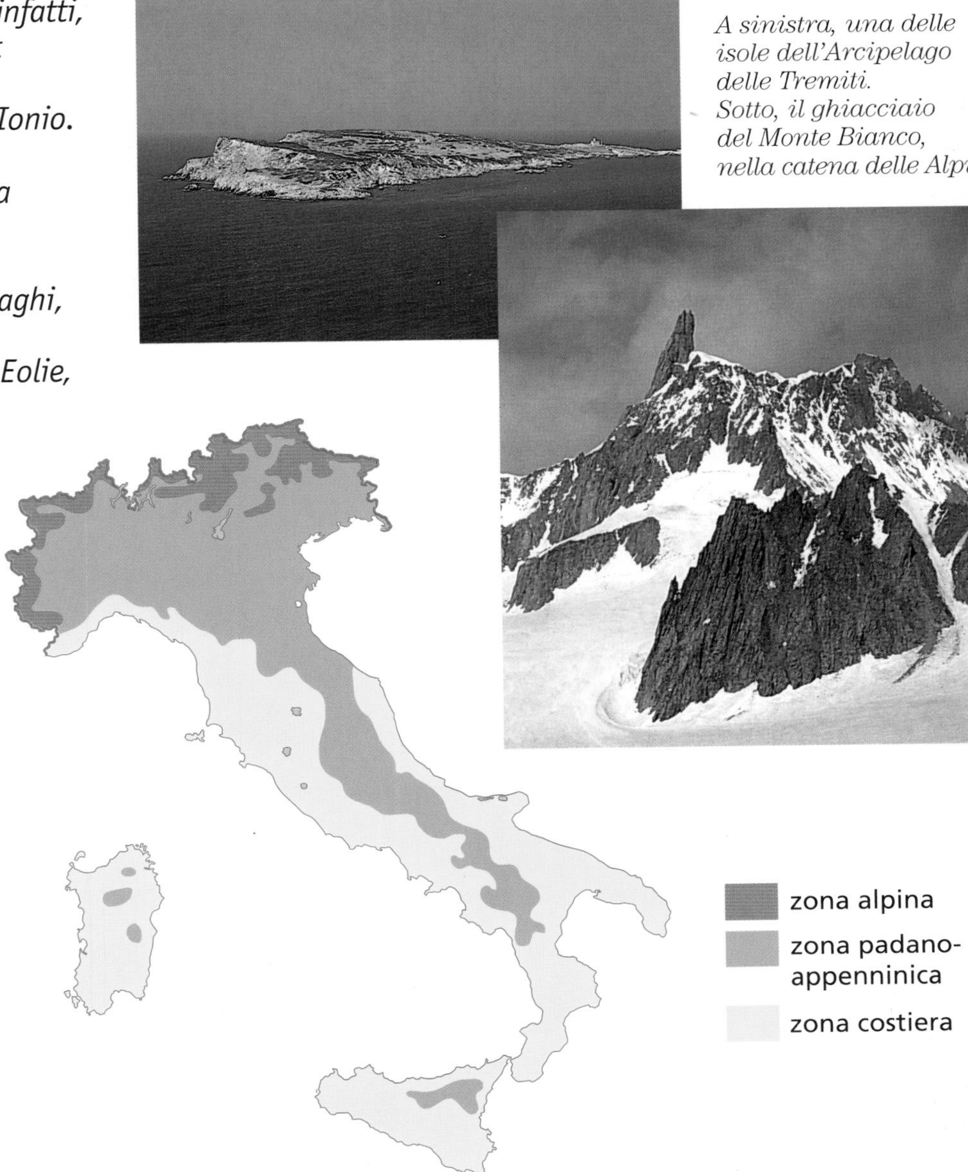

A sinistra, una delle isole dell'Arcipelago delle Tremiti. Sotto, il ghiacciaio del Monte Bianco, nella catena delle Alpi.

Il clima e i venti

L'Italia si trova nella fascia di terre dell'emisfero boreale che hanno un **clima temperato**.
Non tutto il nostro Paese però presenta le stesse condizioni climatiche. Il clima infatti è il risultato della combinazione di molti fattori: la latitudine, l'altitudine, la vicinanza al mare (che rende il clima più mite), la quantità di precipitazioni atmosferiche.
Anche l'esposizione ai **venti** condiziona notevolmente il clima. In Italia soffiano venti provenienti da diverse direzioni: lo scirocco da sud-est, il libeccio da sud-ovest, il maestrale da nord-ovest, la tramontana e il föhn da nord, la bora da nord-est.

Le zone climatiche

In Italia si possono distinguere tre grandi **zone climatiche**.
La **zona alpina** comprende la catena montuosa delle Alpi. Qui gli inverni sono molto freddi, con abbondanti nevicate; le estati sono brevi e fresche, piuttosto piovose. Questo tipo di clima è detto **clima montano freddo**.
La **zona padano-appenninica** è distante dal mare e non ne sente l'effetto mitigatore. Pertanto la Pianura Padana e gli Appennini hanno un clima freddo d'inverno e caldo d'estate, con frequenti precipitazioni. Questo clima viene chiamato **clima temperato-continentale**.

La **zona costiera** comprende le coste della nostra penisola e le isole. Qui le estati sono calde e ventilate, gli inverni miti per l'influsso del mare, le precipitazioni scarse. È il **clima mediterraneo**.

Il microclima

Il clima può variare anche nella stessa fascia climatica. Per esempio attorno ai laghi del Nord Italia le temperature sono più alte rispetto alla Pianura Padana, perché la massa d'acqua dei laghi trattiene il calore del sole. Per questa ragione si parla di **microclimi**, cioè di climi che riguardano piccole zone.

Perché Italia?

La nostra penisola ha avuto nomi diversi: i Greci la chiamarono Esperia (terra del tramonto), perché si trovava a ovest rispetto alla Grecia, ma anche Enotria (terra del vino), per l'ottimo vino prodotto nel nostro territorio.
Quando i Greci colonizzarono il Sud Italia, in Calabria abitavano i Vituli, e Vitelia era il nome della loro terra. Con il tempo la "V" scomparve e i Greci trasformarono il nome in Italia.

L'Italia e i suoi ambienti

In Italia sono presenti ambienti molto diversi che cambiano a seconda delle caratteristiche del territorio e del clima. Ci sono monti disposti in lunghe catene, come le Alpi e gli Appennini, o in gruppi isolati; dolci colline e fertili pianure; ampie vallate e stretti fondovalle; coste basse e sabbiose e promontori alti e rocciosi; laghi di diversa origine e numerosi fiumi. La varietà dei paesaggi caratterizza l'intera penisola, dalle Alpi all'Aspromonte, dal versante tirrenico a quello adriatico.

Laghetto alpino

Il Monte Cervino

Bassa Pianura Padana

Il fiume Isonzo

La campagna collinare vicino a Firenze

La costa del Conero

Il Tavoliere delle Puglie

La cascata delle Marmore

La Piana di Catania

Il vulcano Etna

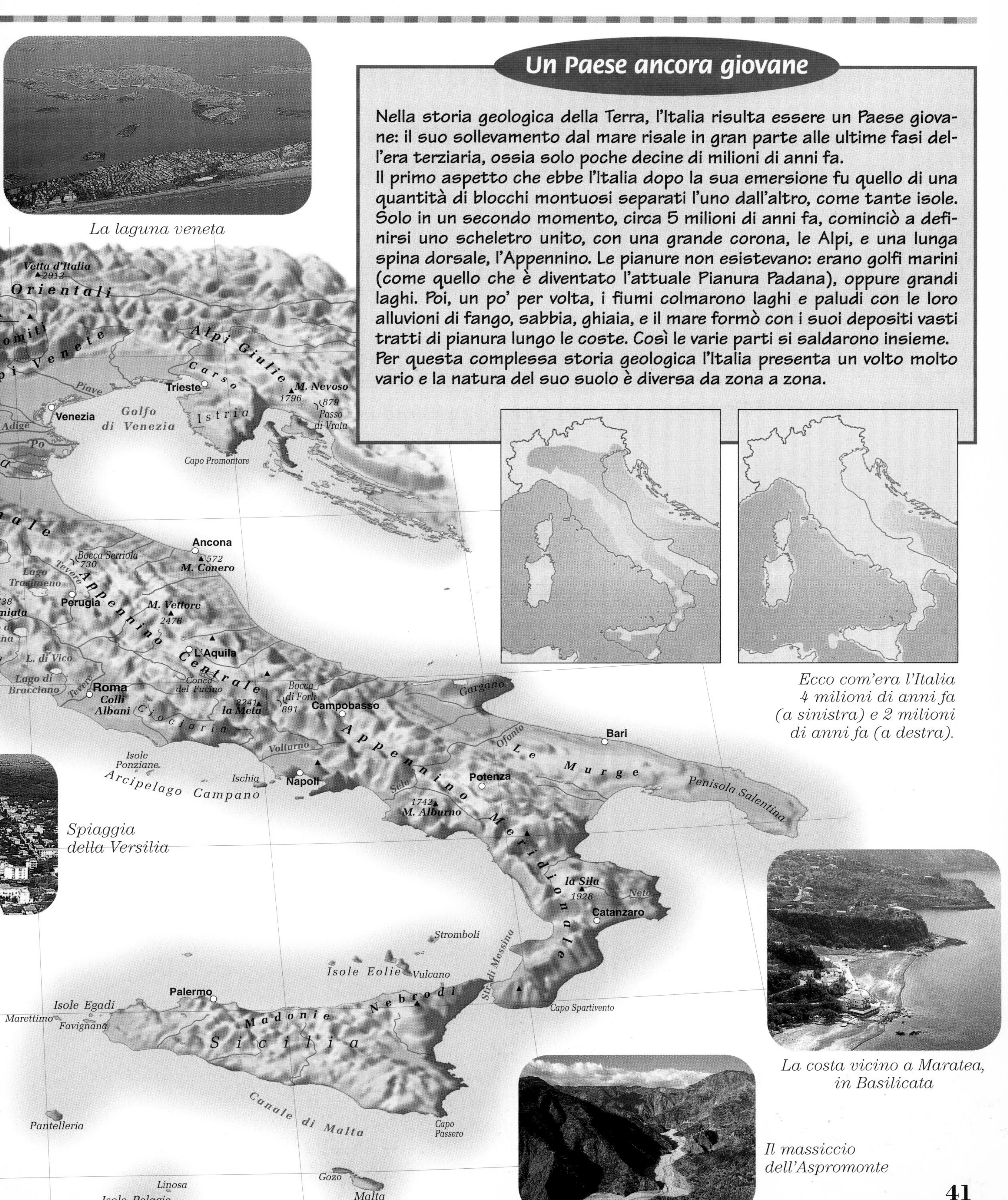

La laguna veneta

Un Paese ancora giovane

Nella storia geologica della Terra, l'Italia risulta essere un Paese giovane: il suo sollevamento dal mare risale in gran parte alle ultime fasi dell'era terziaria, ossia solo poche decine di milioni di anni fa.

Il primo aspetto che ebbe l'Italia dopo la sua emersione fu quello di una quantità di blocchi montuosi separati l'uno dall'altro, come tante isole. Solo in un secondo momento, circa 5 milioni di anni fa, cominciò a definirsi uno scheletro unito, con una grande corona, le Alpi, e una lunga spina dorsale, l'Appennino. Le pianure non esistevano: erano golfi marini (come quello che è diventato l'attuale Pianura Padana), oppure grandi laghi. Poi, un po' per volta, i fiumi colmarono laghi e paludi con le loro alluvioni di fango, sabbia, ghiaia, e il mare formò con i suoi depositi vasti tratti di pianura lungo le coste. Così le varie parti si saldarono insieme.

Per questa complessa storia geologica l'Italia presenta un volto molto vario e la natura del suo suolo è diversa da zona a zona.

Ecco com'era l'Italia 4 milioni di anni fa (a sinistra) e 2 milioni di anni fa (a destra).

Spiaggia della Versilia

La costa vicino a Maratea, in Basilicata

Il massiccio dell'Aspromonte

I rilievi e le pianure

Le Alpi

Le Alpi sono il sistema montuoso più importante d'Europa, con una lunghezza di circa 1200 chilometri. Non fanno parte solo del territorio italiano, ma anche di quello francese, svizzero, austriaco, sloveno e croato. Sono montagne relativamente giovani, considerando l'età della Terra (risalgono infatti a 40 milioni di anni fa), e sono composte da diversi tipi di roccia: più dura e compatta nella parte centrale, più tenera nelle parti più esterne.

Le Alpi sono suddivise in tre settori: **Alpi Occidentali**, **Centrali** e **Settentrionali**. Le cime più elevate si trovano a ovest: il **Monte Bianco**, che è la vetta più alta d'Europa, il **Monte Rosa**, il **Cervino** e il **Gran Paradiso**. In questa parte dell'arco alpino le montagne scendono direttamente sulla pianura, mentre nella parte centrale e in quella orientale sono precedute dalle **Prealpi**, formate da monti meno elevati.

Un confine naturale

Le Alpi sono un confine naturale che rende difficili i collegamenti stradali tra l'Italia e i Paesi a nord. Oggi però è facile attraversarle, poiché l'uomo ha costruito i **viadotti**, cioè ponti che permettono a strade e ferrovie di superare vallate, e i **trafori**, cioè gallerie scavate nelle montagne.

I ghiacciai alpini

I principali ghiacciai e nevai si trovano nelle Alpi Occidentali. Sono masse di ghiaccio e neve che si muovono lentamente, ma in modo continuo, verso valle. Sciogliendosi alle basse quote, i ghiacciai alimentano i torrenti alpini che, a loro volta, portano acqua a numerosi fiumi. Il Po, la Dora Riparia e la Dora Baltea sono esempi di fiumi alimentati dalle acque dei ghiacciai. Gran parte delle acque dei torrenti di origine glaciale viene utilizzata dalle centrali idroelettriche.

Sopra, una veduta delle Dolomiti, nelle Alpi Orientali, così chiamate perché formate da un particolare tipo di roccia, la dolòmia, tenera e friabile. Sotto, ghiacciaio alpino.

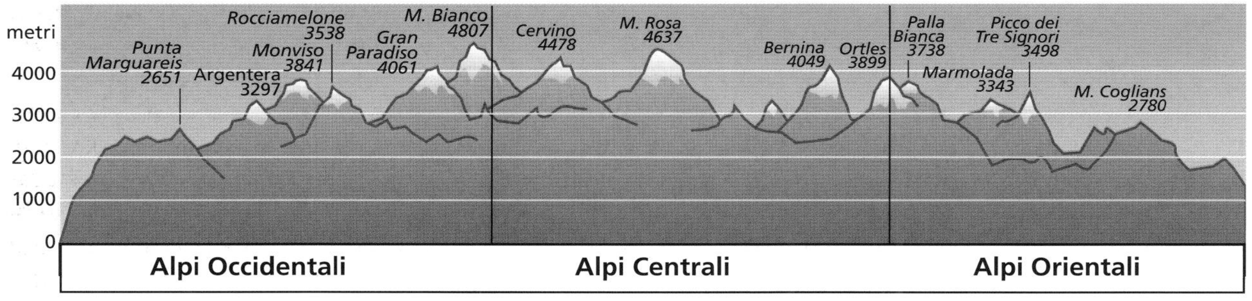

Il nome Alpi deriva dalla parola latina alpes, *che significa "pietra".*

Gli Appennini

La catena appenninica attraversa la nostra penisola come una spina dorsale dal Colle di Cadibona, punto di incontro con le Alpi Occidentali, fino a Capo Spartivento, in Calabria. Anche i rilievi della Sicilia sono un prolungamento degli Appennini, mentre i monti della Sardegna sono di origine più antica. Le cime appenniniche, più basse di quelle alpine, superano difficilmente i 2000 metri. La vetta più alta è il **Gran Sasso**, in Abruzzo, con 2912 metri.

Gli Appennini sono costituiti principalmente da rocce argillose e calcaree, molto tenere e facilmente attaccabili dagli agenti atmosferici, e come le Alpi vengono divisi in tre parti: **Appennino Settentrionale**, **Centrale** e **Meridionale**, di cui fanno parte anche le catene siciliane e due vulcani ancora attivi, l'Etna e il Vesuvio.

Caratteristici dell'Appennino Tosco-Emiliano, Abruzzese e Lucano sono i **calanchi**, solchi scavati dall'acqua piovana lungo i fianchi delle montagne. Queste zone sono prive di vegetazione poiché l'acqua, trascinando via il terreno, non lascia alle piante la possibilità di attecchire.

Calanchi visibili sui rilievi appenninici.

Le colline

Oltre il 40% del territorio italiano è occupato da colline, cioè da rilievi che non superano i 600 metri di altezza. Questi rilievi si trovano lungo il versante meridionale delle Alpi e sui fianchi degli Appennini. Il paesaggio collinare è molto umanizzato: gli uomini, infatti, hanno modificato l'ambiente naturale per costruire paesi e città, disboscare e lavorare la terra.
In Lombardia e in Piemonte si estendono le **colline moreniche**, che sono poco elevate e rendono il paesaggio appena ondulato. Si chiamano così perché sono formate dalle **morene**, cioè depositi di grandi quantità di detriti trasportati dai ghiacciai in epoche antichissime.
Sul versante occidentale della catena appenninica si trova un importante complesso collinare che si estende dalle Colline Metallifere, in Toscana, fino al Vesuvio, nel golfo di Napoli.
Nell'Italia meridionale le colline sono per la maggior parte brulle per la scarsa piovosità.

Colline liguri con i vigneti coltivati a terrazze.

Altro esempio di paesaggio collinare.

Il carsismo

Nelle zone calcaree l'acqua scava conche circolari chiamate doline e penetra nel sottosuolo formando grotte e fiumi sotterranei. Questo fenomeno è detto carsismo, perché tipico della zona del Carso, in Friuli Venezia Giulia, ma è frequente anche sull'Appennino.

Le pianure

L'Italia è prevalentemente montuosa e collinare: le pianure occupano solamente il 23% del territorio, in genere sono poco estese e hanno origini diverse.
La **pianura alluvionale** si forma per l'accumulo dei detriti trascinati da un fiume. Le più importanti pianure alluvionali sono: la **Pianura Padana**, che occupa gran parte del Nord Italia; il **Campidano**, in Sardegna; la **Pianura Pisana** e la **Maremma**, in Toscana; la **Campagna Romana** e l'**Agro Pontino**, in Lazio.
La **pianura di sollevamento** si forma per l'emergere di antichi fondali marini. La più importante pianura di sollevamento italiana è il **Tavoliere delle Puglie**, in Puglia.
La **pianura vulcanica** si forma per l'accumulo dei detriti di un vulcano. Pianure vulcaniche sono: la **Pianura Campana**, in Campania, e la **Piana di Catania**, in Sicilia.

La Pianura Padana

La più vasta delle pianure italiane è la **Pianura Padana**, formata nel corso dei secoli dai detriti trasportati dal Po e dai suoi affluenti. Questi fiumi continuano a trasportare sabbia e argilla, che si depositano sulla grande foce a delta, producendo un lento avanzamento di quel tratto di costa.
La Pianura Padana può essere divisa in tre zone: l'**alta pianura**, vicina alle colline e alle Prealpi; la **bassa pianura**, che circonda il Po e i suoi affluenti; la **zona delle risorgive**, compresa tra le altre due. Nella zona delle risorgive le acque, che nell'alta pianura penetrano nel terreno permeabile, riaffiorano, formando una serie di sorgenti dette **risorgive** o **fontanili**.

La Pianura Padana con le sue caratteristiche coltivazioni geometriche.

I mari e le coste

Le isole

Le due maggiori isole italiane sono la Sicilia e la Sardegna. L'Italia, inoltre, è ricca di moltissime isolette, spesso raggruppate in arcipelaghi, come le Eolie, le Egadi e le Tremiti. Alcune isole si sono formate per il sollevamento della superficie terrestre, come l'isola d'Elba, altre sono di origine vulcanica, come Stromboli e Vulcano, nelle Eolie, che si sono formate per l'accumulo di detriti e rocce espulsi dai vulcani durante le eruzioni. Il clima delle isole è temperato per l'azione benefica del mare che le circonda da ogni lato.

A sinistra, Portofferaio, nell'isola d'Elba.

I mari

La penisola italiana si protende al centro del **Mediterraneo**, che assume nomi diversi a seconda delle coste che bagna: a est abbiamo il **Mare Adriatico**, a sud-est il **Mar Ionio**, a ovest il **Mar Tirreno** e a nord-ovest il **Mar Ligure**.

Le coste

Le coste italiane sono in prevalenza **basse** e **sabbiose**, tranne che in Liguria, in Campania, in Calabria e in Sardegna, dove prevalgono invece le coste **alte** e **rocciose**. Nella parte settentrionale del Mar Adriatico si trovano numerose **lagune**, che sono specchi d'acqua dolce separati dal mare da sottili strisce di terra.
Tipiche delle coste basse sono le spiagge ampie e le dune, mentre golfi, insenature e promontori caratterizzano le coste alte.

A destra, dall'alto in basso: due esempi di coste rocciose, alte e frastagliate, e uno di costa bassa, con lungo litorale sabbioso.

Sotto, costa sabbiosa caratterizzata da dune.

I fiumi e i laghi

I fiumi

La penisola italiana è una terra ricca di fiumi e di laghi. Tra i fiumi distinguiamo i fiumi alpini, che nascono dalla catena delle Alpi, e i fiumi appenninici, che nascono dalla catena degli Appennini.
I **fiumi alpini** sono lunghi e ricchi di acqua, perché sono alimentati tutto l'anno dalle piogge frequenti, dalle nevi e dai ghiacciai. Il fiume più lungo d'Italia è il **Po** (652 chilometri), che nasce dal Monviso e sfocia nel Mar Adriatico, dopo aver raccolto le acque di numerosi affluenti. L'**Adige**, il **Brenta**, il **Piave**, il **Tagliamento** e l'**Isonzo** scendono dalle Alpi e si gettano direttamente nel Mar Adriatico.
I **fiumi appenninici**, invece, sono alimentati solo dalle acque piovane e alternano periodi di piena a periodi di secca. Nel Sud (Calabria, Basilicata, Sicilia) questi fiumi sono detti **fiumare**: scorrono impetuosi nei periodi di pioggia, per poi trasformarsi in aride distese sassose nei periodi di siccità.
I fiumi che scendono verso il Mar Adriatico sono brevi e diritti per la vicinanza dell'Appennino alla costa, mentre il **Tevere** e l'**Arno**, che sfociano nel Mar Tirreno, sono più lunghi.

Il Po prima di arrivare nell'Adriatico si divide in sette rami. La sua foce a delta comprende un vasto territorio noto come Delta Padano, ricco di ambienti suggestivi come il Gran Bosco della Mesola e le Valli di Comacchio.

Sotto, uno scorcio del lago di Garda, di origine glaciale.

A destra, un lago alpino.

I laghi

I maggiori laghi dell'Italia si trovano nella fascia prealpina e sono: il lago **Maggiore**, il lago di **Como**, il lago d'**Iseo** e il lago di **Garda**. Essi hanno la tipica forma allungata dei **laghi glaciali**, perché occupano il posto di antichi ghiacciai. Con la loro grande massa d'acqua questi laghi rendono più mite il clima e permettono coltivazioni simili a quelle costiere e collinari: viti, olivi, fiori.
Nell'Italia centrale si trovano alcuni **laghi vulcanici** come i laghi di **Bolsena** e di **Bracciano**. Questi laghi hanno una caratteristica forma circolare e si sono formati con l'acqua piovana che si è raccolta nei crateri di vulcani spenti.
I **laghi costieri** sono laghi separati dal mare da una sottile lingua di terra, come il lago di **Lèsina** e il lago di **Varano**. Questi laghi sono meno profondi di quelli glaciali o vulcanici.
Esistono poi, sparsi in tutto il Paese, i **laghi artificiali**, creati dall'uomo con le dighe per sfruttare l'acqua delle centrali idroelettriche.

I parchi naturali

I parchi naturali, che possono essere nazionali o regionali, sono zone di particolare interesse naturalistico che hanno bisogno di essere protette per mantenere intatte le proprie caratteristiche. Il primo a essere istituito è stato quello del Gran Paradiso; altri parchi nazionali importanti sono quello dello Stelvio e quello d'Abruzzo. Oltre a proteggere le piante e gli animali, i parchi hanno anche la funzione di far conoscere ai visitatori le caratteristiche dei vari ambienti naturali, con le loro specie animali e vegetali, e di educarli al rispetto della natura.

Faggeta nel Parco Nazionale delle Foreste Casentinesi. Sotto, a sinistra, cavalli nel Parco della Maremma.

I Parchi in Italia

L'Italia negli ultimi decenni è balzata ai primi posti in Europa per la quantità percentuale di superficie nazionale protetta (circa il 10%, contro appena l'1,5% del 1980). Questo grazie soprattutto a una legge di tutela dell'ambiente (la legge quadro sulle aree protette 394/1991).
Oggi le aree naturali protette del nostro Paese sono rappresentate da 22 parchi nazionali e oltre 600 fra parchi regionali, riserve marine, riserve naturali ecc.

Un'escursione al parco

Visitare un parco naturale è un'esperienza di totale immersione nella natura, lontano da inquinamento e degrado ambientale. È quindi vietato (non solo dalla legge, ma anche dal buon senso) abbandonare cartacce o altri rifiuti, molestare animali, raccogliere piante, fare confusione. Inoltre, per poter meglio osservare le bellezze che la natura offre, è necessario seguire alcuni consigli.

Come vestirsi

Dipende dalla stagione e dal luogo. Meglio portarsi sempre qualcosa di impermeabile, un cappello, ricambi di calze e maglietta. I calzoni corti lasciano campo libero a zanzare e tafani. Meglio indossare colori non troppo sgarganti se s'intende seguire un itinerario faunistico. Anche se l'ambiente è pianeggiante, evitate i sandali: vanno invece sempre bene le calzature chiuse con suola di gomma. Su suoli rocciosi meglio ancora gli scarponcini.

L'attrezzatura

Dipende dai vostri interessi. Se volete passeggiare in tranquillità basterà uno zainetto con una provvista d'acqua (indispensabile d'estate, specialmente su tratti assolati), una macchina fotografica, una cartina del parco o della zona, un binocolo, un coltellino per ogni emergenza, un repellente per gli insetti. Se siete naturalisti appassionati, prendete con voi anche una lente, una pinzetta, alcuni sacchetti di plastica o scatoline per raccogliere piccoli reperti, un centimetro per misurare impronte di animali o altro, un blocco e una matita per disegnare, un altimetro (per la montagna).

Equipaggiamento invisibile

Sono sempre necessarie le seguenti cose: disponibilità a camminare; capacità di restare fermi e in silenzio in caso si avvistino animali selvatici; voglia di guardare, toccare, annusare, ascoltare. Evitate, invece, di assaggiare bacche o frutti sconosciuti.

Il lupo appenninico

Nel Parco Nazionale d'Abruzzo vivono circa 50 esemplari di lupo appenninico (in tutta Italia ce ne sono circa 500). Trent'anni fa questo animale sembrava quasi estinto, a causa della caccia spietata di cui era oggetto e dei cambiamenti avvenuti nel suo habitat naturale. Oggi, grazie all'ambiente protetto del parco, il lupo ha ripreso a cacciare in branco (soprattutto cinghiali selvatici) e a riprodursi.

I parchi naturali

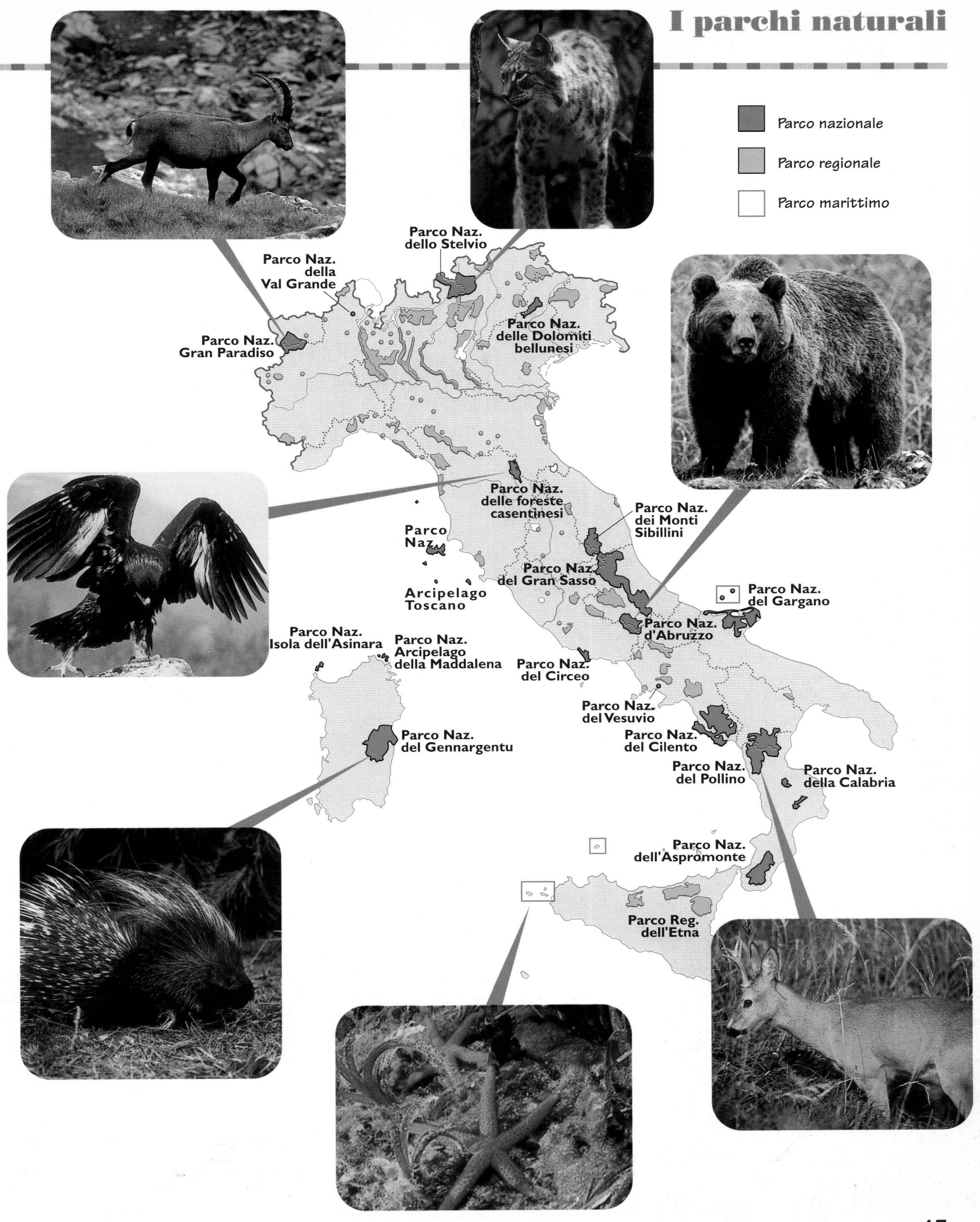

I problemi del territorio

L'Italia è un Paese "tormentato", sia per le sue caratteristiche fisiche sia a causa dell'intervento dell'uomo, non sempre rispettoso dell'ambiente che lo circonda. Frane, alluvioni e terremoti si verificano con frequenza da nord a sud, provocando danni ingenti e, talvolta, perdite umane.

La foto si riferisce all'alluvione che ha colpito la Versilia nel 1996.

Frane, crolli e smottamenti

Una **frana** è una massa di terreno o di roccia che si stacca da un pendio e si muove verso il basso per effetto della forza di gravità. Il terreno può franare in modo istantaneo o lentamente.

Una frana può essere causata da fenomeni naturali, come abbondanti piogge, terremoti o eruzioni vulcaniche. Il fatto che si verifichi o meno dipende dalle caratteristiche ambientali: la composizione del terreno, la sua inclinazione, il tipo di vegetazione che lo ricopre. Infatti, alcuni terreni, per la loro conformazione, sono maggiormente soggetti alla possibilità di franare: per esempio, una roccia resistente e compatta frana meno facilmente di una roccia tenera.

Anche il mantello vegetale ha un ruolo importante: gli alberi ad alto fusto appesantiscono il versante e favoriscono la penetrazione dell'acqua in profondità, mentre altri tipi di piante favoriscono, mediante le loro radici, l'ancoraggio del terreno alla roccia.

Il fattore umano

Anche l'intervento dell'uomo sull'ambiente può favorire il verificarsi di una frana. Per esempio l'aggiunta del peso di un edificio a un versante, la costruzione di strade, il riempimento o lo svuotamento di un lago artificiale, le modificazioni apportate alla vegetazione spontanea possono contribuire alla formazione di frane e smottamenti del terreno.

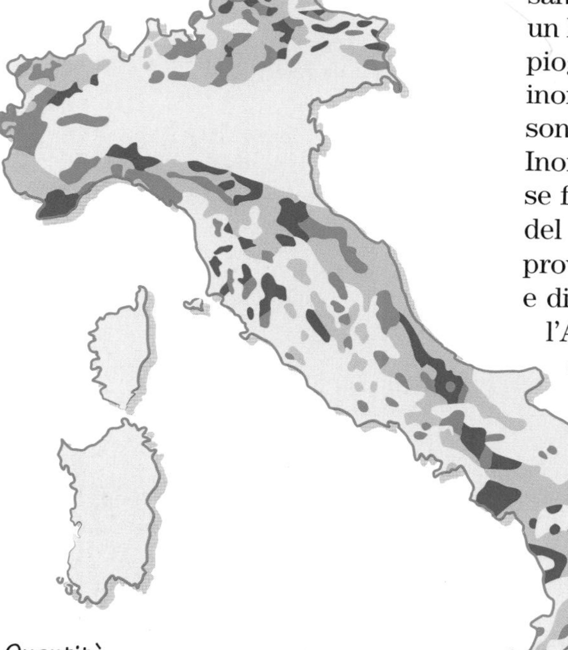

L'unica regione in cui il rischio di frane è basso è la Sardegna. Le rocce molto antiche che la costituiscono (risalgono a 600 milioni di anni fa) sono molto stabili.

Alluvioni e inondazioni

Le **alluvioni** sono provocate dalla fuoriuscita impetuosa di acqua e fango dall'alveo di un fiume o di un torrente. La causa principale di un'alluvione sono le piogge. Quando piove molto e per molti giorni di seguito l'acqua piovana può gonfiare un corso d'acqua a tal punto che esso **straripa**, cioè esce dal suo letto, inondando i terreni circostanti.

Le alluvioni interessano particolarmente i Paesi geologicamente giovani, con catene montuose recenti e con versanti molto ripidi: per questo l'Italia è un Paese a rischio. Infatti ogni anno le piogge autunnali provocano qualche inondazione: negli ultimi 80 anni ce ne sono state oltre 54 000.

Inondazioni particolarmente disastrose furono quella del Po nel novembre del 1951, che allagò ben 113 000 ettari, provocando la morte di molte persone e distruggendo 900 case, e quella dell'Arno nel novembre del 1966: le acque del fiume superarono di 4 metri il livello massimo e allagarono Firenze. Nello stesso giorno i fiumi strariparono anche a Trento, Bolzano, Merano, Padova e in altri paesi, inondando complessivamente 310 000 ettari di superficie.

Nel novembre 1994 una enorme quantità di pioggia causò l'alluvione che colpì la Liguria e il Piemonte: Po, Tanaro e Sesia ruppero gli argini e 10 000 persone rimasero senza tetto.

La terra trema

Il **terremoto** è un fenomeno naturale intenso e di breve durata, che provoca lo scuotimento della superficie terrestre. Se curvi un ramoscello e lo rilasci, riprende la sua forma. Se aumenti la curvatura a un certo punto si rompe, liberando energia sotto forma di calore e di onde elastiche. Allo stesso modo, durante un terremoto, le rocce della crosta terrestre si fratturano liberando una notevole quantità di energia che si trasforma in **onde sismiche**.
Il punto all'interno della Terra da cui partono le onde sismiche prende il nome di **ipocentro**. Quello corrispondente in superficie si chiama **epicentro**. Più ci si trova vicini all'epicentro e più intense sono le scosse sismiche. L'energia liberata durante il terremoto si manifesta in onde che si propagano all'interno della Terra e in onde superficiali. Le onde superficiali provocano **scosse sussultorie**, con oscillazioni in senso verticale, oppure **scosse ondulatorie**, con oscillazioni in senso orizzontale.

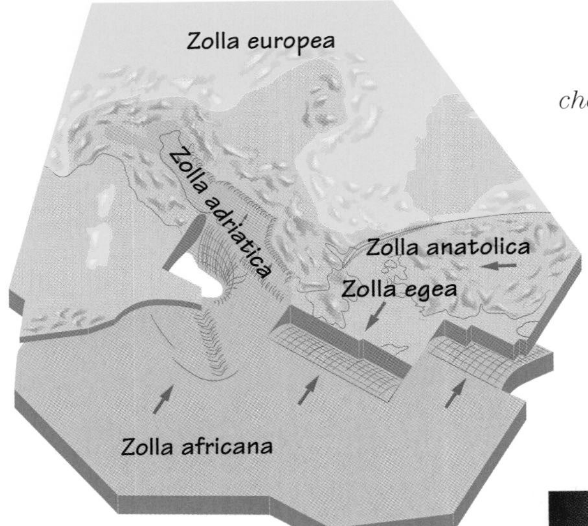

La maggior parte dei terremoti che interessano la nostra penisola sono causati dalla placca africana che si scontra con quella euroasiatica. Per misurare la forza di un terremoto si usano due sistemi: la scala Mercalli misura l'intensità degli effetti che il terremoto produce sugli edifici e sull'ambiente; la scala Richter misura la magnitudo, cioè l'energia sprigionata da un terremoto nel punto di origine.

I terremoti in Italia

Negli ultimi mille anni nel nostro Paese si sono verificati circa 160 terremoti molto distruttivi, che rappresentano il 50% degli eventi sismici registrati nel Mediterraneo.
Questo perché l 'Italia si trova all'interno di una zona sismica molto attiva, dove le scosse sono causate soprattutto dall'interazione fra la zolla euroasiatica e quella africana. Le zone colpite più di recente sono il Belice in Sicilia, l'Irpinia in Campania, il Friuli, l'Umbria e le Marche.
Fra i terremoti avvenuti in Italia nel corso del Novecento si ricordano alcuni particolarmente disastrosi. Il terremoto di Messina nel 1908, che provocò un forte maremoto. Quello di Avezzano, nel 1915; del Belice, nel 1968; del Friuli, nel 1976; della Basilicata e Irpinia, nel 1980; dell'Umbria e delle Marche, nel 1997.

I vulcani

Il **vulcano** è un'apertura naturale della crosta terrestre da cui fuoriesce il **magma**, un materiale incandescente composto da rocce fuse, gas, vapori, ceneri. I vulcani sono formati da questo materiale che, accumulandosi, prende la forma di un cono. Le pianure ai piedi dei vulcani sono fertili proprio per la presenza di ceneri vulcaniche.
In Italia ci sono numerosi vulcani; alcuni sono spenti, cioè non sono più in attività da moltissimi anni, altri invece sono ancora attivi, come il Vesuvio, l'Etna, Stromboli e Vulcano.
Il **Vesuvio** (1281 metri) è l'unico vulcano attivo dell'Europa continentale. Si trova in Campania, ed è famoso per l'eruzione che il 24 agosto del 79 d.C. distrusse le città romane di Ercolano e Pompei, uccidendo oltre 3000 persone. L'ultima eruzione risale al 1944.
L'**Etna**, in Sicilia, con i suoi 3323 metri è il vulcano più alto d'Europa e vanta un'attività ininterrotta da 3000 anni.
Stromboli e **Vulcano**, nell'Arcipelago delle Eolie, danno il nome alle isole in cui si trovano. L'attività più recente di una certa consistenza di Stromboli risale al 2002.

L'Etna durante un'eruzione.

Vulcano

Vulcano è una delle sette isole dell'Arcipelago delle Eolie. Secondo gli antichi Romani, qui viveva il dio del fuoco, Vulcano, che con i suoi scoppi d'ira causava disastrose eruzioni. Ora il "dio" è calmo, l'ultima eruzione risale al 1890, e il turista può godere della bellezza del paesaggio: la vegetazione spontanea, la sabbia nera, il mare cristallino, le pietre laviche dalle forme contorte.

Quando la terra trema

Anche se non esistono comportamenti sicuri al cento per cento per tutti i terremoti e tutti i luoghi, alcune regole vanno rispettate per evitare pericoli inutili.

- Se la vostra è una casa sicura, non uscite durante la scossa di terremoto: aspettate che sia finita.
- Non usate le scale durante la scossa: a volte sono la parte più fragile della casa.
- Non usate mai gli ascensori: la corrente elettrica che li aziona potrebbe interrompersi, bloccandovi dentro.

- Riparatevi sotto un tavolo: vi proteggerà dalla caduta di calcinacci, mobili ecc.
- Un altro luogo abbastanza sicuro può essere l'angolo di una stanza fra due muri maestri (muri che danno verso l'esterno, per esempio).

- Potete ripararvi anche nel vano di una porta inserita in un muro portante (cioè un muro spesso e solido).
- Se siete all'aperto, allontanatevi dai muri delle case: possono cadere tegole, cornicioni o camini.
- State lontano dagli alberi, dai lampioni, dai fili della luce: potrebbero abbattersi sul terreno.
- Non sostate sopra o sotto i ponti.
- Cercate un posto dove non avete niente sopra di voi che possa cadere.

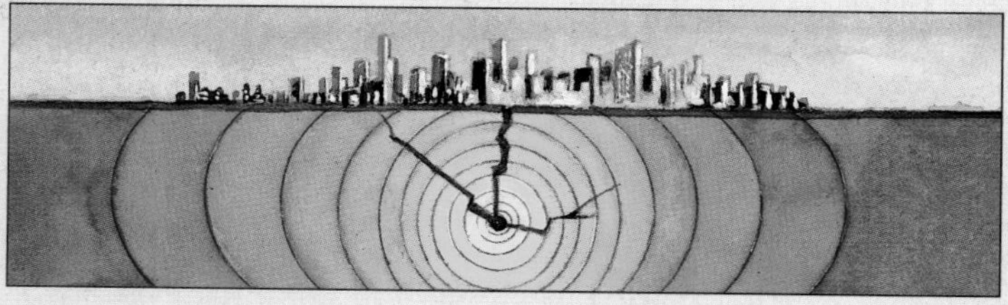

E dopo la scossa?

Quando la scossa di terremoto è finita, spesso si verificano altre scosse meno intense; talvolta però possono arrivare anche altre scosse molto forti. Nel dubbio, bisogna comportarsi in modo responsabile:

- Finita la scossa, uscite in strada con calma. Indossate le scarpe per non ferirvi i piedi con i vetri rotti.
- Uscendo di casa, chiudete gli interruttori generali di gas ed elettricità, per sicurezza.
- Soccorrete chi è in difficoltà, ma non muovete i feriti gravi: chiedete l'aiuto di un adulto.
- Raggiungete uno spazio aperto lontano da edifici pericolanti.
- Non avvicinatevi a spiagge (se la zona è a rischio maremoto), dighe o impianti industriali.

- Telefonate solo in caso di stretta necessità, per non intasare le linee.
- Non intralciate i soccorsi e seguite le istruzioni della Protezione Civile.

Occhio alle frane!

Non è facile prevedere il verificarsi di una frana. Però in presenza di situazioni meteorologiche avverse, nelle zone a rischio va prestata attenzione ad alcuni segnali:

- Se nel suolo e nelle pareti degli edifici si aprono delle crepe, vanno tenute sotto controllo.
- A valle del pendio che sta franando è visibile un rigonfiamento.
- Il flusso delle sorgenti può variare e l'acqua diventare torbida.
- Si registrano lievi vibrazioni sismiche.

Pericolo alluvioni

In caso di precipitazioni abbondanti e durature, le basse aree pianeggianti situate in prossimità di corsi d'acqua sono a "rischio alluvione". Per prevenire eventuali inondazioni vanno osservate alcune precauzioni:

- L'alveo del fiume va mantenuto pulito, sgombero dai detriti, naturali o depositati dall'uomo, in modo che in caso di piena possa reggere portate notevoli.
- Si devono costruire argini protettivi, oltre a canali e gallerie per convogliare parte dell'acqua.
- Bisogna controllare alcune zone (per esempio quelle montane) da cui, in seguito a piogge intense, possono provenire detriti e fango che vanno a ingrossare il corso d'acqua a valle.

Uomo e ambiente

La parola "ambiente" viene dal latino ambientem *e significa "ciò che sta intorno", ovvero l'insieme delle cose che ci circondano. L'ambiente non è costituito solo dalla natura, ma anche dalle opere costruite dall'uomo e dalle sue attività. Perciò si parla di ambiente globale, che comprende sia l'ambiente fisico (cioè naturale), sia quello umano.*

Un equilibrio delicato

L'uomo, con il suo intervento, modifica l'ambiente in cui vive: abbatte alberi per creare campi coltivati o per utilizzare il legname; costruisce strade, ponti, gallerie; sbarra il corso dei fiumi, per creare delle dighe; costruisce città.
Purtroppo gli interventi umani non sempre sono rispettosi della natura. Lo sviluppo dei centri abitati e delle attività industriali e agricole ha prodotto in molte parti del mondo, fra cui l'Italia, un aumento dei rifiuti e delle sostanze inquinanti nei fiumi, nei laghi, nel suolo e nell'aria.

Migliaia di ettari di bosco bruciano ogni anno a causa di sigarette non spente, di fuochi accesi incautamente e di altri comportamenti sbagliati.

Inquinamento industriale.

L'inquinamento dell'aria

Negli ultimi decenni l'uomo ha inquinato l'atmosfera con le sostanze velenose che provengono dalle industrie, dagli scarichi degli autoveicoli e dal riscaldamento delle case.
Anche nelle città italiane l'inquinamento raggiunge spesso i livelli di guardia. In inverno, soprattutto quando non c'è vento, l'aria inquinata non si mescola con l'aria pulita e si forma una "cappa" di **smog** carica di sostanze tossiche. La qualità dell'aria viene continuamente monitorata da centraline, e se le sostanze inquinanti superano i valori considerati nocivi per la salute, vengono presi dei provvedimenti (per esempio, il blocco del traffico).

La deforestazione

Boschi e foreste sono molto importanti per la vita della Terra: gli alberi purificano l'aria e regolano il clima. Nei Paesi temperati, come l'Italia, i boschi hanno lasciato il posto alle città, alle estese coltivazioni, alle vie di comunicazione: così pioggia, gelo e caldo dilavano poco a poco il suolo che, non essendo più trattenuto dall'intrico delle radici, può franare a valle causando gravi danni.

Inquinamento delle acque da scarichi (sopra) e idrocarburi (sotto).

L'inquinamento di acqua e suolo

Le acque dei numerosi fiumi e laghi del nostro Paese non sempre hanno un aspetto cristallino, e così pure quelle dei mari che lambiscono la penisola: sono tutte colpite da varie forme di inquinamento.
Inquinamento domestico: è dovuto agli scarichi delle nostre case. Se non vengono depurate, le acque con detersivi e quelle degli scarichi dei bagni provocano gravi danni all'ambiente.
Inquinamento agricolo: per uccidere insetti e altri animali dannosi, in agricoltura si usano i pesticidi, che avvelenano le acque sotterranee e i fiumi.
Inquinamento industriale: gli scarichi delle industrie contengono sostanze tossiche che provocano la morte di animali e vegetali. La legge impone la depurazione degli scarichi.
Inquinamento da idrocarburi: il petrolio scaricato in mare dalle petroliere durante il lavaggio delle cisterne o quello perso dalle navi negli incidenti provoca la morte di molti pesci e uccelli marini.
L'**inquinamento del suolo** è più difficile da osservare: il terreno riceve elementi nocivi derivanti da pesticidi, scarichi industriali o piogge acide e li restituisce alle diverse componenti del ciclo alimentare.

Che cos'è l'ecologia

L'ecologia è la scienza che si occupa dei rapporti fra esseri viventi e ambiente.
Per difendere gli ambienti e la nostra salute, tutti i governi cercano soluzioni "ecologiche" che, per funzionare, hanno bisogno della collaborazione di tutti i cittadini.
Tra le importanti iniziative che sono state prese contro l'inquinamento ci sono:

- una legge contro lo **smog** e in difesa dell'aria pulita;
- una legge in **difesa delle acque**, che obbliga le industrie a fare uso di depuratori per eliminare le sostanze velenose prodotte dagli scarichi industriali;
- una disciplina che regola lo **smaltimento dei rifiuti**, sia urbani sia industriali.

Negli ultimi anni sono nate associazioni che si occupano della difesa dell'ambiente naturale. Eccone alcune.

Le piogge acide

La combustione dei prodotti petroliferi e del carbone produce anidride carbonica e altri gas nocivi che si combinano con il vapore acqueo presente nell'atmosfera. Si formano così composti acidi che cadono sulla superficie terrestre durante le piogge, danneggiando foreste, provocando la distruzione della fauna di laghi e fiumi, deteriorando monumenti e palazzi storici. È questo il fenomeno delle "piogge acide", difficilmente controllabile se non viene affrontato a livello mondiale: il vapore acqueo, contenente gli inquinanti, si sposta da un luogo all'altro per effetto delle correnti aeree e può produrre i suoi effetti disastrosi anche in zone molto distanti da quelle di emissione delle sostanze dannose.

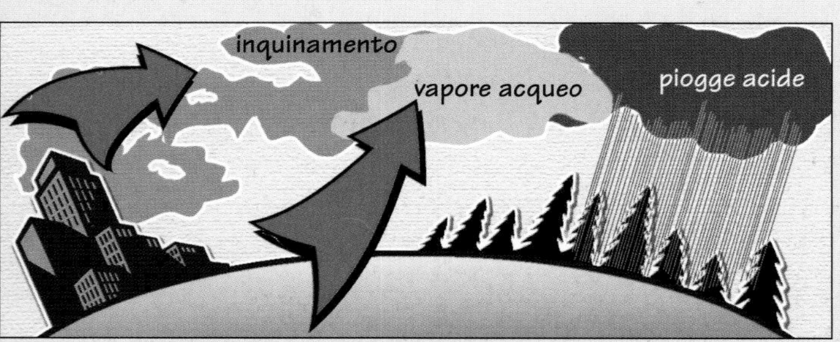

Contro lo smog

Che fare quando l'aria della città è irrespirabile a causa dello smog?
Ovviamente la soluzione al problema non è semplice. Gli amministratori pubblici adottano provvedimenti di limitazione del traffico automobilistico e dell'uso di combustibili. Recentemente, alcune Regioni forniscono incentivi economici se vengono adottate forme di energia "pulita" a uso domestico (per esempio, l'energia solare).
E tu cosa puoi fare?

- andare a scuola a piedi o in bicicletta;
- fare attenzione nell'uso del riscaldamento domestico (mantenere in casa una temperatura non eccessiva, chiudere i radiatori quando si aprono le finestre).

Per un'acqua pulita

L'acqua è un bene rinnovabile, perché durante il suo ciclo si purifica e può venire riutilizzata, ma purtroppo si può esaurire. È necessario quindi usare questo prezioso elemento con saggezza: soprattutto, bisogna ridurre gli sprechi e l'inquinamento. La soluzione al problema dell'inquinamento delle acque richiede innanzitutto alcune misure preventive da parte dei governi:

- un miglioramento degli impianti di depurazione delle acque di scolo industriali, civili e agricole;
- un più diffuso impiego dei materiali biodegradabili nel commercio;
- una riduzione del contenuto di fosforo nei detersivi;
- la limitazione nell'uso di sostanze chimiche in agricoltura;
- un controllo rigoroso del rispetto delle leggi di protezione delle acque;
- il trasporto di materiali inquinanti con mezzi sicuri.

E tu cosa puoi fare?

- Non gettare rifiuti in mare, laghi o fiumi.
- Non gettare nell'acquaio i rifiuti di cibo o l'olio usato in cucina: poche gocce d'olio inquinano 1000 litri d'acqua!
- Risparmia l'acqua quando ti lavi: ricorda che la doccia consuma meno acqua del bagno in vasca.
- Ricordati di chiudere il rubinetto mentre ti lavi i denti: riaprilo solo quando devi usare l'acqua per il risciacquo.

Rifiuti "indistruttibili"

I rifiuti prodotti dalla natura sono **biodegradabili**, cioè vengono decomposti dagli insetti, dai batteri, dai funghi. Questo è il riciclaggio della natura.
L'uomo produce alcune sostanze, come le plastiche, che non possono essere attaccate dai cosiddetti "decompositori". Che fare, dunque, dei rifiuti che "sporcano" l'ambiente?

La raccolta differenziata

Da alcuni anni si cerca di riciclare il più possibile i rifiuti, come la carta, il vetro, le lattine, la plastica. **Riciclare** significa riutilizzare questi materiali di scarto per produrre nuovi oggetti. Per riciclare occorre innanzitutto fare la **raccolta differenziata**, cioè gettare i diversi rifiuti in contenitori differenti: è semplice e tutti noi lo possiamo fare.

Discariche e inceneritori

In ogni città vengono raccolti dalle abitazioni e portati alle discariche e agli inceneritori i **rifiuti solidi urbani.**
Le **discariche** sono grandi buche a cielo aperto dove gli strati di spazzatura vengono via via ricoperti di terra. Il fondo della buca viene ricoperto da uno strato impermeabile per non inquinare il terreno e l'acqua in profondità. I gas che si producono possono essere utilizzati per il riscaldamento o l'illuminazione.
Gli **inceneritori** sono invece delle enormi fornaci nelle quali i rifiuti vengono bruciati. Il calore che si ricava viene impiegato per produrre energia elettrica.

La carta, il vetro, i contenitori di plastica e metallo possono essere riciclati; basta raccoglierli negli appositi contenitori.

Un mondo più pulito

Ecco alcune regole da seguire per difendere l'ambiente che ci circonda:

Scegliere prodotti a bassa produzione di rifiuti
Evitiamo dove possibile i prodotti usa e getta (come piatti e bicchieri di plastica) e i contenitori a perdere (fra due prodotti equivalenti scegliamo quello meno imballato).

Ridurre lo spreco alimentare
Ogni giorno ognuno di noi compra sostanze alimentari per 3200 calorie di cui 800 circa vengono buttate. Creiamo dei modi per riutilizzare il cibo in eccesso. Stiamo più attenti a ciò che compriamo.

Riciclare oggetti ancora utili
Certi oggetti sono ancora disponibili su un mercato di seconda mano. Se vogliamo disfarci di qualcosa che è "ancora buono", non buttiamolo via nel cassonetto; piuttosto regaliamolo a qualcuno cui serva.

Smaltire correttamente i rifiuti ingombranti
L'amministrazione che presiede alla pulizia delle strade mette a disposizione di tutti dei servizi a costo contenuto o spesso addirittura gratuiti. Buttare una lavatrice dove nessuno la vede è solo uno sciocco gesto di inciviltà.

Praticare la raccolta differenziata
La spazzatura non va mescolata, ma differenziata!

Non mischiare rifiuti domestici e rifiuti pericolosi
I rifiuti pericolosi (pile, medicinali, olio) hanno un alto potere inquinante: vanno gettati negli appositi raccoglitori.

Avviare un compostaggio domestico
Quando e dove è possibile, è un ottimo modo per recuperare il materiale organico.

Non gettare rifiuti per terra
Oltre a essere un segno di civiltà, è un modo per evitare che questi vadano a finire nel sistema fognario, cioè lontano da dove devono andare: nel cassonetto! Se aspettiamo che qualcun altro lo faccia al posto nostro, questo costo prima o poi ricadrà su di noi.

Non abbandonare rifiuti nell'ambiente
Se andiamo a fare un'escursione o un picnic all'aperto, portiamoci indietro i rifiuti che produciamo, a meno che non esista un apposito servizio di raccolta. I rifiuti non spariscono da soli, anzi restano lì a inquinare e insudiciare il posto per un'eternità.

capitale di Stato
capoluogo di region
capoluogo di provin
altre località
FRANCIA
GERMANIA
AUSTRIA
SVIZZERA
LIECHTENSTEIN
Vaduz
Berna
Zurigo
Lucerna
Lago di Costanza
Lago di Neuchâtel
Losanna
Lago di Ginevra
Rodano
Reno
Coira
Inn
Innsbruck
Vetta d'Italia
2912
Drava
Lienz
Graz
Lago Balaton
UNGHERIA
ALTO ADIGE/ SÜDTIROL
Merano
Bolzano
Adige
Bernina
4049
Bormio
Cortina d'Ampezzo
3343
Marmolada
Villach
Klagenfurt
Maribor
Provincia del Verbano-Cusio-Ossola
Bellinzona
Sondrio
Adda
TRENTINO
Trento
Belluno
FRIULI VENEZIA GIULIA
Udine
Pordenone
SLOVENIA
Lubiana
Varaždin
Sava
Zagabria
CROAZIA
M. Bianco
4807
M. Rosa
4637
Verbania
Lago di Como
Lago Maggiore
VALLE D'AOSTA/ VALLÉE D'AOSTE
Aosta
Varese
Lecco
Como
Rovereto
Piave
Gorizia
Biella
Bergamo
Lago di Garda
VENETO
Treviso
Trieste
Karlovac
Novara
LOMBARDIA
Milano
Verona
Mestre
Golfo di Venezia
Vercelli
Lodi
Brescia
Vicenza
Padova
Venezia
Fiume
PIEMONTE
Ticino
Susa
Torino
Pavia
Po
Cremona
Mantova
Rovigo
Delta del Po
Veglia
Sava
Banja Luka
Asti
Alessandria
Piacenza
Parma
Reggio nell'Emilia
Ferrara
Pola
Cherso
Bihać
3841 Monviso
Modena
EMILIA-ROMAGNA
LIGURIA
Genova
Provincia di Massa-Carrara
Bologna
Ravenna
Pago
BOSNIA-ERZEGOVINA
Zenica
Cuneo
Savona
La Spezia
M. Cimone
2165
Forlì
Cesena
Zara
Carrara
Rimini
Sarajevo
FRANCIA
MONACO
Imperia
MAR LIGURE
Massa
Pistoia
Provincia di Forlì-Cesena
Isola Lunga
San Remo
Lucca
Prato
Pesaro
S. MARINO
Nizza
Pisa
Arno
Firenze
Urbino
Senigallia
Sebenico
Livorno
Provincia di Pesaro e Urbino
Ancona
Spalato
Gorgona (Livorno)
TOSCANA
Arezzo
Tevere
MARCHE
Brazza
Mostar
Capraia (Livorno)
Siena
Perugia
Macerata
Lesina
Lago Trasimeno
Assisi
Fermo
Lissa
Curzola
Piombino
Portoferraio
Grosseto
Ascoli Piceno
S. Benedetto del Tronto
UN. DI SERB E MONTENEG
UMBRIA
Meleda
Ragusa
Podgorica
Bastia
Arcipelago Toscano
Elba (Livorno)
Orvieto
Spoleto
Teramo
ADRIATICO
Terni
Lago di Bolsena
Orbetello
Gran Sasso
2912
Pescara
Cattaro
Pelagosa
Viterbo
L'Aquila
Chieti
I. Tremiti (Foggia)
L. di Scutari
Corsica (Francia)
Giglio (Grosseto)
Lago di Bracciano
Rieti
ABRUZZO
Sulmona
2793
Termoli
Ajaccio
Civitavecchia
CITTÀ DEL VATICANO
Roma
la Maiella
LAZIO
Sora
MOLISE
Manfredonia
Golfo di Manfredonia
ALBAN
Durazzo
Ostia
Campobasso
Bonifacio
Bocche di Bonifacio
Frosinone
Isernia
Foggia
Barletta
Trani
Latina
Asinara (Sassari)
Gaeta
Benevento
Andria
Molfetta
Bari
Porto Torres
I. Ponziane (Latina)
Golfo di Gaeta
Caserta
CAMPANIA
Melfi
PUGLIA
Olbia
Sassari
Arcipelago Campano
1281
Avellino
Altamura
Brindisi
Ischia
Napoli (Napoli)
Vesuvio
Potenza
Valor
Alghero
MAR DI SARDEGNA
Matera
Taranto
Capri
Salerno
Lecce
Nuoro
Golfo di Salerno
Agropoli
BASILICATA
Golfo di Taranto
Otranto
SARDEGNA
Gennargentu
1834
Canale d'Otranto
Lagonegro
Gallipoli
Oristano
Arbatax
2248
M. Pollino
Castrovillari
TIRRENO
Iglesias
Cosenza
la Sila
1928
Cagliari
S. Pietro (Cagliari)
S. Antioco
CALABRIA
Crotone
Golfo di Cagliari
Lamezia Terme
Catanzaro
Ustica (Palermo)
Isole Eolie o Lipari (Messina)
Vibo Valentia
Canale di Sardegna
MAR
Messina
Str. di Messina
Aspromonte
1955
Palermo
Cefalù
I. Egadi (Trapani)
Trapani
Reggio di Calabria
Alcamo
Taormina
Etna
3323
Marsala
SICILIA
MAR IONIO
MAR MEDITERRANEO
La Galite
Stretto di Sicilia
Caltanissetta
Enna
Catania
Salso
Agrigento
Siracusa
Licata
Gela
Ragusa
Tunisi
ALGERIA
Pantelleria (Trapani)
TUNISIA
Gozo
MALTA
Valletta
I. Pelagie (Agrigento)
0
50
100 km
1 cm = 50 km
Long. Est 14° da Greenwich
8°
10°
12°
14°
16°
18°
46°
44°
42°
40°
38°
36°
A
B
C
D
E
F
G
1
2
3
4
5
6
7

Italia politica

La carta geografica della pagina a fianco mostra l'Italia suddivisa in Regioni. È una carta politica, e rappresenta l'organizzazione che gli uomini hanno dato al territorio. I colori servono a distinguere le 20 Regioni in cui è suddiviso il nostro Paese.

Gli italiani in numeri

In Italia ci sono circa 57 milioni di abitanti. La **densità di popolazione** è quindi molto elevata: ciò vuol dire che vi è un alto numero di persone per chilometro quadrato (mediamente, 190 abitanti per chilometro quadrato). Le aree più densamente popolate sono quelle intorno alle grandi città: Milano e Torino al Nord, Roma e Napoli al Centro e al Sud. Da alcuni anni, però, la popolazione italiana cresce pochissimo. Attualmente nel Nord Italia il **tasso di crescita** è vicino allo zero: il tasso di crescita si calcola facendo la differenza tra nascite e morti, e in questo caso i bambini nati sono poco più delle persone morte. Di conseguenza, con l'abbassarsi della natalità, il numero degli anziani aumenta, mentre diminuisce quello dei giovani.
Poco prolifici, in compenso gli italiani vivono più a lungo che in passato: in media 74 anni gli uomini e 80 le donne. E se non crescono come numero, crescono di statura! Nel giro dell'ultimo mezzo secolo, infatti, l'altezza media è aumentata di 7-8 centimetri (come è stato rilevato dalle visite di leva per il servizio militare), segno questo di maggior benessere e di migliori condizioni sanitarie e di alimentazione.
Va inoltre ricordato che sempre più numerosi sono gli stranieri che arrivano in Italia dai Paesi in via di sviluppo, alla ricerca di un lavoro o per sfuggire alla guerra e alla fame.

Il censimento della popolazione

Dal 1861, ogni dieci anni lo Stato italiano effettua un'indagine molto importante che si chiama **censimento**. Attraverso questa indagine, lo Stato conta il numero dei propri abitanti e nello stesso tempo raccoglie informazioni sulle condizioni di vita della popolazione: tipo e diffusione delle attività lavorative, livello di benessere, grado di istruzione ecc. I dati vengono poi raccolti dall'Istituto Centrale di Statistica, chiamato ISTAT, che si occupa di leggerli, interpretarli e pubblicarli.
Dall'ultimo censimento sono emersi alcuni dati importanti: la popolazione si sta allontanando dalle città; aumenta il numero delle famiglie che hanno, però, un minor numero di componenti; aumenta inoltre il numero degli anziani, grazie al sistema sanitario e alla possibilità per tutti di avere cure e medicinali.

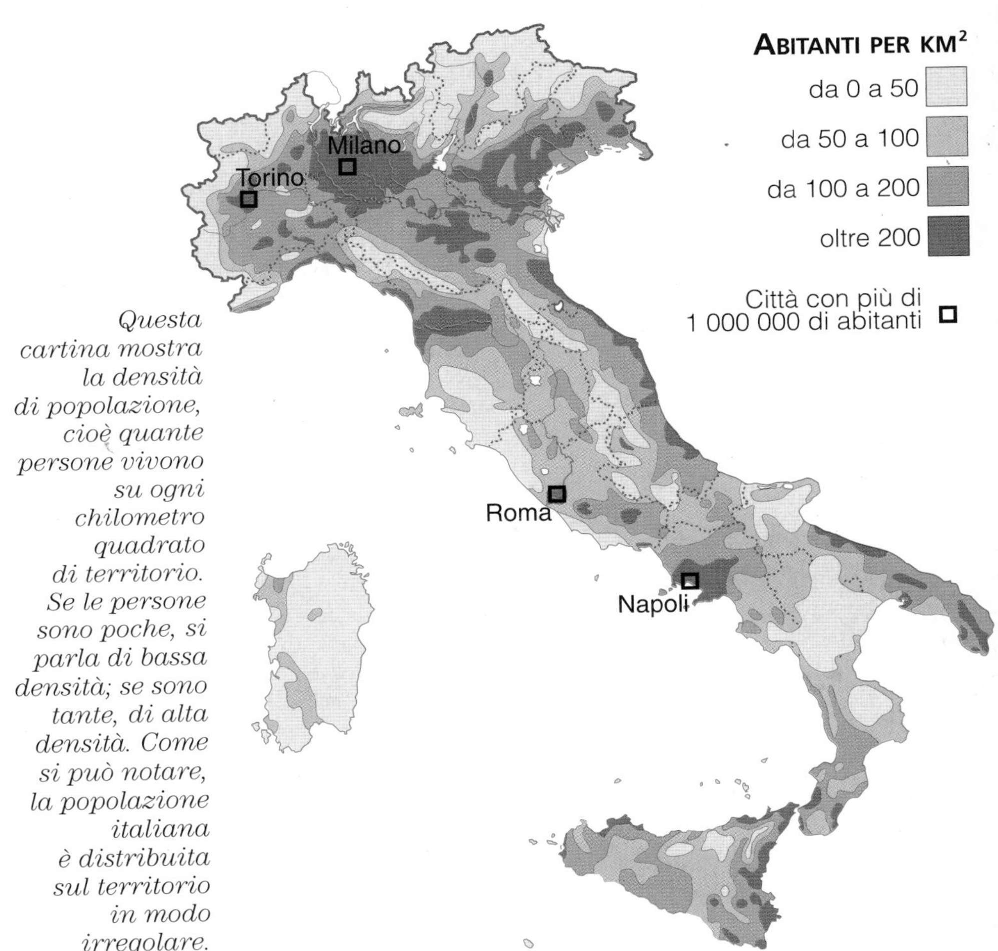

Questa cartina mostra la densità di popolazione, cioè quante persone vivono su ogni chilometro quadrato di territorio. Se le persone sono poche, si parla di bassa densità; se sono tante, di alta densità. Come si può notare, la popolazione italiana è distribuita sul territorio in modo irregolare.

Come si calcola la densità di popolazione

La densità di popolazione si calcola in questo modo: si divide il numero delle persone che vivono in un territorio per tutti i chilometri quadrati della superficie, come se in ogni chilometro quadrato ci stesse il medesimo numero di persone. Il numero che si ottiene non è "vero", perché, per esempio, nella regione alpina nessuno vive sulle vette, mentre nelle città la densità di popolazione è senz'altro molto alta. Comunque, questo dato statistico è importante per confrontare la popolosità di Regioni e Stati diversi.

Le attività dell'uomo

*Le attività dell'uomo sono spesso legate alle caratteristiche dell'ambiente in cui vive.
L'Italia è povera di risorse naturali da utilizzare nelle attività industriali, ma non le mancano altri beni preziosi. Paesaggi suggestivi, un immenso patrimonio storico-artistico, una sapiente tradizione artigiana e, non ultimi, inventiva e ingegno hanno permesso al nostro Paese di raggiungere i primi posti nel mondo nei diversi settori economici, dall'industria al turismo, dall'agricoltura all'artigianato.*

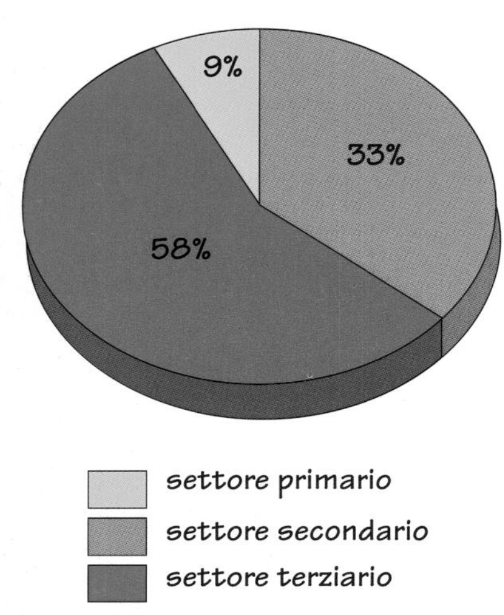

I lavoratori italiani sono distribuiti nei tre settori economici secondo le percentuali sopra indicate. In passato, gli occupati nel settore primario, soprattutto nell'agricoltura, erano molti di più: solo cinquant'anni fa, in Italia i contadini rappresentavano ben il 70% della forza lavoro.

Trebbiatura del grano.

Stabilimento automobilistico.

Agricoltura e altre attività del settore primario

Oggi la manodopera impiegata in **agricoltura** è di gran lunga inferiore a quella di industria e servizi, ma ciò non significa che i prodotti dei campi siano diminuiti. Anzi sono aumentati, perché la qualità delle piante e le tecnologie di coltivazione sono migliorate e offrono rendimenti maggiori.
L'agricoltura è sviluppata soprattutto nelle pianure, in special modo nella Pianura Padana, dove vengono coltivati la metà dei prodotti agricoli italiani. Nel nostro Paese si producono cereali (grano, mais, riso), ortaggi, frutta; si coltivano vite, olivo e fiori.
L'**allevamento** è diffuso in tutta la penisola. Nelle aziende agricole del Centro-Nord, in grandi stalle attrezzate e moderne, sono allevati suini (maiali), bovini (mucche, bufale, manzi), equini (cavalli) e pollame (polli, galline, tacchini). Al Sud e nelle isole prevale l'allevamento degli ovini (pecore, capre) e dei bovini.
Attività di minore importanza sono la **pesca**, poco redditizia per la scarsa pescosità dei nostri mari, e lo **sfruttamento dei boschi**, sempre meno estesi. L'**attività mineraria ed estrattiva** è localizzata solo in alcune regioni dove esistono modesti giacimenti di piombo, zinco, ferro e rame.

Industria e artigianato

Anche se povera di materie prime, l'Italia è ai primi posti tra gli Stati industriali del mondo. Molto diffuse sono le **industrie** alimentari, che trasformano i prodotti dell'agricoltura e dell'allevamento, e quelle tessili. Vi sono poi le industrie siderurgiche, che lavorano il ferro e l'acciaio, e quelle metalmeccaniche, che lavorano i metalli e producono macchine di tutti i tipi: elettrodomestici, macchine agricole, automobili ecc. Infine sono diffuse le industrie petrolchimiche, che producono combustibili, materie plastiche, gomma, e le industrie chimiche, che producono vernici e concimi.
Un'attività fiorente è l'**artigianato**, praticato in piccoli laboratori, con pochi dipendenti e macchinari semplici. Questi artigiani sono gli eredi di un'antica e rinomata tradizione (lavorazione artistica di pelli, tessuti, legno, ceramica, vetro, pietre preziose).

SETTORE PRIMARIO	comprende tutte le attività che utilizzano direttamente le risorse della natura, cioè le materie prime	agricoltura, allevamento, pesca, estrazione dei minerali, utilizzo dei boschi
SETTORE SECONDARIO	comprende le attività che trasformano le materie prime per ottenere prodotti finiti, anche manufatti (fatti a mano)	industria e artigianato
SETTORE TERZIARIO	comprende le attività che forniscono servizi per la vita e il benessere dei cittadini o per far funzionare gli altri settori	uffici pubblici, ospedali, scuole, commercio, trasporti, banche, sport e spettacolo, turismo, telecomunicazioni

Milioni di stranieri visitano ogni anno il nostro Paese.

Il turismo

Un'importante risorsa economica è il **turismo**, che offre lavoro a molte persone: albergatori, camerieri, bagnini, maestri di sci, guide turistiche e altri ancora. Il turismo fa parte del **terziario**, il settore che si occupa di fornire i **servizi** necessari alla società e ai vari settori economici. Molte attività riguardano i cittadini e sono gestite direttamente dallo Stato: gli ospedali, la scuola, l'amministrazione della giustizia, le ferrovie, le poste. Vi sono poi attività legate all'agricoltura e all'industria, come i **trasporti**, che permettono di distribuire i prodotti su tutto il territorio, e il **commercio**, che si occupa invece della vendita.

Il lavoro in Italia

Purtroppo non è sempre facile trovare un posto di lavoro e in Italia ci sono molti disoccupati, cioè persone senza occupazione. La carta a fianco mostra i tre gruppi di regioni in cui si usa dividere l'Italia, in riferimento al lavoro.

Nelle **regioni settentrionali** vi è un alto sviluppo industriale e agricolo. Qui si trovano le maggiori industrie italiane, che impiegano molti lavoratori, anche immigrati da altre regioni d'Italia o da Paesi stranieri. L'agricoltura e il terziario sono molto produttivi.

Nelle **regioni centrali** sono diffusi la piccola e media industria, l'agricoltura e l'artigianato. Nelle **regioni meridionali** e **insulari** prevalgono l'agricoltura e gli impieghi nel settore terziario.

Il Bel Paese

La varietà e la bellezza dell'ambiente naturale richiamano in Italia moltissimi turisti, che frequentano la fascia costiera e le isole, le montagne e i laghi. Talvolta, però, la costruzione di alberghi e altre attrezzature turistiche si è sviluppata in modo indiscriminato, provocando un'alterazione della natura spesso irreversibile.

Il paesaggio umano dell'Italia non è meno ricco e suggestivo di quello naturale. Si tratta di case e città, strade e monumenti, opere costruite dagli uomini in millenni di lavoro. Per generazioni e generazioni, attraverso migliaia di anni, gli uomini hanno costruito edifici, borghi, piazze, chiese e castelli. Così il paesaggio italiano è divenuto col tempo uno dei più suggestivi e celebrati del mondo: si possono ammirare i resti dell'antica Roma e della Magna Grecia, i palazzi e i castelli del Medioevo, le città d'arte del Rinascimento.

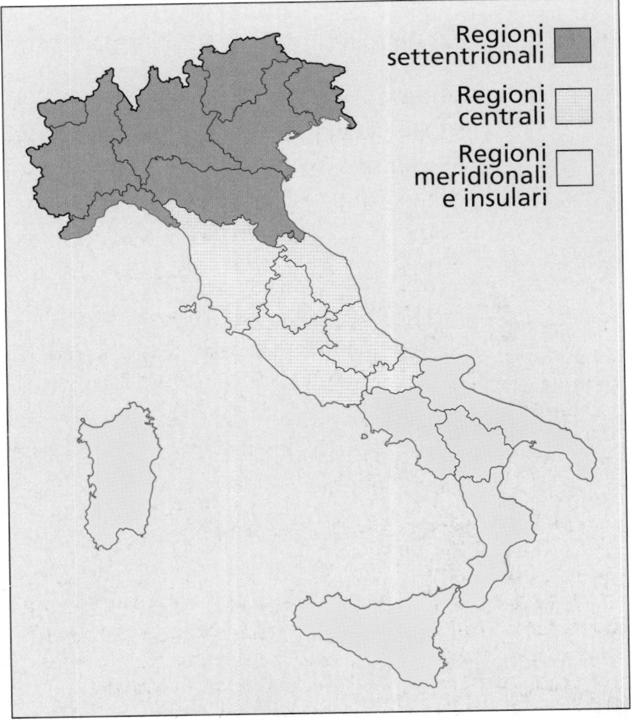

Non sono solo le città più famose, come Venezia, Firenze, Roma, Napoli o Pisa, ad attirare ogni anno milioni di turisti, ma anche molti centri minori: in una sola piccola regione come l'Umbria troviamo Orvieto, Assisi, Todi (sopra), Spoleto, Gubbio, Foligno, tutti luoghi di grande valore storico e artistico.

Le regole della strada

Conoscere le regole della strada è fondamentale per la convivenza civile. Pedoni, ciclisti e automobilisti: tutti devono fare attenzione ai segnali e rispettarli!

In bicicletta

Il codice della strada ti dice:

- Pedala sempre stando sulla destra.
- Quando cambi direzione, segnala subito con il braccio la manovra di svolta che intendi fare.
- Se sei con altri, procedi in fila indiana. Puoi affiancarti a un ciclista adulto se hai meno di 10 anni.
- Conduci la bicicletta a mano in caso di intralcio o pericolo per i pedoni.
- Transita, se ci sono, sulle piste ciclabili.
- Reggi sempre il manubrio con due mani.
- Accendi i fanali mezz'ora dopo il tramonto e in tutti i casi in cui la visibilità è scarsa.
- Non passare con la bici sulle strisce pedonali.
- Non attaccarti a un altro veicolo.
- Non trainare altri veicoli o animali.
- Non trasportare altre persone.
- Non fare mai manovre brusche.

In motorino

Per guidare il motorino è obbligatorio avere:

- 14 anni compiuti.
- Un documento personale.
- Il certificato di idoneità alla guida (il "patentino"), che si ottiene superando un corso di 12 ore e un esame finale.
- Il certificato di idoneità tecnica (il libretto).
- Il contrassegno e il certificato dell'assicurazione.
- Il contrassegno della tassa automobilistica (bollo).
- Il contrassegno di identificazione (targa).
- Il casco omologato.

La segnaletica

Esistono molti segni stradali, di varie forme e colori.

I **segni orizzontali** sono tracciati sulla strada e servono per regolare e guidare la circolazione del traffico. Sono di colore bianco.

I **segnali di pericolo** sono dei cartelli a forma di triangolo equilatero con un vertice rivolto verso l'alto. Hanno una cornice rossa e un disegno nero su fondo bianco. Quando sono temporanei, come nel caso di lavori in corso, il colore di fondo è giallo.

I **segnali di divieto** indicano azioni che non si devono compiere. Sono dei cartelli di forma rotonda, con cornice rossa e fondo bianco o blu. Possono contenere un disegno nero.

I **segnali di obbligo** indicano azioni che si devono compiere. Sono di forma rotonda e hanno il fondo blu. La fine di un obbligo è segnalata con lo stesso segnale barrato di rosso.

I **segnali di indicazione** danno informazioni per trovare località, strade, servizi e per circolare sulle strade in modo corretto e sicuro. Sono di forma quadrangolare e hanno colori diversi (per esempio, i cartelli verdi indicano le autostrade, quelli blu le strade extraurbane, quelli gialli segnalano lavori in corso).

Ci sono poi i **segnali luminosi**, come i semafori, e i **segnali manuali**: questi ultimi sono usati dagli agenti del traffico e hanno la stessa funzione del semaforo.

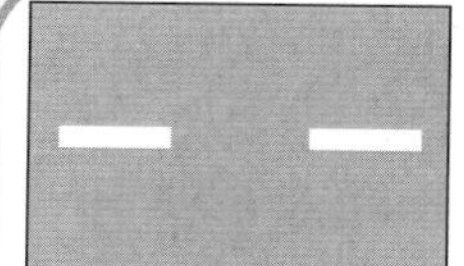

LINEA DISCONTINUA (SI PUÒ OLTREPASSARE PER SORPASSARE, SVOLTARE O CAMBIARE SENSO DI MARCIA)

LINEA CONTINUA (NON SI PUÒ MAI OLTREPASSARE)

ATTRAVERSAMENTO PEDONALE

BAMBINI

ALTRI PERICOLI (SEMPRE CON PANNELLO INTEGRATIVO, PER PRECISARE LA NATURA DEL PERICOLO)

DIVIETO DI FERMATA

DIVIETO DI TRANSITO

PISTA CICLABILE

DIREZIONE OBBLIGATORIA DIRITTO

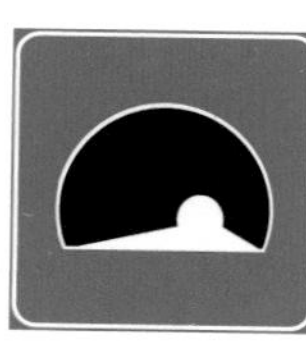

GALLERIA

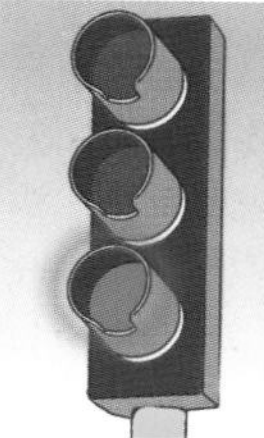

VIA LIBERA (SI PUÒ PASSARE)

AFFRETTARSI PER ATTRAVERSARE

STOP! (CI SI DEVE FERMARE)

Le vie di comunicazione

Le vie di comunicazione sono molto importanti per l'economia, perché permettono il trasporto e il commercio delle materie prime e dei prodotti finiti. Grazie alle vie di comunicazione, inoltre, le persone possono spostarsi da una parte all'altra del territorio: strade, autostrade, ferrovie, linee marittime e aeree formano una "rete" che supera le montagne, attraversa mari e cieli.

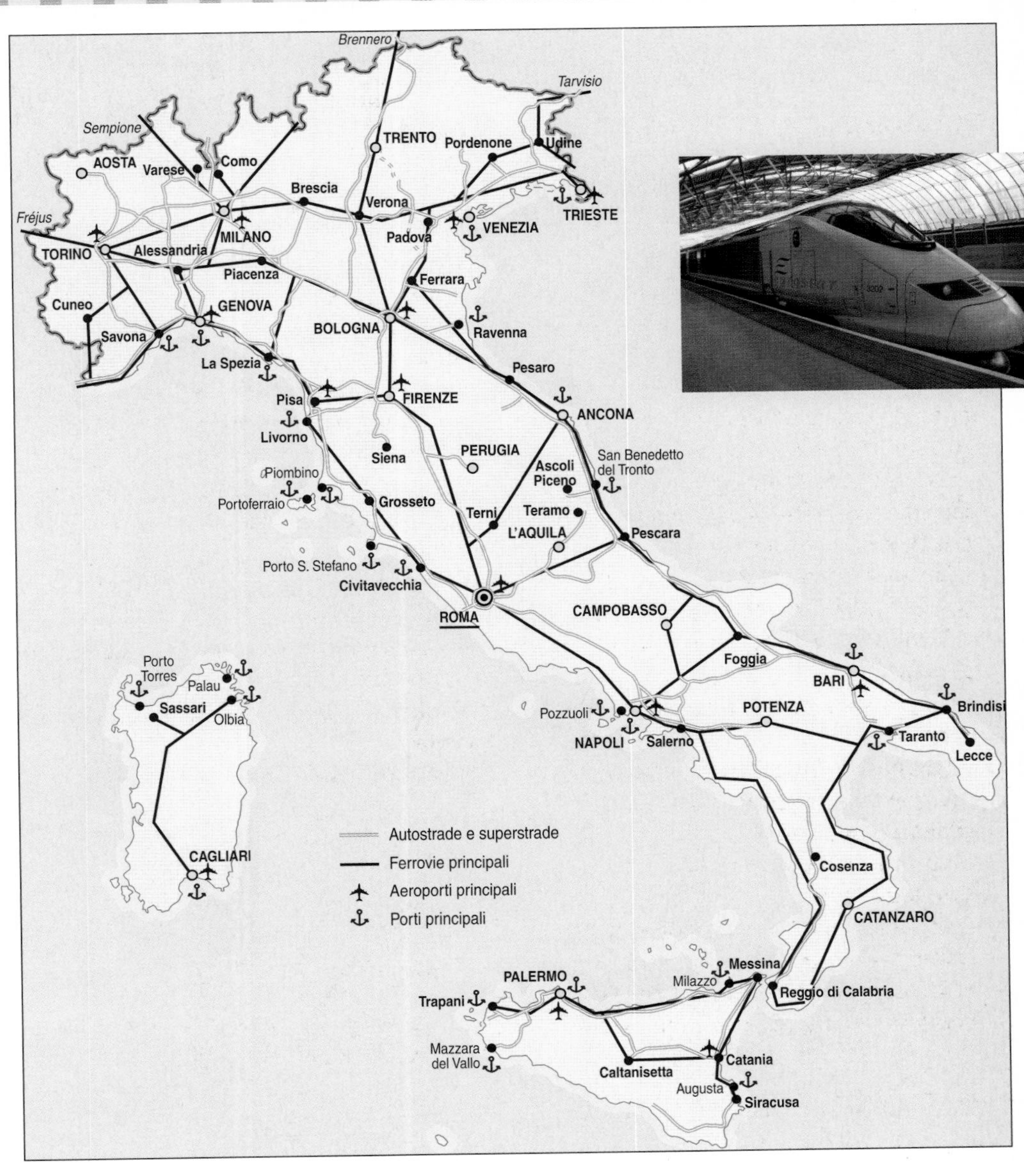

Sopra, treno Eurostar.

Strade, ferrovie, porti...

Negli ultimi decenni la rete italiana delle comunicazioni si è molto sviluppata. L'Italia ha circa 6500 chilometri di **autostrade** e oltre 400 000 di **strade**, che superano gli ostacoli naturali con gallerie, ponti e viadotti. Ci sono inoltre 16 000 chilometri di **ferrovie**, mentre nei **porti** ogni anno vengono imbarcati circa 5 milioni di passeggeri e 300 milioni di tonnellate di merci. Anche il traffico **aereo** è molto intenso.

Una rete mondiale

Da qualche decennio, le **telecomunicazioni** sono state oggetto di un grandissimo sviluppo. Telefoni, radio, tivù permettono di comunicare in tempo reale, ma la vera rivoluzione è stata l'introduzione di **Internet**, una rete di collegamento tra i computer di tutto il mondo. Con Internet si può comunicare, inviare e ricevere ogni tipo di informazione, comprare e vendere merci.

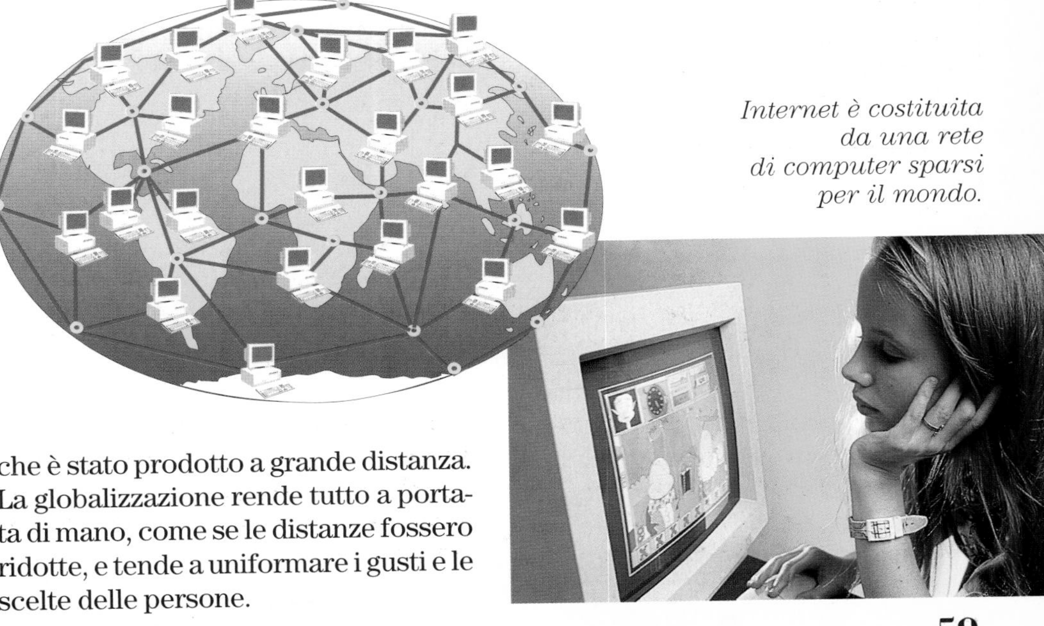

Internet è costituita da una rete di computer sparsi per il mondo.

La globalizzazione

Internet ha favorito enormemente il processo di **globalizzazione**, una parola ormai entrata nel liguaggio comune. Con il progredire della tecnologia, dei mezzi di comunicazione e di trasporto, le persone, le cose, le idee viaggiano oggi con maggior facilità e più velocemente. I mercati si espandono e nei nostri negozi possiamo trovare ciò che è stato prodotto a grande distanza. La globalizzazione rende tutto a portata di mano, come se le distanze fossero ridotte, e tende a uniformare i gusti e le scelte delle persone.

Vivere in città

Fino a circa cinquant'anni fa la maggioranza della popolazione italiana viveva nelle campagne e i contadini rappresentavano la maggioranza dei lavoratori. Oggi, invece, le città, tra grandi e piccole, hanno assorbito la maggior parte degli abitanti, così la nostra società da rurale, cioè contadina, è diventata urbana, cioè cittadina.

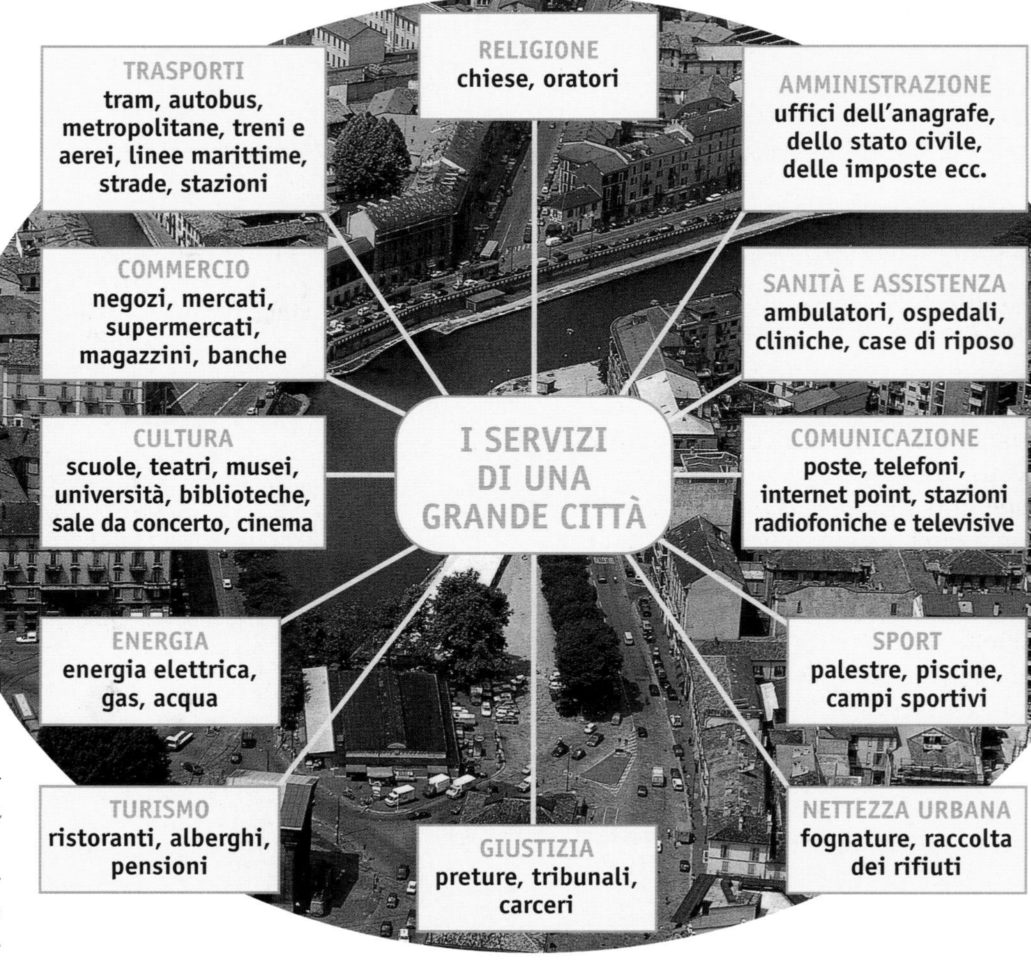

Servizi e inconvenienti

Le grandi città offrono molto ai loro cittadini. Innanzittutto, una vasta serie di **servizi**, ovvero tutto ciò che serve alla vita degli abitanti (scuole, attività per il tempo libero, strutture assistenziali ecc.). Anche l'offerta di lavoro è maggiore rispetto a quella dei piccoli centri.

Ma c'è anche il rovescio della medaglia: traffico intenso, con conseguente inquinamento dell'aria e acustico, difficoltà di mantenere i contatti umani per la vastità degli spazi, un ricordo ormai lontano dei ritmi della natura e delle stagioni...

Strade cittadine

Le città sono divise in **quartieri**, collegati fra loro da varie strade: quelle larghe e alberate sono dette **viali**, quelle un po' più strette sono le **vie** e quelle ancor più strette sono chiamate **vicoli**.

Un tempo le vie cittadine prendevano il nome dal tipo di attività che vi si svolgeva. Infatti, tutti gli artigiani che esercitavano uno stesso mestiere avevano le botteghe una accanto all'altra. Risalgono a più di cinquecento anni fa nomi come Via degli Orefici, Via dei Calzolai, Via dei Cappellai. Quelle botteghe ora non ci sono più, e forse è scomparso anche quel mestiere. Oggi, invece, molte grandi città hanno una strada che le circonda come un anello, chiamata **tangenziale** o **circonvallazione**.

Il ritorno al paese

Negli ultimi anni, con la diffusione di attività artigianali fuori dai centri industriali, l'aumento di servizi come scuole e negozi e l'incremento di attività turistiche, si è registrata un'interruzione dello spopolamento delle campagne. Anzi, la popolazione si sta spostando dalle grandi città ai paesi vicini, dove inquinamento e traffico sono più sopportabili e dove un contatto maggiore con il mondo che ci circonda (natura, persone, animali) è ancora possibile.

Negli ultimi anni si assiste a un calo degli abitanti delle città a favore dei piccoli centri periferici. Nel 1991 Roma aveva 2 693 383 abitanti; nel 2001, 2 540 829. Milano nel 1991 contava 1 371 008; nel 2001, 1 247 052.

La vita sociale

Gli uomini organizzano il territorio in cui vivono secondo certi criteri. Vivere in Italia significa avere diritti e doveri stabiliti da un sistema di leggi che tutti i cittadini devono rispettare.

Lo Stato italiano

L'Italia è una **Repubblica parlamentare**. Questo significa che non c'è un re e che i cittadini italiani maggiorenni (che hanno compiuto 18 anni) partecipano alla vita politica e hanno diritto di voto, ovvero eleggono i loro rappresentanti. I rappresentanti eletti formano il **Parlamento**, che a sua volta è diviso in due assemblee: la **Camera** e il **Senato**. Compito del Parlamento è quello di fare le leggi.

Il compito di far eseguire le leggi spetta al **Governo**, composto dal Presidente del Consiglio e dai ministri. Ogni ministro si occupa di un diverso settore: c'è il Ministro del lavoro, il Ministro dei trasporti, il Ministro dell'istruzione…

La **Magistratura**, composta dai magistrati (giudici), si occupa di far rispettare le leggi.

La nostra **Costituzione** prevede quindi che questi tre importanti poteri dello Stato (fare leggi, farle eseguire, farle rispettare) siano divisi tra **Parlamento**, **Governo** e **Magistratura**.

Capo dello Stato è il **Presidente della Repubblica**, eletto dal Parlamento. La sua carica dura sette anni ed egli ha il compito di controllare che tutto avvenga secondo la Costituzione.

La Costituzione

La Costituzione è la legge fondamentale dello Stato italiano, che fissa i principi generali su cui si basa lo Stato e precisa quali sono i diritti e i doveri dei cittadini. È entrata in vigore il 1° gennaio del 1948 ed è composta da 139 articoli.

Sopra, il Quirinale a Roma, sede del Presidente della Repubblica.

A sinistra, Montecitorio, sede della Camera dei Deputati. Sotto: a sinistra, una riunione al Senato; a destra, Palazzo Chigi, sede del Consiglio dei ministri.

REPUBBLICA ITALIANA

PRESIDENTE DELLA REPUBBLICA

Controlla e difende l'applicazione della Costituzione italiana da parte del Parlamento, del Governo e della Magistratura.

PARLAMENTO

Esercita il potere legislativo: fa le leggi. Elegge il Presidente della Repubblica.

GOVERNO

Esercita il potere esecutivo: fa funzionare lo Stato secondo le leggi.

MAGISTRATURA

Esercita il potere giudiziario: fa rispettare le leggi.

Uno Stato, tante Regioni

Lo Stato, per una più efficiente organizzazione, ha affidato alcuni compiti agli Enti locali, cioè le Regioni, le Province e i Comuni. In questo modo i problemi di determinate zone del Paese sono affrontati e risolti dalle persone che vi abitano e che dunque li conoscono bene.

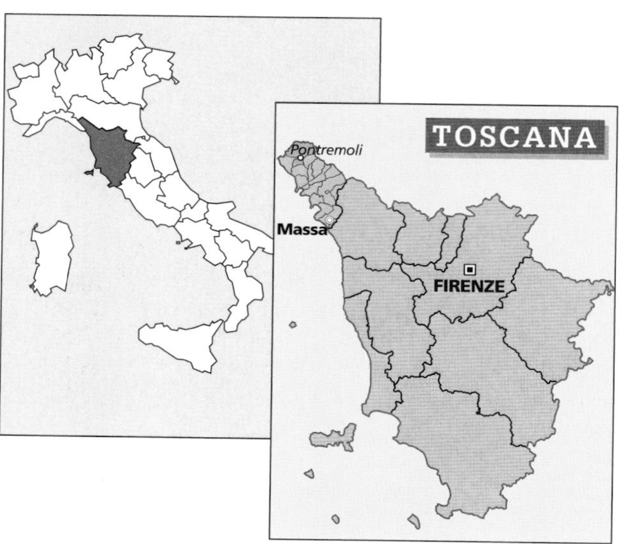

Regioni a statuto speciale

Per ragioni storiche e culturali, per la presenza di minoranze etniche o per la particolare posizione geografica, cinque Regioni italiane godono di maggiore autonomia rispetto alle altre. Le Regioni a statuto speciale sono: Valle d'Aosta, Trentino-Alto Adige, Friuli Venezia Giulia, Sicilia e Sardegna.

Le Regioni

In Italia ci sono 20 **Regioni**, ognuna con un **capoluogo regionale**. Qui c'è la sede del **Consiglio regionale**, che può decidere alcune leggi, purché queste non siano in contrasto con quelle dello Stato.
Ogni quattro anni si tengono le **elezioni amministrative**: tutti i cittadini maggiorenni eleggono i consiglieri regionali e il **Presidente della Regione**. Il Consiglio regionale nomina poi una **Giunta regionale**, composta dal Presidente e dagli assessori, persone qualificate cui spettano compiti precisi (per esempio, all'assessore alla Cultura spettano i compiti relativi a quel settore specifico).

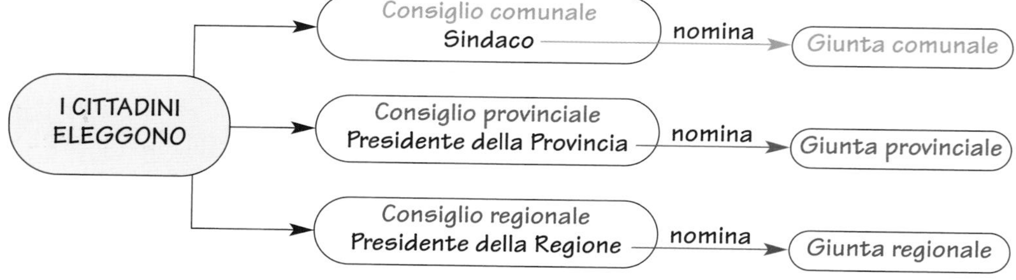

Le Province

Le Regioni sono suddivise in **Province** (in Italia sono 104).
La Provincia, diversamente dalla Regione, non ha leggi proprie, ma è impegnata a fornire e regolare una serie di servizi che interessano più Comuni. Essi riguardano principalmente la difesa del suolo, la viabilità e i trasporti, la valorizzazione dei beni culturali, i parchi e le riserve naturali, la caccia e la pesca, l'igiene e la profilassi pubblica, l'istruzione secondaria.
Nelle città **capoluogo di Provincia** hanno sede il **Consiglio provinciale** e la **Giunta provinciale**, composta dal **Presidente** e dagli assessori.

I Comuni

Le Province comprendono il territorio formato da più **Comuni** confinanti. Nel centro abitato più importante del territorio comunale si trova il Municipio, l'edificio dove hanno sede gli uffici amministrativi e dove si riuniscono il **Sindaco** e i consiglieri comunali, eletti ogni quattro anni dagli abitanti del Comune. Il Sindaco sceglie gli assessori, persone esperte alle quali vengono affidati compiti precisi. Sindaco e assessori riuniti formano la **Giunta comunale** che ha il compito di prendere le decisioni, approvate poi dal **Consiglio comunale**.

Aula di un Consiglio regionale.

I servizi comunali

I Comuni in Italia sono oltre 8000 e loro compito è quello di far funzionare i **servizi** su tutto il territorio comunale. Ecco alcuni dei principali servizi che organizzano:

- distribuzione di acqua potabile, gas, elettricità;
- manutenzione delle strade e delle fognature;
- trasporti urbani e regolazione del traffico;
- rimozione e smaltimento dei rifiuti;
- istruzione (asili, scuole primarie);
- diffusione della cultura (biblioteche, musei, mostre, spettacoli);
- giardini e parchi pubblici;
- impianti sportivi pubblici;
- sanità (ambulatori, farmacie, assistenza agli anziani e disabili).

I servizi organizzati dal Comune sono pubblici, cioè destinati alla comunità. Per farli funzionare occorre molto denaro e così i cittadini versano al Comune le **imposte** (tasse). Inoltre alcuni servizi sono a pagamento (trasporti, gas, acqua potabile e altri ancora).

L'immigrazione

La vita in comunità comporta il rispetto delle regole, per il bene di tutti. Ma comporta anche la convivenza con persone che provengono da altri Paesi, che sono immigrate in cerca di lavoro o perché sono in fuga da zone di guerra. Vivere in Italia significa anche essere rispettosi e tolleranti verso le tradizioni, le abitudini, la storia e le religioni di popoli diversi dal nostro.

Molti bambini che frequentano le scuole italiane sono figli di immigrati. Conoscere i Paesi di origine dei loro genitori può rappresentare un momento di aggregazione e di arricchimento culturale.

Immigrazione e integrazione

In ogni paese e città vivono molti **immigrati** che provengono prevalentemente dal continente africano (Marocco, Tunisia, Somalia, Senegal, Etiopia, Algeria, Ghana), dalle regioni a est dell'Adriatico (Bosnia, Albania, Montenegro) e da Paesi dell'Europa Orientale (Polonia, Romania, Ucraina). Gli immigrati che arrivano da Paesi che non fanno parte della Comunità Europea vengono chiamati **extracomunitari**. Nella maggior parte dei casi queste persone hanno lasciato i luoghi dove sono nate per motivi economici e sperano di trovare in Italia un'occupazione regolare e un'abitazione dignitosa. Alcune possiedono un titolo di studio (diploma o laurea) ma, di solito, riescono a trovare solo lavori umili. Associazioni di volontari ed Enti locali organizzano diverse iniziative per favorirne l'integrazione nel nostro Paese (corsi di lingua italiana e di formazione professionale).

A Roma, entro un piccolo Stato autonomo, la Città del Vaticano, risiede la maggiore autorità della Chiesa Cattolica Romana, il Papa.

Tanti Paesi, tante religioni

Sin dall'antichità gli uomini hanno creduto nell'esistenza di esseri superiori in grado di dare origine alla vita e di governare le forze della natura. Sono nate così le diverse religioni. Le più diffuse nel mondo sono il cristianesimo, l'islamismo, il buddismo, l'induismo e l'ebraismo. Conoscerne le caratteristiche principali è importante e rappresenta il primo passo verso la **tolleranza religiosa**, cioè il rispetto di chi pratica un credo diverso dal nostro.
Con l'arrivo di molte persone da Paesi extraeuropei, è aumentato in Italia anche il numero di coloro che professano religioni diverse da quella cristiana cattolica, che è la più diffusa nel nostro Stato. In particolar modo, molti immigrati sono musulmani.

Molti extracomunitari hanno trovato lavoro in Italia e sono riusciti a integrarsi nella nostra società.

L'islamismo

La religione musulmana, o islamica, nasce dalla predicazione di Maometto, profeta di Allah (in arabo "Dio") e risale al 622 d.C.
L'islamismo conta oggi quasi un miliardo di fedeli ed è molto diffuso nel vicino Oriente, nella penisola arabica, in Asia e Africa. È diviso in quasi 30 sette; le maggiori sono quelle dei sunniti e degli sciiti. Libro sacro dell'islamismo è il Corano, che sarebbe stato dettato dallo stesso Maometto. Luogo di devozione e preghiera, soprattutto il venerdì, è la moschea: l'imam (la guida spirituale) conduce le preghiere, mentre i fedeli si inchinano verso la Mecca, la città santa dell'islamismo, che si trova in Arabia Saudita.

Piemonte e Valle d'Aosta

Il nome della regione deriva dal latino Pedemontium *che significa "ai piedi dei monti". Il territorio del Piemonte, infatti, che comprende la parte occidentale della Pianura Padana, è chiuso a nord e a ovest dalle Alpi Occidentali, a sud dalle Alpi Marittime e dagli Appennini.*

La Valle d'Aosta è situata all'estremità nord-occidentale della penisola ed è la regione italiana meno estesa e meno popolata. È una regione a statuto speciale con organi di amministrazione autonomi. Al suo interno si parlano due lingue, l'italiano e il patois*, un dialetto derivato dal francese.*

Il territorio

Il Piemonte è attraversato da molti fiumi, fra cui il Po, il fiume più lungo d'Italia. Il Po nasce dal Monviso e riceve l'acqua di tutti gli affluenti che provengono dalle Alpi.
In Piemonte, seconda regione d'Italia per estensione dopo la Sicilia, si alternano paesaggi molto differenti tra loro: i massicci montuosi del Gran Paradiso e del Monte Rosa, le dolci colline delle Langhe e del Monferrato, le zone pianeggianti dell'alta e della bassa Pianura Padana, le risaie del Vercellese, i fiumi Ticino e Sesia, il lago d'Orta e il lago Maggiore, che delimita il confine con la Lombardia.

Regione a statuto ordinario

Superficie 25 399 km²
Abitanti 4 289 700
Densità ab. per km² 169
Comuni 1206
Capoluogo regionale Torino, 861 600 ab.

Capoluoghi di provincia

Alessandria	85 400 ab.
Asti	71 300 ab.
Biella	45 700 ab.
Cuneo	52 300 ab.
Novara	101 200 ab.
Verbania	30 100 ab.
Vercelli	44 800 ab.

Fiumi
Po 652 km, Tanaro 276 km, Ticino 248 km, Sesia 138 km, Dora Riparia 125 km, Bormida 64 km

Laghi
L. Maggiore, L. d'Orta, L. di Viverone

Monti
M.te Rosa 4637 m, Gran Paradiso 4061 m, Monviso 3841 m, M.te Leone 3552 m, M.te Rocciamelone 3538 m, M.te Argentera 3297 m, M.te Basodino 3273 m

Passi
Sempione (in Svizzera), Moncenisio (in Francia), Fréjus, Monginevro (in Francia), Maddalena, Tenda

Trafori
Sempione, Fréjus, Tenda

Sito web
www.regione.piemonte.it

Il clima

Il clima è di tipo continentale, con inverni rigidi ed estati calde e afose. La vicinanza delle colline e delle montagne rende alcune zone più temperate e fresche. Sui rilievi più alti il clima è alpino con abbondanti nevicate in inverno. In pianura è presente la nebbia sia in autunno che in inverno.

Il ghiacciaio del Monte Rosa in alta Val Anzasca.

Una veduta aerea dello stabilimento industriale della Fiat Rivalta a Torino.

Il lavoro dell'uomo

Dagli anni '50 agli anni '70 l'economia industriale del Piemonte si è identificata con un settore ben preciso: la produzione automobilistica Fiat. Negli ultimi vent'anni molto è cambiato e l'economia della regione si è diversificata: oggi il terziario (servizi commerciali, finanziari e bancari) fornisce quasi la metà dei posti di lavoro, soprattutto grazie allo sviluppo dei servizi destinati alle grandi imprese. L'industria è particolarmente sviluppata nel settore meccanico, chimico, alimentare, tessile, elettronico, dolciario, grafico-editoriale, dell'abbigliamento.
L'agricoltura rimane una delle risorse fondamentali: si producono frumento, mais, patate, ortaggi, barbabietole. In alcune zone ci sono colture intensive locali, come il riso nel Vercellese e nel Novarese e alberi da frutto nelle Langhe, nel Canavese e nel Saluzzese.

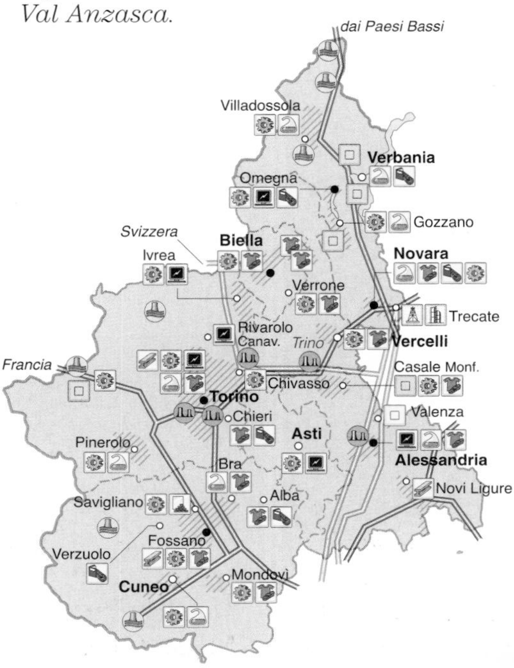

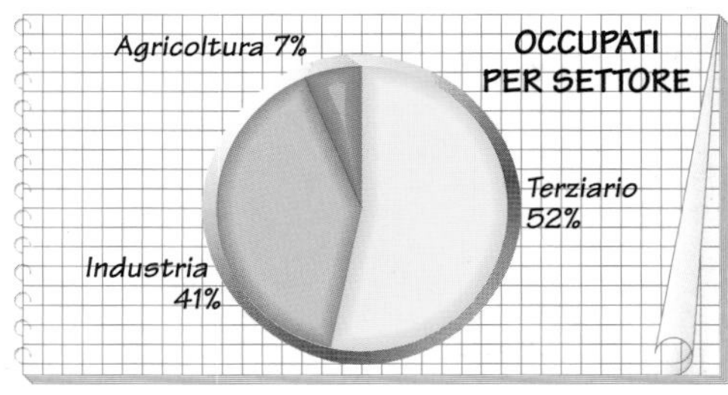

LE ATTIVITÀ INDUSTRIALI

Energia
- idroelettrica
- termoelettrica
- oleodotti
- gasdotti
- elettrodotti
- petrolio, gas naturale
- raffinerie

Industria
- aree e centri industriali
- siderurgia, metallurgia
- meccanica
- elettronica, elettrotecnica
- chimica
- oreficeria
- tessile, abbigliamento, calzature, pelle e cuoio
- legname, mobili, carta, editoria
- vetro, ceramica, materiali da costruzioni

Minerali
- cave, miniere

Piemonte

USO DEL SUOLO
- boschi e foreste
- pascoli e prati
- colture intensive
- colture marginali
- zone improduttive

Colture e allevamento
- viticoltura
- frutteti
- risicoltura
- bovini

Industria alimentare

I vigneti del Barolo, nelle Langhe.

La Mole Antonelliana, a Torino. Con i suoi 167 metri di altezza è la costruzione in muratura più alta d'Europa.

Notevole importanza ha la coltivazione della vite, che dà origine a vini pregiati come il Barolo, il Barbera, il Nebbiolo, il Barbaresco, il Gattinara e a famosi spumanti. L'allevamento è un settore assai florido: vengono allevati principalmente suini e bovini da carne, soprattutto in provincia di Cuneo.

Storia e cultura

Abitato fin dalla preistoria dai Liguri e dai Galli Cisalpini, il Piemonte divenne territorio dei Romani che vi fondarono alcune città fra cui Ivrea e Torino. Caduto l'Impero romano, il Piemonte fu dominio dei Longobardi (VI sec.) fino alla conquista da parte di Carlo Magno (VIII sec.) che lo divise in contee. Nel periodo feudale subì le incursioni ungare e saracene (IX-X sec.) fino a che Oddone, conte di Savoia (XI sec.), diede vita all'attuale regione unificandola con la Marca di Torino, portata in dote dalla moglie Adelaide. Occupato dai Francesi (1798-1814), fu sede dei moti liberali del 1821. Monarchia costituzionale sotto Carlo Alberto (1848), il Piemonte fu il centro dell'azione politica e militare che, con le guerre di indipendenza, portò all'unificazione italiana.

Scoprire il Piemonte

Ogni stagione è adatta per un viaggio in Piemonte. In inverno si viene attratti dai bellissimi paesaggi alpini, attrezzati con moderne strutture per gli sport invernali. In estate è impossibile non immergersi nelle meraviglie della flora e della fauna. Il Parco Nazionale del Gran Paradiso, istituito nel 1922, è il più antico parco italiano: vi si incontrano facilmente marmotte, camosci, stambecchi, ermellini, qui tutelati per evitarne l'estinzione. Ma in questa regione non è solo la natura a dare spettacolo. Viaggiando per il Piemonte si compie anche un percorso nel tempo: dall'arte romana (la Porta Palatina a Torino), ai palazzi, alle torri e alle chiese medievali, e poi ancora alle splendide testimonianze artistiche del gotico e del barocco.

Un luogo veramente particolare, sia per la sua posizione che per la bellezza della costruzione, è la Sacra di San Michele. Si tratta di un'abbazia romanica (X secolo) arroccata sul monte Pirchiriano, allo sbocco della Val di Susa; la sua posizione isolata e panoramica, le scale vertiginose per raggiungerla, i numerosi esempi di arte romanica e gotica in essa conservati rendono questa abbazia davvero unica.

L'abbazia romanica di San Michele in Val Susa.

Il territorio

La Valle d'Aosta, la regione italiana meno estesa, è occupata per intero dalla catena montuosa delle Alpi Occidentali dove spicca, con i suoi 4807 metri di altezza, il Monte Bianco, la vetta più alta d'Europa. La popolazione è soprattutto concentrata nella valle della Dora Baltea, dove il clima è più mite. La formazione di quasi tutte le valli valdostane ha origine dai movimenti dei ghiacciai, un tempo presenti nell'intera regione.

Il clima

Il clima è freddo, di tipo alpino, con estati fresche e inverni freddi e nevosi.

Il lavoro dell'uomo

L'economia della Valle d'Aosta è stata notevolmente influenzata dalla sua conformazione geografica: gli insediamenti abitativi si trovano solo in certe zone, e le asperità montuose rendono alcune attività produttive difficilmente praticabili. L'agricoltura, limitata solo ai fondovalle, produce principalmente patate, mele, pere e uva. Assai diffuso è l'allevamento di bovini. Molto importanti sono la produzione di energia idroelettrica e soprattutto il turismo, sia invernale che estivo, che si concentra in rinomate località, come Courmayeur, Gressoney, Cervinia.

Storia e cultura

Nel 25 a.C. i Romani occuparono la regione, fondando Aosta (*Augusta Praetoria*); in seguito il territorio fu conquistato da Ostrogoti, Longobardi e Franchi. Dopo la morte di Carlo Magno s'imposero vari principi, che costruirono i castelli visibili ancora oggi. La regione fu quindi annessa alla Savoia (XIV sec.) e nel 1800 fu occupata da Napoleone, che la annetté alla Francia. Nel 1814 tornò alla monarchia sabauda. Centro della lotta partigiana (1943-45), animata da forti sentimenti autonomisti filofrancesi, nel 1948 è stata riconosciuta regione a statuto speciale.

Regione a statuto speciale

Aosta

Superficie 3264 km²

Abitanti 120 500

Densità ab. per km² 37

Comuni 74

Capoluogo regionale Aosta, 34 200 ab.

Fiumi Dora Baltea 160 km

Monti M.te Bianco 4807 m, M.te Rosa 4637 m, Cervino 4478 m, Gran Paradiso 4061 m

Passi Piccolo San Bernardo, Gran San Bernardo

Trafori M.te Bianco, Gran San Bernardo

Sito web www.regione.vda.it

La parte meridionale della regione è occupata dal Parco del Gran Paradiso, istituito nel 1922 per salvaguardare piante e animali.

Occupati per settore

Agricoltura 7,7%

Industria 25,0%

Terziario 67,3%

LE ATTIVITÀ INDUSTRIALI

Energia
- idroelettrica

Industria
- aree industriali
- siderurgia, metallurgia
- legname, mobili, carta, editoria

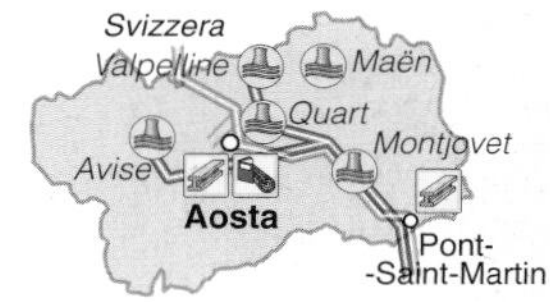

L'artigianato del legno è ancora molto praticato nelle valli.

USO DEL SUOLO
- boschi e foreste
- pascoli e prati
- colture intensive
- zone improduttive

Colture e allevamento
- viticoltura
- frutteti
- bovini

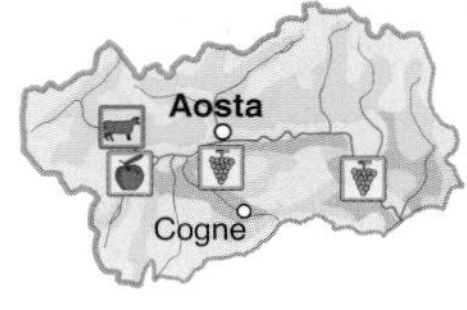

Aosta conserva molti monumenti di epoca romana, tra i quali l'anfiteatro (nella foto), l'Arco di Augusto e la Porta Pretoria.

La possibilità di praticare lo sci e l'escursionismo attira tutti gli anni molti turisti.

Lombardia

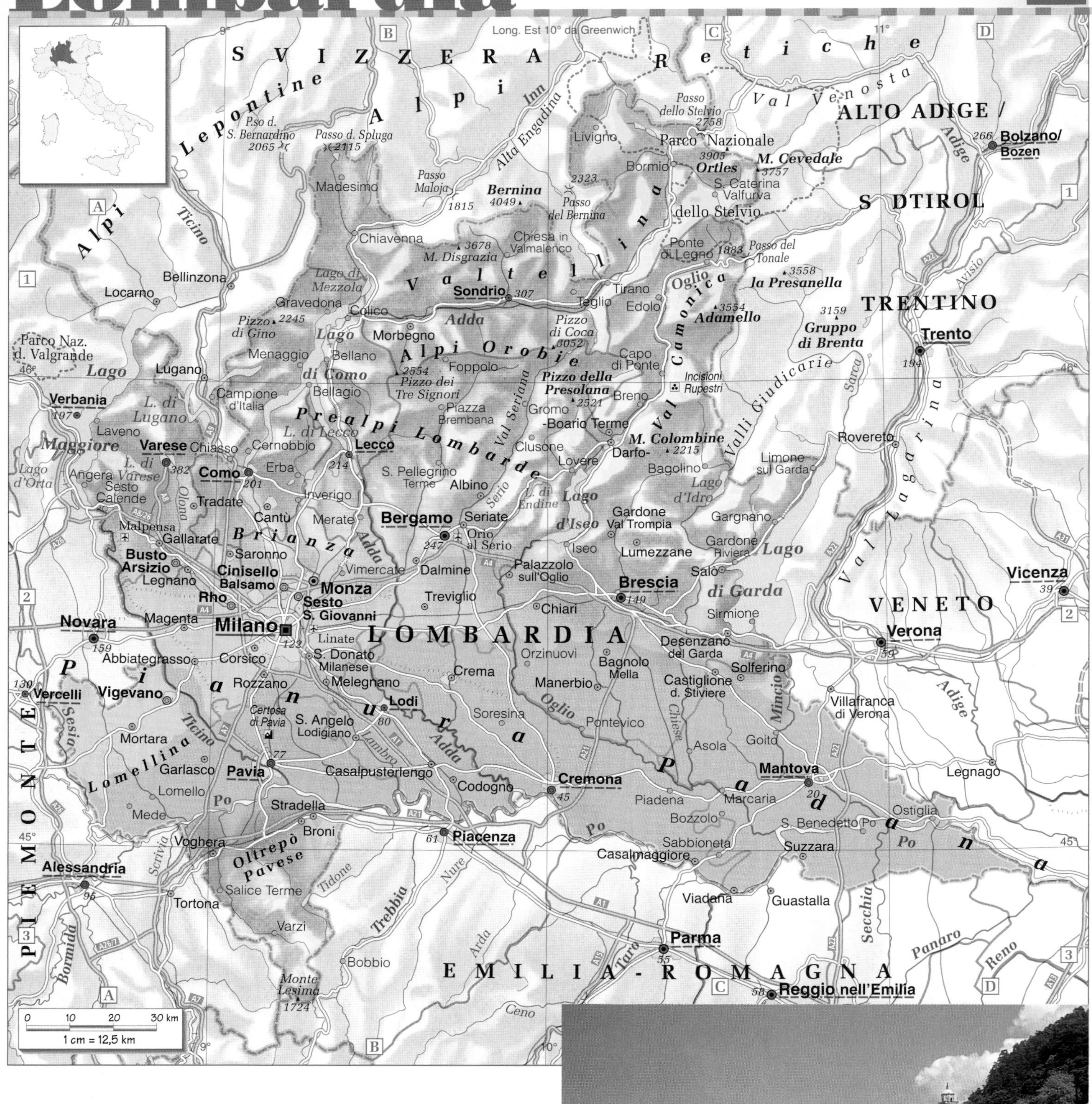

Bellagio, famosa cittadina di villeggiatura, è situata sul lago di Como, alla biforcazione tra il ramo di Como e quello di Lecco.

La Lombardia è una grande regione del Nord Italia che occupa la zona centrale della Pianura Padana. Nella parte settentrionale, la catena alpina le fa da corona con le sue alte vette, intorno a cui sorgono importanti centri turistici. È la regione dei grandi laghi italiani, nonché la zona della penisola dove si registra la maggiore concentrazione di industrie.
Se Roma è la capitale politica dello Stato italiano, Milano è senza dubbio la sua "capitale economica".

Il territorio

La Lombardia è una delle poche regioni italiane non bagnate dal mare. Nel suo territorio si possono individuare tre aree distinte: una fascia montuosa a nord, una fascia collinare al centro e una fascia pianeggiante nella parte sud della regione.
La parte alpina comprende le Alpi Lepontine e le Retiche, con montagne imponenti ricche di ghiacciai. Le cime più alte sono il Bernina, l'Ortles, il monte Disgrazia, l'Adamello.
La fascia prealpina comprende le Prealpi Lombarde, che hanno cime meno elevate. Qui si concentrano i grandi laghi di origine glaciale (lago di Garda, di Como, d'Iseo, d'Idro).
La zona collinare è prevalentemente di origine morenica, cioè formata dai materiali che antichi ghiacciai, oggi scomparsi, hanno trasportato e depositato. La Pianura Padana si trova nella parte meridionale del territorio lombardo. La linea delle risorgive la divide in alta pianura, con terreni ghiaiosi e poco fertili, e bassa pianura, dove il terreno è fertile e ricco d'acqua.
Il fiume più importante della regione è il Po, che la attraversa tutta e ne segna il confine sud per molti chilometri. Altri fiumi di rilevante lunghezza sono gli affluenti di sinistra del Po: il Ticino, l'Adda, l'Oglio, il Mincio.

Regione a statuto ordinario

SUPERFICIE 23 863 km²
ABITANTI 9 121 700
DENSITÀ AB. PER KM² 382
COMUNI 1546
CAPOLUOGO REGIONALE
Milano, 1 247 000 ab.

CAPOLUOGHI DI PROVINCIA

Bergamo	113 400 ab.
Brescia	187 600 ab.
Como	79 000 ab.
Cremona	70 800 ab.
Lecco	45 900 ab.
Lodi	41 900 ab.
Mantova	47 800 ab.
Monza	122 260 ab.
Pavia	71 500 ab.
Sondrio	21 600 ab.
Varese	79 900 ab.

FIUMI
Po 652 km, Adda 313 km, Oglio 280 km, Ticino 248 km, Lambro 130 km, Serio 124 km

LAGHI
L. Maggiore, L. di Como
L. d'Iseo, L. d'Idro, L. di Garda

MONTI
Pizzo Bernina 4049 m, Ortles 3905 m, Cevedale 3757 m, M.te Disgrazia 3678 m, Adamello 3554 m

PASSI Spluga, Bernina (in Svizzera), Stelvio, Tonale

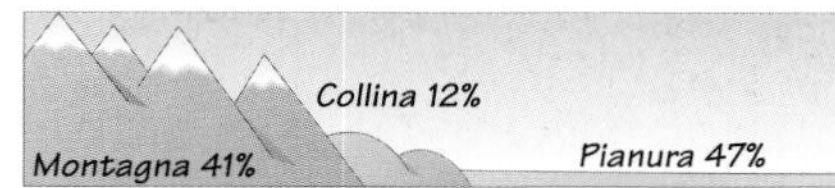

SITO WEB www.regione.lombardia.it

Le risaie, favorite dall'abbondanza d'acqua, fanno parte da sempre del paesaggio lombardo.

La Pianura Padana è ricca di terreni molto fertili e intensamente coltivati.

Il clima

Il clima della Lombardia varia a seconda degli ambienti: è alpino sui rilievi, con abbondanti precipitazioni nevose; è temperato intorno ai laghi; è continentale in pianura, dove le estati sono calde e gli inverni freddi, e dove è frequente, nei mesi invernali, il fenomeno della nebbia.

Il lavoro dell'uomo

La Lombardia è la regione economicamente più avanzata d'Italia. L'agricoltura è molto sviluppata: nell'alta pianura si produce grano, granturco e trifoglio; nella bassa pianura, dove l'abbondan-

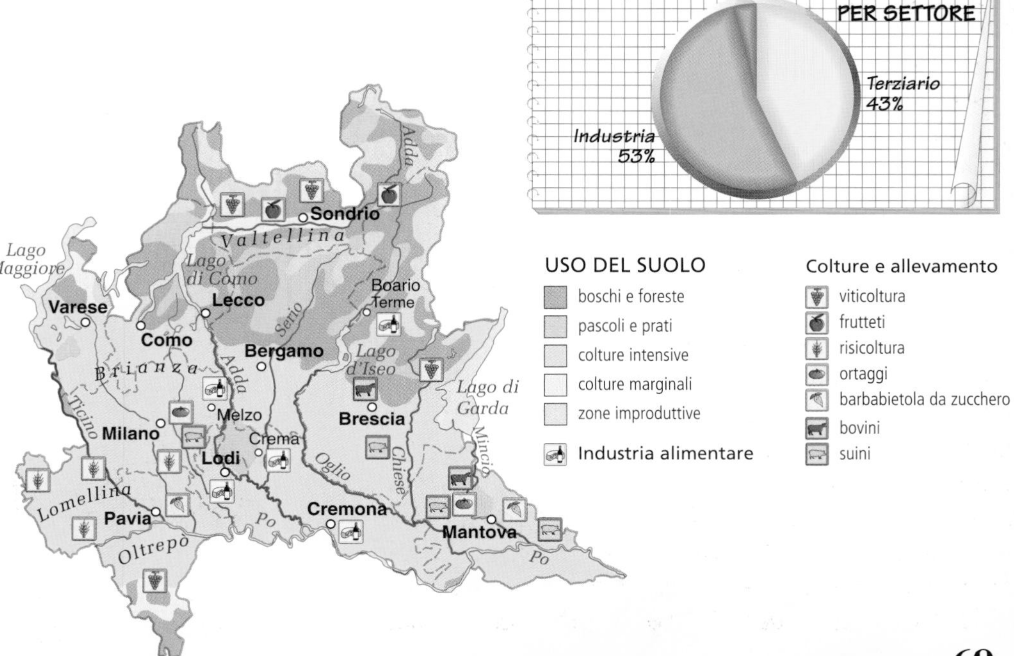

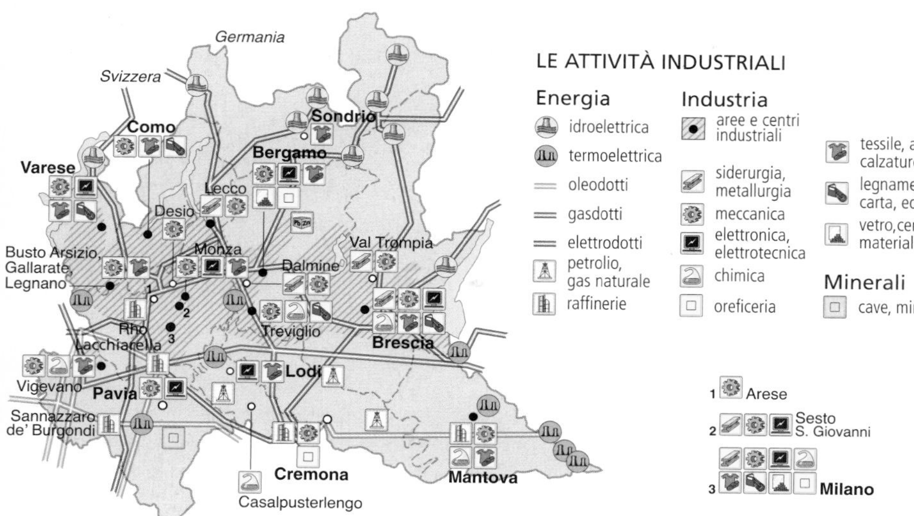

za d'acqua facilita l'irrigazione, si coltivano in modo intensivo riso, frumento, ortaggi e varie qualità di foraggi. Fiorente è l'allevamento di bovini e suini, anche nella zona prealpina, con un'alta produzione di latte, formaggi e salumi. Sulle colline è diffusa la coltivazione della vite. Infine la zona alpina, ricca di boschi e di fiumi, fornisce legname ed energia idroelettrica.
Il settore industriale è sviluppato in tutti i campi: siderurgico, metallurgico, elettronico, farmaceutico, tessile, alimentare, chimico, calzaturiero, meccanico, del materiale da costruzione. Alla produzione industriale corrisponde un apparato commerciale e di servizi altrettanto efficiente, con banche, assicurazioni, reti televisive e una fitta rete di vie di comunicazione.
Il turismo è molto sviluppato nelle località di vacanza alpine e attorno ai laghi, nonché nelle numerose città d'arte della regione.

Cremona ha un'antica tradizione nella produzione artigianale di strumenti musicali.

Impianto industriale nel quale si producono gli amaretti di Saronno.

Storia e cultura

Abitata fin dalla preistoria, come testimoniano i graffiti rupestri della Valcamonica e i resti di villaggi palafitticoli, la Lombardia fu dominio dei Gal-

Milano: monumenti e grandi uomini

Milano e tutta la Lombardia possiedono un ricco patrimonio storico-artistico lasciato dalle varie popolazioni che si sono succedute sul territorio. Dal punto di vista architettonico notevoli sono le numerose chiese romaniche e gotiche. Fra queste ultime spicca il Duomo di Milano, con le sue guglie di marmo. Dopo San Pietro a Roma e il Duomo di Siviglia, è la chiesa più grande del mondo con una lunghezza di 157 metri. Sulla guglia principale, alta 108 metri, è posta la "Madonnina", simbolo della città.
La letteratura italiana deve alla Lombardia autori famosi come Parini, Manzoni, Gadda. Inoltre in questa regione c'è una consolidata tradizione musicale, che ha espresso musicisti quali Monteverdi, Cavalli, Donizetti, Ponchielli. Il Teatro alla Scala è uno dei templi mondiali della musica lirica.

La facciata gotica del Duomo di Milano e, a destra, la statua della "Madonnina".

li nel V secolo a.C. che vi fondarono la città di *Mediolanum*. Nel III secolo a.C. fu conquistata dai Romani. Alla caduta dell'Impero subì le invasioni barbariche: nel VI secolo fu occupata dai Longobardi, da cui il nome di Lombardia, e due secoli dopo dai Franchi, che vi imposero il regime feudale. Nei secoli XI e XII molte città lombarde si resero indipendenti e come liberi Comuni si opposero con successo a Federico Barbarossa (1167). Le rivalità campanilistiche favorirono il sorgere delle Signorie: prima i Visconti, signori di Milano, e poi gli Sforza diedero vita a uno Stato più vasto dell'attuale regione.

Nel XVI secolo, con la dominazione spagnola, inizia un periodo di decadenza economica e di crisi demografica (in parte dovuta alle epidemie di peste). Passata sotto il dominio dell'impero asburgico (XVIII secolo), la Lombardia conosce un periodo di benessere e di ripresa economica.

Fra le prime regioni a partecipare attivamente ai moti risorgimentali, viene annessa al Piemonte nel 1859, alla fine della Seconda guerra d'indipendenza.

Prepariamoci a un viaggio

Il Naviglio è un canale artificiale costruito dai milanesi attorno al 1200 per favorire l'irrigazione dei campi e collegare per via d'acqua Milano con il lago Maggiore. Il canale nasce dal Ticino, fa un ampio giro nella regione e arriva fino al capoluogo lombardo. Nel Settecento e nell'Ottocento, alcune grandi e ricche famiglie fecero costruire le loro residenze di campagna sulle rive del Naviglio: ancora oggi è possibile ammirarle nella loro imponenza. Sulla parte di canale chiamata Naviglio Grande, lungo circa 50 chilometri, si affacciano villa Castiglioni, villa Krentzlin, villa Visconti-Maineri, villa Negri, villa Trivulzio, villa Eusebio, villa Birago-Clari, villa Clari Monzini.

Il Naviglio Grande (nella foto in alto) fa parte di uno straordinario sistema di canali che metteva Milano in comunicazione a nord con il lago Maggiore e la Svizzera, e a sud con il Po e la Pianura Padana. Uno dei punti più suggestivi del Naviglio Grande è Cassinetta di Lugagnano (nella foto a sinistra).

Sirmione è un centro turistico e termale sulla riva meridionale del lago di Garda.

Una gita ai laghi

Oltre che lungo il Naviglio, anche lungo le coste dei laghi lombardi si possono ammirare le sontuose dimore dove i signori lombardi si recavano per godersi la bella stagione.

Fin dall'antichità, i laghi hanno attirato gli abitanti di questa regione, per la bellezza del paesaggio e il clima mite. A Sirmione, cittadina del lago di Garda, sono ancora visibili i resti di ville di epoca romana.

Trentino-Alto Adige

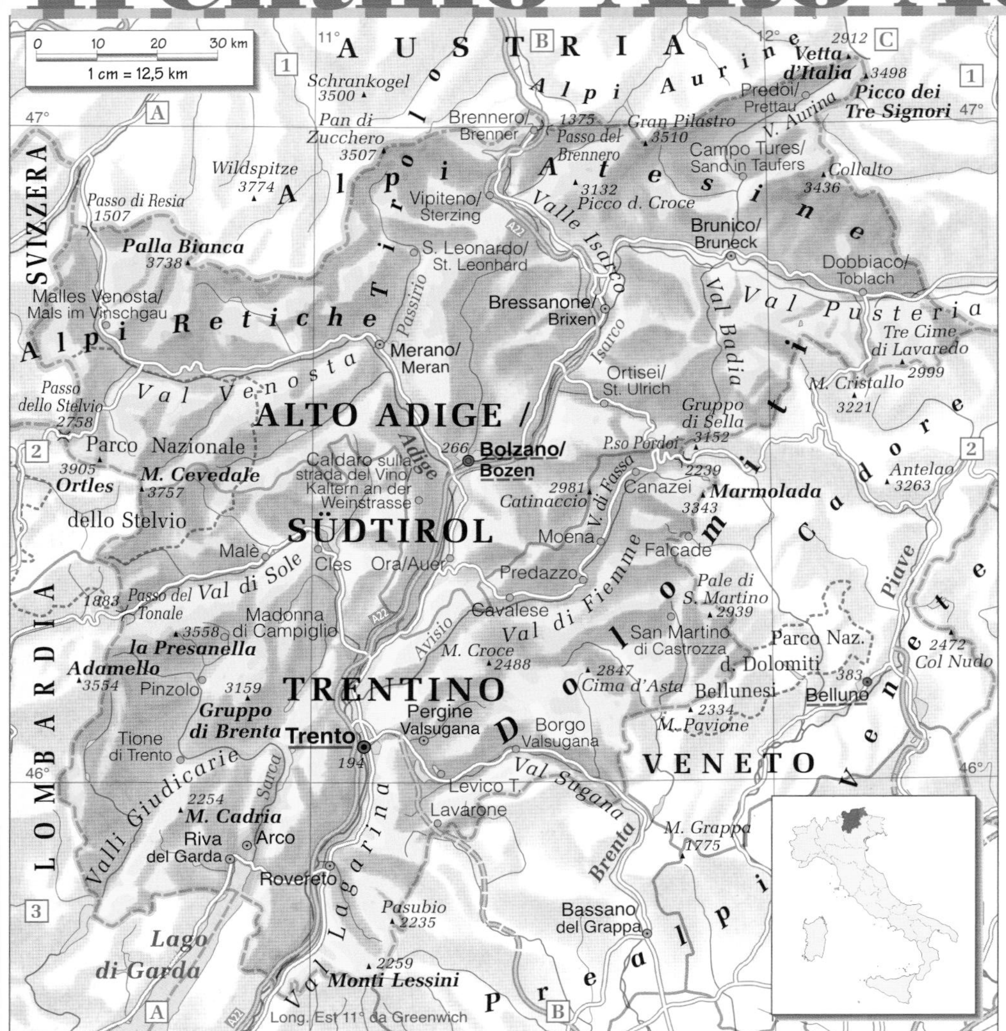

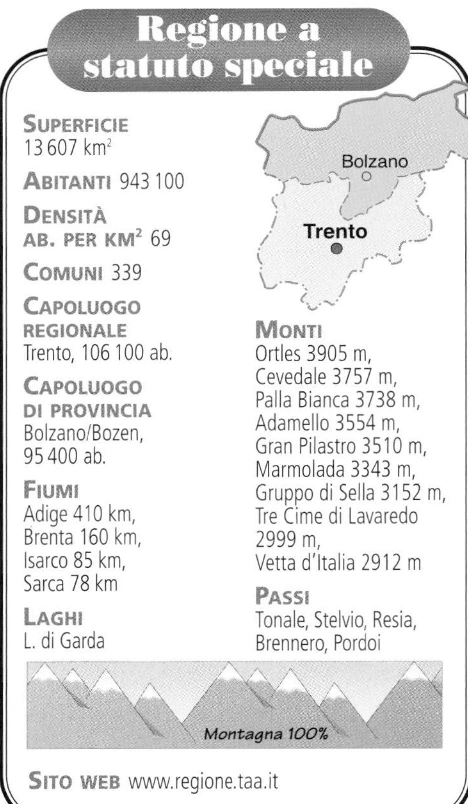

Regione a statuto speciale

Superficie 13 607 km²

Abitanti 943 100

Densità ab. per km² 69

Comuni 339

Capoluogo regionale Trento, 106 100 ab.

Capoluogo di provincia Bolzano/Bozen, 95 400 ab.

Fiumi Adige 410 km, Brenta 160 km, Isarco 85 km, Sarca 78 km

Laghi L. di Garda

Monti Ortles 3905 m, Cevedale 3757 m, Palla Bianca 3738 m, Adamello 3554 m, Gran Pilastro 3510 m, Marmolada 3343 m, Gruppo di Sella 3152 m, Tre Cime di Lavaredo 2999 m, Vetta d'Italia 2912 m

Passi Tonale, Stelvio, Resia, Brennero, Pordoi

Sito web www.regione.taa.it

Il "maso chiuso" (sopra) è una proprietà agricola che comprende l'abitazione, le stalle e i terreni coltivabili circostanti. Sotto, cime dolomitiche in Val di Funes.

Il Trentino-Alto Adige è la regione più a nord dell'Italia. Il suo territorio si estende interamente nella fascia alpina e comprende una delle zone più suggestive delle Alpi: le Dolomiti. Importante meta di turismo sia invernale che estivo, è una delle cinque regioni italiane a statuto speciale.

Il territorio

Il territorio di questa regione è interamente montuoso. Lungo il confine austriaco si estendono le Alpi Atesine che, da ovest a est, si suddividono in Alpi Venoste, Alpi Breonie, Alpi Aurine e Alpi Pusteresi.

Fra le cime più alte si erge la Vetta d'Italia, che è il punto più settentrionale del nostro Paese. Lungo il confine con la Lombardia si innalzano le Alpi Retiche, che presentano imponenti massicci montuosi e alte cime, fra cui l'Adamello, il Cevedale, l'Ortles. Lungo il confine con il Veneto sorgono le Dolomiti: queste montagne sono formate da una roccia friabile (chiamata dolomia) che nel corso del tempo è stata modellata dagli agenti atmosferici, dando vita a un paesaggio di cime aguzze di straordinaria bellezza. Le maggiori vette dolomitiche sono la Marmolada, il gruppo Sella, le Tre Cime di Lavaredo.

Il paesaggio alpino è punteggiato da numerosi laghetti di origine per lo più glaciale. Uno dei più affascinanti è certamente il lago di Carezza.

Il clima

Data l'altitudine media molto elevata, il clima della regione, tipicamente alpino, prevede inverni lunghi, rigidi, con temperature che scendono anche a diversi gradi sotto lo zero. La neve cade abbondante su tutto il territorio e vi rimane per mesi. Le estati sono generalmente fresche.

Il lavoro dell'uomo

L'agricoltura, praticata nei fondovalle esposti al sole, ha i suoi punti di forza nella coltivazione delle piante da frutta (mele, pere) e della vite, oltre ai vari cereali. L'estensione dei pascoli favorisce l'allevamento dei bovini e l'industria casearia. Grazie alle vaste distese boschive, particolarmente sviluppata è la produzione del legname. Nel territorio si trovano industrie chimiche, meccaniche, siderurgiche, cartiere e numerose centrali idroelettriche, che sfruttano il corso dei fiumi e che hanno favorito l'espansione industriale del Trentino-Alto Adige. Il turismo, estivo e invernale, rappresenta una risorsa fondamentale per la regione.

Storia e cultura

Abitata fin dalla preistoria, la regione fu occupata dai Romani tra il II secolo a.C. e il I d.C. Nei secoli successivi conobbe la dominazione dei Longobardi e dei Franchi. Nel 952 Ottone I la inglobò nell'Impero sotto il comando di un vescovo-conte. Nel XIII secolo fu possesso dei conti del Tirolo per passare poi, nel XIV secolo, agli Asburgo. Annessa alla Baviera (1806) e al regno italico di Napoleone (1810-1813), fu riconsegnata all'impero asburgico dal Congresso di Vienna. Alla fine della Prima guerra mondiale (1915-1918) fu riunita all'Italia.
In seguito a queste vicende storiche in Trentino-Alto Adige si sono trovate a convivere due culture, quella italiana e quella tedesca. In Alto Adige vige ufficialmente il bilinguismo, in base al quale tutta la segnaletica pubblica deve essere scritta in italiano e in tedesco, e nelle scuole si insegnano entrambe le lingue. In alcune vallate sopravvive il ladino, una lingua che deriva dal latino.

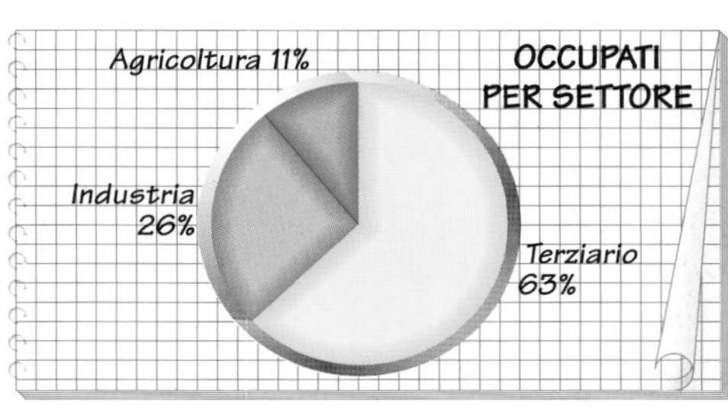

Castello di Campo Tures in provincia di Bolzano.

Le tradizioni popolari sono ancora molto vive in tutta la regione.

Il Trentino-Alto Adige è al primo posto in Italia nella produzione delle mele.

L'uomo venuto dal ghiaccio

Il 19 settembre 1991 una coppia di escursionisti tedeschi trovò un cadavere semisepolto dal ghiaccio in alta Val Senales. Questa mummia, ribattezzata Ötzi, è quella di un "antico tirolese" sorpreso da una tormenta di neve mentre stava attraversando il ghiacciaio del Similaun, e risale a più di 5000 anni fa. Insieme all'uomo sono stati ritrovati un'ascia di rame, dei lacci di cuoio e altri attrezzi. Il corpo mummificato (che è in assoluto il più antico che si conosca) è ora esposto al Museo archeologico di Bolzano.

Veneto

Il corso del Piave nella bassa Pianura Veneta.

Uno dei tanti scorci di Venezia che la rendono città unica al mondo.

Il Veneto è una delle più popolose regioni italiane. Il suo territorio è piuttosto vario e si estende dalle Alpi fino al mare Adriatico. Oltre a Venezia, una delle città più belle e famose del mondo, la regione comprende numerosi centri minori, tutti caratterizzati al tempo stesso da dinamismo e spirito imprenditoriale e da un forte legame con il mondo rurale.

Il territorio

La regione si divide in quattro zone ben diversificate dal punto di vista geografico. A nord ci sono le Alpi, con il paesaggio suggestivo delle Dolomiti e le valli boscose del Cadore. Scendendo troviamo un'ampia fascia prealpina con i Monti Lessini, il Pasubio, l'Altopiano di Asiago e il Monte Grappa, e una zona collinare che arriva fino al lago di Garda. Poi si estende la Pianura Padana, con i dolci rilievi dei Monti Berici e dei Colli Euganei, delimitata a ovest dal fiume Mincio, a sud dal Po, a est dai fiumi Livenza e Tagliamento. L'ultima fascia, che comprende la Pianura Veneta e il litorale, è interrotta da paludi, valli bonificate e lagune, tra le quali quella di Venezia, famosa in tutto il mondo.

Il clima

Il clima è in genere di tipo continentale, con inverni lunghi ed estati afose. In montagna è di tipo alpino, molto rigido. La zona più temperata è quella lungo le coste del lago di Garda.

Il lavoro dell'uomo

Nella regione, Venezia assume un ruolo predominante per la storia e per lo splendore che l'hanno resa famosa in tutto il mondo. Economicamente però, tutte le altre province condividono un'uguale forza imprenditoriale e uno sviluppo costante negli ultimi cinquant'anni. In questo arco di tempo, il Veneto è passato da un'economia prevalentemente contadina a una struttura di piccole e medie industrie assai avanzate, soprattutto nel settore calzaturiero, tessile e orafo (a Vicenza), dell'arredamento (nelle zone di Verona e di Treviso), degli elettrodomestici (a Treviso), della ceramica (a Bassano), dell'ottica (in Cadore). La grande industria si concentra a Mestre e a Porto Marghera per i settori meccanico, metallurgico, chimico, petrolchimico e per le centrali termoelettriche.

Regione a statuto ordinario

Superficie 18 365 km^2

Abitanti 4 540 800

Densità ab. per km^2 247

Comuni 581

Capoluogo regionale Venezia, 294 900 ab.

Capoluoghi di provincia

Belluno	35 300 ab.
Padova	205 600 ab.
Rovigo	50 400 ab.
Treviso	80 700 ab.
Verona	256 100 ab.
Vicenza	110 000 ab.

Fiumi
Po 652 km, Adige 410 km, Piave 220 km, Brenta 160 km, Livenza 112 km, Mincio 75 km

Laghi L. di Garda

Monti
Marmolada 3343 m, Le Tofane 3243 m, M.te Cristallo 3221 m, M.ti Lessini 2259 m, Pasubio 2235 m, M.te Baldo 2218 m, M.te Grappa 1775 m, Colli Euganei 601 m, M.ti Berici 444 m

Passi
Pordoi, Monte Croce di Comelico

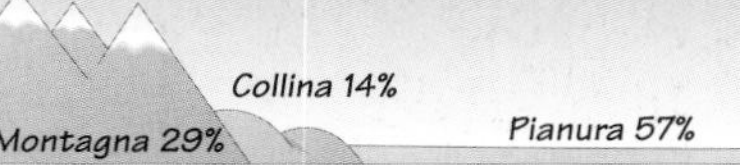

Sito web www.regione.veneto.it

Belluno
Treviso
Vicenza
Verona
Padova
Venezia
Rovigo

Stabilimento petrolchimico a Porto Marghera.

Sotto, stabilimenti industriali alla periferia di Verona. In basso, la pasta di vetro modellata a mano in una vetreria di Murano.

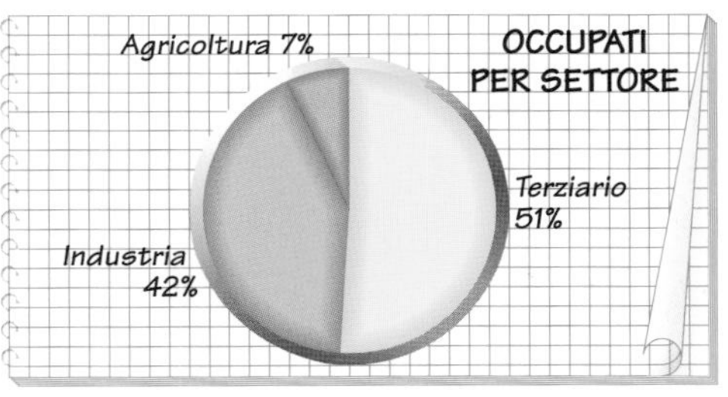

Industria
- aree e centri industriali
- siderurgia, metallurgia
- meccanica
- elettronica, elettrotecnica
- chimica
- oreficeria
- tessile, abbigliamento, calzature, pelle e cuoio
- legname, mobili, carta, editoria
- vetro, ceramica, materiali da costruzioni

Minerali
- cave, miniere
- piriti
- piombo, zinco

Veneto

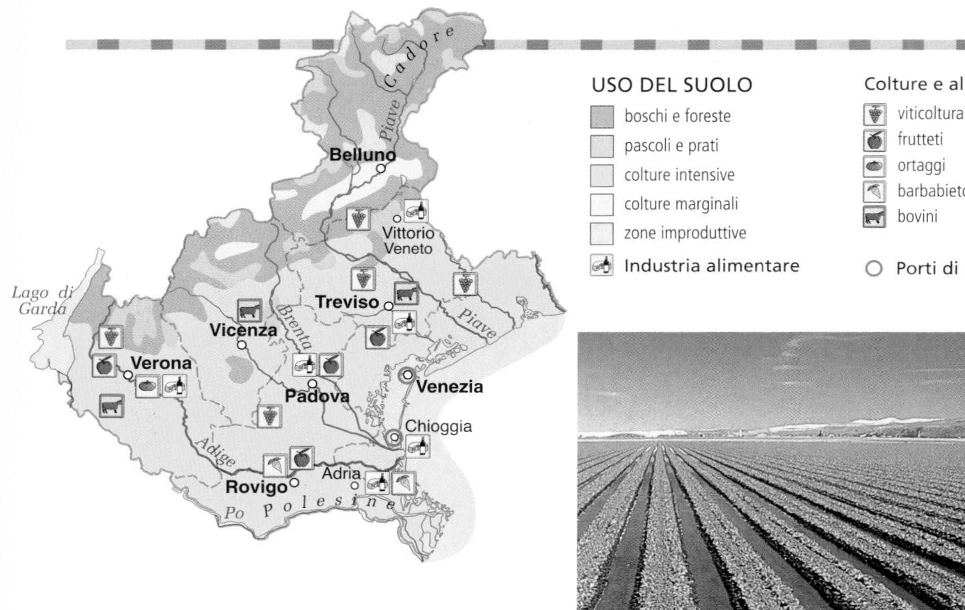

La Pianura Veneta è intensamente coltivata con metodi moderni.

Anche l'agricoltura, praticata in modo intensivo, è molto florida: il Veneto può contare su circa 250 000 aziende agricole, organizzate modernamente. La regione è la prima produttrice di granturco in Italia e la seconda di barbabietole; altre colture particolarmente sviluppate sono il frumento, la vite (ottimi i vini prodotti), l'uva, le pere, le mele, i kiwi e il celebre radicchio trevigiano. Importanti anche l'allevamento (principalmente di bovini e suini) e la pesca.

Il turismo è una risorsa importante per la regione, sia per il numero di visitatori che scelgono Venezia (una media di 2,7 milioni all'anno), sia per le molte altre mete che la regione offre: mare, montagna, laghi, città d'arte e stazioni termali.

Il Carnevale di Venezia è una manifestazione conosciuta in tutto il mondo. La città, già suggestiva per il suo fascino lagunare, si riempie allora di attrazioni che vanno dai grandi spettacoli allestiti per l'occasione, al teatro di strada, al divertimento scatenato dei cittadini e turisti mascherati che si improvvisano saltimbanchi e damine settecentesche. Le origini del Carnevale risalgono ai Saturnali della Roma antica, festeggiamenti in onore del Dio Saturno che prevedevano scambi di doni e persino l'inversione dei ruoli fra schiavi e padroni.

Stendardo della nave da guerra del doge Domenico Contarini, conservato al Museo Correr di Venezia. Il leone con le zampe anteriori sulla terra e quelle posteriori sul mare simboleggia il dominio della Serenissima sui territori della regione e nei commerci marittimi.

Storia e cultura

Alla caduta dell'Impero romano la regione fu teatro di violente scorrerie barbariche. Il periodo longobardo portò alla distruzione di quasi tutte le città dell'interno, mentre la costa rimase legata a Bisanzio. La posizione di Venezia divenne perciò fondamentale per ogni tipo di commercio. Successivamente, la città lagunare ottenne una forte autonomia e divenne una potenza, mentre i centri nella Pianura Padana venivano coinvolti nelle lotte tra Impero e papato. Nel secolo XIV la famiglia degli Scaligeri tentò, senza riuscirvi, di unificare la regione: l'obiettivo fu invece raggiunto da Venezia tra il 1381 e il 1420. Divenuta Repubblica Marinara, la Serenissima mantenne il suo potere fino al XVIII secolo. Tra il XVIII e il XIX secolo si alternarono momenti di decadenza e di splendore per questa regione che si trovò ad affrontare guerre e dilanianti lotte interne. Attaccata da Napoleone, fu ceduta all'Austria con il Trattato di Campoformio, che segnò la fine della Repubblica Veneta. Rimase unita all'impero austriaco dal 1815 al 1866, quando dopo la Terza guerra d'indipendenza entrò definitivamente nel Regno d'Italia.

Prepariamoci a un viaggio

Le ville venete

Nell'area fra Venezia e Padova, lungo la riva del Brenta, nelle pianure della marca Trevigiana sorsero, tra il Quattrocento e il Settecento, molte ville di famiglie nobili, dall'imponente architettura: archi, colonne e timpani (gli elementi classici rinascimentali di Andrea Palladio, l'architetto delle ville più importanti) si arricchirono di incantevoli pitture. Una delle caratteristiche che accomuna tra loro le oltre 1400 ville è quella di essere state contemporaneamente luogo di vita raffinata e sfarzosa, ma anche aziende agricole efficientissime.

La Rotonda del Palladio.

L'Arena di Verona

Un'altra meta fissa per turisti e appassionati di musica è l'Arena di Verona, antico anfiteatro romano, uno dei monumenti-simbolo della regione. Qui vengono messi in scena i più grandi capolavori dell'opera lirica, con protagonisti e registi di fama mondiale.

Venezia, la città sull'acqua

Città che non ha uguali nel mondo, Venezia sorge su un arcipelago di isolette in mezzo alle acque della Laguna. Fu fondata verso la metà del V secolo, al tempo delle invasioni longobarde; qui infatti si rifugiarono gli abitanti dell'entroterra per sfuggire alle razzie e ai saccheggi. Grazie alla posizione geografica che ne faceva il ponte naturale tra Oriente e Occidente, Venezia sviluppò i commerci marittimi e, divenuta Repubblica marinara, estese il suo dominio sul Mar Adriatico e sul Mediterraneo orientale divenendo, nel XVI secolo, uno degli Stati più potenti d'Europa.

Ciò che colpisce di più in questa città, attraversata da numerosi canali uniti tra loro da oltre 400 ponti, è la viabilità che si svolge interamente sull'acqua. E proprio sui canali si affacciano palazzi, chiese e monumenti di grande bellezza che richiamano visitatori da tutti i Paesi del mondo.

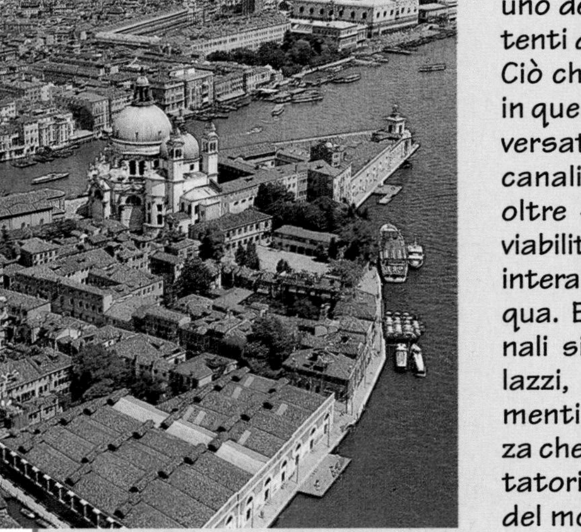

Salviamo la laguna!

La laguna, che caratterizza il tratto costiero alto-adriatico, è il risultato di una contrapposta azione dei moti del mare, da un lato, e dei detriti portati dai fiumi, dall'altro. Se, nel passato, la Repubblica Veneta non avesse deviato il corso dei fiumi e compiuto opere di bonifica, la laguna di Venezia, perla del nostro Adriatico, oggi sarebbe un insieme di malsane paludi! Purtroppo, il suo delicatissimo equilibrio naturale e la sua stessa sopravvivenza sono oggi in pericolo a causa dell'inquinamento. Infatti i grandi centri industriali di Mestre e Marghera (che sorgono vicinissimi alla città lagunare) emettono fumi acidi che, depositandosi sui monumenti, li corrodono a volte irrimediabilmente. Inoltre, a causa della grande quantità di acqua che le industrie utilizzano prelevandola dalla laguna, si assiste a un progressivo abbassamento del fondo lagunare su cui poggia Venezia: si calcola che il livello della città si abbassi di 30 centimetri ogni secolo! Numerose associazioni ambientaliste italiane e straniere hanno preso a cuore la sorte di Venezia e della sua laguna, promuovendo campagne di sensibilizzazione e organizzando raccolte di fondi per salvare la città.

Friuli-Venezia Giulia

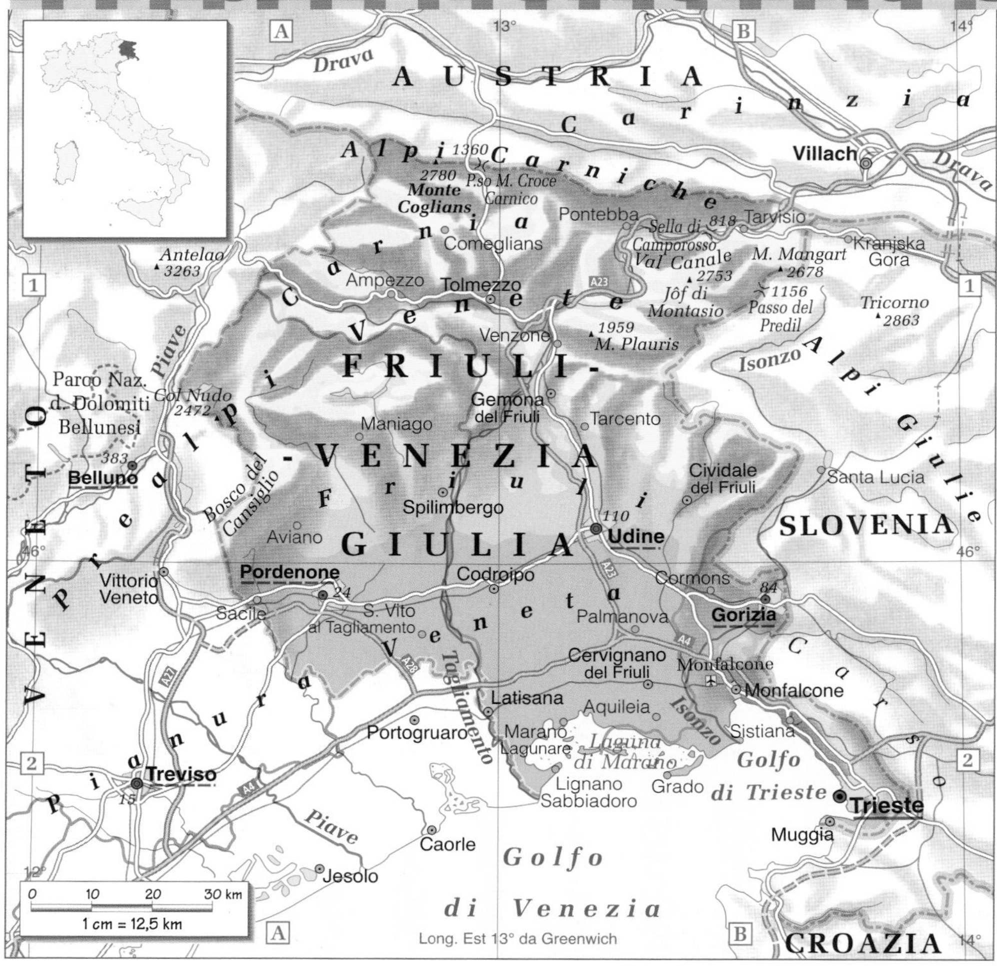

Il Friuli-Venezia Giulia è una regione "doppia", formata dal Friuli, con le province di Pordenone e Udine, e dalla Venezia Giulia, con le province di Trieste e Gorizia. Vi convivono minoranze slovene, tedesche e ladine: è anche per questo che gode dello statuto speciale.

Il territorio

Il territorio del Friuli comprende le Alpi Carniche, la fascia montuosa della Carnia e la pianura, ultima parte orientale della Pianura Padana, che scende verso sud fino a toccare il mare, con coste basse e lagunari. Dalle Alpi scendono verso la pianura alcuni fiumi, tra i quali il più importante è il Tagliamento. La Venezia Giulia è costituita da una striscia di territorio al confine con la Slovenia. L'altopiano del Carso, sopra Trieste, è il paesaggio più caratteristico. Costituito da terreno calcareo, friabile e permeabile, subisce la continua erosione delle acque che vi hanno scavato conche (le doline), grotte e gallerie sotterranee dove a volte si inabissano i fiumi, scomparendo dalla superficie. È il caso del Timavo che scorre sottoterra per oltre 40 chilometri.

Il clima

Il clima della regione è continentale e alpino sui rilievi: inverni piuttosto freddi si alternano a estati fresche. Le zone costiere godono di un clima più mite grazie alla vicinanza del mare. Tipica del golfo di Trieste è la bora, vento freddo proveniente da nord-est.

Il lavoro dell'uomo

L'economia del Friuli-Venezia Giulia è diversificata: a una buona produttività industriale, con molte aziende di piccole-medie dimensioni e alcuni grandi complessi industriali, si affiancano vaste aree agricole. Nel 1976 un violento terremoto colpì le zone montane del Friuli, e la conseguente ricostruzione è divenuta uno stimolo di innovazione e di progresso per l'economia.

La Grotta Gigante è sicuramente la più nota fra le grotte carsiche: la sala centrale è tanto vasta che potrebbe contenere la Basilica di San Pietro.

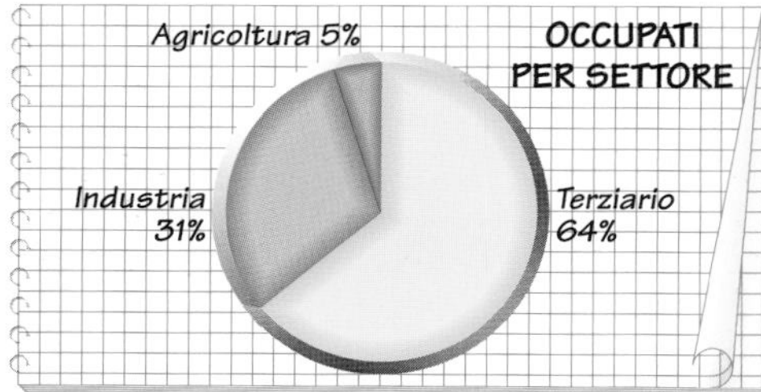

LE ATTIVITÀ INDUSTRIALI

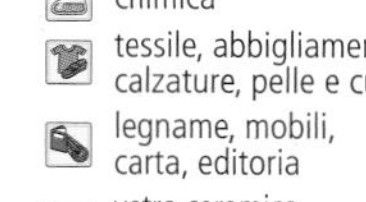

Energia
- idroelettrica
- termoelettrica
- oleodotti
- gasdotti
- elettrodotti

Industria
- aree e centri industriali
- siderurgia, metallurgia
- meccanica
- elettronica, elettrotecnica
- chimica
- tessile, abbigliamento, calzature, pelle e cuoio
- legname, mobili, carta, editoria
- vetro,ceramica, materiali da costruzioni

L'agricoltura produce mais, segale, frutta, barbabietola da zucchero, tabacco, soprattutto in pianura. La coltivazione della vite permette la produzione di vini rinomati. È fiorente l'allevamento di bovini e suini. La pesca è praticata nella laguna di Marano, mentre lungo la riviera triestina sono allevati mitili e molluschi. Numerosi allevamenti di trote si trovano nelle acque interne di fiumi e canali.
L'attività industriale, dopo una crisi che ha colpito la grande industria negli anni '80, è in netta ripresa: si concentra principalmente intorno alle città più grandi, come Trieste (industrie siderurgiche e cantieri navali), Pordenone (industrie meccaniche ed elettroniche), Udine (cartiere e mobilifici).

Regione a statuto speciale

Superficie 7855 km²

Abitanti 1 188 600

Densità ab. per km² 151

Comuni 219

Capoluogo regionale
Trieste, 209 600 ab.

Capoluoghi di provincia

Gorizia	35 800 ab.
Pordenone	49 900 ab.
Udine	95 900 ab.

Fiumi
Tagliamento 170 km,
Isonzo 136 km

Monti
M.te Coglians 2780 m,
M.te Jôf di Montasio 2753 m,
M.te Mangart 2678 m,
M.te Col Nudo 2472 m,
M.te Plauris 1959 m

Passi
Monte Croce Carnico,
Sella di Camporosso,
Predil

Udine
Pordenone
Gorizia
Trieste

Montagna 43%
Collina 19%
Pianura 38%

Sito web www.regione.fvg.it

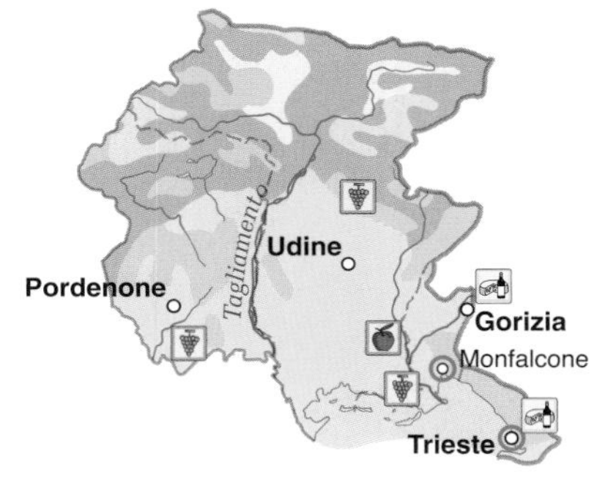

USO DEL SUOLO
- boschi e foreste
- pascoli e prati
- colture intensive
- colture marginali
- zone improduttive

Colture
- viticoltura
- frutteti

Industria alimentare
Porti di pesca

Storia e cultura

Il Friuli-Venezia Giulia è stato teatro di invasioni e di dominazioni straniere. Divenuto parte dell'Impero romano nel II secolo a.C., all'epoca del declino dell'Impero subì le invasioni di Visigoti, Ostrogoti, Unni, Longobardi. Nel 568 si costituì con sede a Cividale il primo ducato longobardo, che durò fino alla fine dell'VIII secolo, quando Carlo Magno fondò le Marche del Friuli e d'Istria. Dopo aver subìto altre invasioni, la regione risorse in parte nel Patriarcato di Aquileia, che passò sotto Venezia nel 1420: Trieste e Gorizia andarono invece agli Asburgo. Il territorio di Trieste, divenuto italiano alla fine della Prima guerra mondiale, e su cui le diplomazie italiana e iugoslava si confrontarono a lungo dopo la Seconda guerra mondiale, è stato annesso all'Italia nel 1954 (memorandum di Londra), unione definitivamente sancita nel 1975 con gli accordi di Osimo.

Gli Asburgo hanno lasciato una forte impronta nella storia e nell'architettura di Trieste. Di particolare interesse, a questo proposito, è il castello di Miramare, fatto costruire dall'arciduca Massimiliano d'Asburgo e Carlotta del Belgio su un piccolo promontorio a nord di Trieste, seguendo stili architettonici diversi: in particolare, l'arredo del primo piano dava l'impressione a Massimiliano di trovarsi a bordo di una nave. Lo splendido parco che circonda il castello è ricco di piante esotiche e rare. Nella foto sotto, un'immagine di Trieste nell'inverno del 1929: la temperatura scese fino a 17 gradi sotto zero e la bora soffiò a oltre 100 chilometri l'ora.

Via col vento

La bora è un vento freddo che soffia da nord-est su Trieste e il suo golfo. Raggiunge la velocità di 60-80 chilometri orari, ma le raffiche, che i triestini chiamano "réfoli", possono superare i 100 chilometri orari. Frequente soprattutto d'inverno, si distingue in "bora chiara" con cielo sereno, e "bora scura" con cielo coperto e precipitazioni anche nevose.

Liguria

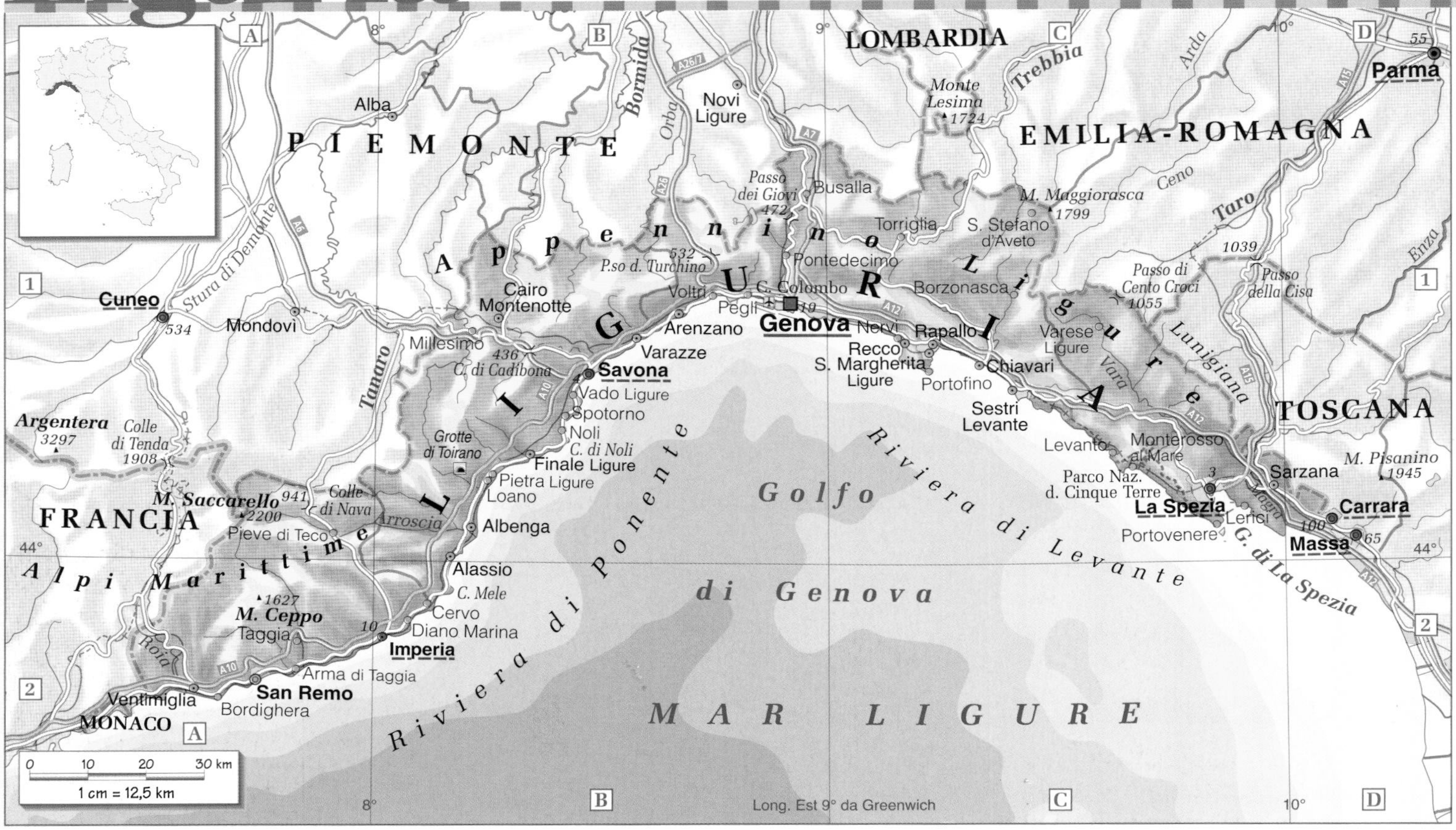

Navi da carico e piccole imbarcazioni a Genova, il maggior porto italiano.

La Liguria è una striscia sottile di terra a forma di arco che si affaccia sul Mar Ligure. La conformazione costiera, ricca di insenature e promontori, e il clima mite la rendono ottima meta turistica in ogni stagione dell'anno.

Il territorio

Il territorio della regione è prevalentemente montuoso o collinare: mancano ampie zone pianeggianti e le montagne giungono fino al mare, formando coste alte e frastagliate.
In Liguria non ci sono fiumi a lungo percorso, perché le montagne sono troppo vicine al mare e si limitano ad alimentare piccoli corsi d'acqua a carattere torrentizio. È una delle regioni più ricche di foreste di latifoglie; nell'interno troviamo boschi di castagni, roverella e cerro. Nonostante la particolare conformazione geografica, la regione è ben servita da vie di comunicazione che la collegano alla Francia, al Piemonte, all'Emilia-Romagna e alla Toscana.

Il clima

Il clima è mediterraneo lungo le coste, con inverni miti: infatti, i monti difendono la regione dai freddi venti provenienti da nord. Sensibili differenze si registrano tra la costa occidentale (Riviera di Ponente) e la costa orientale (Riviera di Levante). La prima è più calda e più asciutta, con una differenza di temperatura che in inverno raggiunge i 5-6 gradi. Nelle parti più interne il clima è di tipo continentale.

Il lavoro dell'uomo

L'economia ligure è stata parzialmente condizionata dallo sviluppo delle città portuali, come Genova, Savona e La Spezia. L'importanza dei porti, e l'arrivo diretto di merci e materie prime, hanno dato impulso alle attività siderurgiche, chimiche, petrolchimiche, meccaniche e al settore cantieristico e navale. La Liguria è al secondo posto in Italia nella produzione di energia termoelettrica.

L'agricoltura è praticata limitatamente alla zona costiera. La produzione comprende frutta, olive e soprattutto fiori, che coprono la metà dell'intera produzione nazionale.
Una risorsa molto importante è data dal turismo. Lungo le coste affluiscono, sia d'estate che d'inverno, numerose persone alla ricerca di un clima mite e di paesaggi dolci e suggestivi (Portofino, le Cinque Terre).
L'attività industriale, con gli scarichi in mare di materie inquinanti, e anni di sviluppo edilizio selvaggio hanno provocato il degrado ambientale di molte zone della regione. L'istituzione di parchi naturali e marini cerca ora di tutelare le bellezze di un territorio unico per microclima e vegetazione.

Storia e cultura

Abitata fin dalla preistoria, di cui restano importanti testimonianze (Grotte dei Balzi Rossi, presso il confine francese), nel II secolo a.C. la regione fu occupata dai Romani. Alla caduta dell'Impero divenne provincia di Bisanzio. Nel VII secolo fu ducato longobardo e venne divisa in marche.
Durante l'epoca dei Comuni, Genova – insieme a Pisa, Venezia e Amalfi – si costituì come Repubblica Marinara e conobbe un periodo di grande prosperità, divenendo una delle più fiorenti potenze marinare del Mediterraneo. Il predominio genovese sulla regione non portò alla riunificazione politica, avvenuta nel 1797, con la costituzione della Repubblica Ligure, che ebbe fine nel 1815 (Congresso di Vienna) con l'annessione al Regno Sabaudo.
La storia e le tradizioni liguri sono strettamente legate al mare che, fino a non molti anni fa, ha continuato ad essere anche la principale via di comunicazione fra i piccoli borghi lungo la costa. Molti di questi villaggi costieri, in particolare quelli delle Cinque Terre, hanno così mantenuto il loro aspetto originario, che nell'Ottocento affascinò molti poeti stranieri, fra i quali Byron e Shelley.

Regione a statuto ordinario

Superficie 5418 km²
Abitanti 1 621 000
Densità ab. per km² 299
Comuni 235
Capoluogo regionale
Genova, 604 700 ab.
Capoluoghi di provincia

Imperia	39 500 ab.
La Spezia	91 300 ab.
Savona	62 000 ab.

Fiumi
Magra 62 km, Roia 59 km, Arroscia 42 km

Monti
M.te Saccarello 2200 m, M.te Maggiorasca 1799 m, M.te Ceppo 1627 m
Passi
Colle di Nava, Colle di Cadibona, Turchino, Giovi, Cento Croci

Sito web www.regione.liguria.it

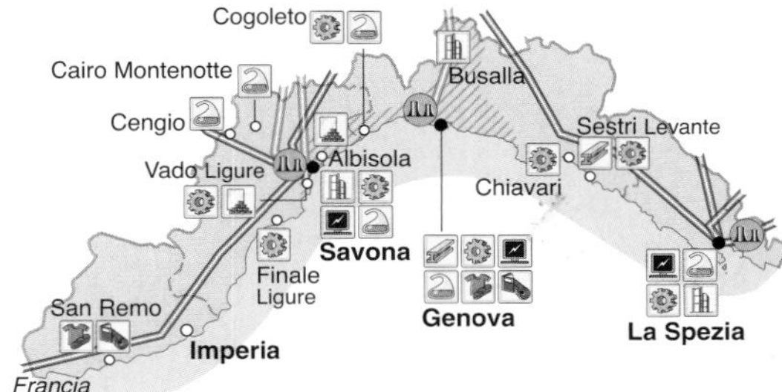

LE ATTIVITÀ INDUSTRIALI

Energia
- termoelettrica
- oleodotti
- gasdotti
- elettrodotti
- raffinerie

Industria
- aree e centri industriali
- siderurgia, metallurgia
- meccanica
- elettronica, elettrotecnica
- chimica
- tessile, abbigliamento, calzature, pelle e cuoio
- legname, mobili, carta, editoria
- vetro, ceramica, materiali da costruzioni

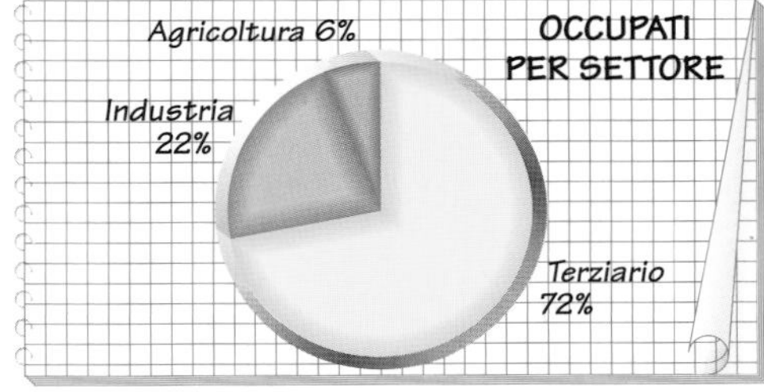

Suggestivo scorcio di Manarola, nelle Cinque Terre.

La Riviera dei Fiori

Il tratto della costa ligure che va da Genova al confine con la Francia, detto Riviera di Ponente, è stato anche soprannominato Riviera dei Fiori per l'ampia produzione floreale in serra – in particolare di rose e di garofani – che l'ha reso noto in tutto il mondo. Nella medesima zona si trovano anche altre coltivazioni specializzate, come frutta e prodotti orticoli, soprattutto primizie. Il clima particolarmente mite e la bellezza del paesaggio hanno fatto di molte località costiere mete turistiche rinomate.

Emilia-Romagna

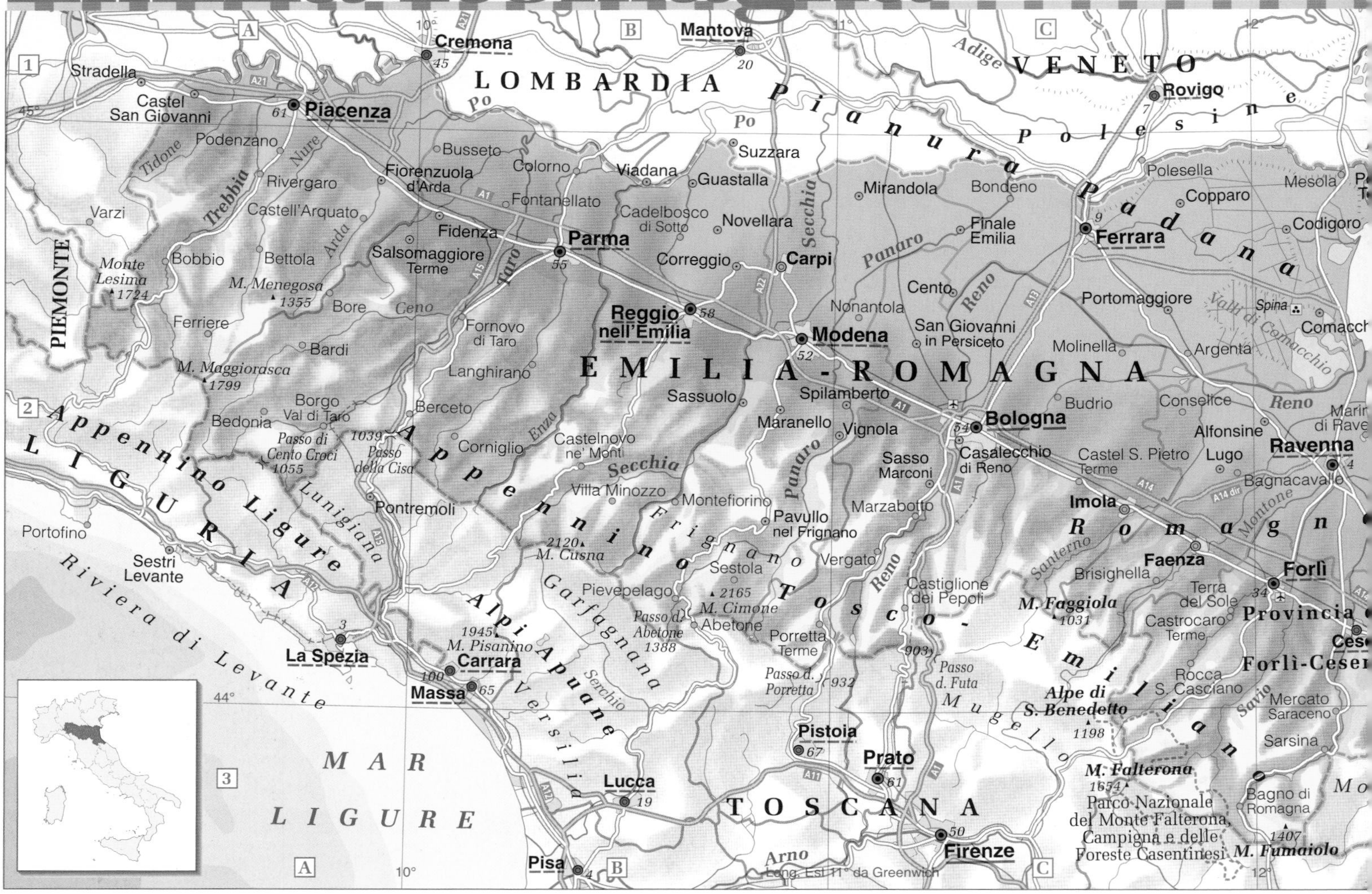

LOMBARDIA
VENETO
EMILIA-ROMAGNA
TOSCANA
LIGURIA
PIEMONTE
Pianura Padana
Polesine
Appennino Ligure
Appennino Tosco-Emiliano
Alpi Apuane
Romagna
MAR LIGURE
Riviera di Levante
Piacenza
Parma
Reggio nell'Emilia
Modena
Bologna
Ferrara
Ravenna
Forlì
Cremona
Mantova
Rovigo
La Spezia
Massa
Carrara
Lucca
Pistoia
Prato
Firenze
Pisa
Provincia di Forlì-Cesena
Parco Nazionale del Monte Falterona, Campigna e delle Foreste Casentinesi
Long. Est 11° da Greenwich

Veduta dall'alto di Bologna: al centro la Basilica di San Petronio.

L'Emilia-Romagna, dalla caratteristica forma triangolare, deve il suo nome alla via Emilia, antica strada costruita dal console romano Marco Emilio Lepido nel II secolo a.C. Questa strada percorre da est a ovest tutta la regione, attraversandone le principali città.

Il territorio

L'Emilia-Romagna comprende un vasto territorio delimitato dal corso del fiume Po a nord e dall'Appennino Tosco-Emiliano a sud. I rilievi dell'Appennino si ammorbidiscono verso nord, fino a diventare colline: in questa zona le rocce, poco resistenti all'azione degli agenti atmosferici, sono state modellate e in alcuni tratti il suolo è privo di vegetazione, scavato in numerosi solchi, i calanchi.

La parte settentrionale della regione è occupata dalla Pianura Padana. A est la pianura giunge fino al mare: la costa, bassa e sabbiosa, è interrotta da lagune costiere, le "valli". Un tempo assai vaste, oggi sono limitate, dopo i lavori di bonifica, alla zona di Comacchio. Il corso del fiume Po, dopo avere raccolto molti affluenti, sfocia nel mare Adriatico, costituendo un delta di sette rami assai suggestivo.

Il clima

Per la sua posizione fra la Pianura Padana e l'Appennino Tosco-Emiliano, questa regione ha un clima particolare, di tipo continentale, caratterizzato da una forte umidità: le estati sono calde e afose, mentre gli inverni sono generalmente rigidi e umidi. L'umidità provoca frequenti piogge sui monti emiliani, ed è causa della neb-

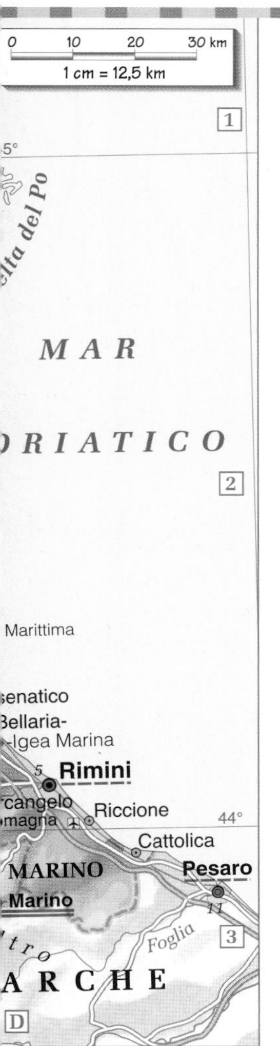

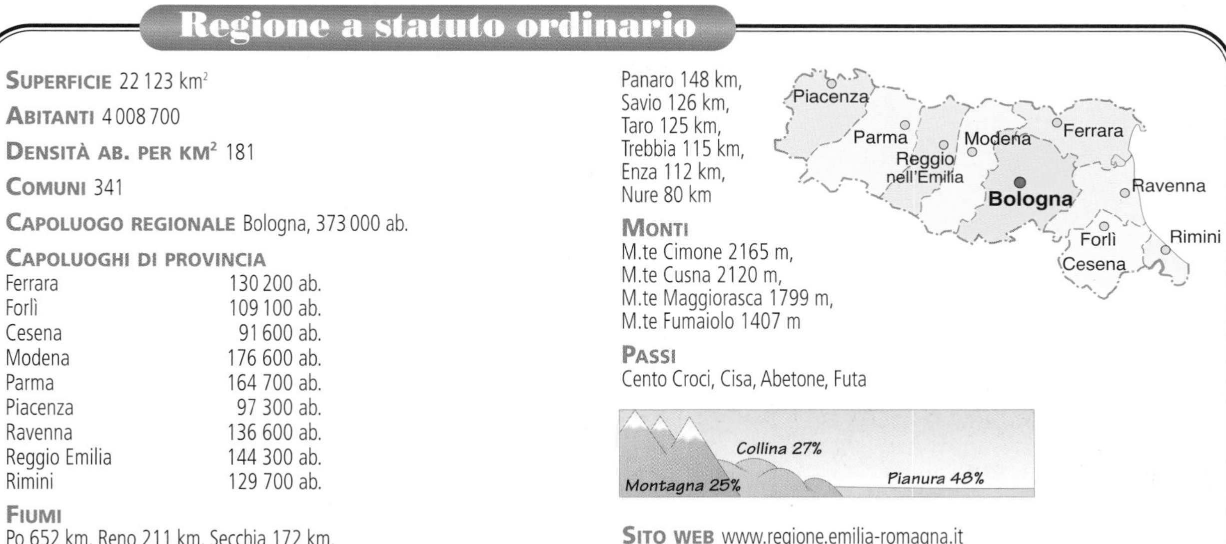

Regione a statuto ordinario

SUPERFICIE 22 123 km²
ABITANTI 4 008 700
DENSITÀ AB. PER KM² 181
COMUNI 341
CAPOLUOGO REGIONALE Bologna, 373 000 ab.

CAPOLUOGHI DI PROVINCIA

Ferrara	130 200 ab.
Forlì	109 100 ab.
Cesena	91 600 ab.
Modena	176 600 ab.
Parma	164 700 ab.
Piacenza	97 300 ab.
Ravenna	136 600 ab.
Reggio Emilia	144 300 ab.
Rimini	129 700 ab.

FIUMI
Po 652 km, Reno 211 km, Secchia 172 km, Panaro 148 km, Savio 126 km, Taro 125 km, Trebbia 115 km, Enza 112 km, Nure 80 km

MONTI
M.te Cimone 2165 m, M.te Cusna 2120 m, M.te Maggiorasca 1799 m, M.te Fumaiolo 1407 m

PASSI
Cento Croci, Cisa, Abetone, Futa

SITO WEB www.regione.emilia-romagna.it

bia, spesso presente nelle province di Piacenza e di Ferrara. Lungo la costa il clima è più mite.

Il lavoro dell'uomo

L'agricoltura è uno degli assi portanti dell'economia dell'Emilia-Romagna. La fertile Pianura Padana viene lavorata con tecniche all'avanguardia e con un livello di meccanizzazione del lavoro al di sopra della media nazionale. La regione è la prima produttrice nazionale di frutta: pere, susine, pesche, mele e kiwi emiliani coprono circa il 30% della produzione nazionale; ma è anche ai primi posti per la produzione di frumento e di barbabietole da zucchero. Si coltivano inoltre il riso, gli ortaggi e la vite. Quest'ultima è diffusa soprattutto nel Piacentino, nel Modenese e in Romagna, dove si concentra la produzione di vini rinomati.

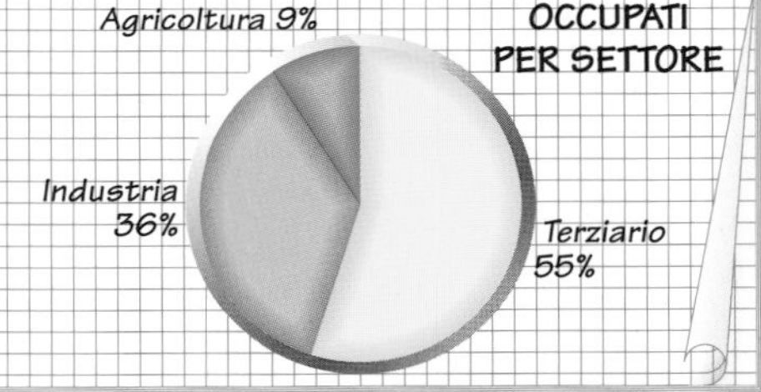

Il delta del Po (fotografia aerea) è un'area intensamente coltivata.

La Ferrari, la celebre fabbrica di automobili di Maranello, è nata nel 1940, ma la scuderia risale addirittura al 1929, quando Enzo Ferrari iniziò a gestire il settore sportivo dell'Alfa Romeo. Da allora "la rossa" è diventata il simbolo stesso delle auto da corsa, e il suo cavallino nero in campo giallo è conosciuto in tutto il mondo.

L'Emilia-Romagna è all'avanguardia nell'allevamento, principalmente di bovini e suini, e nella pesca: entrambe queste attività contano sull'utilizzo di tecnologie avanzate. Degno di nota è l'allevamento dell'anguilla nelle valli di Comacchio. La regione è famosa anche per la sua tradizione culinaria, con prodotti tipici esportati in tutto il mondo, come il parmigiano reggiano, gli zamponi, i salumi, i prosciutti e la mortadella. Fra le principali attività industriali si segnalano il settore agroalimentare, il metallurgico e il metalmeccanico, il tessile e l'abbigliamento, le ceramiche per l'edilizia e i mobili. Artigianato e commercio sono ben sviluppati, anche in relazione al diffuso turismo estivo e balneare, e più in generale all'industria del divertimento, con discoteche e parchi giochi che attirano sulla costa adriatica un gran numero di giovani e di famiglie.

Il parmigiano è un prodotto tipico delle province di Parma e Reggio Emilia. Il procedimento di produzione prevede un periodo di invecchiamento delle grandi forme in ambienti ampi e areati.

Il prosciutto dolce di Parma è un prodotto di qualità che viene esportato in tutto il mondo.

La spiaggia di Cattolica: il turismo balneare è una delle risorse economiche della regione.

Storia e cultura

Abitata dagli Etruschi e dai Galli, la regione fu poi dominata dai Romani, che fondarono vari centri. Durante il periodo romano molte furono le opere intraprese per migliorare i trasporti: la più importante fu quella del console Marco Emilio Lepido che fece costruire nel 187 a.C. la via Emilia, lungo la quale sorsero i maggiori centri. Alla caduta dell'Impero romano Ravenna diventò la splendida capitale dell'Occidente. Durante l'età comunale le lotte tra le varie città favorirono la nascita delle Signorie: solo Bologna rimase a lungo un Comune. Mentre la Romagna era già da secoli sotto il dominio pontificio, il resto della regione fu spartito tra la famiglia d'Este (Ferrara, Modena e Reggio) e quella dei Farnese (Parma e Piacenza).
Nel 1796, durante il tentativo di Gioacchino Murat di unificare la penisola italiana, la Francia occupò la regione, ma dopo la breve esperienza della Repubblica Cispadana l'antico assetto fu restaurato con il Congresso di Vienna. Nel 1861 anche l'Emilia-Romagna entrò a far parte del Regno d'Italia.

Spina: il porto adriatico degli Etruschi

Il delta del Po fu abitato sin dai tempi più antichi: particolare importanza riveste in tal senso la città etrusca di Spina, a circa 6 chilometri da Comacchio, i cui scavi iniziarono nel 1922. La città era costruita lungo l'antica linea litoranea del delta del Po, ed era importantissima per le relazioni commerciali e culturali con i Greci. Nel IV secolo ebbe inizio un certo declino della città, dovuto all'indebolimento del dominio etrusco nella valle del Po e probabilmente anche a cambiamenti morfologici del terreno nella zona della foce del fiume. I numerosi reperti archeologici rinvenuti sono conservati per la maggior parte nel museo di Ferrara.

Prepariamoci a un viaggio

Il delta del Po

L'ambiente del delta del Po è uno dei più affascinanti del nostro Paese. In quasi 60 000 ettari di terreno, grazie anche all'istituzione del Parco del Delta, si può scoprire una natura ancora incontaminata con flora e fauna tipiche degli ambienti palustri. Numerosissime specie di uccelli acquatici, sia stanziali che migratori, vivono qui indisturbati. Ma non è tutto: la gita nel Delta è anche occasione di visite a monumenti di grande interesse storico-artistico come il Castello della Mesola e l'abbazia romanica di Pomposa.

Gli aironi vivono numerosi nel delta del Po.

Ravenna, la città dei mosaici

Situata nella bassa Pianura Padana, non lontana dal mare, Ravenna possiede monumenti di interesse storico che ne testimoniano il passato glorioso. Già importante ai tempi di Augusto che vi fece costruire il porto di Classe, fondamentale per i commerci sull'Adriatico, la città, divenuta capitale dell'Impero romano d'Occidente, raggiunse il massimo splendore nei secoli V e VI. A quest'epoca risalgono i magnifici mosaici, conosciuti in tutto il mondo, che ornano le basiliche di San Vitale, di Sant'Apollinare in Classe, di Sant'Apollinare Nuovo e del mausoleo di Galla Placidia.

Ravenna conserva anche la tomba di Dante Alighieri, il massimo poeta italiano, che qui morì nel 1321.

L'industria del divertimento

La forte affluenza turistica che si riversa sulla costa romagnola è favorita dai prezzi moderati praticati dagli albergatori, oltre che dalla presenza di numerose strutture (celebri in particolare le balere e le grandi discoteche) realizzate per favorire il divertimento di adulti e bambini. A questi ultimi in particolare è rivolta l'offerta di attrazioni acquatiche e grandi parchi di divertimento, dove prende vita il mondo della fantasia e delle fiabe dell'infanzia.

Attrazioni in uno dei tanti parchi di divertimento romagnoli. L'"industria del divertimento" costituisce una delle attività più redditizie della regione.

La Repubblica di San Marino

La Repubblica di San Marino è la più antica repubblica d'Europa: risale al IV secolo d.C. Il territorio si estende per 61 chilometri quadrati ed è racchiuso fra l'Emilia-Romagna e le Marche. Comprende anche il Monte Titano (738 metri) e la zona collinare adiacente. L'economia poggia principalmente sull'artigianato e sul turismo (rilevanti sono i guadagni provenienti dalla emissione di francobolli), sebbene non manchino le più tradizionali aree di sviluppo economico: l'agricoltura (cereali, vite) e l'industria (piccole aziende del cemento, della carta, della gomma e tessili). La moneta corrente è l'euro. Nella foto, la rocca di San Marino con la torre del Palazzo Pubblico, costruito nel 1894 in forme trecentesche.

Una storia antica, ricca di testimonianze, e una natura bellissima, dove tanti paesaggi diversi si alternano tra loro, fanno della Toscana una delle regioni più affascinanti e suggestive del nostro Paese.

Il territorio

La Toscana è la più grande regione dell'Italia centrale. Il suo territorio è prevalentemente collinare; seguono, in ordine di estensione, le zone montuose e quelle pianeggianti. L'Appennino Tosco-Emiliano, che segna il confine con l'Emilia-Romagna, non ha montagne alte e impervie: il paesaggio è dolce e i passi che lo attraversano sono facilmente valicabili. Tra i più noti, il passo della Cisa, quello della Futa e quello dell'Abetone. Nella parte nord-occidentale della regione sorge la catena delle Alpi Apuane, con rocce

calcaree che forniscono marmi pregiati, come il famoso “bianco” di Carrara. Nella zona più meridionale si innalza il monte Amiata, di origine vulcanica. Le colline, ricoperte da boschi, vigneti e uliveti, rappresentano l’ambiente più caratteristico della regione. Nella parte centrale si trovano le Colline Metallifere, sfruttate fin dall’antichità per la ricchezza del loro sottosuolo. Nella zona vi è una grande quantità di calore sotterraneo accumulatosi quando il monte Amiata era un vulcano attivo: tale calore fuoriesce sotto forma di violenti getti di vapore bollente che vengono chiamati “soffioni boraciferi”.
La pianura più ampia è il Valdarno, mentre, lungo la fascia costiera, le principali aree pianeggianti sono la Versilia a nord e la Maremma a sud. La costa, rettilinea e poco frastagliata, diviene alta e rocciosa verso il promontorio di Piombino e quello dell’Argentario.
La Toscana è ricca di fiumi, di cui molti a carattere torrentizio. Il fiume più importante è l’Arno, che nasce dal monte Falterona, bagna Firenze e Pisa, e sfocia nel Tirreno. Alla regione appartengono le isole dell’Arcipelago Toscano: la più estesa è l’isola d’Elba.

Il clima

In Toscana si possono distinguere due diverse aree climatiche: una più interna, lungo l’arco appenninico, dove le estati sono abbastanza fresche e gli inverni rigidi; l’altra, verso la costa, risente dell’azione marina, con estati calde e ventilate e inverni miti.

Il lavoro dell’uomo

Nonostante lo sviluppo industriale degli ultimi anni, l’agricoltura mantiene un posto di primo piano. Le produzioni agricole più importanti sono l’uva e le olive (da cui si ricavano vini e olii rinomati), i cereali, gli ortaggi, la frutta e la barbabietola da zucchero. Nella campagna di Pistoia è diffusa la coltivazione di fiori e piante or-

Regione a statuto ordinario

Superficie 22 987 km²
Abitanti 3 547 600
Densità ab. per km² 154
Comuni 287
Capoluogo regionale Firenze, 352 900 ab.

Capoluoghi di provincia

Arezzo	92 400 ab.
Grosseto	71 400 ab.
Livorno	156 200 ab.
Lucca	81 900 ab.
Massa	66 900 ab.
Carrara	64 900 ab.
Pisa	89 000 ab.
Pistoia	84 200 ab.
Prato	174 600 ab.
Siena	52 800 ab.

Laghi Massaciuccoli, Chiusi

Fiumi
Arno 241 km, Ombrone 161 km, Serchio 111 km, Cecina 74 km

Monti
M.te Pisanino 1945 m, M.te Amiata 1738 m, M.te Falterona 1654 m, Alpe di San Benedetto 1198 m, Colline Metallifere 1060 m

Passi
Cisa, Abetone, Porretta, Futa

Isole
Arcipelago Toscano: Elba, Capraia, Gorgona, Pianosa, Montecristo, Giglio, Giannutri

Collina 67%
Montagna 25%
Pianura 8%

Sito web www.regione.toscana.it

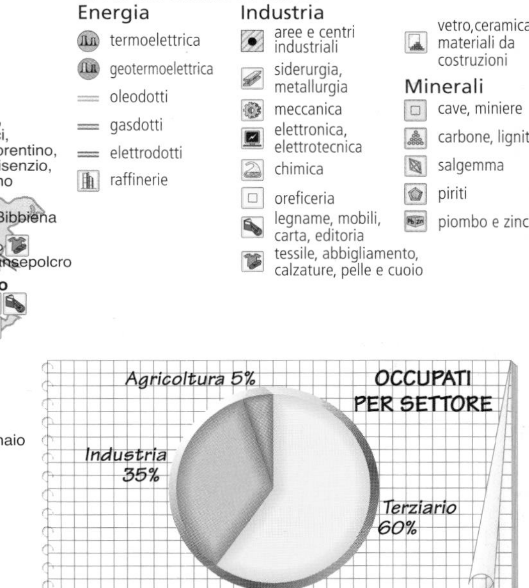

Dalle cave delle Alpi Apuane si estraggono marmi pregiati, come il famoso “bianco” di Carrara.

Piombino è un importante centro siderurgico specializzato nella lavorazione delle lamiere.

USO DEL SUOLO
- boschi e foreste
- pascoli e prati
- colture intensive
- colture marginali
- zone improduttive

Colture
- viticoltura
- tabacco
- oliveti
- Industria alimentare
- Porti di pesca

In Maremma si trovano ancora i butteri che, come moderni cowboy, controllano le mandrie dai loro cavalli.

Il paesaggio collinare toscano è caratterizzato da rilievi dolci e dalla presenza di cipressi.

La Toscana è la regione di produzione del Chianti, un vino rosso conosciuto e apprezzato in tutto il mondo.

Il gioco del calcio è nato a Firenze!

Il gioco della "palla al calcio" era praticato già nella Firenze del Rinascimento con grande tifo, soprattutto durante il Carnevale. Le partite si giocavano in piazza Santa Maria Novella o in piazza Santa Croce. I signori vi assistevano dalle finestre dei palazzi, il popolo dai palchi allestiti per l'occasione. La passione per il gioco non aveva tregua nemmeno durante la guerra! È il caso del 1529 quando, nonostante l'assedio alla città posto dai francesi, la partita si giocò ugualmente: in segno di scherno e di sfida, i fiorentini suonarono trombe e tamburi dai tetti delle case, mentre dall'altra parte si rispondeva a... cannonate! Ancora oggi il gioco prevede due squadre di 27 giocatori, che usando indifferentemente le mani e i piedi, e non risparmiandosi colpi, spinte e violenti placcaggi, devono cercare di "fare caccia", cioè di gettare la palla nella rete avversaria.

namentali. L'allevamento del bestiame non è molto praticato; anche la pesca costituisce un'attività secondaria.
L'industria è sviluppata nel settore meccanico e vetrario, alimentare e conserviero, tessile e calzaturiero, estrattivo e chimico, del marmo e del materiale da costruzione. Notevole è la produzione dell'elettricità attraverso lo sfruttamento del calore sotterraneo. L'attività artigianale in Toscana è molto apprezzata, specie per la lavorazione dell'oro e dell'argento, della paglia e del legno. La maggiore ricchezza per l'economia toscana è il turismo: le città d'arte richiamano annualmente centinaia di migliaia di persone da ogni parte del mondo. Frequentatissime sono, durante la stagione estiva, le spiagge e le isole.

Storia e cultura

Circa tremila anni fa la regione era abitata dagli Etruschi, dai quali deriva il suo antico nome di Etruria. Questa popolazione, che seppe creare una civiltà colta e raffinata, estese il proprio dominio anche fuori della regione. Fra il V e il III secolo a.C. l'Etruria venne sottomessa dai Romani, che la chiamarono Tuscia. Subì poi le invasioni barbariche (Eruli, Goti, Ostrogoti e Longobardi) fino alla conquista di Carlo Magno, nell'VIII secolo. Fu poi feudo dei Canossa, fino alla morte di Matilde (1115). Nel XII secolo numerose città divennero liberi Comuni in continua lotta tra loro: su di essi finì per imporsi Firenze, che unificò la regione sotto la signoria dei Medici. La città, culla del Rinascimento, divenne uno dei massimi centri della cultura italiana ed europea.
Nel 1738 il Granducato di Toscana passò ai Lorena, che vi attuarono una politica di riforme assai avanzata per l'epoca (furono i primi in Europa ad abolire la pena di morte). Passata sotto il domino di Napoleone (1801), tornò ai Lorena nel 1815. Centro attivo di ideali risorgimentali, nel 1861 si unì al Regno d'Italia, del quale Firenze fu capitale negli anni 1865-1870.

Prepariamoci a un viaggio

La Toscana è una delle regioni che più armonicamente uniscono la bellezza della natura allo straordinario patrimonio culturale e artistico che fa delle sue città veri e propri musei all'aperto, visitati ogni anno da milioni di turisti.

Firenze, culla del Rinascimento

Poche città al mondo sono ricche di opere d'arte come Firenze. Opere come il Campanile di Giotto, l'ardita cupola di Santa Maria del Fiore del Brunelleschi, la cappella Brancacci di Masaccio richiamano visitatori da tutto il mondo. In particolare nel XV secolo, la città fu centro di una rivoluzione culturale e artistica tale da influenzare nel tempo il resto d'Italia e l'Europa. La signoria dei Medici assicurò alla regione un lungo periodo di pace che favorì, con i commerci, il fiorire delle arti e della cultura. Mecenati e appassionati collezionisti, pittori, scultori e scrittori si formarono alla loro corte: fra questi, Michelangelo Buonarroti.

Veduta aerea di Firenze e del suo celebre Duomo.

L'Argentario

Il Monte Argentario molto tempo fa era un'isola. Oggi è unito alla terraferma da tre strisce sabbiose, i "tomboli". Su quello centrale sorge la città di Orbetello. I tomboli formano una laguna, dove numerose specie animali e vegetali hanno trovato un habitat ideale: cormorani, aironi, piante acquatiche. Non lontano, il Parco dell'Uccellina è un ambiente naturale pressoché incontaminato, dove si possono trovare le specie vegetali tipiche della macchia mediterranea.

La Torre di Pisa

Il "Campo dei Miracoli" a Pisa deve il suo nome alla bellezza dei monumenti che contiene, tutti splendenti del bianco marmo delle Apuane che li ricopre. Accanto al Battistero e al Duomo si eleva, miracolosamente inclinato, il campanile: la celebre Torre di Pisa.

La torre cominciò a "pendere" quasi subito dopo la sua costruzione (XII secolo) per un cedimento del terreno. E continua a muoversi ancora oggi, pericolosamente. Per questo, da anni, sono in corso studi ed esperimenti per tentare di consolidare il terreno su cui poggia.

In primo piano il Battistero e, sullo sfondo, il Duomo e la Torre di Pisa.

Il Palio di Siena

Siena è famosa non solo per la sua struttura – praticamente intatta – di città medievale, ma anche per il celebre Palio che due volte l'anno, il 2 luglio e il 16 agosto, si corre nella Piazza del Campo. Si tratta di una corsa di cavalli montati a "pelo" (senza sella), che rappresentano le 17 contrade della città. Tre velocissimi giri della piazza, durante i quali i fantini fanno di tutto per vincere il "palio", uno stendardo dipinto da un artista famoso.

Piazza del Campo a Siena, palcoscenico del celebre Palio.

Umbria

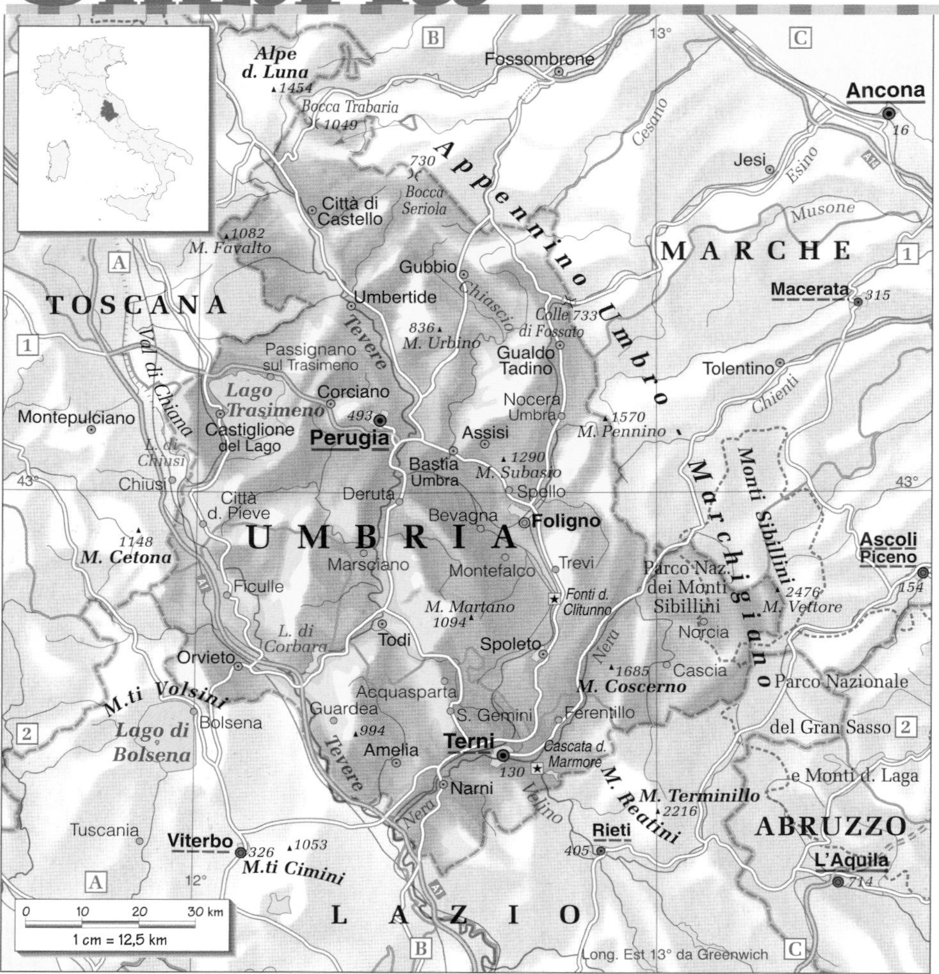

L'Umbria si estende nel cuore degli Appennini: la ricchezza dei boschi e delle foreste che la ricoprono le hanno attribuito il nome di "Umbria verde". L'Umbria è conosciuta soprattutto per le testimonianze legate alla vita di san Francesco e per le importanti opere d'arte dei suoi paesi e delle sue città, fra cui i preziosi affreschi di Giotto che si trovano ad Assisi.

La cascata delle Marmore, presso Terni, con i suoi 160 metri di salto è la più alta d'Italia.

Veduta di Assisi.

Il territorio

L'Umbria si trova nel centro della penisola italiana e non è bagnata dal mare. Lungo il confine orientale si estendono i monti dell'Appennino Umbro-Marchigiano. L'Umbria condivide con le Marche il massiccio dei Monti Sibillini, la cui cima più alta è il Monte Vettore con 2476 metri.

Fra le colline e le montagne si trovano valli e conche verdeggianti. Un tempo queste conche erano dei laghi, che nel corso dei secoli sono stati riempiti dai detriti trasportati dai fiumi. La valle più importante è quella del Tevere, il terzo fiume italiano per lunghezza dopo il Po e l'Adige, che attraversa la regione da nord a sud. Nel tratto iniziale ha un carattere impetuoso ma poi, avvicinandosi al Lazio, il letto del fiume si fa più ampio e l'acqua scorre lenta e regolare. I numerosi fiumi dell'Umbria sono quasi tutti affluenti del Tevere. Il fiume Velino si getta nel Nera formando la cascata delle Marmore, le cui acque sono utilizzate per produrre energia elettrica. In Umbria si trova il maggiore lago dell'Italia centrale, il Trasimeno, che ha una forma tondeggiante e coste paludose, e non supera i 7 metri di profondità.

Il clima

La regione ha un clima generalmente mite, piuttosto piovoso. Sui rilievi, il clima ha caratteristiche appenniniche, con inverni freddi e abbondanti precipitazioni anche nevose.

Il lavoro dell'uomo

Il territorio dell'Umbria, quasi esclusivamente montuoso o collinare, non favorisce un'agricoltura di tipo intensivo. Oggi, tuttavia, una parte importante nell'economia della regione

hanno le coltivazioni di viti e olivi, dalle quali si ricavano vini e olii di ottima qualità.
Fra gli altri prodotti, il grano, la barbabietola da zucchero e gli ortaggi. Nei boschi si raccoglie un pregiato prodotto della terra, il tartufo nero, abbondante soprattutto nella zona di Norcia. Notevole è il patrimonio zootecnico che alimenta una fiorente industria di insaccati. Nella zona di Terni si trovano industrie chimiche e un importante complesso siderurgico, che fa dell'Umbria una delle prime regioni italiane produttrici di acciaio. Nelle zone di Perugia, di Foligno e di Spoleto ci sono industrie tessili, grafico-editoriali e della carta. Per il resto l'Umbria conta un gran numero di piccole imprese artigianali che producono, fra le altre cose, ferro battuto e ceramiche. Il turismo è una risorsa importante ed è legato alla presenza di luoghi di grande interesse artistico e a mete di pellegrinaggi, come Assisi e Gubbio.

Regione a statuto ordinario

Superficie 8456 km²
Abitanti 840 500
Densità ab. per km² 99
Comuni 92
Capoluogo regionale
Perugia, 150 800 ab.
Capoluogo di provincia
Terni, 105 700 ab.
Fiumi
Tevere 405 km,
Nera 116 km,
Velino 90 km, Chiascio 82 km
Laghi Trasimeno, Corbara

Monti
M.te Vettore 2476 m,
M.te Coscerno 1685 m,
M.te Pennino 1570 m,
M.te Subasio 1290 m, M.ti Sibillini
Passi
Bocca Trabaria, Bocca Seriola, Fossato
Cascate
Marmore

Perugia
Terni

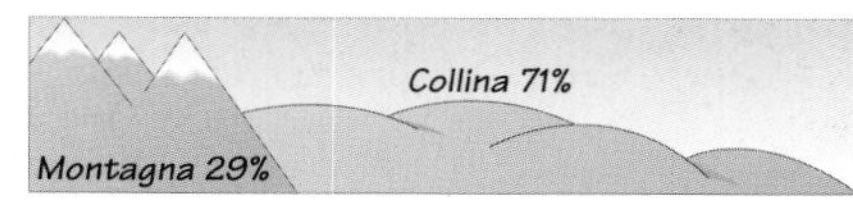

Sito web www.regione.umbria.it

Città di Castello
Gubbio
Corciano
Gualdo Tadino
Perugia
Pietrafitta
Foligno
Deruta
Spoleto
Terni
Narni

LE ATTIVITÀ INDUSTRIALI

Energia
termoelettrica
gasdotti
elettrodotti

Minerali
cave, miniere
carbone, lignite

Industria
aree e centri industriali
siderurgia, metallurgia
meccanica
chimica
tessile, abbigliamento, calzature, pelle e cuoio
legname, mobili, carta, editoria
vetro,ceramica, materiali da costruzioni

Storia e cultura

Prima della conquista da parte dei Romani, l'Umbria era abitata dagli Umbri (che fondarono Assisi e Spoleto) e dagli Etruschi (che fondarono Perugia). Divenuta provincia romana nel III secolo a.C., dopo la caduta dell'Impero subì periodiche invasioni barbariche, finché non passò sotto il controllo dei Bizantini. Nel Quattrocento Perugia rivestì un ruolo di primaria importanza come centro commerciale, politico e culturale. Nel XVI secolo la regione passò allo Stato Pontificio, sotto il cui controllo restò fino all'unità d'Italia.
Gran parte della cultura e della tradizione della regione ruotano attorno alla figura di san Francesco d'Assisi. I luoghi dove il santo visse sono centri religiosi e capolavori d'arte di inestimabile valore: fra gli altri, la Basilica Superiore di Assisi affrescata da Cimabue e Giotto. Il 27 aprile 1997 un terremoto ha fatto crollare parte della volta della chiesa.

OCCUPATI PER SETTORE
Agricoltura 9%
Industria 32%
Terziario 59%

Deruta è un centro di produzione della ceramica molto rinomato. Nella foto, un ceramista al tornio.

Festa del Corpus Domini a Spello: con i petali dei fiori si decorano le strade. Le tradizioni folcloristiche sono ancora molto sentite in questa regione. Numerose sono le manifestazioni culturali che attirano turisti anche stranieri, come i vari festival musicali e le importanti rappresentazioni teatrali nelle diverse località.

Marche

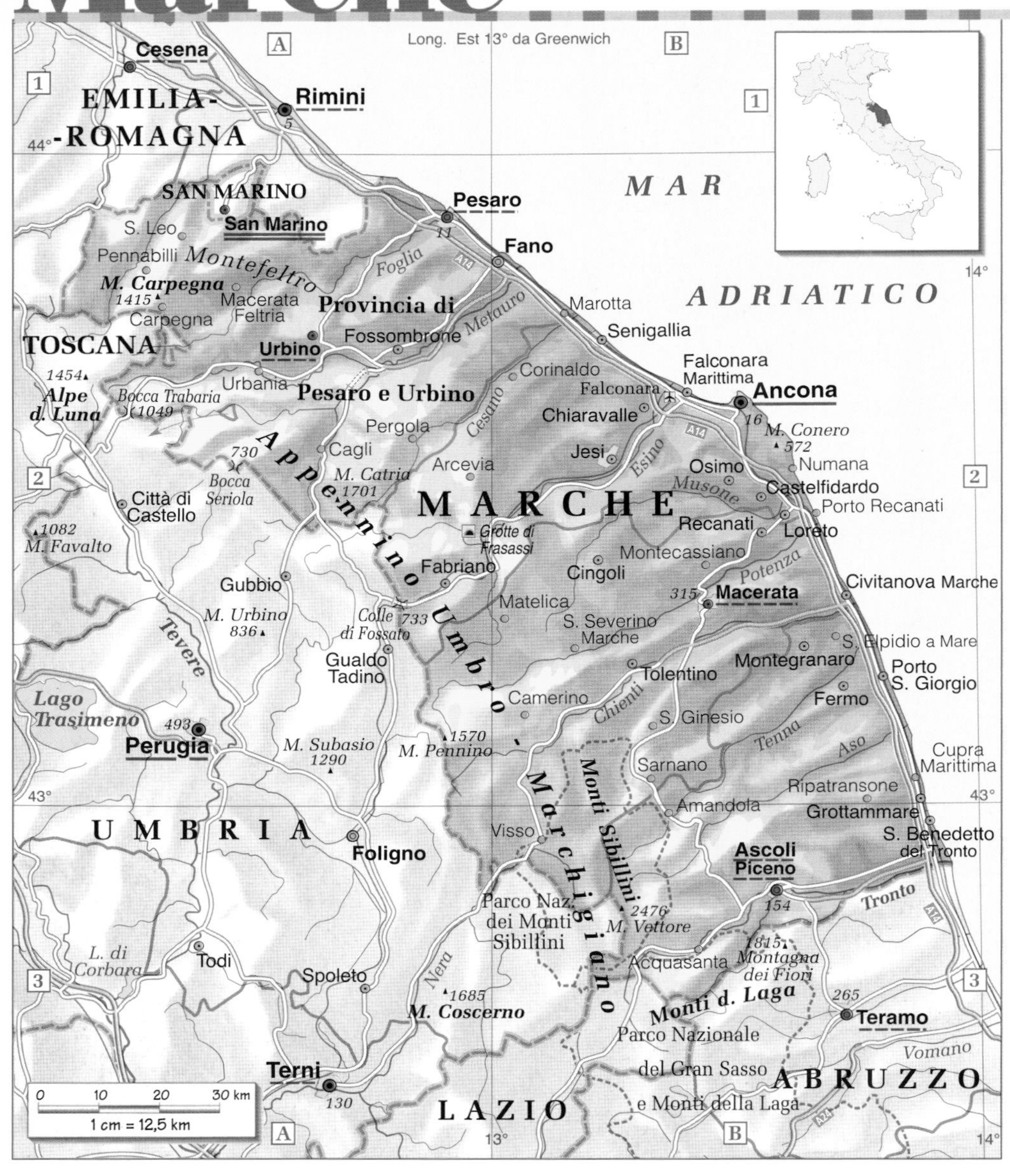

Regione a statuto ordinario

SUPERFICIE 9694 km²
ABITANTI 1 469 200
DENSITÀ AB. PER KM² 152
COMUNI 246
CAPOLUOGO REGIONALE
Ancona, 100 800 ab.

CAPOLUOGHI DI PROVINCIA

Ascoli Piceno	51 300 ab.
Fermo	35 400 ab.
Macerata	41 100 ab.
Pesaro e Urbino	91 400 ab. e 15 130 ab.

FIUMI
Tronto 115 km,
Metauro 110 km,
Chienti 91 km,
Esino 90 km,
Foglia 90 km,
Potenza 88 km

MONTI
M.te Vettore 2476 m,
M.te Catria 1701 m,
M.te Pennino 1570 m,
M.te Carpegna 1415 m,
M.te Conero 572 m,
M.ti Sibillini

PASSI
Bocca Trabaria,
Bocca Seriola,
Fossato

SITO WEB www.regione.marche.it

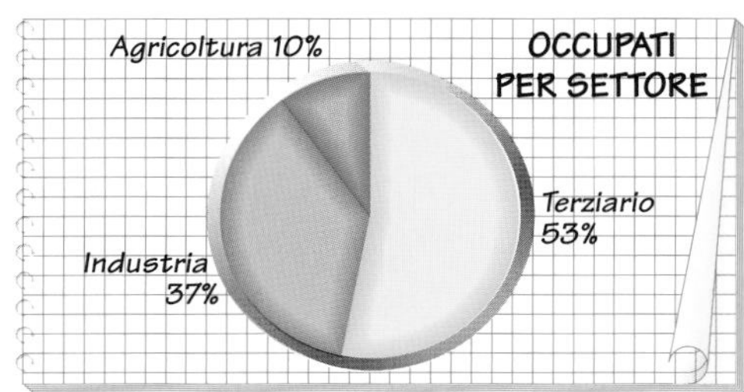

Le Marche devono il proprio nome all'organizzazione politica che queste terre, poste all'estremità dell'Impero, ricevettero all'epoca di Carlo Magno. "Marca" significa appunto "terra di confine". Una divisione, questa, che trova riscontro ancora oggi nella varietà dei paesaggi e delle realtà economiche che le caratterizza.

Il territorio

Il territorio delle Marche è per lo più ricoperto da rilievi di media altezza. Lungo il confine occidentale si innalzano i monti dell'Appennino Umbro-Marchigiano, le cui cime sono generalmente inferiori ai 2000 metri. La vetta più alta è il Monte Vettore (2476 m), all'interno del gruppo montuoso dei Sibillini. La catena appenninica digrada verso est in dolci colline che si spingono fino al mare, terminando in una breve fascia costiera.
La zona collinare, larga circa 30 chilometri, è formata da rilievi tondeggianti ed è attraversata da strette vallate. La costa è bassa e regolare, senza insenature né promontori pronunciati, se non nei pressi del capoluogo della regione, Ancona, dove si innalza lo sperone roccioso del Conero. Data la breve distanza tra la montagna e il Mare Adriatico, nella regione si trovano fiumi di breve lunghezza. I più importanti sono il Chienti, il Tronto e il Metauro.

Il clima

Nell'interno della regione il clima è influenzato dai rilievi: inverni freddi, spesso nevosi, si alternano a estati fresche. Lungo le coste, il clima è marittimo, e quindi temperato, con modeste escursioni termiche.

Il lavoro dell'uomo

Anche se negli ultimi anni l'industria ha registrato un notevole sviluppo, l'attività principale della regione rimane l'agricoltura. Nelle vallate e sulle colline sono coltivati cereali (mais, orzo, frumento), barbabietole da zucchero, ortaggi, frutta, girasoli, viti. Anche l'allevamento riveste un ruolo

importante nell'economia della regione: vengono allevati soprattutto bovini e suini, questi ultimi utilizzati per la produzione di numerosi e rinomati tipi di insaccati. Lungo le coste,la pesca è molto sviluppata; i principali porti pescherecci sono Ancona, Pesaro e San Benedetto del Tronto.
L'attività industriale si basa su numerose aziende di piccole e medie dimensioni localizzate prevalentemente sulle coste, che si dedicano alla lavorazione della pelle, alla confezione di maglie e tessuti, alla realizzazione di mobili. Nell'interno, a Fabriano, è sviluppata l'industria cartaria. Il turismo si è sviluppato soprattutto lungo la costa, dove sorgono attrezzate località balneari.

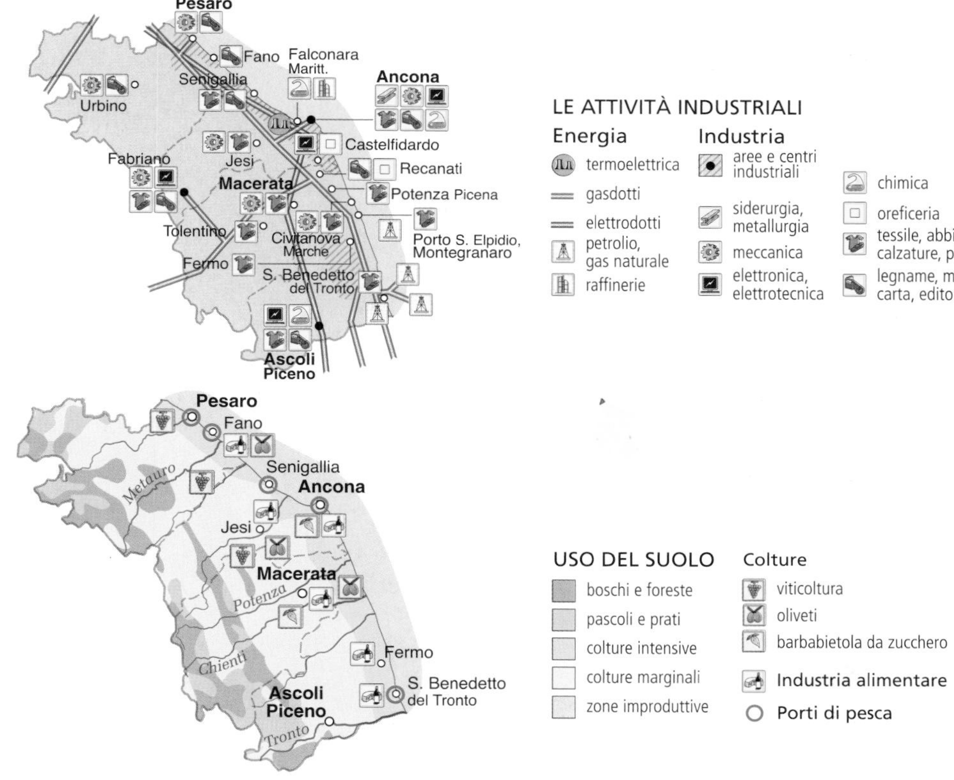

Storia e cultura

Durante l'antichità, la regione fu abitata da varie popolazioni: si alternarono Piceni, Galli e Greci fino a che, nel III secolo a.C., fu sottomessa da Roma. Frazionata poi in domini bizantini e longobardi, nel 752 fu donata dal re franco Pipino allo Stato della Chiesa. Durante il Medioevo, nelle campagne si affermarono numerosi feudatari, mentre nei centri urbani costieri sorsero i liberi Comuni, fra cui Ancona, rivale di Venezia per il controllo dell'Adriatico. All'epoca delle Signorie, la regione conobbe un periodo di splendore. I Montefeltro, in particolare, governarono un ampio territorio attorno alla città di Urbino. Nel XVI secolo, le rivalità tra i signori locali portarono la regione sotto il dominio della Chiesa. Nel 1861 fu annessa al Regno d'Italia.
Nelle Marche è molto sentita la tradizione folcloristica, con feste e sagre legate alle abitudini contadine. Sono frequenti anche le manifestazioni storiche in costume. In questa regione sono nati diversi artisti e uomini di cultura che hanno reso grande l'arte italiana: fra gli altri il pittore Raffaello Sanzio, il poeta Giacomo Leopardi, il musicista Gioacchino Rossini.

La Giostra della Quintana, ad Ascoli Piceno: i cavalieri dei quartieri cittadini si contendono il Palio.

La spiaggia di Numana, a sud di Ancona. La zona del Conero è fra le più frequentate dal turismo balneare.

La città di Urbino conobbe il massimo splendore in epoca rinascimentale. Centro culturale e artistico di rilievo, è stata governata per secoli dai duchi di Montefeltro, che vi fecero costruire lo splendido Palazzo Ducale (nella foto).

Lazio

Il lago di Albano nel Parco Regionale dei Castelli Romani.

Il Lazio è una regione dell'Italia centrale che si affaccia sulla costa tirrenica.
Il suo profilo irregolare si allunga nella zona di Rieti verso est, fino a raggiungere il cuore della catena appenninica. Il territorio, per lo più montuoso e collinare, comprende molti rilievi di origine vulcanica, come i Colli Albani.

Il capoluogo della regione è anche la capitale dello Stato italiano: Roma, la storica città al centro del più grande Impero dell'antichità.
I suoi grandiosi monumenti e le sue bellezze artistiche richiamano ogni anno moltissimi turisti.
All'interno di Roma si trova anche un piccolo Stato indipendente: la Città del Vaticano.

Il territorio

Nel Lazio si possono distinguere quattro tipi di paesaggio: montano, collinare, pianeggiante, costiero. La zona montana può essere suddivisa in due aree: quella appenninica, comprendente i Monti Sabini, i Reatini e gli Ernici; quella antiappenninica, comprendente i Monti Ausoni, Lepini, Aurunci e i Monti della Meta.
La zona collinare è di origine vulcanica, mentre quella pianeggiante, una larga fascia che corre parallela alla costa, è costituita da fertili pianure di origine alluvionale. Le spiagge sono basse, lineari e sabbiose, interrotte da promontori rocciosi, fra cui quelli del Circeo e di Gaeta. Il Lazio è attraversato da vari fiumi. Il più importante, il Tevere, bagna Roma e, durante il suo percorso, riceve molti affluenti, come il Velino e l'Aniene. Fra le regioni dell'Italia centrale il Lazio è quella più ricca di laghi, alcuni dei quali si sono formati nei crateri di vulcani spenti (laghi di Bolsena, di Vico, di Bracciano, di Albano e di Nemi). Alla regione appartiene anche l'arcipelago delle Isole Ponziane, che si trova di fronte al golfo di Gaeta.

Il clima

Il Lazio ha un clima temperato. Vicino alla costa le temperature sono miti, mentre man mano che ci si avvicina agli Appennini il clima diventa più rigido e aumentano le precipitazioni. Sulle montagne più alte in inverno compare la neve.

Il lavoro dell'uomo

L'agricoltura è rivolta prevalentemente alla coltivazione di cereali (grano, orzo, avena) e di prodotti ortofrutticoli. La zona collinare è adatta alla produzione del vino; nella zona dei Monti Sabini si produce soprattutto l'olio. Molto sviluppato è l'allevamento del bestiame: ovini, caprini, bovini e suini. In alcune zone sono diffusi gli allevamenti di bufali, mentre sta quasi

Regione a statuto ordinario

Superficie 17 207 km²
Abitanti 5 302 300
Densità ab. per km² 308
Comuni 378
Capoluogo regionale
Roma, 2 540 800 ab.
Capoluoghi di provincia

Frosinone	48 500 ab.
Latina	109 000 ab.
Rieti	44 400 ab.
Viterbo	59 300 ab.

Fiumi Tevere 405 km, Liri-Garigliano 158 km, Aniene 99 km, Velino 90 km, Sacco 87 km
Monti M.ti della Meta 2247 m, M.ti Reatini 2216 m, M.ti Ernici 2156 m, Le Mainarde 2039 m, M.ti Lepini 1536 m, M.ti Aurunci 1533 m, M.ti Sabini 1287 m, M.ti Prenestini 1218 m, M.ti Ausoni 1090 m
Isole
Isole Ponziane: Palmarola, Ponza, Zannone, Ventotene
Laghi
L. di Bolsena, L. di Bracciano, L. di Vico, L. di Albano

Viterbo Rieti ROMA Frosinone Latina

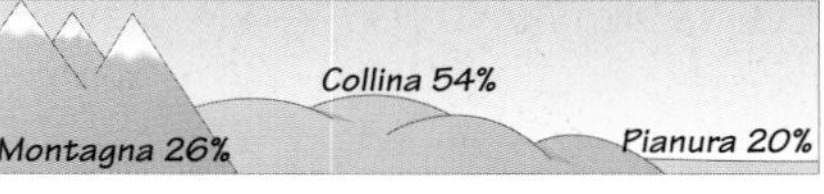

Sito web www.regione.lazio.it

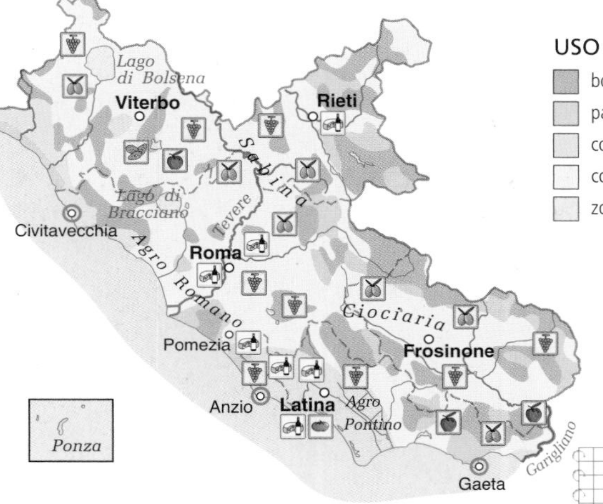

USO DEL SUOLO
- boschi e foreste
- pascoli e prati
- colture intensive
- colture marginali
- zone improduttive

Colture
- viticoltura
- frutteti
- oliveti
- ortaggi
- patate

Industria alimentare
Porti di pesca

OCCUPATI PER SETTORE
Agricoltura 5%
Industria 20%
Terziario 75%

La Via Appia collegava Roma a Brindisi. Lungo il suo percorso si incontrano tratti dell'antico selciato e importanti resti archeologici.

Cinecittà, alla periferia di Roma, è un quartiere costruito appositamente per ospitare gli stabilimenti cinematografici. Sorto nel 1937, questo "villaggio del cinema" conobbe il massimo splendore all'epoca dei grandi kolossal. Cinecittà conteneva tutto ciò che occorreva per fare un film, con la possibilità di ricostruire ambienti di ogni epoca. Nella foto, magazzino con armi e armature.

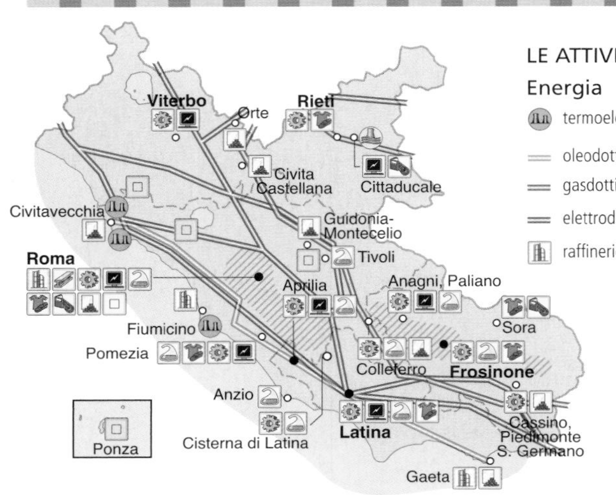

scomparendo l'allevamento brado, cioè il pascolo libero degli animali. La pesca è abbastanza praticata. Il settore industriale è costituito da piccole e medie aziende che operano nei settori metalmeccanico, chimico, alimentare, tessile, manifatturiero, poligrafico e dell'abbigliamento. Il settore economico più sviluppato è comunque il terziario. A Roma, infatti, hanno sede tutti i servizi centrali del Paese: Parlamento, ministeri, ambasciate e molti altri uffici ancora danno lavoro a gran parte degli abitanti della città. Il turismo è in continua espansione non solo per le meraviglie storico-artistiche che offrono Roma e altre città, ma anche per la presenza della Città del Vaticano, il centro della Cristianità cattolica.

Storia e cultura

Il Lazio fu abitato da numerose popolazioni: Volsci e Sabini (che erano pastori e agricoltori), Rutuli, Equi e Ausoni (che erano popoli guerrieri). Nel territorio a nord del Tevere s'insediarono gli Etruschi, mentre nella zona a sud del fiume si stabilirono i Latini. I Romani si rivelarono subito una popolazione forte e bellicosa. Ben presto Roma assoggettò varie popolazioni fino a costruire un immenso impero. Caduto l'Impero Romano d'Occidente, il Lazio subì le invasioni dei barbari. Nell'VIII secolo fu creato lo Stato Pontificio che, fra alterne vicende, sarebbe durato fino al 1870, con l'annessione al Regno d'Italia di cui Roma divenne capitale.

Le testimonianze di un passato glorioso che, nell'antichità, ha fatto di Roma il centro del mondo allora conosciuto, si riconoscono oggi nei monumenti che ornano la città: il grande anfiteatro del Colosseo, il Foro, il Pantheon, gli acquedotti, ardite opere di ingegneria, le Terme. Tale posizione di predominio artistico e culturale si è poi mantenuta anche nei secoli successivi, grazie al potere economico dei Papi che si circondavano di artisti e studiosi.

Il Tevere attraversa Roma con ampie e sinuose anse. Verso il centro della città forma un'isoletta, l'Isola Tiberina, che ha la caratteristica forma allungata di un barcone. È unita alla riva sinistra dal ponte Fabricio, il più antico della città.

Piazza di Spagna e la scalinata di Trinità dei Monti, meta privilegiata di milioni di turisti. La splendida struttura architettonica ha fatto di questo luogo il palcoscenico di manifestazioni culturali e di spettacoli di intrattenimento.

L'anfiteatro Flavio (più noto come Colosseo) fu costruito dagli antichi Romani quasi 2000 anni fa. Nella sua arena si svolgevano pubblici spettacoli e soprattutto combattimenti di gladiatori e di belve.

Un edificio moderno dell'EUR di Roma, che riprende lo stile architettonico del Colosseo. L'EUR fu costruito in occasione dell'Esposizione Universale di Roma del 1942, che non ebbe mai luogo a causa della guerra.

I Palazzi della Repubblica

Roma è la capitale della Repubblica italiana: tutte le più importanti istituzioni dello Stato vi hanno sede, ospitate in bellissimi palazzi storici. Palazzo Madama deve il suo nome a Madama Margherita d'Austria, moglie di un componente della famiglia Medici, proprietaria del Palazzo. È sede del Senato, cioè di una delle due Camere del Parlamento, composto da 315 membri.

Palazzo Madama.

Altro palazzo storico è quello di Montecitorio, sede della Camera dei Deputati, che ha di fronte un obelisco trasportato a Roma dall'Egitto ai tempi dell'imperatore Augusto. Il palazzo ospita 630 deputati che insieme ai senatori esercitano il potere legislativo. Una nuova legge, per entrare in vigore, deve infatti avere l'approvazione delle due Camere e deve essere firmata dal Presidente della Repubblica.

Palazzo Chigi ospita la Presidenza del Consiglio dei ministri, e ha un bellissimo cortile in stile barocco. Il Presidente del Consiglio, insieme ai ministri, forma il Governo, cioè l'organo che ha il compito di far attuare le leggi. Il Governo rimane in carica solo se ha la "fiducia", cioè l'approvazione della maggioranza del Parlamento.

Montecitorio.

Il Palazzo del Quirinale, situato sul colle omonimo, fu la reggia d'Italia dal 1870 al 1946. Oggi è sede del Presidente della Repubblica, che è la massima carica dello Stato e rappresenta l'unità nazionale. Il Presidente ha il compito di controllare e garantire che gli organi dello Stato operino in accordo fra loro e nel rispetto della Costituzione; ha inoltre il comando delle Forze Armate e presiede il Consiglio Superiore della Magistratura.

Palazzo Chigi.

Palazzo del Quirinale.

Città del Vaticano

La Città del Vaticano è lo Stato più piccolo del mondo, ed è costituito da un piccolo territorio nel cuore di Roma. Istituito nel 1929 a seguito di un accordo fra lo Stato italiano e il Papa è il centro più importante della Chiesa cattolica: il Vaticano è infatti la sede del Papa, massima autorità ecclesiastica, nonché sovrano assoluto dello Stato. Il Vaticano ha due lingue ufficiali, l'italiano e il latino, che viene usato per i documenti più importanti, e come moneta ha adottato l'euro. Alcune proprietà papali si trovano anche al di fuori di questo territorio: appartengono infatti al Vaticano anche tre basiliche romane (San Giovanni in Laterano, Santa Maria Maggiore e San Paolo fuori le Mura) e Castel Gandolfo, residenza estiva del Papa. Al centro dello Stato vaticano si trova la Basilica di San Pietro, la chiesa cattolica più grande del mondo, che si affaccia sulla magnifica omonima piazza. Nella Basilica e nei Musei del Vaticano sono racchiuse opere d'arte di inestimabile valore storico e artistico, che i diversi pontefici hanno raccolto durante i secoli: statue come la *Pietà* di Michelangelo e *San Pietro in trono* di Arnolfo di Cambio, affreschi come quelli della Cappella Sistina, anch'essi di Michelangelo, o quelli delle Stanze di Raffaello, ricche collezioni di arte greca, romana ed etrusca, costituiscono un insieme unico al mondo.

Fedeli con le bandiere del Vaticano in attesa del Papa in piazza San Pietro.

Abruzzo

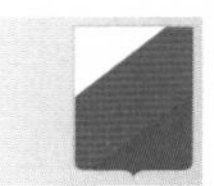

Regione a statuto ordinario

SUPERFICIE
10 798 km²

ABITANTI 1 281 000

DENSITÀ AB. PER KM² 119

COMUNI 305

CAPOLUOGO REGIONALE
L'Aquila, 69 200 ab.

CAPOLUOGHI DI PROVINCIA

Chieti	52 100 ab.
Pescara	121 700 ab.
Teramo	51 000 ab.

FIUMI
Liri-Garigliano 158 km,
Aterno-Pescara 145 km,
Sangro 117 km,
Tronto 115 km,
Trigno 84 km,
Vomano 75 km

LAGHI
Campotosto

MONTI
Gran Sasso d'Italia 2912 m,
La Maiella 2793 m,
M.te Velino 2486 m,
M.ti della Laga 2458 m,
M.te Sirente 2349 m,
M.ti della Meta 2247 m

PASSI
Bocca di Forlì

SITO WEB www.regione.abruzzo.it

L'Abruzzo è una regione prevalentemente montuosa, con molte cime al di sopra dei 2000 metri. Pascoli, conche e vallate ospitano varie specie di animali e piante. A tutela di questo patrimonio ambientale e faunistico, nel 1923 è stato istituito il Parco Nazionale d'Abruzzo.

Il territorio

Nella parte occidentale della regione dominano i sistemi montuosi, fra i quali svettano le cime più elevate di tutto l'Appennino: i Monti della Meta, la Maiella e il Gran Sasso d'Italia (con l'unico ghiacciaio appenninico). Verso oriente i rilievi montani degradano nella zona collinare, dall'aspetto arido e brullo, con terreni argillosi e soggetti a frane. Tra i versanti delle montagne si aprono alcune conche pianeggianti, come la vasta e fertile conca del Fucino.

Le coste sono prevalentemente basse e sabbiose, più alte e frastagliate solo nella parte meridionale.

Il clima

Il clima, marittimo lungo le coste, è continentale nelle zone interne, dove non giunge l'influenza mitigatrice del mare. Sui rilievi è appenninico, con inverni freddi e lunghi e abbondanti precipitazioni.

Il lavoro dell'uomo

La difficoltà delle comunicazioni è all'origine dei problemi economici della regione. Da alcuni decenni, però, si assiste a una notevole ripresa in tutti i settori produttivi. L'agricoltura, praticata soprattutto nella zona costiera, produce frumento, ortaggi, barbabietola da zucchero, zafferano e liquirizia. L'allevamento degli ovini, un tempo attività tradizionale della regio-

Il paese di Fara San Martino, ai piedi della Maiella, noto per la produzione della pasta.

La campagna nei pressi di Teramo.

ne, è ancora diffuso, anche se è in disuso la pratica della transumanza (quando i pastori e le greggi si spostavano dalla montagna alla pianura per trascorrervi l'inverno).
La costruzione di centrali idroelettriche ha favorito lo sviluppo dell'industria nei settori chimico, metallurgico, meccanico e cartiero. Anche il turismo è in forte sviluppo: quello estivo balneare lungo le coste e quello invernale nelle stazioni sciistiche degli Appennini. Il Parco Nazionale è meta ogni anno di migliaia di visitatori.

LE ATTIVITÀ INDUSTRIALI

Energia
- idroelettrica
- gasdotti
- elettrodotti
- petrolio, gas naturale

Industria
- aree e centri industriali
- meccanica
- elettronica, elettrotecnica
- chimica
- tessile, abbigliamento, calzature, pelle e cuoio
- legname, mobili, carta, editoria
- vetro, ceramica, materiali da costruzioni

USO DEL SUOLO
- boschi e foreste
- pascoli e prati
- colture intensive
- colture marginali
- zone improduttive

Colture
- viticoltura
- frutteti
- patate
- ortaggi
- tabacco

- Industria alimentare
- Porti di pesca

Storia e cultura

Popolata fin dalla preistoria da genti italiche, la regione nel IV secolo a.C. passò sotto il dominio di Roma. Alla caduta dell'Impero divenne terra dei Longobardi, che ne divisero il territorio tra i ducati di Spoleto e di Benevento. Dopo il Mille fu conquistata dai Normanni e poi dagli Svevi: fu Federico II di Svevia a fondare L'Aquila. Divisa in feudi e latifondi, la regione passò dal dominio angioino a quello degli Aragonesi, degli Spagnoli, degli Austriaci e poi dei Borboni, entrando a far parte del Regno di Napoli. Nel 1861 fu annessa al Regno d'Italia. È la terra natale del poeta latino Ovidio e di Gabriele d'Annunzio, scrittore e poeta del Novecento.

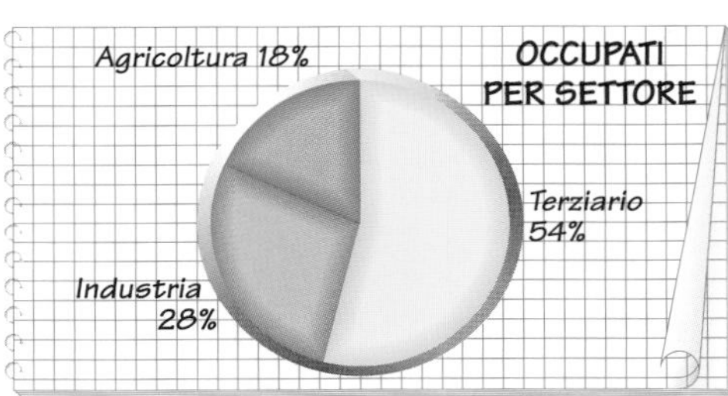

La facciata della Cattedrale di Teramo (1332).

Il Parco Nazionale

Parco Nazionale d'Abruzzo
ZONA DI RISERVA INTEGRALE

Il Parco Nazionale d'Abruzzo è una vasta zona montuosa (circa 400 chilometri quadrati) occupata prevalentemente dall'alta valle del fiume Sangro. La bellezza del paesaggio e la ricchezza della flora e della fauna ne fanno un'oasi intatta nella quale è ancora possibile trovare specie animali e vegetali caratteristiche degli Appennini. L'orso bruno marsicano e il lupo sono la principale attrattiva del parco, insieme a aquile, gatti selvatici, camosci, cervi e caprioli. Il centro organizzativo del parco è a Pescasseroli, dove hanno sede i principali punti di informazione e di accoglienza per i visitatori. Da qui partono numerosi sentieri che conducono all'interno del parco, fra boschi di pini silvestri, faggi, querce, e a suggestivi rifugi.

*A sinistra, lo splendido anfiteatro della Camosciara, cuore del parco.
Sopra, il camoscio d'Abruzzo, che si distingue dal camoscio alpino per le corna più sviluppate.*

Molise

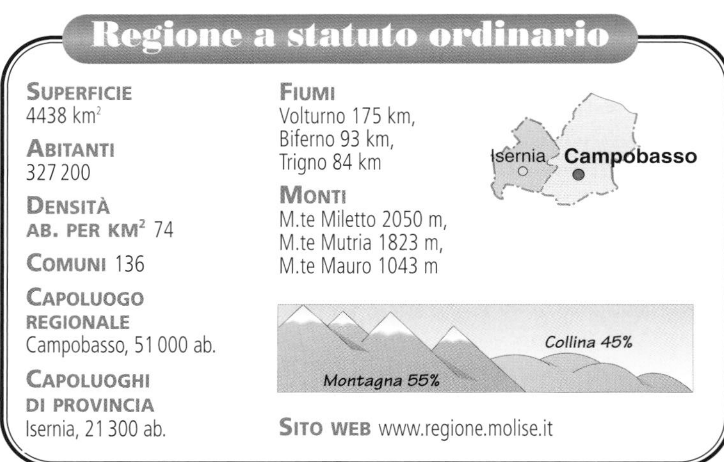

Regione a statuto ordinario

SUPERFICIE
4438 km²

ABITANTI
327 200

DENSITÀ AB. PER KM² 74

COMUNI 136

CAPOLUOGO REGIONALE
Campobasso, 51 000 ab.

CAPOLUOGHI DI PROVINCIA
Isernia, 21 300 ab.

FIUMI
Volturno 175 km,
Biferno 93 km,
Trigno 84 km

MONTI
M.te Miletto 2050 m,
M.te Mutria 1823 m,
M.te Mauro 1043 m

SITO WEB www.regione.molise.it

Dall'alto in basso: le Mainarde; coltivazioni nella zona collinare; il fiume Trigno sfocia nell'Adriatico.

Il Molise è una delle più piccole regioni italiane. Il suo territorio è ancora straordinariamente intatto, con rilievi arrotondati, colline solcate dai calanchi (solchi profondi nel terreno argilloso causati all'erosione dell'acqua), piane aride e brulle.

Il territorio

Nella parte sud-occidentale della regione si estende l'Appennino Sannita. Da nord verso sud si incontrano i Monti della Meta che raggiungono i 2241 metri d'altezza e segnano il confine con l'Abruzzo e il Lazio; poi si trovano il gruppo delle Mainarde e i Monti del Matese che separano la regione dalla Campania e hanno la loro cima maggiore nel Monte Miletto (2050 metri).

La zona pianeggiante è ridotta a una sottile fascia costiera, il cui aspetto non differisce molto da quello del resto della regione, con rocce aspre disseminate un po' ovunque.

I corsi d'acqua, a carattere torrentizio, si gettano nell'Adriatico. Solo il Tammaro e il Volturno sfociano nel Tirreno e attraversano la regione per un breve tratto. Il litorale adriatico, lungo solo 38 chilometri, è sabbioso, basso e rettilineo.

Il clima

Il clima è di tipo continentale all'interno (le estati sono calde e gli inverni freddi, con la presenza della neve sulle cime del Matese fino a giugno) e mediterraneo lungo la costa.

Il lavoro dell'uomo

La maggior parte della popolazione molisana si dedica alle attività agricole, che tuttavia non sono molto redditizie a causa delle piccole dimensioni dei poderi, gestiti da aziende a carattere familiare. Si coltivano soprattutto frumento, mais, ortaggi, vite e olivo.

Data la conformazione del terreno, per lo più montagnoso, è particolarmente diffusa la pastorizia. Anche qui, come in Abruzzo, fino a qualche anno fa veniva praticata la transumanza: ogni estate le greggi venivano condotte nei pascoli pugliesi, lungo i *tratturi*, viottoli tracciati nei boschi dal loro continuo passaggio durante gli anni. In inverno, poi, venivano ricondotte in Molise. Oggi la transumanza non è più praticata, perché i pascoli pugliesi per esigenze economiche sono diventati terreni agricoli.

La pesca, praticata lungo le coste, non costituisce un'attività particolarmente importante per l'economia locale.

Nella regione lo sviluppo industriale è stato lento a causa della mancanza di grandi vie di comunicazione. Oggi il Molise ha varie aziende di piccole e medie dimensioni nei settori alimentare e tessile, oltre a mobilifici. L'unico grande complesso industriale si trova lungo la costa, a Termoli, ed è costituito dagli stabilimenti meccanici della Fiat. Sviluppato è anche l'artigianato artistico, con la produzione di merletti, coltelli, legno intagliato e campane.
Importante per l'economia della regione è il turismo, sia quello invernale sull'Appennino che quello balneare durante la stagione estiva.

Storia e cultura

Il Molise ha condiviso le vicende storiche del vicino Abruzzo fino al 1963, anno in cui è diventato una regione distinta. La zona è stata abitata sin dall'età della pietra da popolazioni di stirpe sannitica: il Sannio era una vasta regione della penisola che comprendeva tutto il Molise, parte della Campania orientale e l'Abruzzo meridionale. Isernia, che allora si chiamava *Aesernia*, era una delle città sannitiche più importanti. Verso il III secolo a.C. le popolazioni sannitiche furono sottomesse dai Romani.
Nel VI secolo si imposero i Longobardi, che mantennero il potere per lungo tempo e fondarono l'odierno capoluogo, Campobasso. La regione passò poi sotto il dominio dei Normanni per diventare, nel XVI secolo, parte del Regno delle Due Sicilie. Nel 1861 fu annessa al Regno d'Italia.

Sopra, i resti del teatro sannita di Pietrabbondante, in provincia di Isernia, e il castello di Federico II, a Termoli.
Sotto, panorama di Isernia.

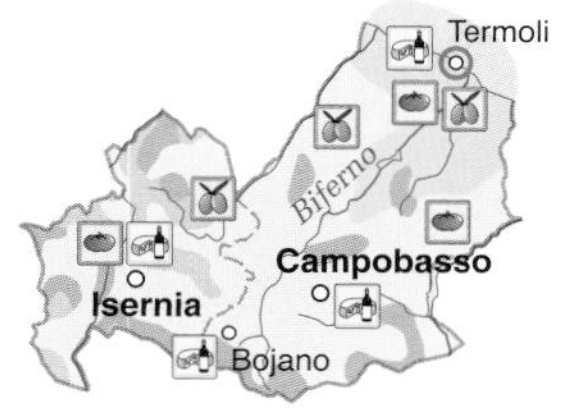

USO DEL SUOLO
- boschi e foreste
- pascoli e prati
- colture intensive
- colture marginali

Colture
- oliveti
- ortaggi

- Industria alimentare
- Porti di pesca

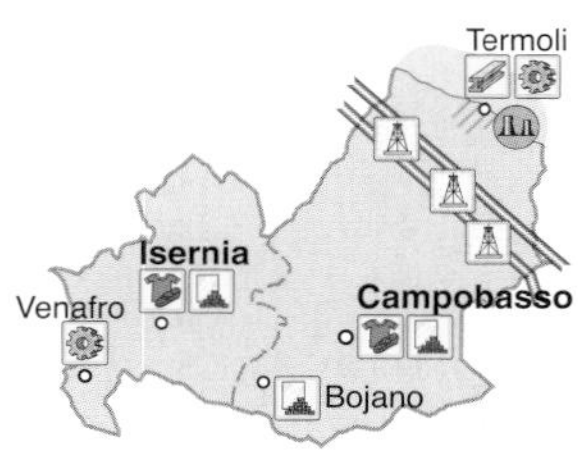

LE ATTIVITÀ INDUSTRIALI

Energia
- termoelettrica
- gasdotti
- elettrodotti
- petrolio, gas naturale

Industria
- aree industriali
- siderurgia, metallurgia
- meccanica
- tessile, abbigliamento, calzature, pelle e cuoio
- vetro,ceramica, materiali da costruzioni

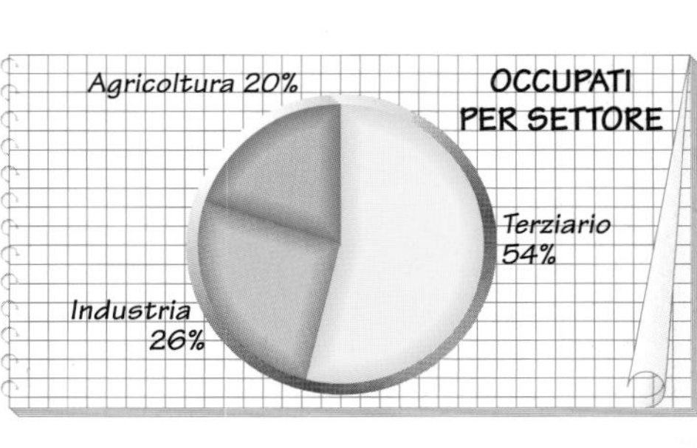

Le campane di Agnone

Agnone è un piccolo paese in provincia di Isernia e sorge in una zona economicamente arretrata, dove le comunicazioni sono difficili.
Malgrado tutti questi problemi, Agnone ha un piccolo record: è la capitale delle campane. Qui infatti si trova la fonderia di campane più antica del mondo, che si chiama Antica fonderia di campane Marinelli. Venne costruita verso il Mille e da allora ha fabbricato campane di ogni tipo per chiese sparse in tutto il globo. Oggi naturalmente alcune tecniche si sono evolute, ma la tradizione millenaria di quest'arte impone comunque delle fasi obbligate.

Campania

L'isola di Capri, a sud del golfo di Napoli, ha coste alte e rocciose orlate dai caratteristici faraglioni, scogli che con il tempo hanno assunto forme insolite e suggestive.

La costiera amalfitana è un luogo di suggestiva bellezza.

La Campania si affaccia sul Mar Tirreno con i due magnifici golfi di Napoli e di Salerno. Fra le regioni dell'Italia meridionale è, assieme alla Sicilia, quella dove maggiormente si nota il contrasto esistente tra bellezze naturali, vivacità culturale e problemi sociali ed economici.

Il territorio

Un terzo del territorio campano è occupato da rilievi appenninici di diversa origine e conformazione. Da nord a sud corrono l'Appennino Campano, l'Appennino Sannita, l'Antiappennino Campano e l'Appennino Lucano. Un altro sistema montuoso, la catena dei Monti Lattari, si distacca dalla dorsale appenninica e procede verso il mare, formando la Penisola Sorrentina.

Tra i rilievi ha un'importanza fondamentale nella morfologia del territorio il Vesuvio che, con i suoi 1281 metri, è il secondo vulcano italiano per altezza dopo l'Etna. Sebbene l'ultima eruzione risalga al 1944, il Vesuvio è considerato un vulcano ancora attivo, e per questo viene tenuto costantemente sotto controllo. In Campania sono frequenti anche altri fenomeni vulcanici come i bradisismi (Pozzuoli), le sorgenti termali calde e le emissioni di gas dal sottosuolo. Queste ultime, chiamate solfatare o fumarole, sono tipiche dei Campi Flegrei.

Il litorale presenta un aspetto estremamente vario: una costa bassa, uniforme e sabbiosa si alterna a rocce aspre e alte, che formano insenature, golfi e grotte. Appartiene alla regione anche l'Arcipelago Campano, che comprende, fra le altre, le isole di Capri, Ischia e Procida, importanti mete turistiche.

Il clima

Il clima è di tipo mediterraneo: inverni miti ed estati temperate caratterizzano la regione. A questo clima contribuisce la dorsale appenninica che, correndo parallela alla costa, protegge la Campania dai venti freddi provenienti da est.

Il lavoro dell'uomo

La Campania è la regione italiana con la maggiore densità di popolazione, che è concentrata soprattutto sulla costa; le zone montuose interne sono infatti quelle meno popolate e più povere.

La Campania è anche la regione più industrializzata dell'Italia meridionale. Gli insediamenti produttivi sono concentrati per la maggior parte nell'area di Napoli e in quella di Salerno, ma negli ultimi anni sono sorte nuove imprese anche nelle altre province. I settori più sviluppati sono quello alimentare, meccanico, automobilistico, tessile, chimico, elettronico. Importanti sono anche i cantieri navali, le vetrerie, i cementifici, le industrie per la lavorazione della pelle e i calzaturifici.

L'agricoltura della regione è una delle più produttive in Italia, favorita dal clima mite e dai terreni resi fertili dalle ceneri vulcaniche: all'ampia produzione di ortaggi (pomodori, peperoni, melanzane) e legumi (piselli, fagioli) si affianca la coltivazione di frumento, frutta (agrumi, nocciole), vite, olivo.

L'allevamento del bestiame non è molto diffuso: solo i bovini, e in particolare i bufali, sono allevati in gran numero soprattutto nelle pianure del Volturno e del Sele e nel Cilento. Con il latte delle bufale si produce la mozzarella, un prodotto tipico della Campania che viene esportato in tutta Italia e nel mondo.

Un'altra risorsa fondamentale è la pesca. Dal mare si prelevano anche i coralli, la cui lavorazione è un'attività artigianale tipica della regione.

Infine la bellezza del paesaggio e alcune mete di grande interesse storico e artistico, come Napoli, la costa amalfitana, Pompei, Ercolano e Paestum, alimenta una fiorente industria del turismo.

Regione a statuto ordinario

Superficie 13 593 km²
Abitanti 5 782 200
Densità ab. per km² 425
Comuni 551
Capoluogo regionale
Napoli, 1 008 400 ab.
Capoluoghi di provincia

Avellino	54 300 ab.
Benevento	61 500 ab.
Caserta	74 800 ab.
Salerno	137 700 ab.

Fiumi
Volturno 175 km, Liri-Garigliano 158 km, Ofanto 134 km, Sele 64 km

Monti
M.ti del Matese 2050 m, M.te Cervati 1898 m, M.te Cervialto 1809 m, M.te Alburno 1742 m, M.te d'Avella 1598 m, Vesuvio 1281 m, M.te Maggiore 1037 m

Caserta
Benevento
Avellino
Napoli
Salerno

Isole
Arcipelago Campano: Ischia, Procida, Capri

Sito web www.regione.campania.it

La mozzarella è un formaggio fresco a pasta molle tipico della Campania, a base di latte intero di bufala.

La Campania è ai primi posti in Italia per la produzione di pomodori. A sinistra, il porto di Napoli.

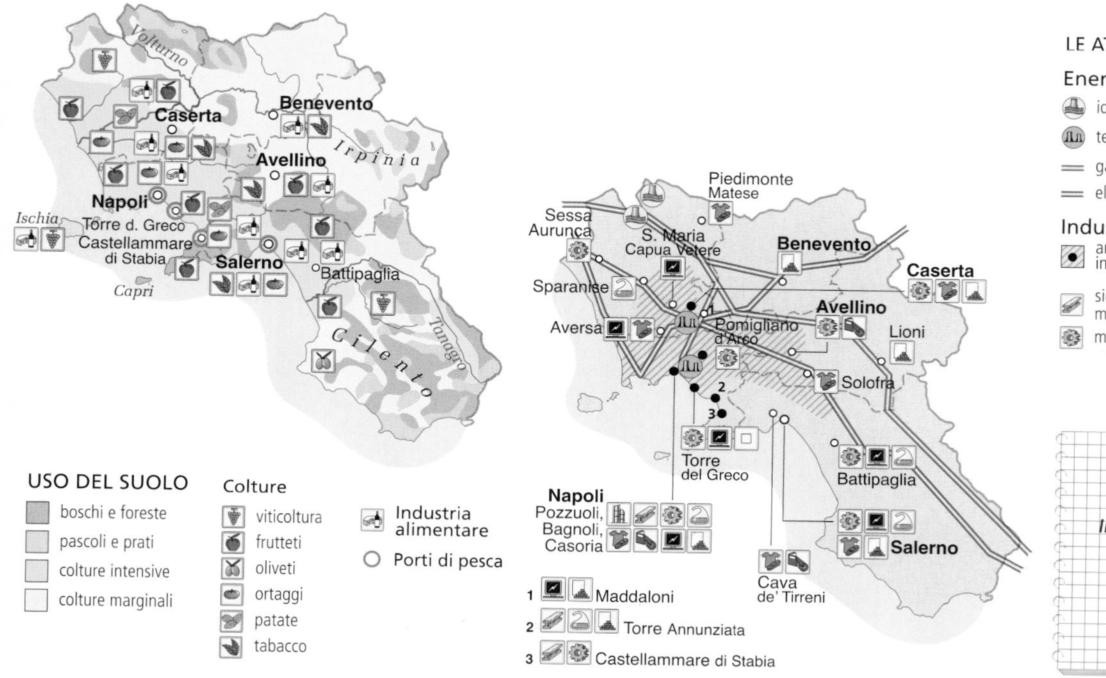

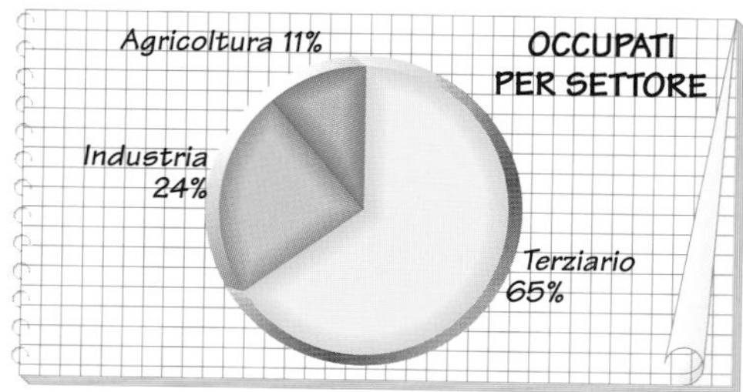

Storia e cultura

I primi insediamenti in Campania risalgono alla preistoria. Nella seconda metà dell'VIII secolo a.C., i Greci fondarono alcune colonie sulle coste, fra cui Napoli; due secoli più tardi gli Etruschi si insediarono nell'interno. Successivamente, tra il IV e il III secolo a.C., la zona passò sotto il dominio dei Romani. Dopo la caduta dell'Impero, sul territorio si susseguirono Visigoti, Ostrogoti, Longobardi e, infine, i Normanni (XI secolo). Tra il XII e il XV secolo fu dominio degli Svevi, degli Angioini e degli Aragonesi. Un'impronta decisiva per la storia della regione fu la dominazione spagnola dei Borboni, iniziata nel 1734. Questo potentissimo casato regnò per più di cento anni, fino all'unità italiana avvenuta nel 1861.

Le varie civiltà che si sono alternate sul territorio hanno lasciato numerose testimonianze artistiche di grande valore. A Paestum si possono ammirare grandiose rovine di templi risalenti al tempo della colonizzazione greca. Nel Medioevo si ebbe poi una grande fioritura delle arti. A Salerno, nell'XI secolo, fu fondata la prima università europea. Alla corte di Federico II di Svevia operarono poeti, pittori, musicisti che ne fecero uno splendido centro culturale e artistico. Una vivacità di ingegni che si manifesta anche ai nostri giorni: tutto il mondo conosce la canzone popolare napoletana, le maschere della commedia dell'arte come Pulcinella, le opere teatrali di Edoardo de Filippo.

Una veduta aerea di Napoli: sullo sfondo si staglia il Vesuvio.
A destra: in alto, il Duomo di Amalfi; in basso, la chiesa dei Santi Rufo e Carponio, a Capua.

Pompei ed Ercolano

Nella seconda metà dell'VIII secolo a.C. alcune popolazioni provenienti dalla Grecia raggiunsero le coste della Campania e fondarono delle colonie, occupando in alcuni casi insediamenti già esistenti. Fra queste città, che divennero importanti centri culturali e commerciali del tempo, bisogna ricordare Pithecussae, costruita sull'isola di Ischia, oltre a Cuma, Partenope (che poi diventerà Napoli), Ercolano, Pompei e Posidonia (Paestum sotto i Romani), che invece si svilupparono sulla terraferma.

Il 24 agosto del 79 d.C. si verificò una terribile eruzione del Vesuvio. Ceneri bollenti e lapilli uscirono dalla bocca del vulcano e ricoprirono Pompei, mentre un fiume di fango invase le strade di Ercolano: in poche ore le due cittadine non esistevano più. Ma ceneri e fango hanno conservato strade, botteghe, edifici, templi, teatri, ville patrizie splendidamente affrescate: strutture urbane, insomma, praticamente intatte che gli scavi hanno in parte riportato alla luce. Passeggiare per Pompei o Ercolano significa fare un viaggio a ritroso nel tempo di duemila anni.

Sopra, il sito archeologico di Ercolano. A fianco, pitture murali nella Villa dei Misteri, a Pompei.

A sinistra: in alto, vaso greco; sotto, resti archeologici.

Uno degli aspetti più affascinanti della natura campana si incontra lungo l'alta costa ricca di golfi e insenature. Sotto, il golfo di Policastro.

La sibilla cumana

Nell'antichità si credeva che le Sibille fossero delle profetesse capaci di comunicare con gli dei.

Una delle più note era la Sibilla di Cuma: chi desiderava conoscere il volere degli dei, si recava presso la sua dimora, un antro scavato nella roccia, dove la Sibilla cumana dava il proprio responso scrivendo una parola per volta su delle foglie che venivano disperse dal vento. L'interessato allora doveva raccoglierle, ricomporle e cercare di interpretare quanto scritto dalla sacerdotessa.

L'entrata dell'antro della Sibilla a Cuma, costruito dai Greci nel V secolo a.C. La galleria è lunga 131 metri ed è perfettamente rettilinea.

Puglia

La Puglia rappresenta il "tacco" dello "stivale" italiano, ed è la regione più pianeggiante dell'Italia meridionale. Dalla forma stretta e allungata, nella parte meridionale si estende fra il Mar Adriatico e il Mar Ionio, formando la Penisola Salentina. Per la sua posizione geografica costituisce una sorta di ponte fra Oriente e Occidente.

Il promontorio del Gargano, formato da rocce calcaree, ha vette tondeggianti, che con il Monte Calvo superano di poco i 1000 metri. Lungo il versante settentrionale le vette scendono dolcemente verso il mare, mentre nella parte meridionale sono ripide, rocciose e cadono a picco nell'acqua. Sopra, il promontorio del Gargano presso Vieste.

Il territorio

La Puglia ha un territorio fra i più omogenei d'Italia, formato in gran parte da una serie di "tavolati" che, in base alle loro caratteristiche fisiche, distinguono nella regione cinque diverse zone: il Gargano, le Murge, il Salento, il Tavoliere, la Capitanata.

Il Gargano è un promontorio massiccio che si protende nel mare Adriatico. Data la sua posizione, viene anche chiamato "lo sperone d'Italia".

Le Murge, un arido altopiano che si trova a circa 500 metri di altezza, pre-

Regione a statuto ordinario

Superficie 19 372 km²
Abitanti 4 086 600
Densità ab. per km² 211
Comuni 258
Capoluogo regionale Bari, 315 100 ab.
Capoluoghi di provincia

Barletta-Andria-Trani	90 600 ab. 95 600 ab.-52 300 ab.
Brindisi	88 500 ab.
Foggia	155 000 ab.
Lecce	83 900 ab.
Taranto	200 400 ab.

Fiumi
Ofanto 134 km, Fortore 86 km, Carapelle 85 km
Laghi
Lesina, Varano, Occhito
Monti
M.ti della Daunia 1151 m, M.te Calvo 1050 m, Le Murge 680 m
Isole
Isole Tremiti: S. Domino, Capraia, San Nicola
Isole Cheradi
Sito web www.regione.puglia.it

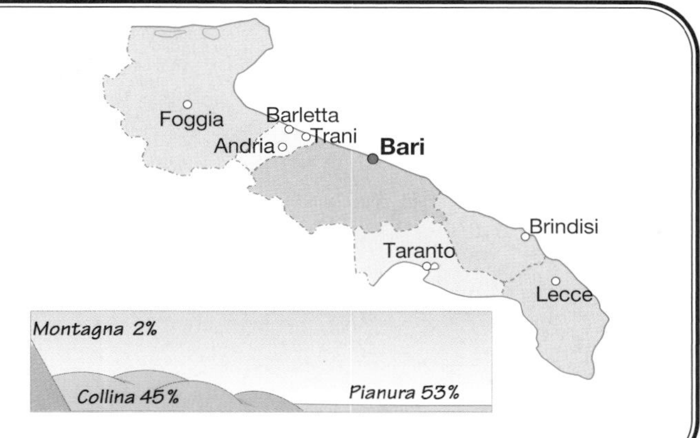

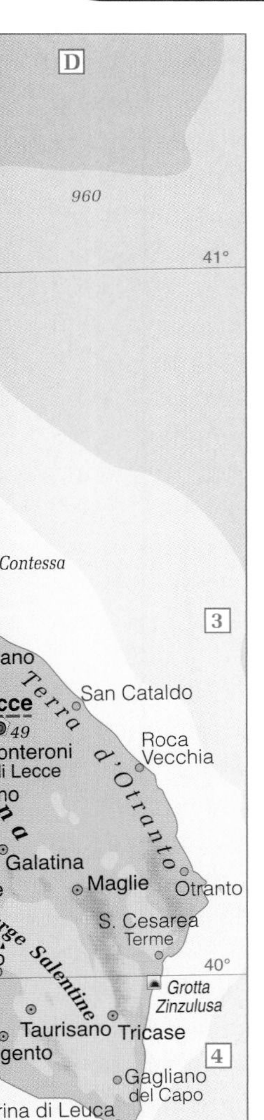

La cattedrale di Trani. In Puglia vi sono molte bellissime cattedrali costruite in uno stile romanico semplice ed elegante.

Sopra, il Tavoliere delle Puglie intensamente coltivato. A sinistra, coltivazioni di grano nelle Murge.

sentano vistosi fenomeni carsici come le grotte di Castellana.

Il Salento rappresenta la parte peninsulare della Puglia. Il territorio, di origine calcarea, è sottoposto all'erosione delle acque piovane. L'acqua penetra nel suolo formando fiumi sotterranei e scava nel tempo profondi crepacci: le gravine.

Il Tavoliere è una vasta pianura alluvionale, la seconda per estensione dopo la Pianura Padana. Un tempo paludosa e malsana, ora è assai fertile in seguito alla sua bonifica. Il nome deriva dal fatto che la zona era registrata nelle *tabulae censuariae*, il catasto delle proprietà imperiali romane.

La Capitanata è costituita dal piccolo tratto montuoso dei Monti della Daunia (1152 m).

I fiumi della Puglia, a causa delle scarse piogge e del suolo calcareo, sono pochi e poveri d'acqua. Scorrono prevalentemente nella zona del Tavoliere. I principali sono l'Ofanto e il Fortore, che nascono dall'Appennino e si gettano nell'Adriatico. I laghi più importanti della regione, il Lesina e il Varano, si trovano lungo la costa garganica, vicinissimi al mare. Il lago di Lesina è particolare perché ha le acque salate. Le coste pugliesi sono rettilinee e basse; solo verso il Gargano, e in alcuni tratti a sud di Otranto, diventano alte e rocciose. Appartiene alla Puglia l'Arcipelago delle Tremiti, con le tre isole di San Nicola, di San Domino e della Capraia.

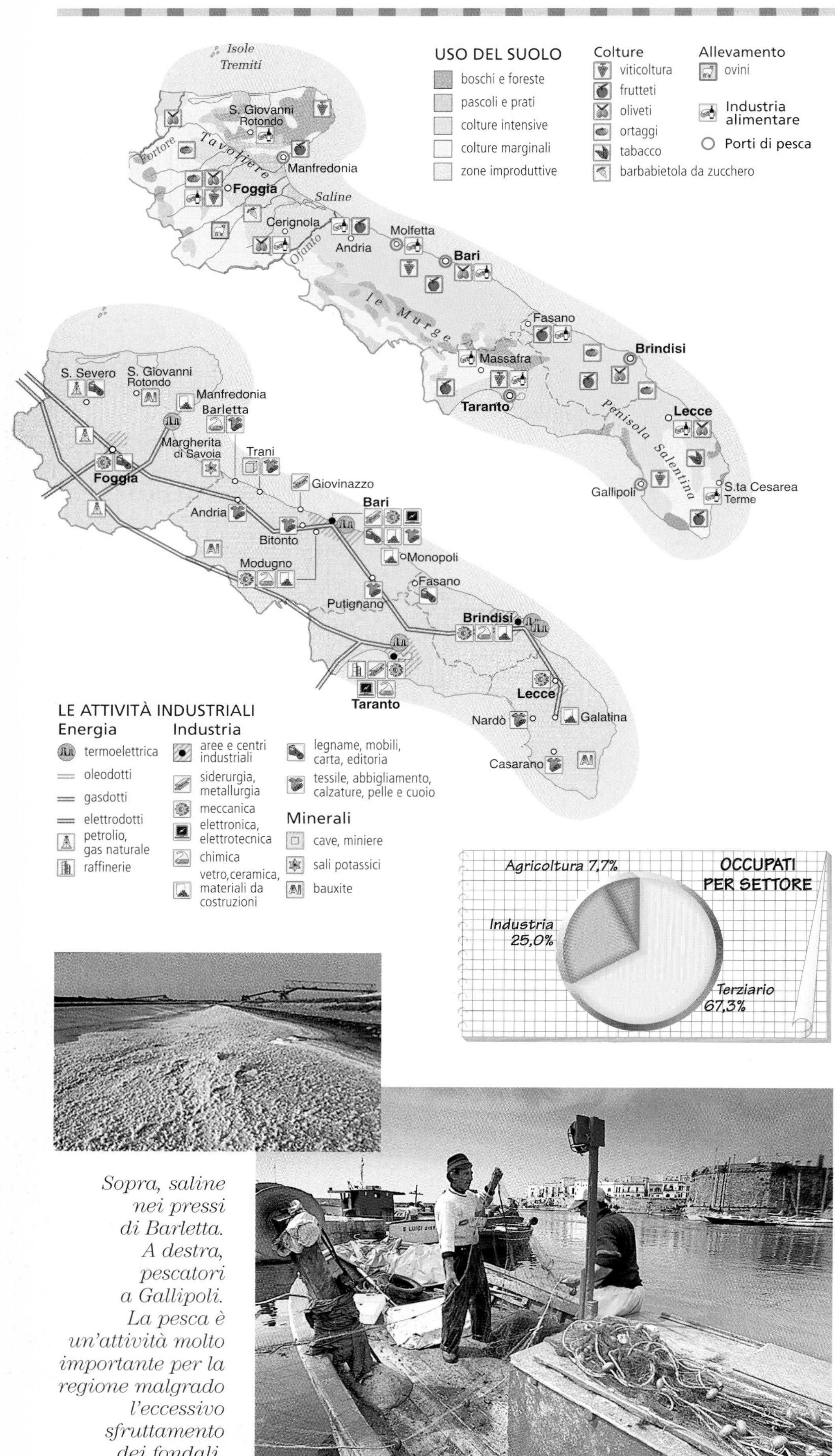

Sopra, saline nei pressi di Barletta. A destra, pescatori a Gallipoli. La pesca è un'attività molto importante per la regione malgrado l'eccessivo sfruttamento dei fondali.

Il clima

La Puglia ha un clima mediterraneo: le estati sono molto calde e secche, e gli inverni temperati. Data la vicinanza del mare, questa regione è molto ventilata, ma le precipitazioni sono poco abbondanti.

Il lavoro dell'uomo

La Puglia ha un'agricoltura assai sviluppata, nonostante sia povera d'acqua: il problema idrico è stato infatti risolto realizzando un imponente acquedotto. La regione è fra i primi produttori in Italia di uva e olive, ai quali si affianca la coltivazione di ortaggi (carciofi, patate, pomodori) e legumi (fagioli, ceci, fave). Un posto privilegiato occupa la produzione del grano duro usato nella preparazione della pasta. La Puglia, inoltre, è al primo posto nella produzione nazionale di olio d'oliva, primato che condivide in Europa con la Spagna.
Intensa è la pesca, che negli ultimi anni si è molto modernizzata con imbarcazioni adatte alla pesca d'alto mare. Importante è anche la produzione di mitili e molluschi e, sempre lungo la costa, l'estrazione del sale marino.
L'industria, un tempo concentrata prevalentemente nel settore alimentare (oleifici, pastifici, aziende vitivinicole e caseifici), ha oggi esteso la propria attività al settore farmaceutico, plastico, elettrotecnico, meccanico e chimico. Sono sorti, inoltre, imponenti complessi industriali del settore siderurgico a Taranto e petrolchimico a Brindisi. Attualmente questi grossi poli sono stati un po' ridimensionati e hanno un peso minore nell'economia regionale, anche se occupano ancora un consistente numero di persone.
Fiorente è anche l'attività commerciale, valorizzata dalla Fiera del Levante, che ha luogo ogni anno a Bari. Il turismo è ben presente in tutta la costa, ma soprattutto lungo il Gargano, il Salento e nelle isole Tremiti, dove si trovano numerose spiagge incantevoli e una natura incontaminata.

Storia e cultura

La Puglia è una terra antichissima, abitata in epoche remote da popoli guerrieri tra cui gli Apuli che le diedero il nome. Nell'VIII secolo a.C. fu colonizzata dai Greci che vi fondarono Gallipoli e Taranto, che divenne uno dei maggiori centri della Magna Grecia. La regione prosperò poi sotto i Romani (III secolo a.C.) che fecero di Brindisi il principale porto per i traffici con l'Oriente.
Dopo un periodo di decadenza dovuto alle invasioni barbariche, la Puglia sotto i Normanni, nell'XI secolo, conobbe una certa ripresa economica. A Federico II si deve la costruzione di Castel del Monte (1240-1250). Fra il XIII e il XVIII secolo seguirono le dominazioni degli Svevi, degli Angioini, degli Aragonesi e infine dei Borboni (1503-1707). Nel 1861 entrò a far parte del Regno d'Italia.
Il folclore è legato prevalentemente alle tradizioni religiose ancora molto vive nella regione: feste patronali, processioni, pellegrinaggi, rappresentazioni sacre.
In alcuni comuni della provincia di Lecce si parla tuttora un dialetto di origine greca, risalente ai tempi della colonizzazione ellenica.

La Grotta Bianca a Castellana.

L'acquedotto del Sele

La mancanza di acqua affligge da sempre questa regione, tanto che anche Giulio Cesare, nel I secolo a.C., aveva pensato a come risolverlo. Una soluzione efficace, anche se non definitiva, venne trovata nei primi anni del Novecento quando iniziarono i lavori di costruzione dell'acquedotto del Sele. Il Sele è un fiume campano che nasce sull'Appennino Sannita ed è molto ricco d'acqua alle sorgenti. Dopo aver superato molte difficoltà a causa del territorio montagnoso e della distanza, l'acquedotto, che doveva deviare parte delle acque del fiume per portarle in Puglia, venne completato e il problema idrico della regione diventò meno grave.

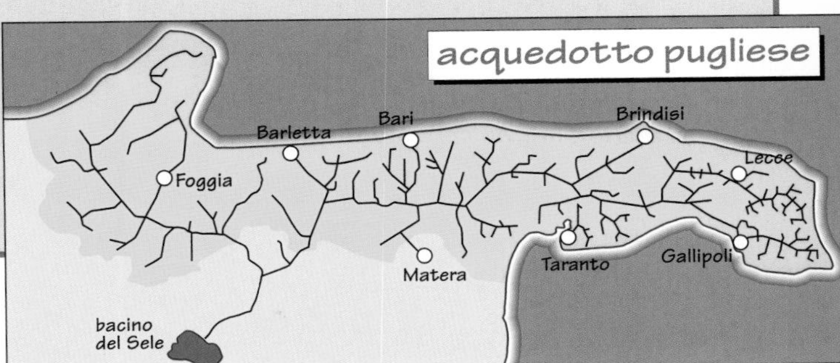

Sotto, Castel del Monte e la chiesa dei Santi Nicolò e Cataldo (Lecce).

I trulli

Isolati nella campagna, oppure riuniti in gruppo a formare paesi arroccati sulle colline, i "trulli" sono le costruzioni più caratteristiche della regione tanto che, nel loro complesso, sono stati dichiarati dall'Unesco "patrimonio dell'umanità". A pianta circolare, hanno le pareti dipinte di bianco per proteggere l'interno dalla calura estiva; il tetto, dall'originale forma conica, è fatto di pietre calcaree sovrapposte in cerchi concentrici digradanti. Alberobello, nelle Murge, è senz'altro il paese più noto ed è meta obbligata per i turisti che visitano la Puglia.

I caratteristici trulli di Alberobello.

Basilicata

Regione a statuto ordinario

SUPERFICIE 9994 km²

ABITANTI 604 800

DENSITÀ AB. PER KM² 61

COMUNI 131

CAP. REGIONALE Potenza, 68 800 ab.

CAP. DI PROVINCIA Matera, 58 200 ab.

FIUMI Basento 149 km, Agri 136 km, Bradano 116 km, Sinni 101 km

MONTI M.te Pollino 2248 m, M.te Sirino 2005 m, M.te Volturino 1835 m, M.te Vulture 1326 m

LAGHI Pietra del Pertusillo, San Giuliano

Potenza
Matera

Montagna 47% — Collina 45% — Pianura 8%

SITO WEB www.regione.basilicata.it

La Basilicata (Lucania in epoca preromana) è una delle regioni meno popolate d'Italia. È prevalentemente montuosa, e si affaccia su due mari, lo Ionio e il Tirreno.

Maratea, panorama della costa tirrenica.

Sotto, il vulcano Vulture e il fiume Ofanto, presso Melfi.

Il territorio

Oltre metà del territorio della Basilicata è occupato dall'Appennino Lucano, costituito da rocce soggette all'erosione dovuta alla natura argillosa del terreno e al disboscamento. L'unica zona pianeggiante è la costa di Metaponto, una pianura alluvionale che si affaccia sullo Ionio, nata dalla bonifica di ampie zone paludose.
I fiumi hanno tutti carattere torrentizio. La breve costa tirrenica si affaccia sul golfo di Policastro, ricco di baie e promontori rocciosi. Il litorale ionico, lungo circa 30 chilometri, che corrisponde alla pianura metapontina, è lineare, con spiagge sabbiose, segnate solamente dalle foci dei fiumi.

Il clima

Il clima è mediterraneo nelle zone costiere e continentale sui rilievi montuosi.

Il lavoro dell'uomo

L'agricoltura è la maggiore risorsa della regione. Le coltivazioni più diffuse sono le barbabietole da zucchero, i cereali come orzo, avena e grano, gli olivi, le viti, i pomodori, le fragole, le mandorle, i fichi e le noci. Per strappare terreni coltivabili alle zone di montagna sono stati effettuati numerosi disboscamenti che hanno, però, provocato varie frane.
Il ritrovamento, nella seconda metà del Novecento, di alcuni giacimenti di metano nelle valli del Basento e dell'Agri ha consentito l'affermarsi dell'industria chimica. In generale, tuttavia, a causa soprattutto delle condizioni di arretratezza nel sistema dei trasporti, queste attività ancora stentano a svilupparsi. Diverse aziende di medie dimensioni appartengono al settore dell'edilizia, a quello alimentare e a quello tessile. Caso isolato è quello rappresentato da un vasto complesso meccanico nella zona di Melfi. È in via di sviluppo anche l'industria turistica, specie lungo le coste ioniche e tirreniche.

LE ATTIVITÀ INDUSTRIALI
Energia
termoelettrica
gasdotti
elettrodotti
petrolio, gas naturale
Industria
aree e centri industriali
siderurgia, metallurgia
meccanica
chimica
tessile, abbigliamento, calzature, pelle e cuoio
vetro, ceramica, materiali da costruzioni
Melfi
Tito
Potenza
Matera
Ferrandina
Pisticci
Maratea

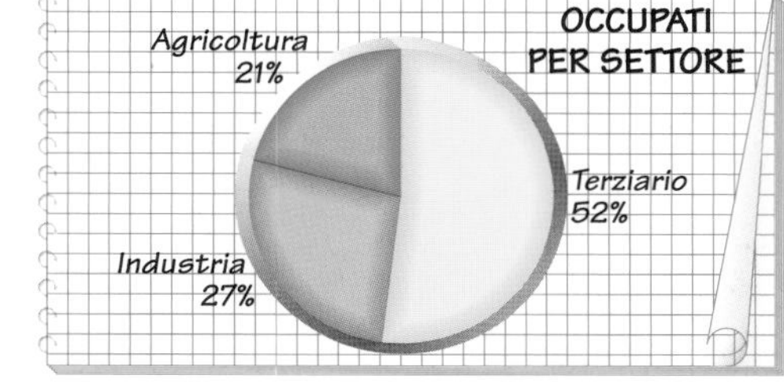

Sopra, la Torre normanna di Tricarico. A destra, le Tavole Palatine, resti del tempio di Hera a Metaponto.

Storia e cultura

Anticamente abitata dai Lucani, una popolazione che proveniva dalla vicina Campania, la Basilicata fu soggetta a numerose dominazioni.
Tra il VII e il VI secolo a.C. giunsero sul litorale ionico i coloni Greci, fondatori di città che divennero grandi e fiorenti: Metaponto, Siri, Tursi, Eraclea. Seguirono, dal III secolo a.C., una serie di dominazioni che impoverirono la regione: quella romana e successivamente, dal V secolo d.C., quelle di Goti, Longobardi, Bizantini e Normanni, che posero la capitale a Melfi. Il tempio greco di Metaponto e il castello normanno di Melfi sono oggi meta obbligata per i turisti.
Nel 1734 il Regno di Napoli, a cui la Basilicata apparteneva, passò nelle mani dei Borboni, che lo governarono per circa cento anni, fino a quando entrò a far parte del Regno d'Italia nel 1861.

I sassi di Matera

Matera è nota ovunque come la città dei "sassi", che oggi sono il principale monumento storico della regione. I "sassi" sono grotte scavate nella parete rocciosa dove fino a qualche decennio fa si trovavano abitazioni, botteghe artigiane, chiese e osterie. Si dividono in due zone, il Sasso Caveoso e il Sasso Barisano, separate da uno sperone roccioso. Dopo la Seconda guerra mondiale, le oltre 15 000 persone che vivevano in queste grotte vennero fatte traslocare in case più salubri e confortevoli, malgrado il loro ostinato rifiuto. Abbandonare una tradizione così radicata, infatti, fu estremamente difficile per molti abitanti della città.

Matera, la zona vecchia.

Calabria

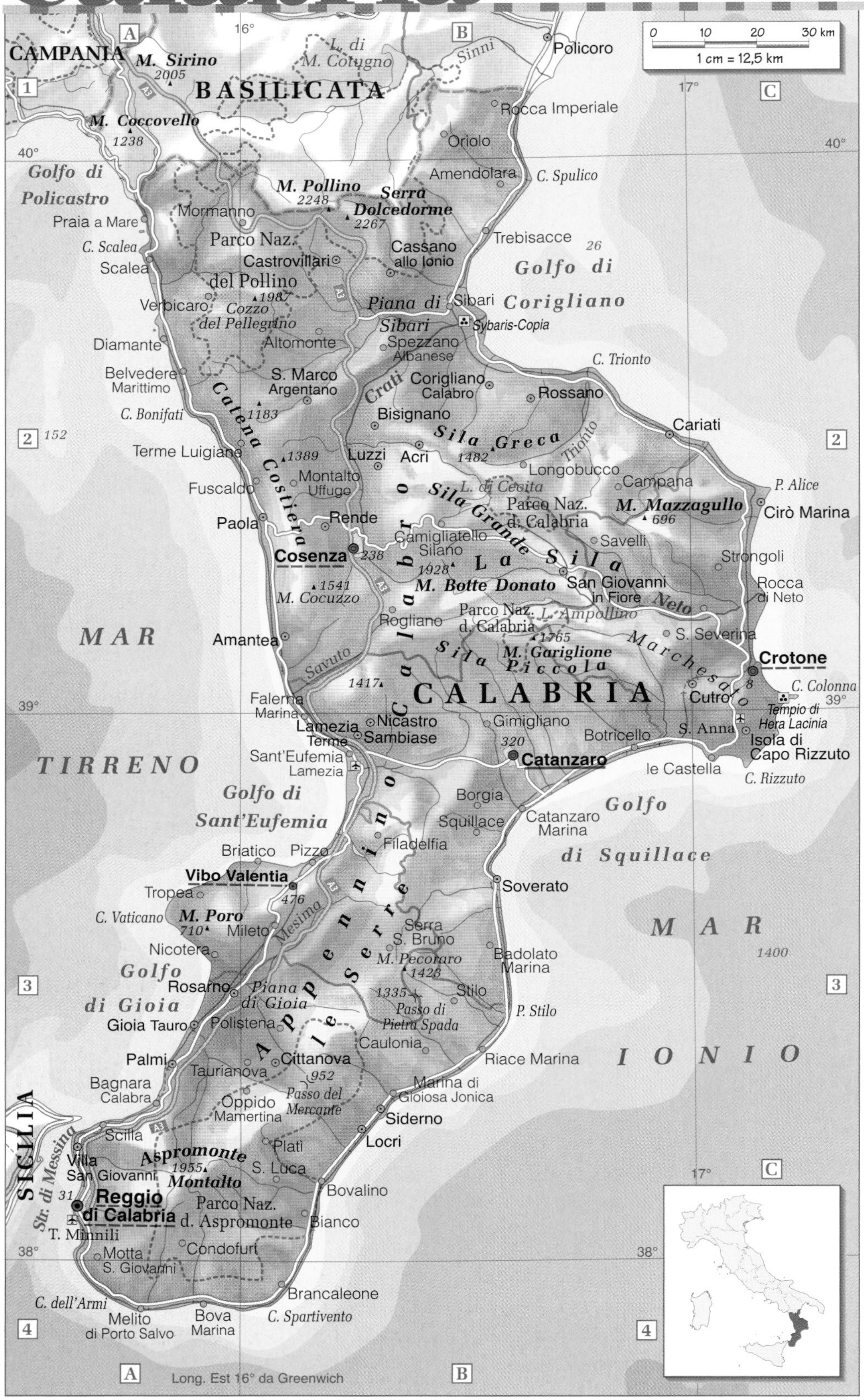

Uno straordinario patrimonio archeologico risalente alla Magna Grecia, i monumenti bizantini di grande interesse come la Cattolica di Stilo, le torri di avvistamento e i poderosi castelli lasciati dai Normanni fanno della Calabria una delle regioni del nostro Paese più ricche dal punto di vista artistico. È nel turismo, infatti, la speranza di ripresa economica della regione.

Il territorio

La Calabria è una penisola che costituisce la "punta", ovvero l'estremità meridionale, dello "stivale" italiano. Si affaccia su due mari, il Tirreno e lo Ionio; lo stretto di Messina la separa dalla Sicilia. È costituita quasi interamente da rilievi montuosi che si spingono fino alle coste, in prossimità delle quali divengono meno aspri.
Al confine con la Basilicata si trova il massiccio del Pollino; la zona centrale è invece occupata dai monti e dal verde altopiano della Sila, mentre la punta meridionale della regione è occupata dal massiccio dell'Aspromonte. Poche sono le zone pianeggianti, tutte situate lungo la costa: la Piana di Sibari, la Piana di Gioia e la Piana di Sant'Eufemia.
I fiumi sono pochi, e per la maggior parte hanno carattere torrentizio: sono le cosiddette "fiumare", che restano asciutte per la maggior parte dell'anno, gonfiandosi impetuosamente d'acqua nelle stagioni piovose.

Il clima

Il clima è mediterraneo sulle coste, più rigido nelle zone montuose interne, con abbondanza di precipitazioni soprattutto in Sila, dove la neve rimane fino a marzo avanzato.

In molti tratti della costa calabra i rilievi montuosi giungono fino al mare.

Il lavoro dell'uomo

La Calabria ha un alto tasso di disoccupazione. L'agricoltura non riesce a modernizzarsi, e le attività si concentrano nella pubblica amministrazione

e nel piccolo commercio. Per aiutare il settore agricolo e favorire la ripresa economica sono così state incentivate le colture intensive, soprattutto nelle pianure costiere, dove il clima mite permette la produzione di ortaggi, fichi, agrumi, uva e olive. Altre attività importanti sono la pesca (soprattutto del pesce spada) e l'allevamento di ovini e suini.
Dai laghi artificiali della Sila proviene l'energia elettrica necessaria alle poche industrie esistenti.
Il miglioramento delle vie di comunicazione ha permesso la scoperta di questa regione ancora incontaminata da parte del turismo, in continua espansione e che in futuro potrebbe costituire una risorsa fondamentale nell'economia regionale.

Storia e cultura

Abitata fin dal Paleolitico da popolazioni mediterranee, la Calabria fu colonizzata dai Greci che vi fondarono prospere colonie: Sibari, Crotone e Locri furono importanti centri commerciali.
Nel III secolo a.C., dopo la seconda guerra punica, la regione passò sotto il dominio dei Romani. Cominciò allora una progressiva e lenta decadenza che avrebbe caratterizzato la storia dei secoli successivi. I Bizantini, i Normanni, gli Svevi, gli Angioini, gli Aragonesi e infine i Borboni, che si succedettero nel dominio della Calabria, non riuscirono a restituire alla regione la vivacità culturale, economica e sociale che aveva conosciuto all'epoca della colonizzazione greca.
Dopo l'unità d'Italia, nel 1861, in Calabria si sviluppò il fenomeno del brigantaggio le cui origini sono da ricercare nell'arretratezza economica e nell'estrema povertà in cui si trovava gran parte della popolazione locale.
In Calabria vi sono alcuni paesi in cui si parla ancora oggi l'albanese. Infatti nella regione, tra il XV e il XVII secolo, si insediarono gruppi di albanesi.

Regione a statuto ordinario

SUPERFICIE 15 080 km²
ABITANTI 2 043 300
DENSITÀ AB. PER KM² 135
COMUNI 409
CAPOLUOGO REGIONALE
Catanzaro, 95 100 ab.
CAPOLUOGHI DI PROVINCIA

Cosenza	72 300 ab.
Crotone	60 000 ab.
Reggio di Calabria	180 400 ab.
Vibo Valentia	33 800 ab.

FIUMI
Neto 95 km, Crati 81 km, Savuto 50 km

MONTI
Serra Dolcedorme 2267 m, M. Pollino 2248 m, Cozzo del Pellegrino 1987 m, Aspromonte 1955 m, M.te Botte Donato (Sila) 1928 m, Le Serre 1423 m, Catena Costiera 1389 m

SITO WEB
www.regione.calabria.it

Cosenza
Crotone
Catanzaro
Vibo Valentia
Reggio di Calabria

Collina 49%
Montagna 42%
Pianura 9%

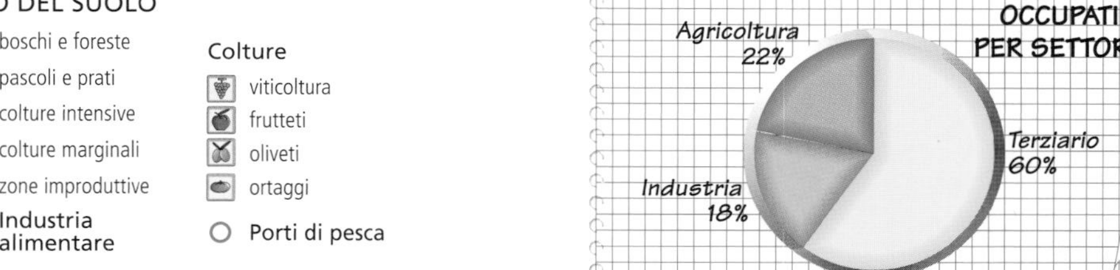

I guerrieri venuti dal mare

Nel 1972 ha avuto luogo nelle acque prospicienti la cittadina di Riace uno dei più importanti ritrovamenti archeologici del secolo scorso. Due magnifiche statue di bronzo del V secolo a.C. provenienti dalla Grecia furono avvistate sul fondale da un subacqueo. I "bronzi di Riace" furono riportati alla luce, dopo un sonno di oltre due millenni. Dopo un delicato intervento di restauro durato oltre sei anni, i due guerrieri sono ora esposti al Museo di Reggio Calabria.

Sicilia

La Sicilia è la più grande regione d'Italia e la maggiore isola del Mare Mediterraneo. Presenta una caratteristica forma triangolare da cui deriva il nome che le veniva attribuito nell'antichità: Trinacria, cioè isola "a tre punte".
In Sicilia si fondono diverse culture e civiltà. Greci, Romani, Arabi, Normanni vi hanno lasciato i segni della loro dominazione: un eccezionale patrimonio artistico che fa dell'isola una delle maggiori mete turistiche del nostro Paese.

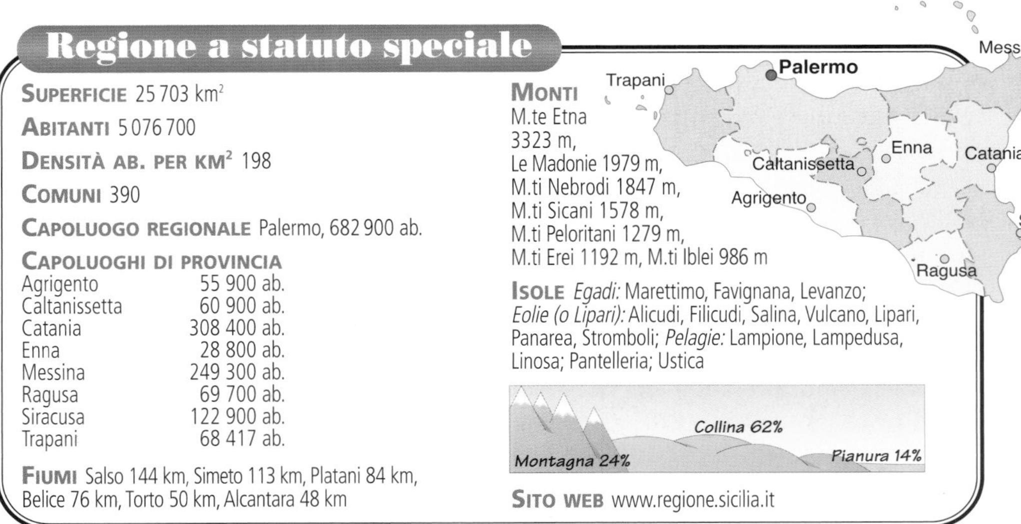

Regione a statuto speciale

Superficie 25 703 km²

Abitanti 5 076 700

Densità ab. per km² 198

Comuni 390

Capoluogo regionale Palermo, 682 900 ab.

Capoluoghi di provincia

Agrigento	55 900 ab.
Caltanissetta	60 900 ab.
Catania	308 400 ab.
Enna	28 800 ab.
Messina	249 300 ab.
Ragusa	69 700 ab.
Siracusa	122 900 ab.
Trapani	68 417 ab.

Fiumi Salso 144 km, Simeto 113 km, Platani 84 km, Belice 76 km, Torto 50 km, Alcantara 48 km

Monti M.te Etna 3323 m, Le Madonie 1979 m, M.ti Nebrodi 1847 m, M.ti Sicani 1578 m, M.ti Peloritani 1279 m, M.ti Erei 1192 m, M.ti Iblei 986 m

Isole *Egadi:* Marettimo, Favignana, Levanzo; *Eolie (o Lipari):* Alicudi, Filicudi, Salina, Vulcano, Lipari, Panarea, Stromboli; *Pelagie:* Lampione, Lampedusa, Linosa; Pantelleria; Ustica

Sito web www.regione.sicilia.it

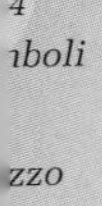

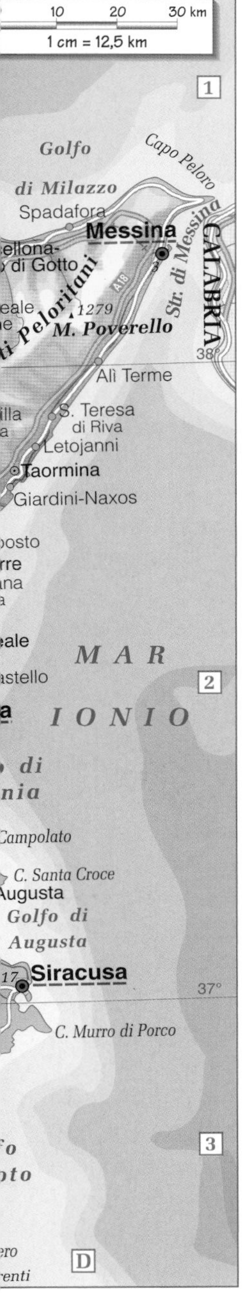

La splendida facciata del Duomo di Monreale, capolavoro architettonico che unisce lo stile romanico a elementi islamici e bizantini.

Un peschereccio di Mazara del Vallo alla fine di una giornata di pesca.

OCCUPATI PER SETTORE

Agricoltura 14%
Industria 21%
Terziario 65%

LE ATTIVITÀ INDUSTRIALI

Energia
- idroelettrica
- termoelettrica
- oleodotti
- gasdotti
- elettrodotti
- petrolio, gas naturale
- raffinerie

Industria
- aree e centri industriali
- siderurgia, metallurgia
- meccanica
- elettronica, elettrotecnica
- chimica
- legname, mobili, carta, editoria
- tessile, abbigliamento, calzature, pelle e cuoio
- vetro, ceramica, materiali da costruzioni

Minerali
- salgemma
- sali potassici

Isole Eolie, Villafranca Tirrena, Milazzo, Messina, Palermo, Carini, Trapani, I. Egadi, Termini Imerese, Petralia Soprana, Marsala, dall'Algeria, Cammarata, Gagliano, Enna, Catania, Sciacca, Racalmuto, Caltanissetta, Agrigento, Porto Empedocle, Augusta, Priolo Gargallo, Melilli, Gela, Ragusa, Siracusa, Vega, Pantelleria, Linosa, Isole Pelagie, Lampione, Lampedusa

Il territorio

Il territorio della Sicilia è per lo più montuoso e collinare. Lungo il versante tirrenico si eleva la catena dell'Appennino Siculo, formata da tre sistemi montuosi: i Peloritani, i Nebrodi e le Madonie. Il versante mediterraneo è caratterizzato da estesi altopiani. Al centro dell'isola si trovano i Monti Erei e, nella parte meridionale, i Monti Iblei, le cui cime non superano i 1000 metri di altezza. Il versante ionico è dominato dall'Etna, che con i suoi 3323 metri è il vulcano attivo più alto d'Europa. Le pianure occupano solo un settimo del territorio siciliano. Le più importanti sono la Conca D'Oro, vicino a Palermo, e la Piana di Catania, ai piedi dell'Etna. I corsi d'acqua sono pochi, spesso a carattere torrentizio: veri e propri fiumi sono invece il Simeto, il Salso, l'Alcantara e il Platani. Le coste, alte e frastagliate sul Tirreno, sono basse sul versante meridionale. La Sicilia è circondata da arcipelaghi e isole: le Eolie (con i due vulcani attivi di Stromboli e Vulcano), le Egadi, le Pelagie, Pantelleria e Ustica.

Il clima

Il clima è tipicamente mediterraneo, con inverni miti ed estati lunghe e molto calde, mitigate sulla costa dalle brezze di mare. Le piogge sono scarse tanto che la siccità costituisce uno dei gravi problemi dell'isola.

Il lavoro dell'uomo

In Sicilia si possono riconoscere due tipi di agricoltura: quella poco produttiva delle aree interne collinari e quella intensiva delle zone costiere. La zona collinare è coltivata a cereali, principalmente orzo e grano. Nella Piana di Catania e nella Conca d'Oro si coltivano agrumi, di cui la Sicilia è la prima produttrice in Italia. Molto importante, inoltre, la produzione di olive, mandorle, fichi, uva per vini pregiati e ortaggi: carote, carciofi, melanzane, piselli, pomodori, peperoni.

Sicilia

USO DEL SUOLO
- boschi e foreste
- pascoli e prati
- colture intensive
- colture marginali
- zone improduttive

Colture e allevamento
- viticoltura
- frutteti (agrumeti)
- oliveti
- ortaggi
- ovini
- Industria alimentare
- Porti di pesca

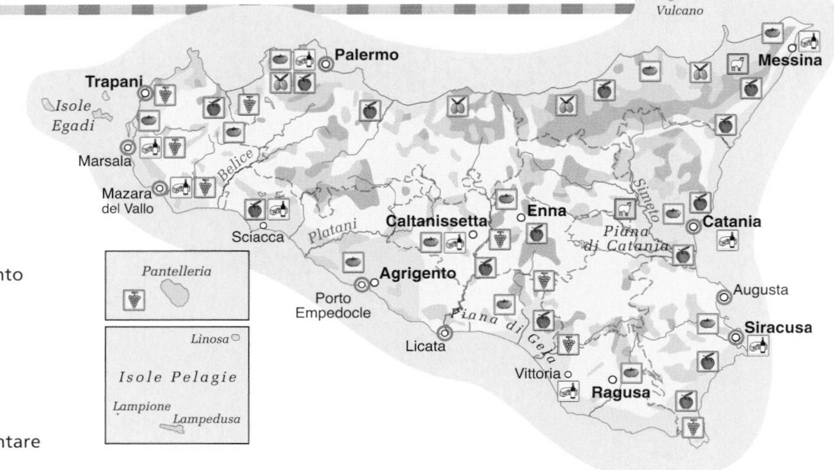

Prepariamoci a un viaggio

In Sicilia si fondono diverse culture e civiltà. I Greci la colonizzarono e fecero di Siracusa una delle città più importanti del mondo antico. Della lunga dominazione romana restano anfiteatri, templi, mosaici. Gli Arabi vi introdussero la coltivazione degli aranci, dei carciofi e del mandorlo. I Normanni vi hanno lasciato stupende cattedrali. Una regione dal passato glorioso che, in epoche a noi più vicine, ha dato uomini di ingegno in tutte le arti: pittori come Antonello da Messina, musicisti come Scarlatti e Bellini, scrittori come Sciascia, Quasimodo e Pirandello.

San Giovanni degli Eremiti (in alto) a Palermo, testimonianza della presenza araba in Sicilia.

Il Tempio della Concordia (a fianco) ad Agrigento, importante colonia della Magna Grecia.

Un temibile vulcano

L'Etna è il più alto vulcano attivo d'Europa (3323 m). Le sue temibili eruzioni sono citate già dagli autori antichi, ma la più famosa è quella del 1669, quando una colata di lava di 15 chilometri raggiunse la costa e la città di Catania, devastando campi coltivati e abitazioni. Nonostante la minaccia delle eruzioni, gli abitanti dei paesi ai piedi del vulcano non hanno mai abbandonato la zona, ma si sono limitati a "spostare" i centri abitati di qualche chilometro, a seconda di come la lava andava modificando il paesaggio.

L'allevamento, non molto sviluppato, riguarda soprattutto gli ovini. Molto praticata è la pesca (tonno, pesce spada e crostacei): Mazara del Vallo è il più importante porto peschereccio italiano.
L'industria siciliana si sta lentamente sviluppando, in particolare nei settori alimentare, conserviero, delle costruzioni e meccanico. Fiorente anche l'attività estrattiva (giacimenti di metano, petrolio e sali potassici) che ha fatto sorgere numerosi complessi petrolchimici (Augusta, Gela, Ragusa, Porto Empedocle, Siracusa). Le bellezze naturali, i centri balneari di fama mondiale (come Taormina) e il grandioso patrimonio artistico richiamano ogni anno nell'isola un gran numero di turisti.

Storia e cultura

Per la sua posizione geografica, la Sicilia è stata il naturale punto d'incontro di varie civiltà: i Fenici vi fondarono Palermo e, a partire dall'VIII secolo a.C., vi si stabilirono i Greci, che fondarono numerose colonie, tra cui Catania, Messina, Agrigento, Selinunte, Segesta e Siracusa. Nel III secolo a.C. i Romani estesero il proprio dominio sull'isola, e ne fecero "il granaio di Roma". Per creare campi da coltivare furono disboscati vasti territori: ciò è all'origine dell'aridità e della desertificazione di alcune zone. La Sicilia fu poi conquistata da Visigoti, Vandali e Goti, finché nel VI secolo divenne provincia bizantina. Nell'827 fu occupata dagli Arabi. Anche sotto il regno dei Normanni (XI secolo) la situazione economica prosperò, e furono costruite splendide cattedrali, come il Duomo di Monreale. Fra il XII e il XVII secolo, Svevi, Angioini e Aragonesi si susseguirono nel dominio dell'isola. La Sicilia venne divisa in feudi, e i feudi in grandi aree, i latifondi: l'economia entrò in crisi per la scarsa produzione agricola. Nel 1734 fu conquistata dai Borboni e, unita a Napoli, formò il Regno delle Due Sicilie. L'11 maggio 1860, i Mille di Garibaldi sbarcarono a Marsala: liberata dai Borboni, l'isola si unì al Regno d'Italia nel 1861.

Sardegna

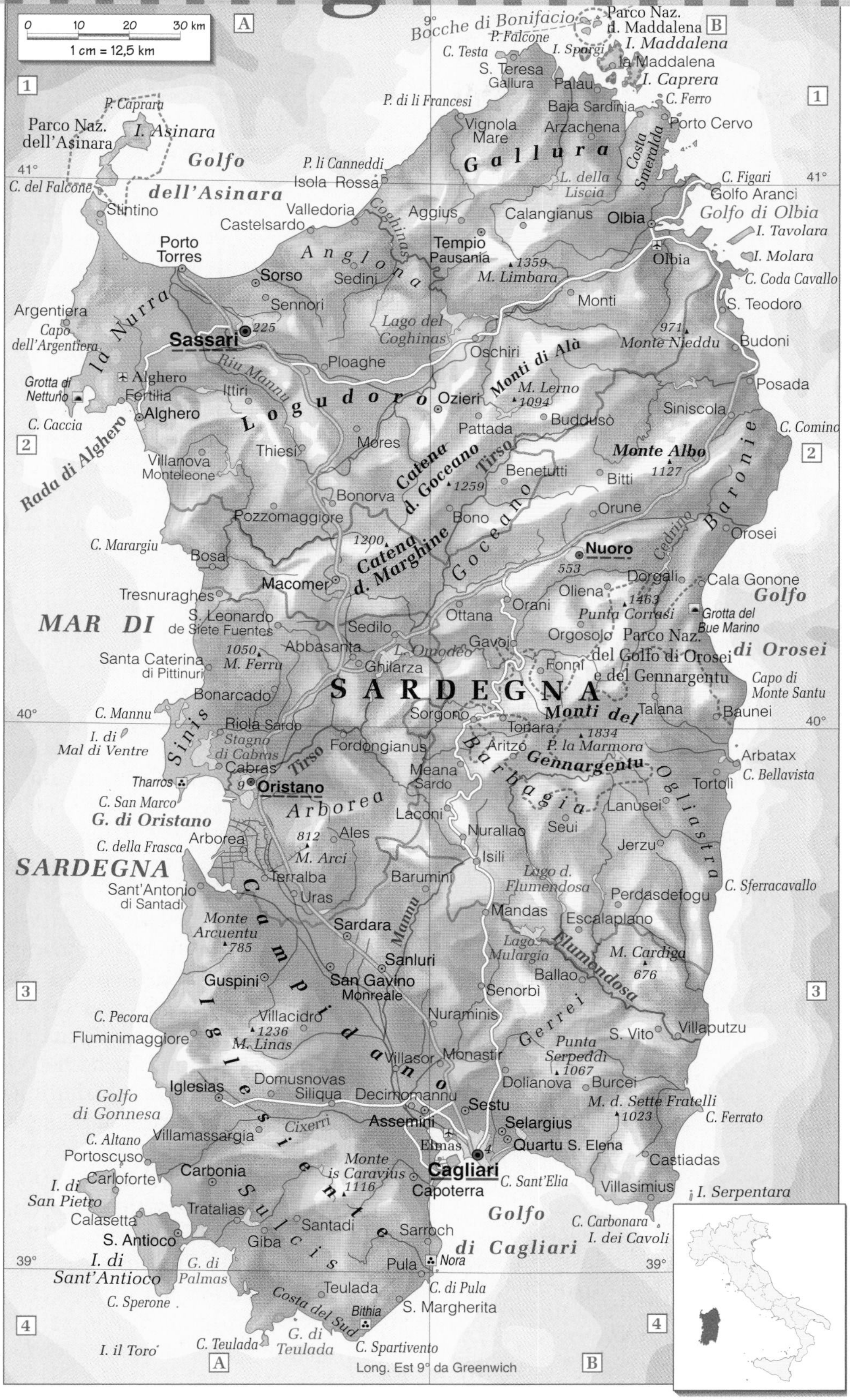

Regione a statuto speciale

SUPERFICIE 24 090 km²

ABITANTI 1 648 000

DENSITÀ AB. PER KM² 68

COMUNI 377

CAPOLUOGO REGIONALE
Cagliari, 162 900 ab.

CAPOLUOGHI DI PROVINCIA
Nuoro 36 900 ab.
Oristano 31 700 ab.
Sassari 121 100 ab.

PROVINCE DI NUOVA ISTITUZIONE:
Gallura
Medio Campidano
Ogliastra
Olbia-Tempio
Sulcis-Iglesiente

FIUMI
Tirso 150 km,
Flumendosa 127 km,
Coghinas 123 km

LAGHI
L. del Coghinas,
L. del Flumendosa,
L. Omodeo

MONTI
Gennargentu 1834 m,
Punta Corrasi 1463 m,
M.te Limbara 1359 m,
Catena del Goceano 1259 m,
Catena del Marghine 1200 m

ISOLE
Asinara, La Maddalena, Caprera, Sant'Antioco, San Pietro

SITO WEB www.regione.sardegna.it

La Sardegna è un'isola che conserva ancora un ambiente incontaminato. Il territorio è prevalentemente montuoso e aspro, e, sulle coste, si aprono golfi, insenature, promontori e spiagge di grande bellezza. La parte settentrionale è coperta da una folta macchia mediterranea, dalla quale emerge qua e là il paesaggio roccioso. Il massiccio afflusso turistico degli ultimi anni ha contribuito allo sviluppo economico del territorio, anche se ne ha messo a repentaglio l'integrità ambientale.

Il territorio

La Sardegna è la seconda isola italiana per grandezza. Si affaccia a ovest sul Mare di Sardegna, a est sul Tirreno e a sud sul Mediterraneo. A nord le Bocche di Bonifacio la separano dalla Corsica, isola francese. Il territorio

Uno scorcio della Costa Smeralda, dove si trovano località turistiche di fama internazionale, come Porto Cervo.

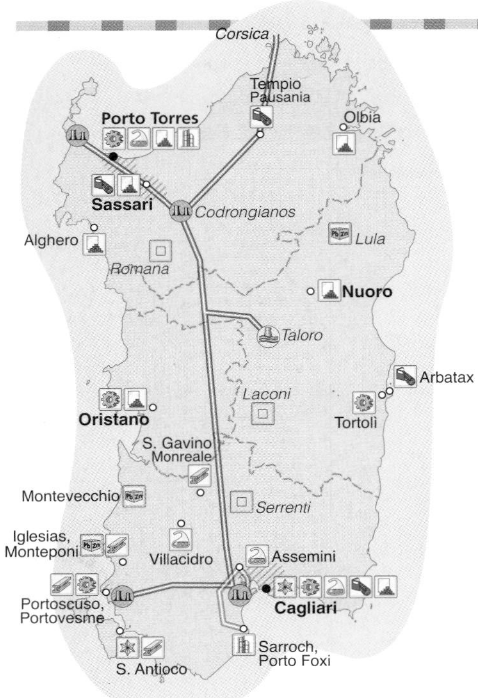

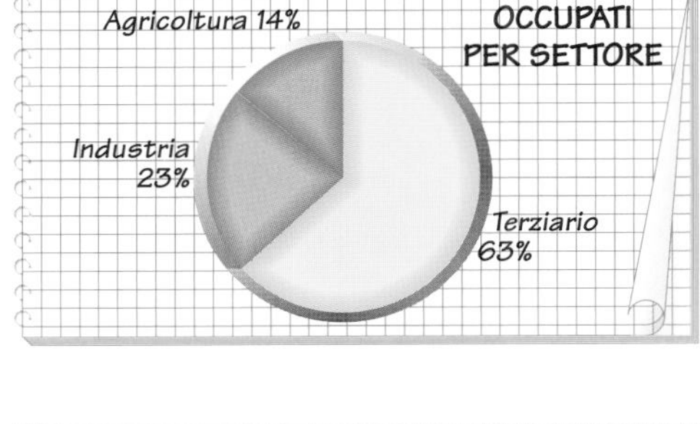

sardo è prevalentemente arido e montuoso, ma i rilievi non arrivano mai ad altezze considerevoli. Il massiccio più alto è il Gennargentu, che misura 1834 metri. La sola pianura di una certa estensione è il Campidano, che si trova tra il golfo di Oristano e quello di Cagliari. Le coste alternano tratti alti e rocciosi a litorali bassi e sabbiosi. I corsi d'acqua, a carattere torrentizio, sono brevi. Per poterne utilizzare l'acqua sono stati creati numerosi laghi artificiali: il lago del Coghinas, del Flumendosa e il lago Omodeo. Appartengono alla Sardegna alcune isole: La Maddalena e Caprera a nord, San Pietro e Sant'Antioco a sud.

Il clima

Lungo le coste il clima è mediterraneo, con temperature piuttoste elevate per tutto l'anno. Nell'interno si registrano temperature più basse, soprattutto sui rilievi. Le precipitazioni sono scarse e concentrate nei mesi invernali. L'isola è spesso battuta dal maestrale, vento di nord-ovest.

Il lavoro dell'uomo

Tra le maggiori risorse dell'isola, l'allevamento, soprattutto di ovini e caprini, fornisce la materia prima per la produzione di formaggi. L'agricoltura viene praticata soprattutto nella Piana del Campidano, col supporto di moderne tecnologie: si producono uva da vino, ortaggi, mandorle, legumi e cereali. In Sardegna la pesca non è molto diffusa. La popolazione, infatti, nel passato si concentrava all'interno dell'isola per difendersi sia dalla malaria delle zone paludose costiere, sia dalle incursioni saracene. Oggi la situazione si è in parte ribaltata grazie allo sviluppo del turismo, soprattutto balneare, che ogni anno richiama sulle coste dell'isola migliaia di visitatori. Il turismo concorre anche al mantenimento del tradizionale artigianato che produce tappeti, merletti, ceramiche, ricami, ferro battuto e oggetti di sughero.

Lavorazione artigianale dei tipici tappeti sardi.

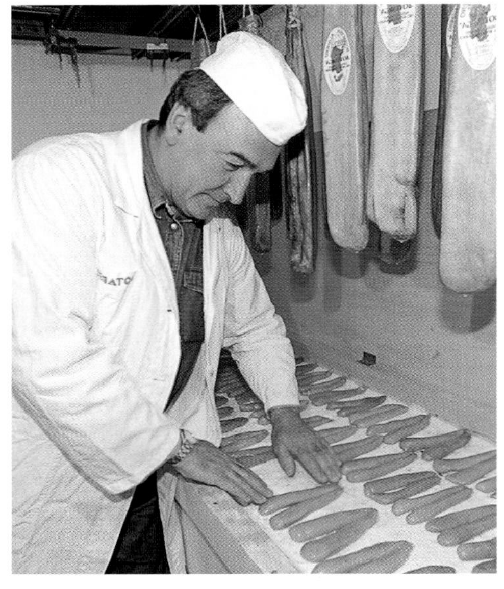

Una fase della lavorazione della bottarga: si tratta di uova di muggine o di tonno pressate, salate ed essiccate, che costituiscono un ottimo condimento.

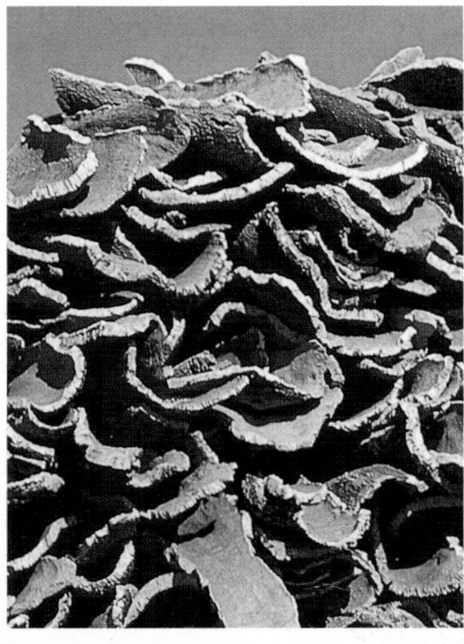

Il sughero, tipico prodotto sardo, è ricavato dalla corteccia di un albero, la quercia da sughero. Dopo la raccolta, il sughero viene fatto stagionare in cataste alte oltre 2 metri. Il turacciolo è uno dei tanti prodotti finiti.

L'industria è attiva nel settore petrolchimico, alimentare, metallurgico e della produzione di energia elettrica. L'attività estrattiva può contare su giacimenti di bauxite, carbone, ferro, piombo, zinco e salgemma.

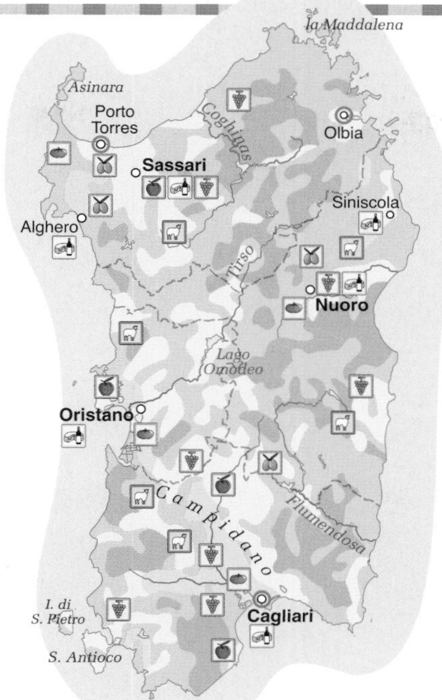

USO DEL SUOLO
- boschi e foreste
- pascoli e prati
- colture intensive
- colture marginali
- zone improduttive
- Porti di pesca

Colture e allevamento
- viticoltura
- frutteti
- oliveti
- ortaggi
- ovini
- Industria alimentare

Storia e cultura

Dei primi abitanti dell'isola (II-I millennio a.C.) restano a testimonianza i nuraghi. Nell'VIII secolo a.C. la Sardegna fu colonizzata dai Fenici e poi dai Cartaginesi (VI secolo a.C.) per passare, nel III secolo a.C., sotto l'influenza di Roma, che ne fece un fiorente centro commerciale. Caduto l'Impero, fu dominio dei Vandali e poi dei Bizantini, che non seppero difenderla dagli attacchi dei Saraceni. Nel Medioevo la regione fu spartita tra le repubbliche marinare di Pisa e Genova (XI secolo). Passata nel XV secolo agli Aragonesi, l'isola soffrì per pestilenze e carestie, e per le continue scorrerie piratesche. Nel 1714 passò all'Austria e, nel 1718, ai Savoia.
La distanza dalla penisola italiana e la scarsità dei porti naturali hanno mantenuto la regione in un isolamento che se da un lato ha permesso agli abitanti di sviluppare una propria cultura, dall'altro è responsabile del ritardo economico.

Veduta di Cagliari con gli impianti portuali.

Ballo in piazza con i tipici costumi sardi.

La pastorizia resta una delle attività economiche più diffuse.

La civiltà nuragica

Gli scavi hanno portato alla luce numerosissimi resti dell'antica civiltà nuragica che, durante l'Età del ferro, si sviluppò in Sardegna. Una delle caratteristiche principali di tale civiltà è la tipica architettura. I nuraghi sono edifici a forma di tronco di cono, costituiti da grandi blocchi di pietra squadrati e sovrapposti. Se ne conoscono circa 7000, e la loro funzione era probabilmente militare, ma non è escluso che servissero anche come abitazioni e come magazzini. I più antichi sorgono in posizione isolata, altri invece formano veri e propri villaggi.
Un esempio tra i più importanti di questa civiltà si può visitare a Barumini, dove sorge una vera e propria città-fortezza, con mura e torri angolari poste a difesa di un torrione centrale. Nei pressi di questo complesso sono stati rinvenuti molti oggetti d'uso (armi, pestelli, macine, ceramiche e coltelli di ossidiana) che hanno permesso una datazione che va dal XVI all'VIII secolo a.C.

Il nuraghe di Orrubiu è uno dei più vasti e articolati della Sardegna.

L'Europa fisica

Mar di Barents
Varangerfjord
C. Nord
Horn
Húnaflói
Faxaflói
Islanda
Reykjavík
Vatnajökull 2119
Hekla 1491
Circolo Polare Artico
MARE DELL'EUROPA SETTENTRIONALE (MAR DI NORVEGIA)
L. Inari
Murmansk
Penisola di Kola
Kebnekajse 2117
Lapponia
Tornedälv
L. Imandra
Vestfjorden
Mar Bianco
B. di Onega
Carelia
Oulu
Kemi
L. Oulu
Alpi Scandinave
Scandinavia
Umeälv
Norrland
Golfo di Botnia
Suomenselkä
Ripiano dei Laghi
Salpausselkä
Lago Onega
Lago Ladoga
Indalsälv
Glitterting 2470
Glåma
Sognefjord
Fær Øer
Isole Shetland
Rockall
OCEANO ATLANTICO
C. Wrath
Isole Orcadi
Isole Ebridi
Isole Britanniche
Ben Nevis 1343
Scozia
Edimburgo
Oslo
Svealand
Is. Åland
Helsinki
Golfo di Finlandia
San Pietroburgo
Tallinn
Lago dei Ciudi
Stoccolma
Vänern
Vättern
Lindesnes
Skagerrak
Grenen
Götaland
Kattegat
Gotland
Öland
Valdaj 343
Riga
Basso...
Dvina Occid.
Irlanda del Nord
Man
MARE DEL NORD
Jylland
Copenaghen
Sjælland
MAR BALTICO
Curlandia
Dublin
Mar d'Irlanda
Irlanda
Inghilterra
Gran Bretagna
Carrantuohill 1041
Canale di S. Giorgio
Mizen Head
Galles
Mar Celtico
Is. Frisone
Bornholm
Nemunas
Vilnius
Dnepr
Minsk
Amburgo
Pomerani
Rialto Lagoso Baltico
Amsterdam
Londra
Tamigi
Berlino
Vistola
Polesia
Paludi d. Pripjat
Land's End
Wight
La Manica
Passo di Calais
Fiandra
Bassopiano Germanico Settentr.
Monti Medi Germanici
Colonia
Bruxelles
Reno
Slesia
Oder
Varsavia
Ripiano Podolico
Is. d. Canale
Le Havre
Punta di S. Matteo
Elba
Sudeti 1602
Normandia
Lussemburgo
Francoforte sul Meno
Kijev
Alture d. Dnepr
Bassopiano Francese
Champagne
Mosa
Meno
Praga
Galizia
Bretagna
Parigi
Boemia
Nantes
Loira
Borgogna
Vosgi
Danubio
Altopiano Svevo-Bavarese
Tatra 2655
CARPAZI
Dnestr
Vienna
Monaco
Basilea
Bratislava
Golfo di Biscaglia
Bordeaux
Mt. Dore 1885
Berna
Vaduz
Bernina 4050
Grossglockner 3797
Budapest
Pian. Ungherese
2305 Pietrosu
Bessarabia
Chişinău
C. Finisterre
Cordigliera Cantabrica
Massiccio Centrale
M. Bianco 4810
ALPI
Lubiana
Prut
Odessa
Galizia
2648 Picos de Europa
Garonna
Rodano
Lione
Milano
Venezia
Zagabria
Drava
Mureşul
Moldoveanu 2543
Porto
Pirenei
Po
Golfo di Venezia
Sava
Belgrado
Alpi Transilvaniche
Douro
Duero
3404 Pico de Aneto
Andorra
Genova
Mar Ligure
Alpi Dinariche
Sarajevo
Valacchia
Bucarest
Costanza
Sistema Centrale
Ebro
Catalogna
Golfo d. Leone
Marsiglia
Appennini
Mar Adriatico
1913
2522 Durmitor
Morava
Danubio
C. da Roca
Lisbona
Madrid
Tago
Meseta
2706 Cinto
Corsica
Elba
Gran Sasso 2912
Balcani
Sofia
2376 Botev
Barcellona
Serrania de Cuenca
Valencia
Bocche di Bonifacio
Roma
Musala 2925
M.ti Rodopi
Bosforo
C. de S. Vincente
Guadiana
Sierra Morena
Is. Baleari
Minorca
Maiorca
Ibiza
Sardegna
Gennargentu 1834
Napoli
1281 Vesuvio
Puglia
Canale d'Otranto
Tirana
Skopje
2191
Salonicco
Mar di Marmara
Andalusia
Sistema Betico
Murcia
S.ra Nevada
3478 Mulhacén
C. de Palos
Mar Tirreno
Golfo di Taranto
Sila 1928
2917 Olimpo
Pindo
Dardanelli
Stretto di Gibilterra
Gibilterra
Ceuta
MAR MEDITERRANEO
Palermo
Mar Ionio
Is. Ionie
Parnaso 2457
Eubea
Mar Egeo
Sporadi Merid.
Melilla
Etna 3350
Sicilia
Str. di Messina
C. d. Correnti
Atene
Peloponneso
Cicladi
C. Matapán
AFRICA
Malta
Creta
Ida 2456

0 165 330 km
1 cm = 165 km

Long. 20° Est da Greenwich

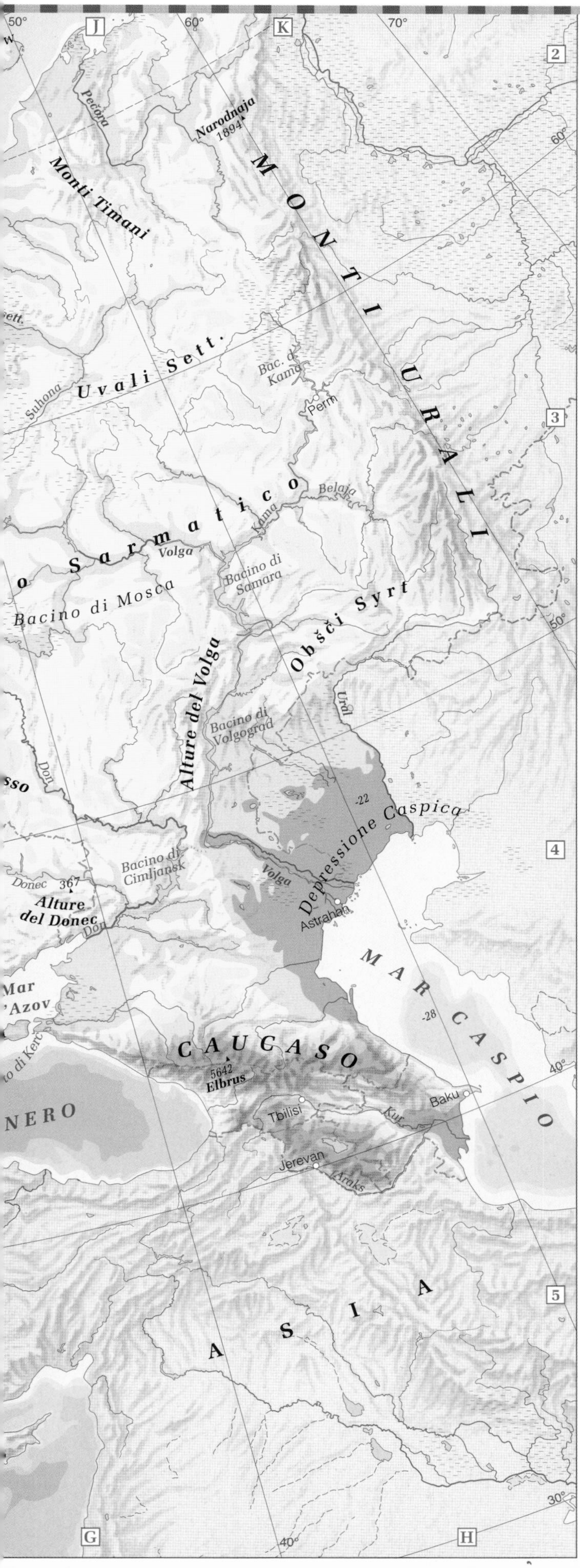

Monti Timani
Narodnaja 1894
MONTI URALI
Pečora
Uvali Sett.
Suhona
Bac. di Kama
Perm
Belaja
Kama
Volga
Sarmatico
Bacino di Mosca
Bacino di Samara
Obšči Syrt
Alture del Volga
Bacino di Volgograd
Ural
Don
Depressione Caspica
-22
Bacino di Cimljansk
Donec 367
Alture del Donec
Volga
Astrahan
MAR CASPIO
Mar d'Azov
-28
CAUCASO
5642 Elbrus
Tbilisi
Baku
Kur
Jerevan
Araks
NERO
ASIA

Come una grande appendice del continente asiatico, l'Europa si distende nelle acque di tre grandi mari: l'Oceano Glaciale Artico, l'Oceano Atlantico, il Mar Mediterraneo. Verso occidente e verso sud il continente è attraversato da catene montuose, e si scompone in isole e penisole; verso oriente il territorio si fa piatto e uniforme. Una struttura fisica complessa che dà luogo a una grande varietà di paesaggi.

Dai prati e le montagne della Svizzera...

... alle terre che fumano dell'Islanda.

Dai fiordi della Norvegia...

... alle pianure coltivate dell'Olanda (sopra) e alle splendide spiagge delle isole greche (a sinistra).

L'Europa politica

Centri abitati e conurbazioni

- più di 5 000 000 di abitanti
- da 1 000 000 a 5 000 000 di abitanti
- da 500 000 a 1 000 000 abitanti
- da 100 000 a 500 000 abitanti
- meno di 100 000 abitanti

0 165 330 km

1 cm = 165 km

Long. 20° Est da Greenwich

La nascita di nuovi Stati europei

*Nell'ultimo decennio del XX secolo la carta politica dell'Europa ha visto cambiamenti molto ampi e significativi, principalmente in conseguenza della crisi e della dissoluzione dell'***Unione Sovietica***.*
Nel **1991***, dopo lo scioglimento dell'***URSS***, si sono costituiti sul suo ex territorio nuovi Stati: la* **Federazione Russa***, l'***Ucraina***, la* **Bielorussia***, la* **Moldavia***, la* **Georgia***, l'***Armenia***, l'***Azerbaigian** *e gli Stati baltici della* **Lituania***, della* **Lettonia** *e dell'***Estonia.** *Questi Paesi si sono poi associati, con esclusione degli Stati baltici, nella* **Comunità degli Stati Indipendenti** *(***CSI***).*
Già un anno prima, nel **1990***, si era realizzata la riunificazione della Germania.*
Nel **1993** *si è conclusa la pacifica divisione della* **Cecoslovacchia***, con la nascita di due nuovi Stati: la* **Repubblica Ceca** *e la* **Slovacchia.**
Molto più tormentato e drammatico è stato il processo di divisione dell'ex Iugoslavia, che ha visto quelle terre devastate per anni da una cruenta guerra civile, il primo conflitto scoppiato in Europa dopo la fine della Seconda guerra mondiale. Nel **1991** *sono nate la* **Slovenia** *e la* **Croazia***, nel* **1992** *la* **Bosnia-Erzegovina***, nel* **1993** *è stata riconosciuta l'indipendenza della* **Macedonia.**
Nel **2003** *la* **Repubblica Federale Iugoslava** *è diventata* **Unione di Serbia e Montenegro.**

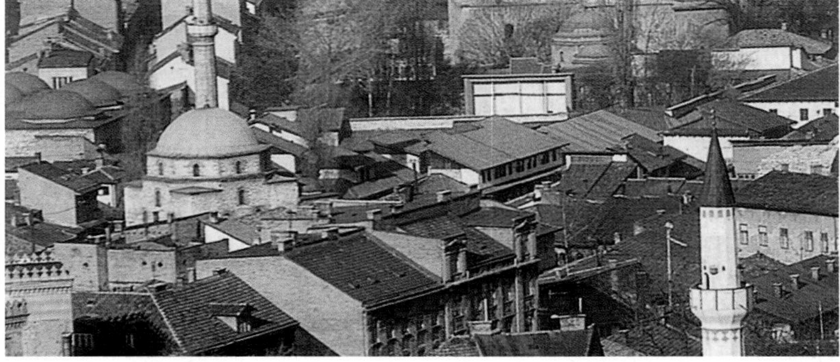

Sarajevo (sopra) e il ponte di Mostar prima della sua distruzione (sotto).

Verso l'Europa unita

L'unificazione politica e monetaria dell'Europa

1957 *Alcuni Stati europei (Italia, Germania, Francia, Belgio, Paesi Bassi e Lussemburgo) decidono di unirsi per favorire il libero commercio e l'abbattimento delle dogane: nasce così, con il* **Trattato di Roma**, *il primo nucleo della* **Comunità Economica Europea** *(***CEE***).*

1972 *Altri tre Stati aderiscono alla Comunità: Regno Unito, Irlanda e Danimarca.*

1978 *Viene creato il* **Sistema Monetario Europeo** *(***SME***) e si definisce un nuovo riferimento per il cambio delle monete nazionali: l'***ECU**.

1979 *Viene eletto il primo* **Parlamento Europeo**, *con sede a Strasburgo (Francia).*

1987 *I Paesi aderenti alla Comunità sono diventati dodici: si sono infatti aggiunti, in periodi diversi, Grecia, Spagna e Portogallo.*

1992 *Con il* **trattato di Maastricht** *(7 febbraio) nasce l'***Unione Europea***: i Paesi della Comunità si impegnano a istituire un'unione economica e monetaria attraverso la creazione di una moneta unica.*

1995 *Nasce ufficialmente la moneta unica europea con il nome di* **euro**. *Entrano nell'Unione altri tre Paesi: Austria, Finlandia e Svezia.*

1999 *L'euro viene adottato da dodici dei quindici Paesi aderenti all'Unione: a partire da questa data, in* **Austria**, **Belgio**, **Finlandia**, **Francia**, **Germania**, **Grecia**, **Irlanda**, **Italia**, **Lussemburgo**, **Olanda**, **Portogallo**, **Spagna** *molte operazioni commerciali possono essere effettuate in euro.*

2002 *L'euro ha sostituito nell'uso corrente le banconote e le monete dei singoli Paesi.*

2004 *Aderiscono all'Unione Europea, senza per adesso adottare l'euro, altri dieci Paesi: Cipro, Estonia, Lettonia, Lituania, Malta, Polonia, Repubblica Ceca, Slovacchia, Slovenia e Ungheria.*

I speak English
jag talar svenska
je parle français
ἐγὼ μιλὰω ἑλληνικὰ
eu falo portugues
ik spreek Nederlands
yo hablo español
jeg snakker dansk
io parlo italiano
ich spreche Deutch
minä puhun suomea

Le lingue dell'Unione Europea sono quelle parlate in tutti gli Stati membri. Attualmente sono venti: inglese, francese, tedesco, italiano, spagnolo, portoghese, greco, olandese, danese, svedese, finlandese, ceco, estone, lettone, lituano, maltese, polacco, slovacco, sloveno, ungherese.

L'inno

L'inno dell'Unione Europea è dal 1985 "l'Inno alla gioia", composto da Beethoven per la sua Nona Sinfonia.

La festa

Anche l'Europa unita ha la sua festa: si celebra il 9 maggio.
In quella data nel 1950 il ministro degli Esteri francese Schuman propose di mettere in comune le industrie del carbone e dell'acciaio di Francia e Germania. Questo è oggi ricordato come il primo passo del lungo cammino verso l'Unione Europea.

Il nome

Il nome Europa è di origine greca.
I greci chiamavano Europa la Grecia continentale. Europa era anche il nome di una fanciulla di cui si era innamorato Zeus, che assunse la forma di un toro bianco, la rapì e la sposò.

La bandiera

La bandiera europea è costituita da un drappo blu, colore dell'Europa, con dodici stelle gialle disposte in cerchio.
Queste stelle non simboleggiano il numero degli Stati aderenti all'Unione (come invece avviene per la bandiera degli Stati Uniti d'America) e quindi resteranno sempre dodici anche quando altri Paesi si aggiungeranno ai venticinque che attualmente aderiscono all'Unione Europea.

Le istituzioni della UE

Il Parlamento Europeo

Il Parlamento Europeo si riunisce sia a Strasburgo che a Bruxelles.
È composto da 626 deputati, eletti ogni cinque anni a suffragio universale in rappresentanza di tutti i cittadini dei Paesi che aderiscono all'Unione Europea. Insieme al Consiglio dell'Unione Europea svolge una funzione legislativa: adotta cioè le leggi europee (direttive, regolamenti, decisioni) e ne garantisce con il suo controllo il carattere democratico.
Esercita inoltre un controllo democratico sulla Commissione Europea e ha un potere di censura sulle sue decisioni.

Il Consiglio dell'UE

Il Consiglio è il principale organo decisionale dell'Unione Europea, con sede a Bruxelles. È composto da un ministro per ciascuno degli Stati membri responsabili, quindi la sua composizione cambia a seconda degli argomenti su cui deve decidere (affari esteri, finanze, agricoltura, istruzione ecc.). Insieme al Parlamento Europeo, esercita il potere legislativo.
Prende le decisioni riguardanti la politica estera e di sicurezza comune. Coordina le politiche economiche generali e le azioni degli Stati membri, adotta misure nel settore della cooperazione giudiziaria e di polizia in materia penale.

La Commissione Europea

La Commissione è l'organo esecutivo, il "governo" dell'Unione Europea, e ha sede a Bruxelles. Il Presidente e i membri della Commissione sono nominati dagli Stati membri e devono essere approvati dal Parlamento Europeo. La Commissione garantisce l'esecuzione delle leggi europee e dei programmi adottati dal Parlamento e dal Consiglio. Negozia gli accordi internazionali in materia di commercio e cooperazione.

Il palazzo della Corte di Giustizia Europea a Lussemburgo.

La Corte di Giustizia

La Corte di Giustizia Europea assicura il rispetto e l'interpretazione uniforme del diritto comunitario.
Ha sede a Lussemburgo e si occupa delle controversie che possono sorgere tra gli Stati membri, le istituzioni comunitarie, le imprese e i privati.

Il Consiglio Europeo

Il Consiglio Europeo, da non confondere con il Consiglio dell'Unione Europea, è formato dai Capi di Stato e di Governo di tutti i Paesi membri. Si riunisce almeno due volte all'anno in una località stabilita dal Presidente di turno, che cambia a rotazione ogni sei mesi. Definisce gli obiettivi generali e gli orientamenti politici dell'Unione.

Sopra, il nuovo Parlamento Europeo a Strasburgo. Sotto, il palazzo della Commissione Europea a Bruxelles. A destra, una seduta del Parlamento Europeo.

L'Unione monetaria €

Dal primo gennaio 2002 l'euro è diventato la moneta corrente in dodici Paesi dell'Unione Europea: da allora si può viaggiare da Palermo fino alla Lapponia senza dover mai cambiare moneta.
Tre Paesi dell'Unione Europea, la **Gran Bretagna**, la **Danimarca** e la **Svezia**, hanno deciso di non aderire per il momento all'unione monetaria, ma è probabile che lo faranno in un prossimo futuro.
Anche i dieci Paesi entrati nell'Unione Europea nel 2004 (**Cipro**, **Estonia**, **Lettonia**, **Lituania**, **Malta**, **Polonia**, **Repubblica Ceca**, **Slovacchia**, **Slovenia** e **Ungheria**) non hanno ancora adottato l'euro.

Paesi che hanno adottato l'euro

Paesi che non hanno ancora adottato l'euro

FINLANDIA
SVEZIA
ESTONIA
LETTONIA
LITUANIA
DANIMARCA
IRLANDA
REGNO UNITO
OLANDA
GERMANIA
POLONIA
BELGIO
REP.CECA
LUSSEMBURGO
SLOVACCHIA
AUSTRIA
UNGHERIA
FRANCIA
SLOVENIA
ITALIA
PORTOGALLO
SPAGNA
GRECIA
MALTA
CIPRO

Le monete da 1 euro con il retro diverso per ogni Paese.

Austria

Belgio

Finlandia

Francia

Germania

Grecia

Irlanda

Italia

Lussemburgo

Olanda

Portogallo

Spagna

Dal sesterzio all'euro

Per trovare un precedente di moneta comune nella storia d'Europa bisogna risalire a 2000 anni fa, al sesterzio romano. Tra le due monete c'è tuttavia una differenza sostanziale: il sesterzio era la moneta imposta dai conquistatori romani ai popoli conquistati dell'Impero. Inoltre il sesterzio non diventò mai la moneta unica, perché nelle diverse regioni dell'Impero continuarono a circolare anche le vecchie monete locali. L'euro invece è stato scelto liberamente da tutti i Paesi che hanno deciso di entrare nell'Unione Monetaria Europa e ha sostituito le monete nazionali.

La regione iberica

La regione iberica costituisce l'estrema propaggine occidentale dell'Europa. Si estende fra l'Oceano Atlantico e il Mare Mediterraneo, fin quasi a toccare l'Africa in un punto chiamato Stretto di Gibilterra. Un tempo questo luogo, detto Colonne d'Ercole, era considerato un limite invalicabile, oltre il quale si pensava che la Terra finisse.

Spagna

La Spagna occupa quasi interamente la Penisola Iberica; confina a nord-est con la Francia e a ovest con il Portogallo. Al confine con la Francia si estende l'alta catena montuosa dei Pirenei. La parte centrale della Spagna è costituita dalla Meseta ("piccola tavola"), un ampio altopiano che raggiunge mediamente i 600 metri di altezza. Alcune catene montuose attraversano la Meseta e la dividono in due regioni: la Vecchia e la Nuova Castiglia. Attorno alla Meseta si aprono la Cordigliera Cantabrica a nord, i Monti Iberici a est, la Sierra Morena e la Sierra Nevada a sud. Il nome *sierra* ("sega") deriva dal fatto che queste catene montuose appaiono in lontananza come seghettate. Numerosi fiumi attraversano il Paese, ma il clima scarsamente piovoso non permette loro di avere un andamento regolare.

Le rare pianure della Spagna devono la loro origine proprio al trasporto dei detriti da parte dei fiumi: da segnalare

la grande vallata formata dal Guadalquivir, detta Piana di Andalusia. Appartengono alla Spagna anche gli arcipelaghi delle Baleari nel Mediterraneo e delle Canarie nell'Atlantico.
Con l'ingresso nella CEE, nel 1986, l'economia della Spagna ha compiuto notevoli passi verso la stabilità, inserendosi nei mercati europei. L'attività industriale, pur non raggiungendo i livelli di altri Paesi europei, è favorita da grandi risorse minerarie, come carbone, mercurio, stagno, zinco, rame, piombo e ferro, intorno alle quali si sviluppa l'industria siderurgica e metallurgica. Gli altri settori della produzione industriale si concentrano vicino alle grandi città, come Madrid e Barcellona. Tra questi ha notevole importanza l'industria automobilistica.
Lo sviluppo dell'agricoltura è frenato dal clima piuttosto arido, dalla scarsa modernità di molte aziende del settore e dalle difficoltà di irrigazione. Vengono esportate le colture specializzate (agrumi, olio e vino), mentre restano sul mercato nazionale le coltivazioni di cereali (orzo, frumento e mais). L'allevamento degli ovini ha una certa importanza, soprattutto per quel che riguarda le pecore merinos, dalle quali si ottiene ottima lana. Importante è anche lo sfruttamento delle foreste, che coprono circa il 30% del territorio nazionale. Il più importante prodotto forestale è il sughero, di cui la Spagna è il maggiore produttore mondiale insieme al Portogallo.
Molto praticata è la pesca, soprattutto sulla costa atlantica, di tonni, merluzzi, sardine, acciughe. Infine si ricorda lo sviluppo del turismo, che negli ultimi anni ha avuto un vero boom, contribuendo al rilancio economico e di immagine della Spagna in tutta Europa, anche grazie alle Olimpiadi di Barcellona del 1992. Il flusso turistico si dirige verso le città ricche di storia e di monumenti, quali Madrid, sede di uno dei maggiori musei del mondo, il Prado, Barcellona, Cordova, Siviglia, o verso le innumerevoli località balneari della costa mediterranea.

Spagna

Superficie 505 957 km²
Abitanti 40 709 500
Densità 80 ab./km²
Ordinamento monarchia costituzionale
Lingua spagnolo, catalano, basco, gallego
Religione cattolica
Moneta euro
Capitale Madrid
Altre città Barcellona, Bilbao, Cordova, Malaga, Siviglia, Valencia

Plaza de Espagna, a Madrid, con al centro il monumento allo scrittore Cervantes.

Santiago de Compostela è una delle più antiche mete di pellegrinaggio religioso d'Europa. Molti fedeli la raggiungono ancora oggi a piedi, seguendo l'antico percorso attraverso i Pirenei.

Monumento al Cid Campeador, a Burgos. Il Cid è l'eroe nazionale spagnolo, famoso per aver liberato Valencia dai Mori. La sua figura leggendaria è celebrata nel Cantar del mio Cid.

Il flamenco e la corrida

Una delle espressioni più tipiche del folclore spagnolo è la danza, in particolare un ballo di probabile origine gitana andalusa, il flamenco. I ballerini scandiscono il ritmo battendo i tacchi e le nacchere, uno strumento a percussione costituito da due pezzi di legno che si tengono in una mano e si fanno risuonare. Un'altra manifestazione tipicamente spagnola è la corrida. Il combattimento tra uomini e tori era diffuso nell'antichità in tutto il Mediterraneo (tauromachie) e in Spagna si affermò durante la dominazione araba. Durante lo spettacolo, che si svolge in una grande arena, uomini (torero, picadores e banderilleros) e toro si affrontano in uno scontro che si conclude con la morte dell'animale. Oggi molti contestano tale spettacolo, in particolare le associazioni animaliste, ma la tradizione popolare, fortemente radicata, si oppone alla sua abolizione.

La regione dell'Algarve alterna spiagge di sabbia dorata a coste alte e rocciose.

Portogallo

Superficie 92 142 km²
Abitanti 10 355 800
Densità 112 ab./km²
Ordinamento repubblica
Lingua portoghese
Religione cattolica
Moneta euro
Capitale Lisbona
Altre città Coimbra, Porto, Setúbal, Almada, Amadora

La rete tranviaria a Lisbona si insinua anche nei vicoli e nelle viuzze del centro.

Lisbona, Campo das Cebollas. La città è costruita su sette colli, come Roma.

Portogallo 

Il Portogallo occupa l'estremità occidentale della Penisola Iberica, confinando a nord e a est con la Spagna e a sud e a ovest con l'Oceano Atlantico. Il fiume Tago divide il Portogallo in due zone: a nord si trovano i rilievi montuosi più consistenti, tra i quali il più alto nella Serra da Estrela è il Malhao (1993 metri). Questi massicci scendono verso le coste, a ovest, creando ripide scarpate. A sud del Tago si apre la vasta regione dell'Alentejo, un'ampia piana con clima caldo e arido. Scendendo verso l'estremità meridionale, si raggiunge l'Algarve, regione tipicamente mediterranea a clima quasi subtropicale.

Le coste, che si estendono per circa 850 chilometri, formano un litorale continuo, prevalentemente basso. È proprio in queste zone che si concentrano circa i tre quarti della popolazione complessiva. Appartengono al Portogallo anche gli arcipelaghi delle Azzorre e di Madeira nell'Atlantico.

Il Portogallo negli ultimi anni ha avuto un'espansione economica molto rilevante; nonostante questo, rimane ancora uno dei Paesi più poveri d'Europa, principalmente perché manca di risorse (soprattutto materie prime) e di infrastrutture (strade, ferrovie). L'attività produttiva principale è l'agricoltura, che non riesce a conseguire uno sviluppo adeguato a causa delle condizioni climatiche non sempre favorevoli e del terreno, fertile solo in zone limitate. Le coltivazioni più diffuse sono la vite, l'ulivo, i cereali e gli ortaggi. L'allevamento, dei suini e soprattutto degli ovini, è un settore piuttosto importante, così come la pesca (tonno, sardine, ostriche), in questi anni incentivata da forti investimenti. Dalle foreste, che ricoprono quasi il 40% del territorio, arrivano ingenti quantità di legname; dalla regione dell'Alentejo e dalla valle del Tago proviene il sughero, del quale il Portogallo è il primo produttore mondiale. L'industria risente della mancanza di materie prime e di risorse energetiche e si limita soprattutto al settore alimentare (pesce e produzione vinicola) e a quello tessile (cotone, filati e tessuti di lana); va ricordata anche la produzione di cemento, di carta e di calzature. Infine, grande speranza per l'economia è riposta nella crescita del settore turistico, che, anche in seguito all'entrata nella CEE nel 1986, ha favorito l'occupazione e fornito una spinta al dinamismo commerciale.

Il turismo è una voce importante nell'economia portoghese, sia quello balneare che ogni anno affolla le spiagge dell'Algarve, delle Azzorre e di Madeira, sia quello che popola le numerose città d'arte come Lisbona, Porto e Coimbra.

Andorra

Lo Stato di Andorra è situato nei Pirenei Orientali, tra Spagna e Francia, sotto la sovranità congiunta del presidente francese e del vescovo di Urgel (Spagna). Il territorio consiste in una valle di origine glaciale, sulla quale si trovano ampie distese di pascoli e boschi di abeti e pini.

Le attività produttive sono piuttosto ridotte. L'agricoltura si limita alla produzione del tabacco. L'allevamento degli ovini è fiorente, ma l'economia poggia soprattutto sul turismo, favorito dal fatto che i prezzi delle merci sono molto bassi, poiché privi delle tasse doganali.

Gibilterra

Gibilterra è un territorio britannico che si trova all'estremità meridionale della Penisola Iberica, in posizione strategica sullo stretto omonimo, fra Atlantico e Mediterraneo. Sebbene la Spagna ne rivendichi il possesso, il territorio è tuttora considerato "parte dei domini di Sua Maestà britannica" e gode di autonomia interna. Gibilterra è l'unica zona d'Europa dove vivono scimmie (bertucce) allo stato naturale.

Andorra

Superficie 468 km²
Abitanti 69 100
Densità 148 ab./km²
Ordinamento principato parlamentare
Lingua catalano
Religione cattolica
Moneta euro
Capitale Andorra la Vella

Gibilterra

Superficie 6 km²
Abitanti 27 000
Densità 4500 ab./km²
Ordinamento possedimento del Regno Unito
Lingua inglese, spagnolo
Religione cattolica
Moneta sterlina di Gibilterra

La rocca di Gibilterra nasconde al suo interno un'imponente base militare scavata nella roccia.

Il territorio montuoso e verdeggiante favorisce in Andorra un fiorente allevamento di ovini.

La regione francese

La regione francese è formata dal territorio della Francia e di altri tre Stati: Belgio, Lussemburgo e Principato di Monaco. Queste nazioni sono accomunate dalla lingua ufficiale, che è il francese, sebbene in Belgio e in Lussemburgo si trovino anche altri gruppi linguistici, tra cui il fiammingo.

Francia

La Francia appartiene all'Europa occidentale. Il suo territorio è in prevalenza pianeggiante; i rilievi montuosi si trovano nella parte meridionale e orientale. Il confine con la Spagna è segnato dalla catena dei Pirenei, formata da montagne particolarmente scoscese. Al confine con l'Italia si elevano le Alpi, con il maestoso Monte Bianco (4807 metri); il confine con la Germania è segnato dai Vosgi, mentre quello svizzero è costituito dalla catena del Giura. Le Alpi francesi sono precedute da una vasta zona prealpina. All'interno del territorio francese s'innalzano le Cevenne e il Massiccio Centrale, che sono entrambi di origine vulcanica.

Le pianure sono di tre diversi tipi: alluvionali, formate dai detriti portati dai fiumi; pedemontane (bassopiani formatisi in seguito a sprofondamenti del terreno); costiere, basse e in parte paludose.

La Francia è ricca di fiumi. Il fiume più lungo è la Loira (1020 chilometri), che si getta nell'Atlantico; il più famoso è la Senna (775 chilometri), che bagna Parigi e si getta nel Canale della Manica. Altri fiumi sono il Rodano, la Garonna, la Mosa, il Reno.

Le coste del versante mediterraneo sono frastagliate verso il confine italiano e lineari verso il confine spagnolo; lungo il versante atlantico il litorale è basso e sabbioso al centro e al sud, alto e frastagliato al nord; il tratto costiero della Manica è alto e lineare. Alla Francia appartiene l'isola della Corsica, che dista 12 chilometri dalla Sardegna.

La Francia ha un'economia fra le più sviluppate nel mondo, caratterizzata dal rapporto equilibrato tra settore agricolo, industriale e commerciale. L'agricoltura rappresenta un'attività diffusa, praticata con mezzi moderni, in base a piani agrari avanzati. Tutto ciò è favorito dalla fertilità dei campi e dall'estensione delle pianure. Numerosi prodotti vengono esportati. Le produzioni maggiori riguardano i cereali e la viticoltura. Notevole è l'allevamento dei bovini e degli ovini. Buona è la pesca, specialmente sulla costa atlantica. Lo sviluppo industriale è favorito sia dalla ricchezza idrica che produce energia elettrica, sia dall'abbondanza dei minerali nel sottosuolo. Il 75% dell'energia elettrica prodotta in Francia è di origine nucleare. Le industrie coprono molti settori: dall'alimentare al conserviero, dal tessile al calzaturiero, dal chimico al farmaceutico, dal plastico al profumiero, dal meccanico al metallurgico, dall'industria dei cosmetici a quella della moda e della pelletteria. Prospero è il commercio, grazie anche alla felice posizione geografica, e diffuso è il turismo, soprattutto a Parigi, la capitale, e ai castelli della Loira.

La Torre Eiffel, costruita nel 1889, è divenuta il simbolo stesso di Parigi.

Francia

Superficie 543 965 km²
Abitanti 60 144 000
Densità 111 ab./km²
Ordinamento repubblica
Lingua francese
Religione cattolica
Moneta euro
Capitale Parigi
Altre città Marsiglia, Lilla, Lione, Nantes, Nizza, Strasburgo, Tolosa

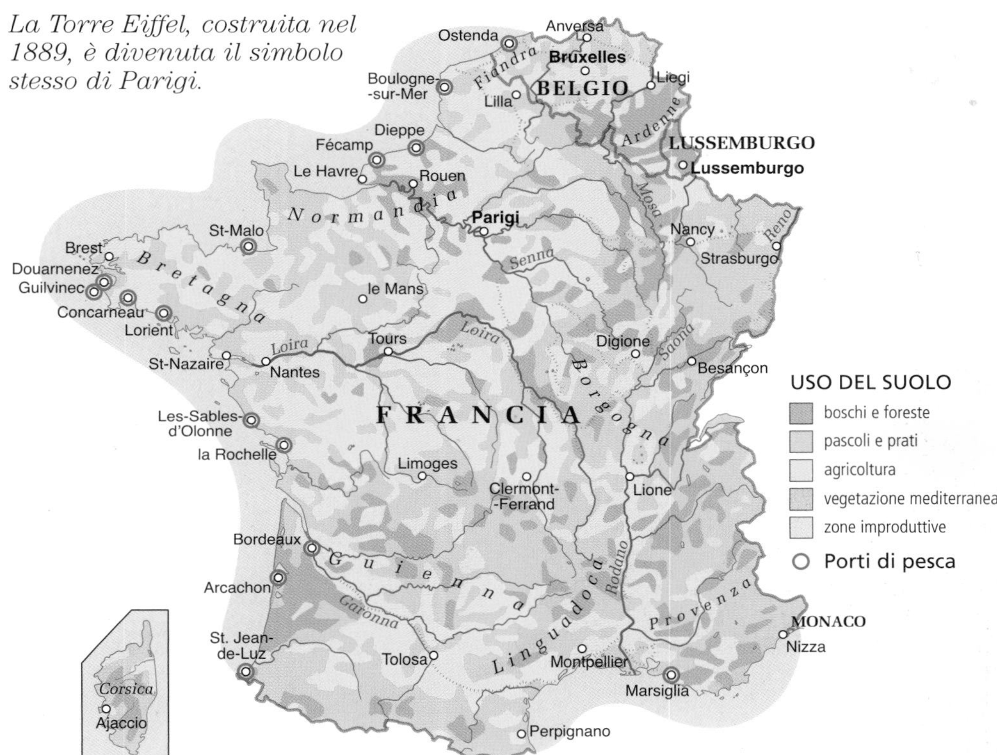

I vini francesi

In Francia la produzione vitivinicola ha una lunga e nobile storia. Nella regione dello Champagne si coltivano le uve da cui si ottiene il vino omonimo. La "cultura del vino" è tale in queste terre da avere determinato la nascita di percorsi turistici appositi, chiamati *roûtes du vin* ("strade del vino"). Una delle più famose è quella che si snoda sulle colline della Borgogna: qui si producono vini rossi eccellenti, celebri sin dai tempi dei Romani, che gareggiano con quelli della regione del Bordeaux. L'Alsazia è invece il territorio di provenienza di vini bianchi aromatici e raffinati, come il Riesling. Ogni vino richiede un modo particolare per essere servito: le bottiglie più preziose e invecchiate devono essere maneggiate con cura; i bianchi e i rosé si servono freschi; lo champagne deve raffreddarsi lentamente in acqua e ghiaccio.

Belgio

Superficie 30 528 km²
Abitanti 10 318 000
Densità 338 ab./km²
Ordinamento monarchia federale costituzionale
Lingua francese, vallone, fiammingo
Religione cattolica
Moneta euro
Capitale Bruxelles/Brussel
Altre città Anversa, Brugge, Liegi

Lussemburgo

Superficie 2586 km²
Abitanti 453 000
Densità 175 ab./km²
Ordinamento monarchia costituzionale
Lingua francese, lussemburghese
Religione cattolica
Moneta euro
Capitale Lussemburgo

Principato di Monaco

Superficie 2 km²
Abitanti 32 000
Densità 16 000 ab./km²
Ordinamento monarchia costituzionale
Lingua francese
Religione cattolica
Moneta euro
Capitale Monaco

Sotto, scorcio della caratteristica Piazza Grande a Bruxelles, capitale del Belgio.
A destra, veduta della città e del porto di Montecarlo. Sede di un rinomato Casinò e di un bellissimo Museo oceanografico, tutti gli anni vi si svolge il famosissimo Gran premio di Formula 1.

LE ATTIVITÀ INDUSTRIALI
Energia, minerali
- idroelettrica
- termoelettrica
- nucleare
- oleodotti
- gasdotti
- petrolio, gas naturale
- raffinerie di petrolio
- carbone, lignite
- ferro
- bauxite
- uranio
- potassio

Industria
- aree e centri industriali
- siderurgia, metallurgia
- chimica
- meccanica
- elettronica
- tessile, abbigliamento
- legname, mobili, carta, editoria
- materiale da costruzione

Belgio

Il Belgio è un piccolo Stato situato a nord della Francia. Il suo territorio ha rilievi di altezza moderata a sud-est, dove si estende l'altopiano delle Ardenne, che digradano verso nord-ovest formando prima le pianure del Brabante e del Limburgo, infine le piatte zone delle Fiandre e della Campine, che si trovano lungo la costa, breve e uniforme. I fiumi principali sono la Schelda e la Mosa. L'agricoltura è intensiva (frumento, orzo, luppolo, lino) e anche l'allevamento è praticato con mezzi molto avanzati. Il Belgio è uno dei Paesi europei più industrializzati grazie alla disponibilità di fonti energetiche (il nucleare ha sostituito il carbone) che alimentano i settori siderurgico e metallurgico. La crescita economica è notevole nei settori elettrotecnico, elettronico e delle telecomunicazioni. Molto intenso è il commercio con l'estero.

Lussemburgo

Il Lussemburgo è un piccolo Stato del Nord Europa il cui territorio è completamente occupato dai rilievi delle Ardenne. Mancano zone pianeggianti di una certa rilevanza; il fiume più importante è la Mosella (545 chilometri), che segna il confine orientale. Nel sottosuolo sono presenti abbondanti riserve di ferro e carbone, utilizzate dall'industria siderurgica. L'attività bancaria produce un quarto della ricchezza del Paese.

Principato di Monaco

Il Principato di Monaco è situato nella zona sud-orientale della costa francese. Questo piccolo Stato è molto ricco, soprattutto per il regime fiscale che ha facilitato l'afflusso di capitali stranieri sviluppando un ampio sistema bancario e finanziario. Il territorio è suddiviso in tre parti: Monaco, con il palazzo dei principi; la zona degli affari; Montecarlo, con il famoso Casinò.

La regione britannica

Coste frastagliate della Gran Bretagna.

Tipico paesaggio della campagna inglese.

La regione britannica è un arcipelago composto da isole di varie dimensioni, le maggiori delle quali sono la Gran Bretagna (la più grande isola d'Europa) e l'Irlanda, che si estendono tra Oceano Atlantico e Mare del Nord, e sono divise dal continente europeo dal Canale della Manica. Politicamente si distinguono due Stati: la Repubblica d'Irlanda e il Regno Unito, che comprende Inghilterra, Scozia, Galles e la parte settentrionale dell'isola irlandese (Ulster). La regione prende il nome dai Britanni, un antico popolo di cacciatori che per primo abitò queste terre.

Regno Unito

Superficie 244 800 km²
Abitanti 59 200 000
Densità 242 ab./km²
Ordinamento monarchia costituzionale
Lingua inglese
Religione protestante, cattolica
Moneta sterlina
Capitale Londra
Altre città Birmingham, Edimburgo, Glasgow, Liverpool

La Torre di Londra, antico fortilizio affacciato sul Tamigi, dove è custodito il Tesoro della Corona.

Regno Unito

Immerso nell'Oceano Atlantico, il Regno Unito è costituito dalla Gran Bretagna (suddivisa nelle regioni storiche di Inghilterra, Scozia e Galles), da parte dell'Irlanda (l'Ulster o Irlanda del Nord) e da circa 5000 isole minori.

A sud, il Canale della Manica separa le isole britanniche dalle coste settentrionali della Francia. Su questo braccio di mare si aprono i principali porti commerciali (Plymouth, Southampton e Portsmouth sulla costa inglese; Le Havre e Cherbourg su quella francese). Dal 1994 la comunicazione tra Gran Bretagna ed Europa è facilitata dall'Eurotunnel ferroviario sottomarino (lungo 50 chilometri).

L'Inghilterra e l'Ulster sono regioni molto verdi, caratterizzate da vaste pianure e dolci colline. Le frequenti piogge che cadono regolarmente su questo territorio alimentano i fiumi che, piuttosto brevi, sono sempre abbondanti di acqua. Tra questi il più importante è certamente il Tamigi, che attraversa Londra per poi gettarsi nel Mare del Nord, con un profondo estuario navigabile. La Scozia è invece prevalentemente montuosa, con cime non troppo alte: tra queste, i Monti Grampiani non superano i 1400 metri. La regione del Galles, sul Canale di San Giorgio, è una penisola quasi completamente montuosa, dove si ergono i Monti Cambrici con vette che non raggiungono i 1000 metri.

Il clima della Gran Bretagna è piuttosto freddo e umido; durante l'inverno è frequente la nebbia.

Il Paese, che nel corso del XVIII secolo ha avviato la rivoluzione industriale, è anche oggi una delle nazioni più industrializzate del mondo: un predominio economico fondato un tempo sulla ricchezza di materie prime provenienti sia dai possedimenti coloniali, sia dal sottosuolo (carbone, bauxite, piombo, zinco). Oggi la maggiore fonte di energia non proviene più dal carbone (utilizzato comunque per alimentare numerose centrali termoelettriche), quanto dal petrolio e dal gas naturale del Mare del Nord e dalle centrali nucleari. L'attività principale, base dell'economia nazionale, è dunque quella

Curiosità e tradizioni anglosassoni

Londra, capitale del Regno Unito, è la più grande città d'Europa, con circa sette milioni di abitanti provenienti dai Paesi e dalle culture più diverse. Un mondo cosmopolita che ha la sua origine nella storia di questo Paese, per secoli centro di un immenso impero coloniale. Caratteristica dei londinesi, come di tutti gli abitanti del Regno Unito, è comunque l'attaccamento alle proprie tradizioni, alcune delle quali possono sembrarci curiose. A Londra, come nel resto del Paese, le auto procedono sulla corsia di sinistra della strada e non su quella di destra, come in quasi tutto il mondo. E gli autobus pubblici? Quelli tradizionali sono rossi a due piani e, come i taxi rigorosamente neri, assomigliano a vecchie auto d'epoca. Le unità di misura inglesi sono poi diverse dalle nostre: infatti non si usano i centimetri o i litri, ma i pollici e le pinte... In Scozia, poi, anche gli uomini portano la gonna! Il kilt è un gonnellino a pieghe, realizzato con un particolare tessuto a quadri formato da fili di lana colorati, detto appunto "scozzese". La sua origine è molto antica, e ancora oggi i diversi disegni delle stoffe distinguono fra loro le più illustri casate nobiliari scozzesi.

industriale, sviluppata con l'impiego di tecnologie avanzate, nei settori elettronico, informatico, chimico, meccanico, siderurgico e tessile.
Anche l'agricoltura si avvale di mezzi e tecniche moderne, sebbene non copra il fabbisogno alimentare del Paese. Molto praticato è l'allevamento di bovini e ovini, che alimenta discrete esportazioni di carne e lana. Importanti, inoltre, per l'economia del Paese sono le attività commerciali marittime e la pesca oceanica.

Irlanda

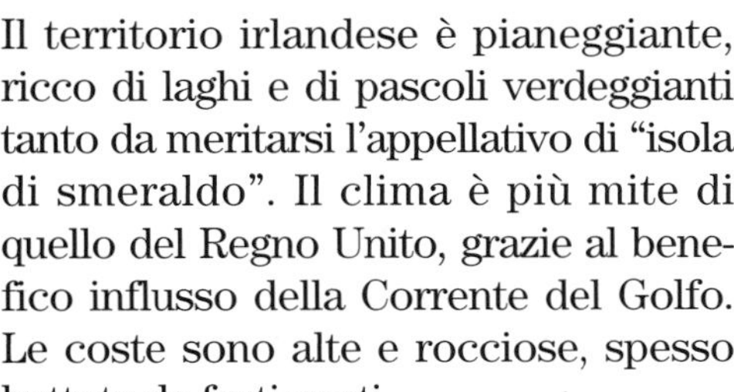

Il territorio irlandese è pianeggiante, ricco di laghi e di pascoli verdeggianti tanto da meritarsi l'appellativo di "isola di smeraldo". Il clima è più mite di quello del Regno Unito, grazie al benefico influsso della Corrente del Golfo. Le coste sono alte e rocciose, spesso battute da forti venti.
L'allevamento e l'agricoltura sono le attività tradizionali dell'Irlanda. Oltre ai bovini, vengono allevati i cavalli, da lavoro e da corsa. L'allevamento di pecore, diffuso in tutta la regione, produce lane pregiate. L'agricoltura produce orzo, frumento, avena, patate e barbabietole da zucchero.
Il sottosuolo fornisce zinco e gas naturale. Alla tradizionale lavorazione industriale dei prodotti agricoli e zootecnici (produzione di birra, whisky, formaggi, latte, carne, filati e tessuti), si è aggiunto negli ultimi anni un forte sviluppo nei settori elettronico e informatico.
In grande ripresa, negli ultimi decenni, l'attività turistica per la bellezza dei paesaggi e le testimonianze storico-artistiche.

Irlanda

Superficie 70 273 km²
Abitanti 3 917 300
Densità 56 ab./km²
Ordinamento repubblica
Lingua inglese, irlandese
Religione cattolica
Moneta euro
Capitale Dublino
Altre città Cork, Galway

LE ATTIVITÀ INDUSTRIALI

Energia, minerali
- idroelettrica
- termoelettrica
- nucleare
- petrolio, gas naturale
- oleodotti
- gasdotti
- raffinerie di petrolio
- carbone, lignite
- ferro
- piombo-zinco

Industria
- aree e centri industriali
- siderurgia, metallurgia
- chimica
- meccanica
- elettronica
- tessile, abbigliamento
- materiale da costruzione

Una veduta di Edimburgo, capoluogo della Scozia.

La capitale dell'Irlanda è Dublino, alla foce del fiume Liffey.

Il castello di Warwick, in Inghilterra, vicino a Stratford-upon-Avon, città natale di William Shakespeare.

La regione germanica

Banchine di attracco per le navi nel porto di Amburgo, il maggior porto della Germania alla confluenza dell'Elba con l'Alster.

Il cuore dell'Europa è costituito da Germania, Paesi Bassi, Danimarca e Polonia, Stati tra loro diversi per conformazione fisica e tradizioni culturali. Come tutto il Centro Europa, questi Paesi hanno un sottosuolo ricco di risorse minerarie, in particolar modo nel bacino della Ruhr. La regione è attraversata da una fitta rete di comunicazioni stradali, ferroviarie e fluviali.

Germania

Superficie 357 021 km²
Abitanti 82 476 000
Densità 231 ab./km²
Ordinamento repubblica
Lingua tedesco
Religione protestante, cattolica
Moneta euro
Capitale Berlino
Altre città Amburgo, Colonia, Dortmund, Essen, Francoforte, Lipsia, Monaco, Stoccarda

Germania

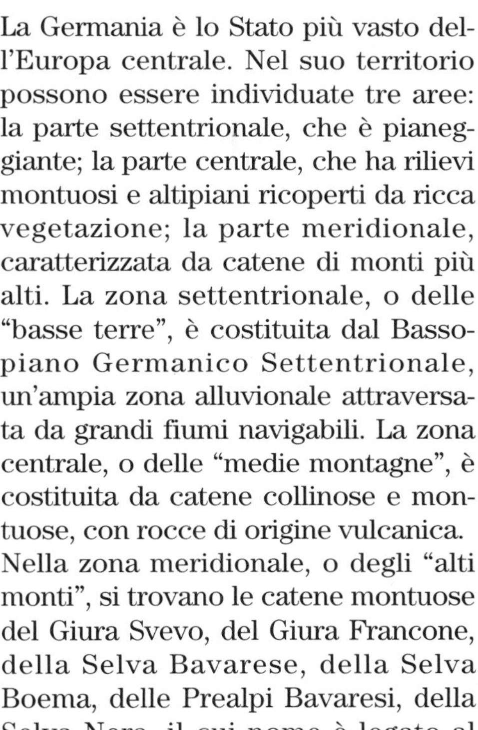

La Germania è lo Stato più vasto dell'Europa centrale. Nel suo territorio possono essere individuate tre aree: la parte settentrionale, che è pianeggiante; la parte centrale, che ha rilievi montuosi e altipiani ricoperti da ricca vegetazione; la parte meridionale, caratterizzata da catene di monti più alti. La zona settentrionale, o delle "basse terre", è costituita dal Bassopiano Germanico Settentrionale, un'ampia zona alluvionale attraversata da grandi fiumi navigabili. La zona centrale, o delle "medie montagne", è costituita da catene collinose e montuose, con rocce di origine vulcanica. Nella zona meridionale, o degli "alti monti", si trovano le catene montuose del Giura Svevo, del Giura Francone, della Selva Bavarese, della Selva Boema, delle Prealpi Bavaresi, della Selva Nera, il cui nome è legato al colore intenso dei suoi abeti.

La Germania è molto ricca di fiumi, che sono fra i più importanti d'Europa: l'Elba, che si getta nel Mare del Nord; il Danubio, che nasce nella Selva Nera; il Reno. Numerosi sono anche i laghi. La fascia costiera settentrionale è bassa, spesso orlata di isole, interrotta dai profondi estuari dei fiumi sui quali sorgono importanti città portuali (Brema e Amburgo).

Il clima è continentale, con inverni freddi; è più mite sulle coste del Mare del Nord, grazie alla Corrente del Golfo.

La Germania ha una solida economia, anche se negli ultimi anni la produzione industriale è in calo e la disoccupazione in aumento. L'agricoltura, un tempo non sufficiente al fabbisogno nazionale, ha subìto oggi un incremento notevole grazie alla meccanizzazione. Le pianure e le colline del centro-sud sono coltivate a cereali, segale, avena, frumento, orzo e mais. Molto importante è anche la produzione di patate, barbabietole, legumi, mentre nelle colture frutticole occupa una posizione di privilegio quella delle mele. Una coltura fiorente è quella del luppolo, che viene impiegato per aromatizzare la birra.

La celebre porta di Brandeburgo a Berlino, simbolo della riunificazione della Germania. Il 10 novembre 1989, infatti, il muro che dal 1961 divideva in due parti la città (una sotto il controllo dell'Unione Sovietica, l'altra sotto quello degli Alleati) è stato abbattuto.

La valle della Mosella, uno dei maggiori affluenti del Reno.

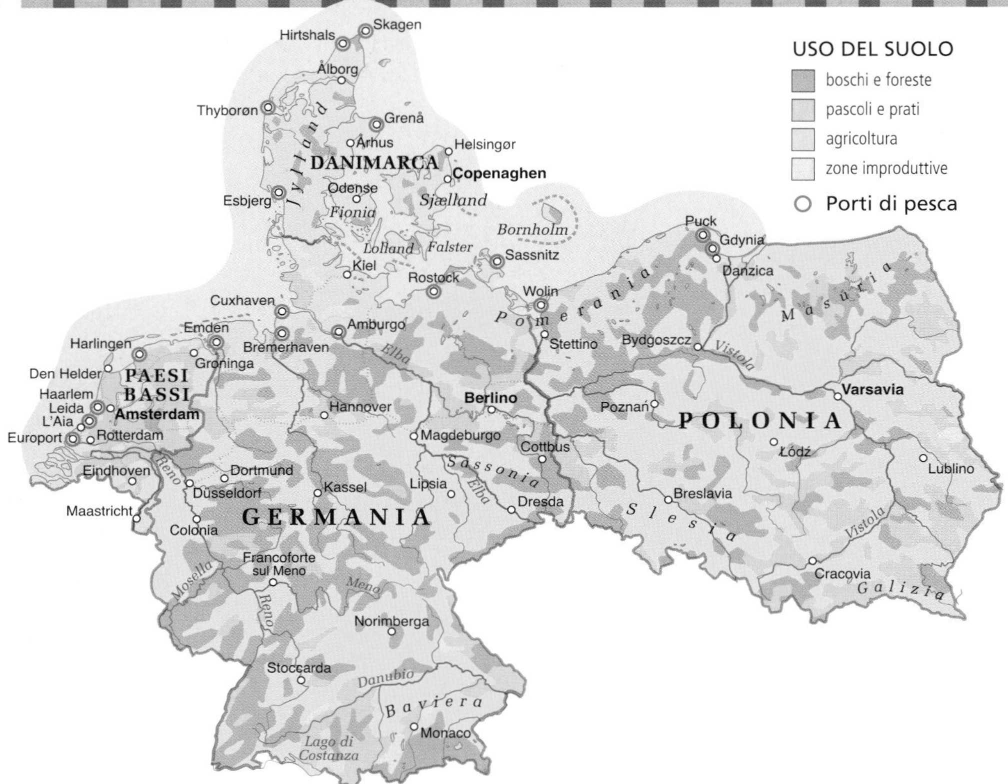

In particolare nella valle del Reno è praticata la viticoltura che produce vini pregiati. Molto sviluppato è l'allevamento bovino e suino. La pesca si avvale di imbarcazioni d'alto mare. La presenza di molte foreste favorisce la produzione del legname. L'attività imprenditoriale è agevolata dalla ricchezza del sottosuolo (carbone, ferro, piombo, petrolio, gas). Assumono quindi rilevante importanza le imprese legate alla siderurgia, alla metallurgia e alla meccanica. Non meno importanti le industrie alimentari, specialmente per la produzione di burro, formaggi e insaccati (würstel). Molto diffusa è l'industria della birra. Soddisfacente è il turismo, specie nella splendida zona del Reno.

Paesi Bassi

I Paesi Bassi si estendono fra il Belgio e la Germania e si affacciano sul Mare del Nord. Il loro territorio è formato da una grande regione pianeggiante che per circa un quinto della sua estensione si trova al di sotto del livello del mare. La costa è ampia e frastagliata soprattutto nella parte settentrionale, dove si sono formate ampie lagune interne. I fiumi maggiori sono la Mosa, il Reno e la Schelda. Per strappare terreno al mare l'uomo ha eseguito bonifiche e ha costruito dighe e un'ampia rete di canali, che hanno permesso lo sviluppo dell'agricoltura. Fra le culture più diffuse i cereali, gli ortaggi, i fiori, il foraggio, le patate, il lino. Un alto livello di sviluppo hanno anche l'industria (siderurgica, chimica, meccanica, elettronica, tessile, cantieri navali) e il commercio con l'estero.

Paesi Bassi

Superficie 41 526 km²
Abitanti 16 149 000
Densità 389 ab./km²
Ordinamento monarchia costituzionale
Lingua olandese, frisone
Religione cattolica, protestante
Moneta euro
Capitale Amsterdam
Altre città L'Aia, Rotterdam, Utrecht

Amsterdam, chiamata la "Venezia del Nord", è costruita su un gran numero di isolotti separati da canali.

I polder

I Paesi Bassi hanno questo nome poiché una vasta parte del loro territorio si estende al di sotto del livello del mare. Per sottrarre al mare le terre necessarie all'agricoltura, gli olandesi hanno costruito dighe e canali.
I terreni così bonificati si chiamano polder. Le tecniche usate per realizzarli sono andate perfezionandosi nel corso del tempo: già nel Medioevo si costruivano dighe per proteggere i terreni dalle inondazioni; più tardi sono stati utilizzati i primi mulini a vento, che usavano la forza del vento per far funzionare le pompe con cui aspirare l'acqua.

Danimarca

Il territorio della Danimarca è formato dalla penisola dello Jütland, per lo più pianeggiante, e da circa 600 isole, delle quali soltanto un centinaio abitate. Sull'isola più grande (Sjaelland) sorge la capitale, Copenaghen. Il Paese ha circa

7500 chilometri di coste, soprattutto basse. Il paesaggio è molto caratteristico: zone di brughiera si alternano a macchie verdi di boschi. Alla Danimarca appartiene anche la Groenlandia, grande isola del Mar Glaciale Artico, interamente ricoperta di ghiacci.
Il clima è atlantico: nebbie fitte in inverno e venti forti in primavera-estate; le precipitazioni, anche nevose, sono abbondanti.
Il territorio pianeggiante crea le condizioni ideali per l'agricoltura e l'allevamento, entrambi sviluppati e molto produttivi. Si coltivano cereali e prodotti ortofrutticoli. L'allevamento, soprattutto di bovini, alimenta una fiorente industria casearia. Altra risorsa fondamentale è la pesca. L'industria è sviluppata anche nei settori alimentare, tessile, siderurgico, metallurgico, meccanico e chimico.

Polonia

Il territorio della Polonia è prevalentemente pianeggiante. I rilievi si concentrano nella zona meridionale dove si innalzano i Monti Sudeti, i Carpazi occidentali e i Monti Roztocze. Il Bassopiano polacco arriva fino alla costa, prevalentemente lineare, bassa e sabbiosa. La Polonia è attraversata da alcuni fra i più importanti fiumi europei: la Vistola, l'Oder e i loro affluenti. Nella zona settentrionale del Paese si trova una regione paludosa e due grandi zone lacustri, con i laghi di Pomerania e i laghi di Masuria.
Il clima rigido e i terreni poco fertili non favoriscono l'agricoltura, che rimane comunque alla base dell'economia polacca. I principali prodotti sono i cereali, le patate, il lino, il luppolo, le barbabietole da zucchero. È abbastanza diffuso anche l'allevamento dei bovini, dei suini, degli ovini e quello dei cavalli, per il quale la Polonia è fra i primi produttori in Europa. I settori industriali più sviluppati sono quello siderurgico, meccanico (automobili, materiali ferroviari) e alimentare (distillerie, zuccherifici).

Danimarca

Superficie 43 098 km²
Abitanti 5 368 300
Densità 125 ab./km²
Ordinamento monarchia costituzionale
Lingua danese
Religione protestante
Moneta corona danese
Capitale Copenaghen
Altre città Ålborg, Odense

Polonia

Superficie 312 685 km²
Abitanti 38 587 000
Densità 123 ab./km²
Ordinamento repubblica
Lingua polacco
Religione cattolica
Moneta nuovo złoty
Capitale Varsavia
Altre città Breslavia, Cracovia, Danzica

Un canale di Copenaghen.

La Sirenetta, simbolo di Copenaghen, si ispira alla fiaba dello scrittore danese Hans Christian Andersen.

Varsavia, capitale della Polonia, è stata quasi completamente ricostruita dopo le distruzioni della Seconda guerra mondiale.

La regione alpina

La regione alpina comprende tre Stati che non hanno sbocco sul mare e il cui territorio è interamente occupato dalla catena delle Alpi: Svizzera, Austria e Liechtenstein. Fra queste montagne nascono alcuni dei maggiori fiumi europei, fra cui il Ticino, il Rodano, il Reno e l'Inn.

Svizzera

Superficie 41 285 km²
Abitanti 7 169 000
Densità 174 ab./km²
Ordinamento repubblica federale
Lingua tedesco, francese, italiano, romancio
Religione cattolica, protestante
Moneta franco svizzero
Capitale Berna
Altre città Basilea, Ginevra, Losanna, Zurigo

Svizzera

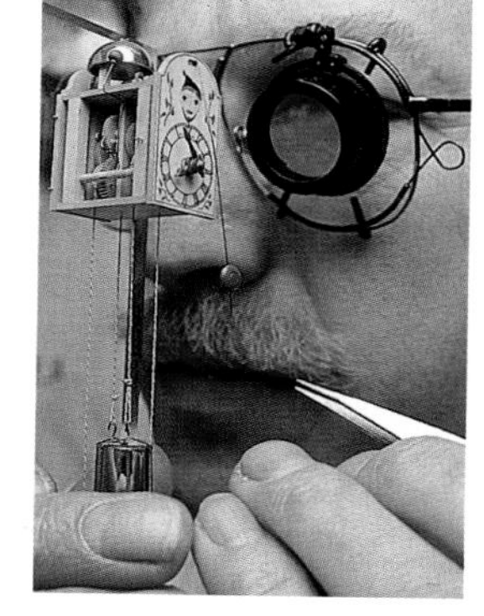

Un orologiaio svizzero al lavoro sui microscopici ingranaggi di un orologio.

Verdi pascoli e alte montagne: è il tipico paesaggio alpino.

Il paesaggio della Svizzera è prevalentemente montuoso e collinare, quindi sono estesi i pascoli e i boschi, mentre sono poche le aree coltivabili.
Le Alpi, a sud, segnano il confine con l'Italia, mentre lungo il confine con la Francia si eleva la catena del Giura. Queste montagne raggiungono altezze considerevoli, alcune oltre i 4000 metri, come la Jungfrau e l'Aletsch con il più esteso ghiacciaio delle Alpi. Il 30% del territorio nazionale è occupato dall'Altopiano centrale (Mittelland, "terra di mezzo") una regione particolarmente fertile e densamente popolata, percorsa da numerosi fiumi tra cui l'Aare. Qui si trovano bellissimi laghi, tra i quali il lago di Ginevra, il lago di Zurigo e il lago di Costanza.
La Svizzera è una confederazione che riunisce 26 Stati dove si parlano tre lingue ufficiali: il tedesco, il francese e l'italiano. Pur essendo povero di risorse minerarie e agricole, il Paese ha un'economia tra le più avanzate del mondo. L'abbondante acqua dei fiumi viene sfruttata per la produzione di energia elettrica. L'industria è quindi sviluppata, soprattutto nel settore chimico (coloranti e farmaceutica) e in quello ad alto livello tecnologico (orologi). La maggiore concentrazione industriale si trova intorno alle grandi città: Basilea, Berna, Ginevra e Zurigo. Gli ampi pascoli permettono poi un florido allevamento di bovini. Il loro latte è materia prima per la produzione dell'industria alimentare: il formaggio e il cioccolato svizzeri sono particolarmente rinomati.
L'attività economica principale del Paese è comunque il terziario legato alle banche dove affluiscono ingenti capitali da tutto il mondo. Anche il turismo è molto sviluppato per la bellezza del paesaggio e la possibilità di praticare gli sport invernali.

Austria

L'Austria è una repubblica federale composta da nove province (Länder) che godono di larga autonomia. Il territorio è principalmente montuoso, occupato dagli alti rilievi alpini (il Grossglockner raggiunge i 3797 metri) e dalle Prealpi bavaresi, salisburghesi e austriache. Il Danubio spicca tra i numerosi fiumi austriaci, dei quali raccoglie quasi tutte le acque. Al corso di questo importante fiume corrisponde la zona fertile e pianeggiante del Bacino di Vienna. Il clima è continentale, fuorché in alta montagna, dove è alpino.

Il sottosuolo dell'Austria, ricco di risorse minerarie come ferro e petrolio, e la disponibilità di abbondante energia idroelettrica hanno favorito lo sviluppo industriale nei settori siderurgico e meccanico, rendendo l'economia austriaca solida e ricca. La coltivazione di grano, orzo, segale, granturco, patate, barbabietole e viti è praticata nel Bacino di Vienna e nelle valli. Il föhn, vento caldo che mitiga il clima, consente una discreta produzione di alberi da frutta. La zona alpina, ricca di boschi e di pascoli, fornisce legname pregiato, destinato anche all'esportazione, e alimenta l'allevamento dei bovini. L'attività turistica, sia invernale che estiva, è molto sviluppata, per la bellezza del paesaggio. Vienna, importante nodo ferroviario e stradale che mette in comunicazione Centro Europa ed Europa orientale, è una delle più belle capitali europee.

Liechtenstein

Il Principato del Liechtenstein, minuscolo e ricchissimo Stato, è situato tra Svizzera e Austria, nell'alta valle del Reno. Benché l'allevamento sia un'attività produttiva importante (così come l'industria, con prodotti chimici e lenti ottiche), la risorsa principale del Paese è costituita dalle attività bancarie. Infatti, le agevolazioni fiscali favoriscono l'afflusso di capitali dall'estero.

Austria

Superficie 83 860 km²
Abitanti 8 116 000
Densità 97 ab./km²
Ordinamento repubblica federale
Lingua tedesco
Religione cattolica, protestante
Moneta euro
Capitale Vienna
Altre città Graz, Linz, Salisburgo

Liechtenstein

Superficie 160 km²
Abitanti 33 000
Densità 206 ab./km²
Ordinamento principato
Lingua tedesco
Religione cattolica, protestante
Moneta franco svizzero
Capitale Vaduz

In Austria, a Salisburgo, città natale di Mozart, ogni anno si svolge un celebre festival dedicato al compositore.

Il castello di Vaduz, residenza dei Principi del Liechtenstein.

Il Paese della cioccolata

Si potrebbe dire che la Svizzera è uno dei Paesi... più dolci del mondo. Per comprendere tale affermazione basta una sola, golosa parola: cioccolato! Questa piccola nazione è fra le maggiori produttrici europee del gustoso alimento che, in varie forme e colori, delizia i palati di grandi e piccini.
Ne esistono numerosissime varietà: fondente, al latte, con le nocciole, con il riso soffiato...
L'elemento base del cioccolato è il cacao, che è la polvere ottenuta dal seme essiccato della pianta omonima. Quest'ultima, originaria dell'America del Sud, fu introdotta in Europa nel XVI secolo, dopo la scoperta dell'America.

La regione scandinava

All'estremità settentrionale dell'Europa si trova la regione scandinava, della quale fanno parte, a nord del Mar Baltico, la Svezia, la Norvegia, la Finlandia e, in pieno Oceano Atlantico, l'Islanda. A sud si affacciano le tre repubbliche baltiche: Estonia, Lettonia e Lituania.

Svezia

La Svezia fa parte, insieme alla Norvegia, della penisola scandinava. Il suo territorio si estende lungo il versante orientale delle Alpi Scandinave, che digradano lentamente verso le pianure della fascia costiera, generalmente bassa e sabbiosa. Il clima è rigido, anche se lungo le coste meridionali risente dei benefici influssi della Corrente del Golfo. L'agricoltura è praticata lungo la fascia costiera e produce cereali, patate e barbabietole. L'economia svedese è molto solida, nonostante un certo isolamento rispetto ai grandi flussi di traffico. Il sottosuolo è ricco di minerali che, insieme all'abbondanza di energia idroelettrica, alimentano l'industria metallurgica e meccanica. Quasi la metà del fabbisogno energetico, però, è garantita dal settore nucleare. Altro settore trainante è quello della lavorazione del legno per la produzione di carta e fiammiferi. In forte ascesa anche elettronica e telecomunicazioni. A Stoccolma, capitale della Svezia, si assegna ogni anno il premio Nobel a scienziati, letterati o benefattori che si siano distinti nel contribuire al progresso dell'umanità.

Norvegia

Il territorio della Norvegia si estende per circa un terzo a nord del Circolo Polare Artico; è quasi esclusivamente montuoso ed è caratterizzato dalla presenza dei fiordi, profonde e strette insenature dove il mare penetra nella terraferma, originate dall'erosione di antichissimi ghiacciai. L'agricoltura è

Svezia

Superficie 449 964 km²
Abitanti 8 925 000
Densità 20 ab./km²
Ordinamento monarchia costituzionale
Lingua svedese
Religione protestante
Moneta corona svedese
Capitale Stoccolma
Altre città Göteborg, Malmö, Uppsala

Norvegia

Superficie 323 758 km²
Abitanti 4 539 000
Densità 14 ab./km²
Ordinamento monarchia costituzionale
Lingua norvegese
Religione protestante
Moneta corona norvegese
Capitale Oslo
Altre città Bergen, Stavanger, Trondheim

Capo Nord è il punto più settentrionale della Norvegia. Data la sua posizione così vicina al Polo, da qui si può assistere a un fenomeno spettacolare noto come "il sole di mezzanotte". Durante la cosiddetta estate artica, dal 21 marzo al 21 settembre, il sole non tramonta mai e rimane sempre visibile nel cielo per tutto l'arco delle 24 ore, anche a mezzanotte. Durante l'inverno artico, dal 21 settembre al 21 marzo, accade il contrario, e la luce lascia il posto al buio, che dura 24 ore.

USO DEL SUOLO
boschi e foreste
pascoli e prati
agricoltura
zone improduttive
Porti di pesca

Il 13 dicembre, in Svezia, si svolge la festa di Santa Lucia. Dopo il buio dei lunghi giorni invernali, si festeggia il ritorno della luce, rappresentata dalla coroncina di candele.

La regione scandinava

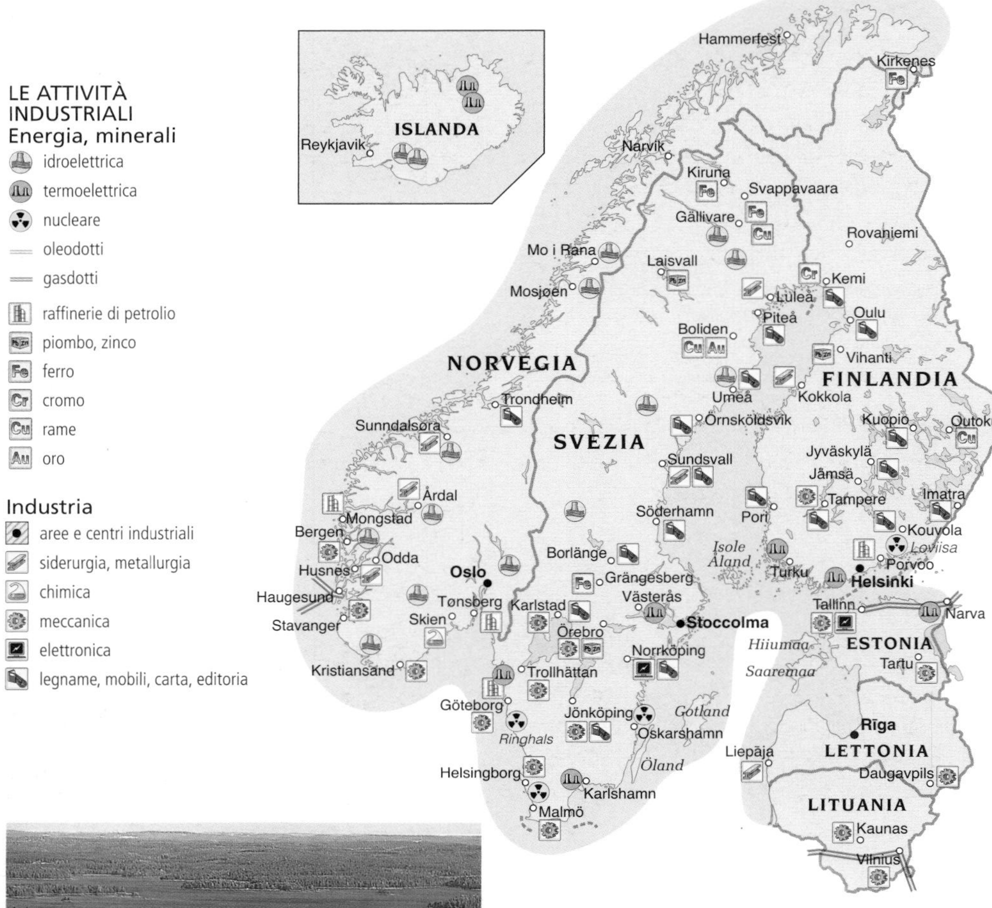

Tipico paesaggio finlandese dove le foreste di conifere si alternano a laghi e specchi d'acqua.

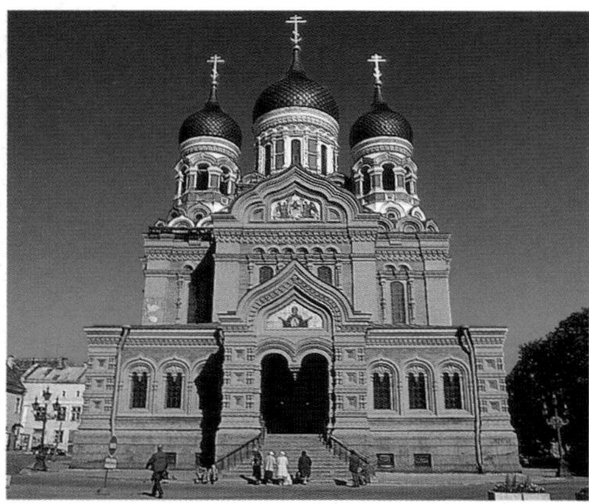

La cattedrale ortodossa di Tallinn, capitale dell'Estonia.

Finlandia

SUPERFICIE 338 145 km²
ABITANTI 5 200 000
DENSITÀ 15 ab./km²
ORDINAMENTO repubblica
LINGUA finnico, svedese
RELIGIONE protestante
MONETA euro
CAPITALE Helsinki
ALTRE CITTÀ Tampere, Turku

Estonia

SUPERFICIE 45 227 km²
ABITANTI 1 358 000
DENSITÀ 30 ab./km²
ORDINAMENTO repubblica
LINGUA estone
RELIGIONE protestante luterana
MONETA corona estone
CAPITALE Tallinn
ALTRE CITTÀ Tartu

poco praticata a causa del clima molto rigido e della scarsità di pianure. Tuttavia, grazie all'elevato livello tecnologico, si coltivano cereali, patate, ortaggi e frutta. L'eccezionale produzione di energia idroelettrica ha permesso lo sviluppo di industrie metallurgiche, siderurgiche e navali. Ma le risorse fondamentali del Paese sono la pesca (soprattutto merluzzi e aringhe nel Mare del Nord), le foreste, che alimentano la produzione di carta, cellulosa e mobili, e il petrolio, che viene anche esportato. Nel settentrione, presso i Lapponi, è caratteristico l'allevamento della renna.

Finlandia

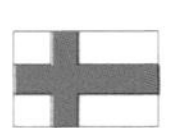

Circa un quarto del Paese si trova a nord del Circolo Polare Artico ed è costituito dalla regione della Lapponia. I Lapponi sono un popolo di allevatori, un tempo nomadi, che si dedicano, con mezzi moderni, all'allevamento delle renne, delle quali utilizzano le pelli, la carne e il latte.

La Finlandia può essere definita “la terra dei laghi e delle foreste”: i laghi sono numerosissimi, spesso collegati al mare da canali navigabili, e il territorio è per la maggior parte ricoperto da foreste. Lo sfruttamento delle risorse forestali è alla base dell'economia: la Finlandia è fra i maggiori produttori europei di carta e legno. Nella zona meridionale del Paese sono diffuse industrie tessili, meccaniche, navali, elettroniche e delle comunicazioni ed è qui che si concentra la maggior parte degli abitanti.

Estonia

L'Estonia è un piccolo Stato che si protende nel Mar Baltico. Il territorio è pianeggiante con una serie di colline che si innalzano nella regione meridionale. Di fronte alla costa tortuosa e frastagliata si trovano numerose isole (circa 800) alcune delle quali di notevole estensione. Il confi-

I Lapponi sono un popolo di allevatori un tempo nomadi, che abitano le regioni settentrionali dei Paesi scandinavi. La loro principale attività si basa sull'allevamento delle renne.

ne orientale dello Stato è occupato quasi per intero dalla sponda occidentale del lago dei Ciudi. L'economia estone si basa fondamentalmente sull'agricoltura (segale, patate, lino). Lungo l'ampia fascia costiera è sviluppata la pesca. Fra le attività industriali principali, importanti sono quelle legate allo sfruttamento delle risorse del sottosuolo (petrolio, uranio, metano) e ai settori alimentare, chimico, tessile.

Lettonia

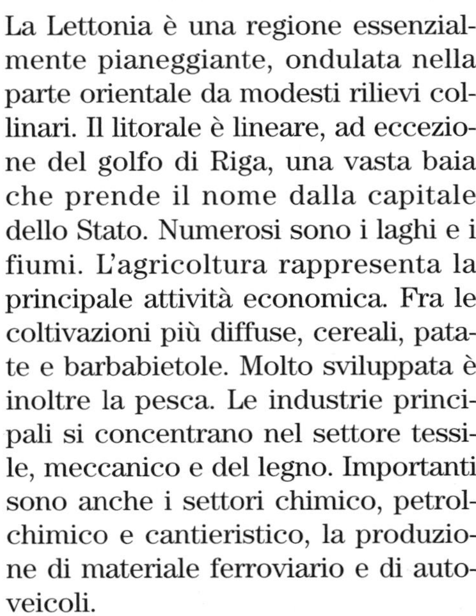

La Lettonia è una regione essenzialmente pianeggiante, ondulata nella parte orientale da modesti rilievi collinari. Il litorale è lineare, ad eccezione del golfo di Riga, una vasta baia che prende il nome dalla capitale dello Stato. Numerosi sono i laghi e i fiumi. L'agricoltura rappresenta la principale attività economica. Fra le coltivazioni più diffuse, cereali, patate e barbabietole. Molto sviluppata è inoltre la pesca. Le industrie principali si concentrano nel settore tessile, meccanico e del legno. Importanti sono anche i settori chimico, petrolchimico e cantieristico, la produzione di materiale ferroviario e di autoveicoli.

Lituania

Fra gli Stati baltici, la Lituania ha il minor sviluppo costiero. Il suo territorio è pianeggiante e ricco di laghi; nella parte sud-orientale si trovano modesti rilievi collinari. I principali fiumi sono il Nemunas e il suo affluente Neris. Nel settore agricolo grande importanza rivestono i legumi, i cereali e il foraggio; per quanto riguarda l'allevamento è diffuso quello di bovini e suini. In Lituania si produce molta energia elettrica, che viene utilizzata per alimentare l'industria metallurgica, chimica ed elettromeccanica.

Islanda

L'Islanda è un'isola vulcanica nell'Oceano Atlantico, molto vicina al Circolo Polare Artico. Il territorio, prevalentemente ghiacciato (il nome "Islanda" significa proprio "terra di ghiaccio"), è rimasto disabitato fino al IX secolo d.C. Caratteristici dell'Islanda sono i numerosi vulcani attivi e i geyser, getti di acqua bollente provenienti dal sottosuolo. I geyser sono sfruttati per la produzione di elettricità e per il riscaldamento delle abitazioni e delle serre, dove si coltivano ortaggi e frutta. Le coste sono prevalentemente alte con i tipici fiordi. Il clima, pur mitigato dalla Corrente del Golfo, è molto rigido tutto l'anno; la popolazione si concentra soprattutto sulle coste e nella capitale, Reykjavik. L'economia si basa sulla pesca e sulle industrie per la lavorazione dei prodotti del mare.

Riga, capitale della Lettonia.

In Islanda sono diffusi i geyser, violenti getti d'acqua calda e vapori che fuoriescono in modo intermittente e regolare da piccoli crateri.

Lettonia

Superficie 64 589 km²
Abitanti 2 340 000
Densità 36 ab./km²
Ordinamento repubblica
Lingua lettone
Religione protestante luterana
Moneta lat
Capitale Riga
Altre città Daugavpils

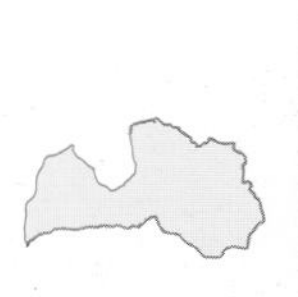

Lituania

Superficie 65 300 km²
Abitanti 3 469 000
Densità 53 ab./km²
Ordinamento repubblica
Lingua lituano
Religione cattolica
Moneta lita
Capitale Vilnius
Altre città Kaunas

Islanda

Superficie 102 819 km²
Abitanti 287 559
Densità 3 ab./km²
Ordinamento repubblica
Lingua islandese
Religione protestante
Moneta corona islandese
Capitale Reykjavik

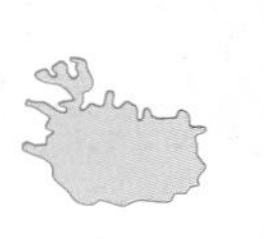

La regione danubiana

La regione danubiana comprende la Repubblica Ceca, la Slovacchia, l'Ungheria e la Romania. Il corso del Danubio e dei suoi numerosi affluenti determina un sistema fluviale complesso, che incide fortemente sulla morfologia del territorio. Il Danubio (2860 chilometri) è, dopo il Volga, il secondo fiume d'Europa per lunghezza ed è quasi interamente navigabile. Al termine del suo corso si getta nel Mar Nero, formando un ampio delta.

Repubblica Ceca 

La Repubblica Ceca, formatasi in seguito alla scissione dell'ex Cecoslovacchia, si divide in due grandi regioni: la Boemia nella parte occidentale e la Moravia in quella centro-orientale. La prima presenta bassopiani e colline circondati da catene montuose quali i Monti Metalliferi a nord-ovest, i Sudeti a nord-est, la Selva Boema a sud-ovest e le Alture di Moravia a sud-est. La Moravia è prevalentemente pianeggiante e collinare, delimitata a nord dai Sudeti e a est dai Carpazi Bianchi. I maggiori fiumi del Paese sono l'Elba e il suo affluente, la Moldava.

L'economia è legata soprattutto allo sfruttamento delle risorse del sottosuolo (carbone, ferro, mercurio), che alimentano i settori siderurgico e meccanico. Boemia e Moravia sono fra le regioni più industrializzate dell'Europa centrale. Importante è il settore automobilistico, al quale si aggiungono quello tessile e alimentare (birra e zucchero). Attive anche le industrie del cuoio, della porcellana e, soprattutto, dei cristalli di Boemia, famosi in tutto il mondo. L'agricoltura è praticata per lo più nelle pianure che, per quanto poco estese, sono fertili e adatte alle coltivazioni. Tra i prodotti principali, frumento, barbabietola da zucchero, patate e orzo.

Praga, la capitale, è una città ricca di monumenti, testimonianza di un grande passato. Nel XIV secolo vi fu fondata la prima università dell'Europa centrale. Nell'agosto del 2000 una gravissima alluvione ha danneggiato alcuni tesori artistici della città.

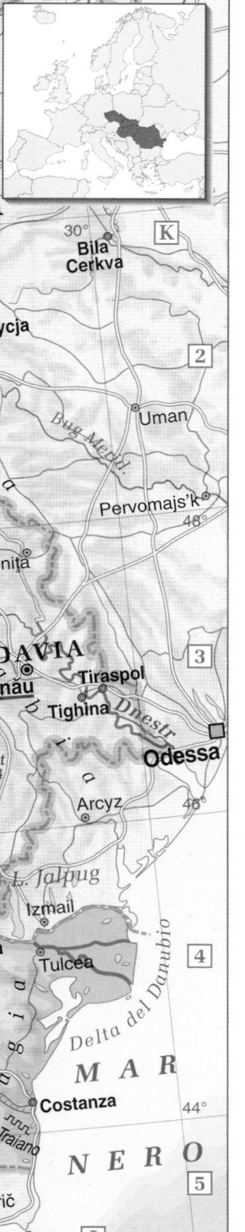

Praga, capitale della Repubblica Ceca.

Paesaggio collinare dei Carpazi.

Bratislava, capitale della Slovacchia.

Repubblica Ceca

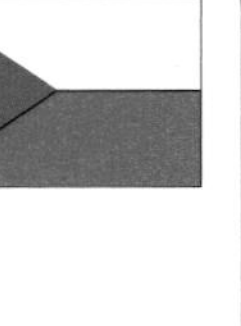

Superficie 78 866 km²
Abitanti 10 206 000
Densità 129 ab./km²
Ordinamento repubblica
Lingua ceco
Religione cattolica
Moneta corona ceca
Capitale Praga
Altre città Brno, Ostrava

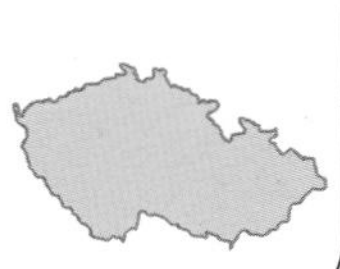

Slovacchia

Superficie 49 035 km²
Abitanti 5 370 000
Densità 110 ab./km²
Ordinamento repubblica
Lingua slovacco
Religione cattolica
Moneta corona slovacca
Capitale Bratislava
Altre città Košice

Slovacchia 

Nata anch'essa dalla scissione della Cecoslovacchia, la Slovacchia presenta un territorio per la maggior parte montuoso, con numerosi laghi e vaste foreste. I rilievi della regione sono costituiti dalla catena dei Carpazi Occidentali, che a nord separano la Slovacchia dalla Polonia e, nella parte centrale, dai

Ungheria

SUPERFICIE 93 030 km²
ABITANTI 10 171 000
DENSITÀ 109 ab./km²
ORDINAMENTO repubblica
LINGUA ungherese
RELIGIONE cattolica, protestante
MONETA fiorino ungherese
CAPITALE Budapest
ALTRE CITTÀ Debrecen, Pécs, Seghedino

Un mandriano, con il tipico costume, al lavoro nella puszta ungherese.

Un ponte sul Danubio a Budapest. La città, capitale dell'Ungheria, sorge sulle rive del Danubio ed è formata dall'unione di Buda, la città vecchia, e Pest, la città moderna.

Monti Tatra e dai Monti Metalliferi Slovacchi, che digradano in colline verso la pianura meridionale. Quest'ultima è solcata dal Danubio, che segna per un lungo tratto il confine meridionale del Paese con l'Austria e con l'Ungheria.
Uno dei prodotti fondamentali dell'economia slovacca è il legname. L'agricoltura è praticata nelle zone meridionali più pianeggianti, con coltivazioni di grano, patate, luppolo, barbabietola da zucchero, alberi da frutta, viti. Il settore industriale è ancora piuttosto arretrato, anche se negli ultimi anni vi sono segni di ripresa. Tradizionalmente, infatti, la regione slovacca, prima della costituzione in Stato indipendente, era un'area soprattutto agricola e la percentuale di popolazione che vive nelle campagne è ancora piuttosto alta. Le industrie presenti sono quelle siderurgica, metallurgica, chimica, tessile e della lavorazione del legno.

Ungheria

Quasi il 70% della superficie dell'Ungheria è occupata da pianure, interrotte nella parte meridionale da modesti rilievi. Due grandi fiumi, il Danubio e il Tibisco, la attraversano da nord a sud. A occidente del Danubio si estende un paesaggio variegato: le colline della Pannonia, i rilievi della Selva Baconia e l'imponente lago Balaton, che ha un'estensione di 591 chilometri quadrati. In alcune zone pianeggianti dell'Ungheria si trova la puszta, che è la steppa tipica delle regioni balcaniche.
La puszta è l'ambiente ideale per l'allevamento di bovini ed equini, ma oggi, con l'introduzione di tecniche di irrigazione, è stata in gran parte sostituita dalle coltivazioni agricole. L'agricoltura rappresenta il settore preponderante dell'economia ungherese. Le coltivazioni più diffuse sono i cereali (mais, grano, orzo, segale, avena), il tabacco, il lino, le barbabietole da zucchero, gli ortaggi, le patate e la vite (dall'uva si ricava un noto vino, il

tokaj). Molto diffusa è la coltivazione dei peperoncini rossi, che vengono seccati e ridotti in polvere per ottenere la paprika, un condimento piccante presente in molti piatti tipici ungheresi (come il gulash). L'allevamento sfrutta le ampie pianure, dove si trovano numerose mandrie di bovini e cavalli, ma sono allevati anche suini e ovini. Il settore industriale più attivo è quello estrattivo. Questo Paese è fra i primi produttori di bauxite, ma dal sottosuolo si ottengono anche lignite, carbone, petrolio, rame, piombo, zinco, ferro. In crescente sviluppo sono le industrie siderurgiche, metallurgiche e alimentari.

Romania

Superficie 238 391 km²
Abitanti 21 698 000
Densità 91 ab./km²
Ordinamento repubblica
Lingua romeno
Religione ortodossa, cattolica
Moneta leu
Capitale Bucarest
Altre città Costanza, Timişoara

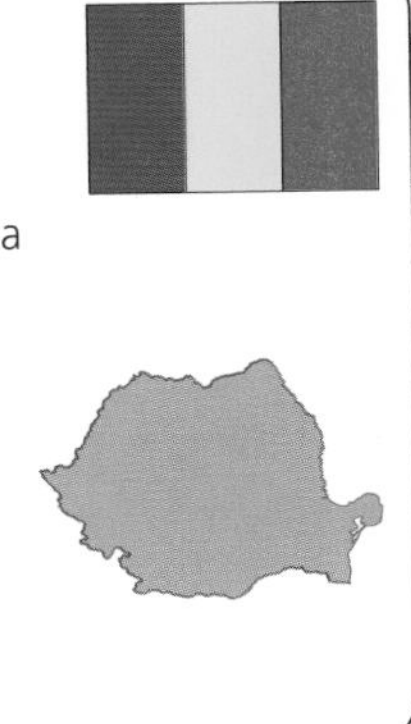

In Romania è diffusa la musica tzigana degli zingari, ottimi suonatori di violino.

Romania

La Romania presenta un territorio vario. Al centro della regione si trova il bassopiano della Transilvania, attraversato da due notevoli fiumi, il Mures e il Somes. Il bassopiano è circondato da alti sistemi montuosi (Carpazi orientali, Alpi Transilvaniche, Carpazi occidentali, Monti Rodnei). All'esterno di questa cerchia di rilievi si estendono le grandi pianure tra cui quella del Danubio, che scorre in Romania per oltre 1000 chilometri e sfocia con un imponente delta nel Mar Nero.
L'attività agricola è alla base dell'economia: si producono soprattutto cereali (frumento, granturco), ortaggi, legumi, patate, canapa, lino, soia, tabacco. Abbastanza diffusa è la coltivazione dell'uva da vino e delle prugne, dalla cui distillazione si ricava il liquore nazionale, la zuica. L'allevamento riguarda bovini, ovini e suini. Importante l'allevamento degli storioni, le cui uova vengono utilizzate per produrre il caviale. Negli ultimi tempi si va sviluppando il settore industriale per la presenza nel sottosuolo di importanti risorse energetiche, fra cui petrolio, gas, lignite, carbone, ferro, bauxite. Notevole, inoltre, è la presenza di piccole e medie imprese, spesso a capitale misto (soprattutto italiano), che si occupano di molteplici attività manifatturiere.

L'Università di Bucarest, capitale della Romania.

Dracula il vampiro

In Transilvania, una regione della Romania, si trovano i castelli del principe Vlad II, detto Dracul, "il diavolo", per la crudeltà con cui era solito disfarsi dei suoi nemici. Il principe fu il più accanito e feroce difensore della sua terra contro i Turchi. Dopo averli più volte sconfitti e dopo varie e alterne vicende, cadde vittima dei suoi nemici sotto le mura di Bucarest.
Nel 1897 lo scrittore irlandese Bram Stoker si ispirò alle oscure vicende della vita di questo nobile per realizzare uno dei personaggi più terribili della letteratura: il vampiro Dracula. Da allora, molti sono stati i film e i racconti dell'orrore ispirati a questa "creatura delle tenebre", che non viene riflessa dagli specchi, vive in eterno e che può essere uccisa solo da un palo di legno conficcato nel cuore o... dalla luce del giorno!
Il vampiro, come tutti sanno, si nutre del sangue delle sue vittime, che possono essere "contagiate" dal suo morso e diventare esse stesse vampiri.

La regione balcanica

Bulgaria

SUPERFICIE 110 994 km²
ABITANTI 7 918 000
DENSITÀ 71 ab./km²
ORDINAMENTO repubblica
LINGUA bulgaro
RELIGIONE ortodossa
MONETA lev
CAPITALE Sofia
ALTRE CITTÀ Plovdiv

Slovenia

SUPERFICIE 20 273 km²
ABITANTI 1 964 000
DENSITÀ 97 ab./km²
ORDINAMENTO repubblica
LINGUA sloveno
RELIGIONE cattolica
MONETA tallero sloveno
CAPITALE Lubiana
ALTRE CITTÀ Capodistria, Maribor

Croazia

SUPERFICIE 56 542 km²
ABITANTI 4 442 000
DENSITÀ 79 ab./km²
ORDINAMENTO repubblica
LINGUA croato
RELIGIONE cattolica, ortodossa
MONETA kuna
CAPITALE Zagabria
ALTRE CITTÀ Fiume, Spalato

Sofia, capitale della Bulgaria: in primo piano il Parlamento, sullo sfondo la cattedrale Alexander Nevski.

Oltre a Grecia, Albania e Bulgaria, la penisola balcanica comprende gli Stati nati dal frazionamento dell'ex Iugoslavia: Slovenia, Croazia, Bosnia-Erzegovina, Serbia e Montenegro, Macedonia. Questa regione è caratterizzata da profonde differenze etniche, religiose e culturali che creano gravi problemi di convivenza. Appartengono geograficamente alla regione le isole di Malta e di Cipro.

Bulgaria

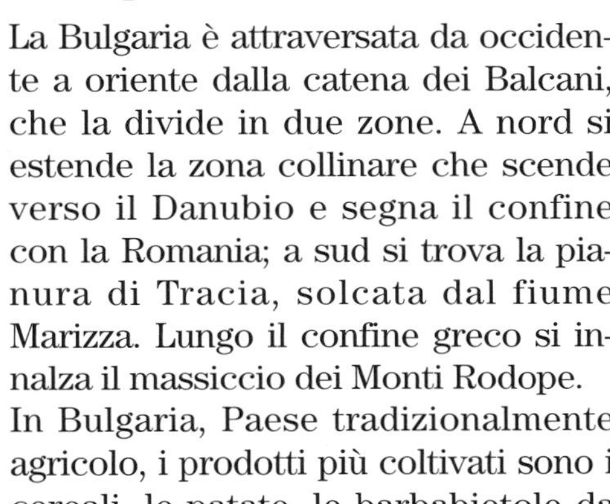

La Bulgaria è attraversata da occidente a oriente dalla catena dei Balcani, che la divide in due zone. A nord si estende la zona collinare che scende verso il Danubio e segna il confine con la Romania; a sud si trova la pianura di Tracia, solcata dal fiume Marizza. Lungo il confine greco si innalza il massiccio dei Monti Rodope.
In Bulgaria, Paese tradizionalmente agricolo, i prodotti più coltivati sono i cereali, le patate, le barbabietole da zucchero, il cotone, gli ortaggi, il tabacco, la frutta e le rose, dalle quali si ricava un'essenza esportata per le industrie di profumi. È diffuso l'allevamento di bovini, ovini e caprini. L'industria sfrutta le ricchezze del sottosuolo (bauxite, piombo, gas, petrolio, carbone, zinco, uranio, argento) e alimenta i settori siderurgico, meccanico, elettronico. Un settore importante e dinamico è la chimica. Presenti anche industrie di trasformazione: fra le maggiori quelle del tabacco, dei profumi e dello zucchero.

Slovenia

La Slovenia si trova nella parte più settentrionale della penisola balcanica. Il suo territorio è quasi completamente occupato dai rilievi montuosi del Caravanche e delle Alpi Giulie. Questi rilievi, ricoperti da fitti boschi, sono solcati da numerosi fiumi. L'economia della Slovenia è fra le più avanzate dei Paesi balcanici. L'agricoltura, limitata dalla scarsità di terreni coltivabili, produce prevalentemente cereali, patate e frutta. Il settore industriale (industrie siderurgiche, meccaniche, chimiche, tessili, del legno e della carta) sfrutta le ricchezze presenti nel sottosuolo (lignite, carbone, uranio, piombo, zinco) e le numerose centrali idroelettriche. Il turismo è ben sviluppato presso i centri termali e sciistici.

Croazia

A sud della Slovenia si estende la Croazia, uno Stato dal territorio prevalentemente montuoso e collinare. La lunga fascia costiera che si affaccia sull'Adriatico ha un profilo molto frastagliato che comprende la penisola d'Istria. Di fronte al litorale croato si trovano le innumerevoli isole della Dalmazia, che rappresentano un'affascinante attrattiva turistica. L'economia del Paese è stata profondamente sconvolta dall'aspro conflitto, scoppiato agli inizi degli anni Novanta, che ha portato alla parziale disgregazione della ex Iugoslavia. Oltre al turismo, le principali attività economiche della Croazia sono l'agricoltura (cereali, patate, barbabietole) e l'allevamento. Sul territorio sono presenti miniere di carbone, lignite, ferro e bauxite. Fra le industrie hanno una certa rilevanza quella metalmeccanica, quella tessile e quella chimica.

Serbia e Montenegro

Il territorio dell'Unione di Serbia e Montenegro comprende quattro regioni: al centro la Serbia, a nord la Vojvodina, a sud il Montenegro e il Kosovo, abitato prevalentemente da popolazione di etnia albanese. È attraversato da diversi fiumi, fra cui il Danubio, in cui confluiscono Tibisco, Morava e Sava. L'agricoltura è l'attività prevalente: nelle pianure si coltivano cereali, patate,

U.S.M.

Superficie 102 173 km²
Abitanti 10 173 000
Densità 104 ab./km²
Ordinamento repubblica federale
Lingua serbo-croato
Religione ortodossa, musulmana
Moneta dinaro iugoslavo in Serbia, euro in Montenegro e Kosovo
Capitale Belgrado
Altre città Podgorica

Bosnia-Erzegovina

Superficie 51 129 km²
Abitanti 3 942 000
Densità 77 ab./km²
Ordinamento repubblica federale
Lingua serbo-croato
Religione musulmana, ortodossa, cattolica
Moneta marco bosniaco
Capitale Sarajevo
Altre città Banja Luka, Mostar

USO DEL SUOLO
- boschi e foreste
- pascoli e prati
- agricoltura
- vegetazione mediterranea
- sterile

○ Porti di pesca

Macedonia

Superficie 25 713 km²
Abitanti 2 048 000
Densità 80 ab./km²
Ordinamento repubblica
Lingua macedone
Religione ortodossa, musulmana
Moneta denar
Capitale Skopje

Tirana, capitale dell'Albania: il moderno edificio del Museo Nazionale.

Sarajevo, capitale della Bosnia: in primo piano il Vecchio Bazar.

barbabietole, tabacco. Fra le industrie sono particolarmente sviluppate quelle alimentari, del settore siderurgico, chimico e meccanico. Lo sviluppo economico del Paese è però rallentato, se non impedito, dai forti conflitti che hanno origine nelle diversità etniche e religiose delle diverse popolazioni.

Bosnia-Erzegovina

I rilievi dei Monti Grmec e delle Alpi Dinariche occupano la maggior parte del territorio. Nella parte settentrionale si estende la pianura formata dalla valle dei fiumi Sava e Neretva. L'economia è stata compromessa dal conflitto serbo-croato che, fra il 1991 e il 1995, in questa regione è stato particolarmente violento. Il territorio è ricco di foreste e le principali attività economiche sono legate alla lavorazione del legno.

Macedonia

La Macedonia, piccolo Stato nel cuore dei Balcani, ha un territorio per lo più montuoso. Al centro presenta la vallata del fiume Vardar, attorno alla quale si concentrano le attività produttive. Qui si coltivano mais, uva, tabacco, foraggio, cotone, frutta, legumi e si allevano ovini e bovini. Un certo sviluppo hanno l'industria estrattiva (ferro, zinco, cromo, piombo) e quella tessile.

Albania

Il territorio è montuoso a est e all'interno; in queste zone si innalzano i monti delle Alpi Albanesi. Lungo la costa adriatica si estende una zona pianeggiante. L'economia è fra le più arretrate d'Europa e, negli ultimi anni, si assiste a un forte movimento migratorio verso l'Italia. Le principali risorse sono l'agricoltura (frumento, avena, sorgo, mais, orzo, olivo, vite, tabacco), l'allevamento di ovini, bovini e caprini, e, alimentata dalle numerose foreste, l'industria del legno e della carta. Dal sottosuolo si estraggono petrolio, gas, lignite, carbone, rame, cromo, ferro.

Grecia

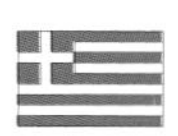

La Grecia si protende fra Mar Egeo e Mar Mediterraneo. Il territorio è quasi completamente montuoso: fra i principali rilievi, il Parnaso e il Monte Olimpo (2918 metri). I pochi fiumi, a carattere torrentizio, sono quasi completamente asciutti in estate. Le pianure si limitano alla costa orientale. Le isole sono quasi un quinto dell'intero territorio; la più estesa è Creta. Le coste della Grecia si sviluppano, considerando le isole, per oltre 15 000 chilometri, e sono per lo più alte e frastagliate. Il territorio e la scarsa piovosità non favoriscono l'agricoltura, che tuttavia si è modernizzata e produce tabacco, olive, uva, agrumi e cereali. Nei pascoli montani si allevano ovini e caprini. L'industrializzazione è in crescita nei settori metallurgico, petrolchimico, meccanico, tessile, chimico, navale e del tabacco. Intensa l'attività portuale: la flotta greca è una delle più grandi del mondo con navi traghetto, da crociera, da trasporto e petroliere. La principale risorsa economica della Grecia è comunque il turismo.

Malta

Questo piccolo Stato è formato da tre isole maggiori (Malta, Gozo e Comino) e altre minori. Le principali risorse economiche sono il turismo, per le testimonianze preistoriche e storiche, e l'attività dei porti che si trovano al centro di importanti rotte marittime. Notevoli anche le attività finanziarie.

Cipro

L'isola di Cipro è divisa in due parti, la Repubblica di Cipro e la Repubblica Turca di Cipro, la cui autonomia però non è ancora riconosciuta. La principale fonte economica è il turismo.

Albania

Superficie 28 748 km²
Abitanti 3 072 000
Densità 107 ab./km²
Ordinamento repubblica
Lingua albanese
Religione musulmana, ortodossa
Moneta lek
Capitale Tirana
Altre città Durazzo, Scutari, Valona

Grecia

Superficie 131 957 km²
Abitanti 11 041 000
Densità 84 ab./km²
Ordinamento repubblica
Lingua greco
Religione ortodossa
Moneta euro
Capitale Atene
Altre città Iraklion, Patrasso, Salonicco

Malta

Superficie 315 km²
Abitanti 395 000
Densità 1252 ab./km²
Ordinamento repubblica
Lingua inglese, maltese
Religione cattolica
Moneta lira maltese
Capitale Valletta

Cipro

Superficie 9251 km²
Abitanti 802 000
Densità 87 ab./km²
Ordinamento repubblica
Lingua greco, turco
Religione ortodossa, musulmana
Moneta lira turca, sterlina di Cipro
Capitale Nicosia

Una veduta di Atene, capitale della Grecia. La città è dominata dall'Acropoli, centro della vita politica e religiosa nell'antichità e oggi meta di milioni di turisti da tutto il mondo.

LE ATTIVITÀ INDUSTRIALI

Energia, minerali
- idroelettrica
- termoelettrica
- nucleare
- oleodotti
- gasdotti
- petrolio, gas naturale
- raffinerie di petrolio
- piombo, zinco
- ferro
- bauxite
- cromo
- rame

Industria
- aree e centri industriali
- siderurgia, metallurgia
- chimica
- meccanica
- elettronica
- tessile, abbigliamento
- legname, mobili, carta, edit
- materiale da costruzione

La regione sarmatica

La regione sarmatica è molto estesa e comprende gli Stati che un tempo facevano parte dell'URSS (Unione delle Repubbliche Socialiste Sovietiche). Oggi questo territorio è diviso fra i dodici Paesi che formano la CSI (Comunità di Stati Indipendenti), alcuni dei quali si trovano in territorio europeo, altri invece fanno parte del continente asiatico. Data la sua estensione, questa regione offre una grande varietà di paesaggi naturali, di climi e di popolazioni.

Armenia

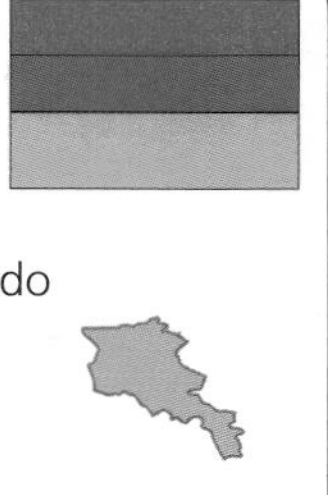

SUPERFICIE 29 743 km²
ABITANTI 3 801 000
DENSITÀ 128 ab./km²
ORDINAMENTO repubblica
LINGUA armeno, russo, curdo
RELIGIONE cristiana
MONETA dram
CAPITALE Erewan
ALTRE CITTÀ Kumayri

Bielorussia

SUPERFICIE 207 600 km²
ABITANTI 9 905 000
DENSITÀ 48 ab./km²
ORDINAMENTO repubblica
LINGUA bielorusso, russo
RELIGIONE ortodossa, cattolica
MONETA rublo bielorusso
CAPITALE Minsk
ALTRE CITTÀ Gomel, Vitebsk

Azerbaigian

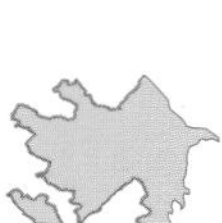

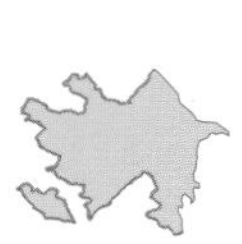

SUPERFICIE 86 600 km²
ABITANTI 8 141 000
DENSITÀ 94 ab./km²
ORDINAMENTO repubblica
LINGUA azerbaigiano, russo
RELIGIONE musulmana
MONETA manat
CAPITALE Baku
ALTRE CITTÀ Gäncä (Gandja)

Georgia

SUPERFICIE 69 500 km²
ABITANTI 4 901 000
DENSITÀ 71 ab./km²
ORDINAMENTO repubblica
LINGUA georgiano
RELIGIONE ortodossa
MONETA lari
CAPITALE Tbilisi
ALTRE CITTÀ Kutaisi

CSI (Comunità Stati Indipendenti)

La CSI è costituita da dodici Stati. Appartengono geograficamente al continente europeo Armenia, Azerbaigian, Bielorussia, Georgia, Moldavia, Ucraina; a quello asiatico Kazakistan, Kirghizistan, Turkmenistan, Uzbekistan e Tagikistan. La Russia, infine, è per un quarto europea mentre il resto del suo vastissimo territorio (a est della catena dei Monti Urali) appartiene al continente asiatico.

Per i territori appartenenti al continente asiatico vedi le pagg. 160-165.

Armenia

L'Armenia è la più piccola tra le repubbliche ex sovietiche. Il territorio, per lo più montuoso, è sismico e soggetto periodicamente a terremoti di grande intensità. Il clima è continentale, caratterizzato da inverni molto freddi.

L'agricoltura è praticata soprattutto nella valle irrigata dell'Araks: si producono riso e altri cereali, patate e ortaggi, usati sostanzialmente per il fabbisogno interno. Nelle zone montane si allevano caprini e ovini. L'attività industriale è presente nei settori chimico, meccanico, tessile, alimentare e dei materiali da costruzione.

San Basilio, a Mosca.

Azerbaigian

L'Azerbaigian, situato tra le catene del Grande Caucaso a nord e del Piccolo Caucaso a sud, si affaccia sul Mar Caspio, ed è attraversato dalla valle del fiume Kura. L'agricoltura delle zone montane produce tabacco, piante aromatiche e viti; sul litorale caspico si coltivano agrumi, tè e primizie; nella valle del Kura, resa coltivabile da impianti di irrigazione, si producono cotone e cereali. Nelle zone aride si allevano caprini e ovini, con transumanza estiva verso i monti.

Il vero tesoro dell'Azerbaigian sono i giacimenti di idrocarburi (a Baku, Siazan e nel Mar Caspio): petrolio e gas naturale vengono esportati anche nelle altre nazioni europee. L'attività industriale è, naturalmente, legata al settore petrolifero: raffinerie, impianti petrolchimici, macchinari per l'estrazione.

Bielorussia

Il territorio, quasi totalmente pianeggiante, con laghi e paludi, è attraversato dai fiumi Dvina, Dnepr e Pripjat. Il clima è continentale, con inverni freddi e abbondanti precipitazioni. L'economia è prevalentemente agricola; si producono lino, patate, cipolle, pomodori, legumi, riso e cereali. L'incidente nucleare di Chernobyl (Ucraina), nel 1986, ha però contaminato circa un terzo del territorio, che ora è incolto. La produzione di legno è abbondante e alimenta l'industria della cellulosa e della carta.

Georgia

Il territorio della Georgia, prevalentemente montuoso, si estende tra il versante meridionale del Caucaso, a nord, e il Piccolo Caucaso, a sud. Il clima è rigido sui rilievi e subtropicale umido sulla fascia costiera.

Moldavia

SUPERFICIE 33 843 km²
ABITANTI 4 256 000
DENSITÀ 126 ab./km²
ORDINAMENTO repubblica
LINGUA moldavo
RELIGIONE ortodossa
MONETA leu moldavo
CAPITALE Chişinău

Russia

SUPERFICIE 17 075 400 km²
ABITANTI 145 600 000
DENSITÀ 9 ab./km²
ORDINAMENTO repubblica federale
LINGUA russo
RELIGIONE ortodossa
MONETA rublo
CAPITALE Mosca
ALTRE CITTÀ Novosibirsk, Omsk, San Pietroburgo, Volgograd

Nonostante alcune riforme, l'economia è povera e causa di una forte emigrazione. Tra i prodotti agricoli sono diffusi i cereali, gli agrumi e il tè. Lungo le coste del Mar Nero è praticata la pesca, con una buona produzione di caviale, destinato all'esportazione.
Dal sottosuolo si estrae soprattutto manganese. L'industria è rappresentata dai settori chimico, siderurgico, meccanico, tessile e alimentare.

Nella foto a sinistra, la Piazza del Castello a San Pietroburgo, con il Palazzo d'Inverno, sede del Museo dell'Ermitage. A destra, le cupole dorate del Cremlino a Mosca: un tempo residenza dello zar, è oggi sede del Governo russo.

Moldavia

Il territorio della Moldavia è vario: colline, altipiani calcarei, valli di origine fluviale, terreni alluvionali bonificati e resi coltivabili. La sua economia, molto povera ma favorita dalla vasta presenza di terreni fertili, è basata sull'agricoltura (frumento, mais, orzo, frutta, tabacco, riso, girasoli, pomodori e barbabietole da zucchero). L'allevamento, soprattutto di bovini, è molto praticato. L'industria, attiva soprattutto nel settore alimentare, è presente anche in quello chimico, siderurgico, meccanico, tessile e della lavorazione del tabacco.

Russia

La Russia è lo Stato più esteso della CSI, ed è anche il più grande del mondo. La catena dei Monti Urali divide in due parti il suo vastissimo territorio: a ovest si estende la parte europea occupata per intero dal Bassopiano Sarmatico; a est la Siberia si spinge, nel continente asiatico, fino all'Oceano Pacifico. Il Bassopiano Sarmatico è attraversato da numerosi fiumi, in gran parte navigabili: tra questi il Volga, che sfocia nel Mar Caspio, è il fiume più lungo d'Europa. Gli altri principali corsi d'acqua si gettano nel Mar Nero (Don, Dnepr). A nord si estendono due grandi laghi: il Ladoga e l'Onega.
La Siberia è costituita dal grande Bassopiano Siberiano, percorso dal fiume Ob, e, procedendo verso est, dall'Altopiano della Siberia Centrale e da una serie di

catene montuose. Nella fascia montuosa meridionale si trova il lago Bajkal che, con i suoi 1620 metri, è il lago più profondo della Terra. In inverno, le temperature in Siberia possono raggiungere i 50 °C sotto zero.

Il sottosuolo della Russia è ricchissimo di risorse minerarie: vi si estrae la maggior quantità di petrolio, carbone, ferro e uranio d'Europa. L'industria, di conseguenza, è assai sviluppata in tutti i settori: dalla siderurgia alla chimica, dalla meccanica alla metallurgia. L'agricoltura, praticata soprattutto nella fascia centrale dove il suolo è più fertile, si concentra sulla produzione di cereali. A seconda delle diverse zone climatiche, vengono inoltre prodotti agrumi, barbabietole da zucchero, cipolle, cotone, frutta, legumi, patate, pomodori, riso, tè. Le foreste del nord alimentano una fiorente industria del legno. Nelle vaste pianure si allevano bovini, suini e cavalli. Nei mari, fiumi e laghi la pesca è abbondante.

Il turismo può diventare una voce importante nell'economia di un Paese che, per la sua vastità, conserva testimonianze di popoli e culture diversi: dalla celebre Piazza Rossa di Mosca, al grande Museo dell'Ermitage di San Pietroburgo, dalle moschee blu di Samarcanda ai monasteri di Kiev.

Ucraina

L'Ucraina è ricca di fiumi, che facilitano le comunicazioni, favorendo l'economia. L'agricoltura del Paese è molto florida e assicura una produzione di cereali tale da motivare il soprannome di "granaio d'Europa". Inoltre si coltivano barbabietole da zucchero, cipolle, pomodori, patate e legumi secchi, cotone, agrumi, uva, pere, pesche e prugne. Importante l'allevamento di ovini, bovini, suini ed equini. L'industria non è molto sviluppata, anche se il territorio possiede moltissime risorse minerarie. I settori prevalenti sono quello meccanico, chimico, dei cantieri navali, della lavorazione della carta, della gomma, della ceramica e delle materie plastiche.

Ucraina

Superficie 603 700 km²
Abitanti 48 021 000
Densità 80 ab./km²
Ordinamento repubblica
Lingua ucraino
Religione ortodossa
Moneta hrivna
Capitale Kijev
Altre città Charkiv, Dnipropetrovs'k

Una delle chiese del monastero Kievo-Pečerskaja Lavra presso Kijev, capitale dell'Ucraina.

Fanno parte della Chiesa ortodossa le chiese orientali nate dalla Chiesa cristiana dopo lo scisma del 1054. La più grande comunità di ortodossi è costituita dalla Chiesa russa, la cui sede è a Mosca. Le icone, dipinte soprattutto su legno, sono immagini sacre tipiche dell'arte russa e bizantina.

Asia fisica
AMERICA SETTENTRIONALE
Groenlandia
Polo Nord
OCEANO GLACIALE ARTICO
Isole Svalbard
Terra di Francesco Giuseppe
Severnaja Zemlja
C. Čeljuskin
Isole della Nuova Siberia
MAR DELLA SIBERIA ORIENTALE
Wrangel
Str. di Bering
C. Dežnev
Penisola dei Čukči
MARE DI BARENTS
Novaja Zemlja
1590
MARE DI KARA
MAR DI LAPTEV
Penisola del Tajmyr
Pen. Jamal
Pen. di Gyda
EUROPA
MONTI URALI
Narodnaja
1894
Ob
Jenisei
Lena
M.ti di Verhojansk
Altopiano della Siberia Centrale
Siberia
Bassopiano Siberiano Occidentale
Altop. dell'Anadyr
Monti del Kolyma
Circolo Polare Artico
Kolyma
Monti Čerski
M. Pobeda
3147
M.ti Suntar-Hajata
MARE DI OHOTSK
Is. Šantar
Monti Stanovoj
2412
Tunguska Inferiore
Tunguska Pietrosa
Angara
Omsk
Novosibirsk
Irkutsk
Lago Bajkal
1620
Monti Jablonovyj
Monti Saiani
ALTAI
Beluha
4506
Altaj Mongolo
Monti Bureja
Amur
Sihote-Alin
Šilka
Argun
Grande Khingan
Manciuria
Harbin
L. Hanka
Ulan Bator
Cherlen
Mongolia
Gobi
Zungaria
Depressione di Turfan
-154
Lop Nur
Shenyang
Yalu
2774
MAR DEL GIAPPONE
Corea
Seoul
Pechino
MAR GIALLO
Str. di Corea
Kyushu
Huang He
Ordos
Fiume Giallo
Bassopiano Cinese
MAR MEDITERRANEO
MAR NERO
C. Baba
Monti del Ponto
Ankara
Anatolia
Tauro
Cipro
Elbrus
5642
CAUCASO
Ararat
5165
Depress. Caspica
-28
MAR CASPIO
Ural
Porta del Turgaj
Kazakistan
Irtyš
Lago Balhaš
Lago d'Aral
Bassopiano Turanico
Syrdarja
Gerusalemme
Can. di Suez
Mar Morto
-408
Damasco
Tigri
Eufrate
Mesopotamia
Baghdad
Teheran
Monti Elburz
5670
Damavand
MONTI ZAGROS
Kopet Dag
Karakum
Amudarja
Taškent
Alma Ata
Issyk-Kul
TIAN SHAN
7439
Tarim
Picco del Comunismo
7495
Pamir
Deserto di Taklimakan
Qilian Shan
5808
Hindukush
K2
8616
Karakoram
Kashmir
Altun Shan
7723
Muztag
KUNLUN SHAN
Altopiano del Tibet
Altopiano dell'Iran
Golfo Persico
Helmand
Indo
Belucistan
4042
Makran
Golfo di 'Oman
'Oman
3017
Higiaz
Penisola Arabica
MAR ROSSO
Asir
3760
Rub' al Khali
Riyadh
Bab al-Mandab
Hadramaut
Golfo di Aden
Socotra
AFRICA
Lahore
Punjab
Sutlej
New Delhi
Deserto Thar
Karachi
HIMALAYA
Brahmaputra
8222
8846
Everest
8585
Kanchenjunga
Pianura del Gange
Gange
Assam
Nu Jiang
Gongga Shan
7556
Chang Jiang
F. Azzurro
Wuhan
Shanghai
Lago Poyang
Lago Dongting
Wuyi Shan
Nan Ling
MAR CINESE ORIENTALE
Okinawa
Str. di Formosa
3997
Taiwan/ Formosa
Xi Jiang
Canton
Hong Kong
Str. di Luzon
MARE ARABICO
Ahmadabad
Narmada
Mumbai
Godavari
Deccan
Ghati Occidentali
Ghati Orientali
Calcutta
Golfo del Bengala
Is. Laccadive
Bangalore
2695
Capo Comorin
Str. di Palk
2524
Ceylon
Isole Maldive
M.ti Arakan
Irawaddy
Salween
Ping
Mekong
Rangun
Bangkok
Indocina
Annam
2598
Ha Noi
G. del Tonchino
Hainan
Is. Xisha
MAR CINESE MERIDIONALE
Is. Nansha o Spratly
Luzon
2930
Manila
Mindoro
Palawan
MAR DI SULU
Isole Andamane
MAR DELLE ANDAMANE
Isole Nicobare
Golfo del Siam
Cocincina
Punta di Ca Mau
Malacca
Str. di Malacca
Kinabalu
4101
C. Buru
Singapore
Arcipelago Malese
Borneo
Str. di Makasar
Celebes (Sulawesi)
Sumatra
Arcip. delle Mentawai
Bangka
3805
Kerinci
MAR DI GIAVA
Giacarta
Giava
3676
Bali
Sumbawa
Flores
Lombok
Sumba
Str. di Sonda
OCEANO INDIANO
Is. Chagos
Madagascar
0
400
800 km
1 cm = 400 km

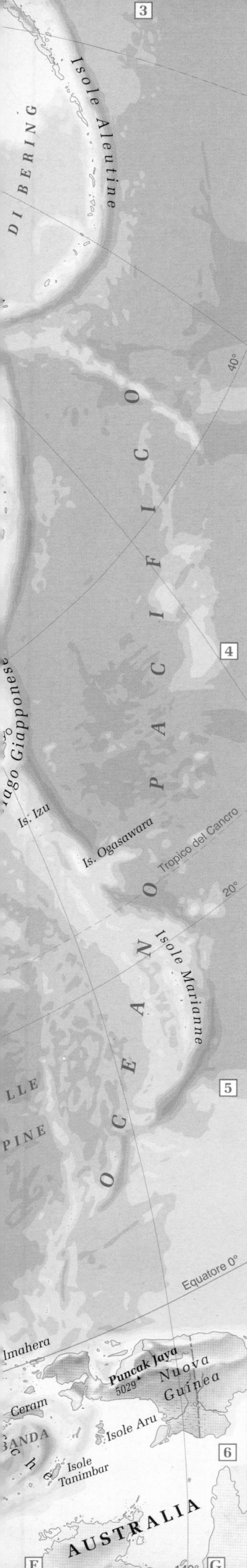

Gli Stati dell'Asia

Afghanistan

C 4

Superficie 652 225 km²
Abitanti 24 432 000
Densità 37 ab./km²
Lingua dari, pashto
Religione musulmana sunnita, sciita
Moneta afghani
Capitale Kabul

L'Afghanistan si estende sull'altopiano iranico, steppico e arido, ed è attraversato dalle alte catene dell'Hindukush (oltre 5000 metri). Il clima è secco.
Il Paese si trova da più di vent'anni in uno stato di guerra, che ha provocato centinaia di migliaia di vittime e moltissimi profughi, bloccando di conseguenza qualsiasi attività di sviluppo. In seguito all'intervento militare degli Stati Uniti e dei loro alleati, che nel 2001 ha portato all'abbattimento del regime islamico dei Taliban, la situazione sta lentamente tornando alla normalità.

Arabia Saudita

B 4

Superficie 2 248 000 km²
Abitanti 23 102 000
Densità 10 ab./km²
Lingua arabo
Religione musulmana sunnita
Moneta riyal dell'Arabia Saudita
Capitale Riyadh

L'Arabia Saudita occupa la parte centrale della Penisola Arabica, situata tra due continenti: l'Asia a est, l'Africa a ovest. Il territorio è in prevalenza desertico, interrotto dalle oasi, dove la presenza di acqua permette la vita di una rigogliosa vegetazione. I maggiori rilievi si trovano lungo la costa occidentale. In Arabia vivono ancora i beduini, popolazioni nomadi, divisi in tribù e dediti all'allevamento del bestiame.
Il clima è arido, con temperature elevate; raramente piove sulle coste. I pochi fiumi hanno portata d'acqua limitata. La produzione agricola è modesta.
L'economia è invece basata sull'esportazione e la trasformazione del petrolio, del quale il sottosuolo dell'Arabia Saudita è ricchissimo. La capitale è Riyadh, ma la città più famosa è La Mecca, considerata "città santa" poiché vi nacque il profeta Maometto, fondatore della religione islamica.

Bahrein

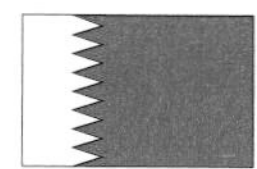

B 4

Superficie 715 km²
Abitanti 672 000
Densità 939 ab./km²
Lingua arabo, inglese
Religione musulmana sciita, sunnita
Moneta dinar di Bahrein
Capitale Manama

Bangladesh

D 4

Superficie 147 570 km²
Abitanti 125 122 000
Densità 848 ab./km²
Lingua bengali
Religione musulm. sunnita, induista
Moneta taka
Capitale Dacca

Bhutan

D 4

Superficie 46 500 km²
Abitanti 2 198 000
Densità 47 ab./km²
Lingua dzongkha
Religione buddista
Moneta ngultrum, rupia indiana
Capitale Thimphu

Brunei

E 5

Superficie 5765 km²
Abitanti 341 000
Densità 59 ab./km²
Lingua malese, inglese, cinese
Religione musulmana, buddista
Moneta dollaro di Brunei
Capitale Bandar Seri Begawan

Il Brunei, ex protettorato della Gran Bretagna, è un sultanato indipendente che fa parte del Commonwealth, la comunità delle ex colonie britanniche indipendenti dalla madrepatria ma legate ad essa da vincoli culturali ed economici. È uno dei Paesi più ricchi del mondo; la sua grande prosperità è dovuta a immensi giacimenti di petrolio.

Cambogia

E 5

Superficie 181 035 km²
Abitanti 12 686 000
Densità 70 ab./km²
Lingua khmer, francese
Religione buddista
Moneta riel
Capitale Phnom Penh

Cina

D E 4

Superficie 9 572 900 km²
Abitanti 1 279 161 000
Densità 134 ab./km²
Lingua cinese, tibetano, uiguro
Religione confuciana, buddista
Moneta yuan renminbi
Capitale Pechino

Cina: una strada di Shanghai affollata di persone.

La Cina è un Paese con una civiltà molto antica, la cui testimonianza più significativa è la famosa Grande Muraglia, una possente fortificazione lunga quasi 6000 chilometri, larga 6 metri e alta 10, costruita a cominciare dal III secolo a.C. per difendere il territorio dalle invasioni nemiche. Oggi la Cina è lo Stato più popolato del mondo con oltre un miliardo di abitanti.

Cina: i tipici terrazzamenti per la coltivazione del riso.

Nell'immenso territorio della Cina si alternano i paesaggi più diversi: dalle catene montuose più alte del pianeta ai vastissimi altopiani aridi, dalle grandi pianure fertili ai fiumi ricchi di acqua, dalle colline verdi intensamente coltivate alle zone desertiche. I fiumi più importanti sono il Fiume Azzurro e il Fiume Giallo, chiamato così per il colore delle sue acque fangose. La Cina è al primo posto nel mondo per la produzione di riso e frumento. L'espansione industriale negli ultimi anni è in forte crescita in tutti i settori, da quello tradizionale tessile a quelli più tecnologicamente avanzati.

Asia politica

Corea del Nord

F 3 4

Superficie 122 762 km²
Abitanti 22 586 000
Densità 184 ab./km²
Lingua coreano
Religione confuciana, buddista
Moneta won nordcoreano
Capitale Pyongyang

Corea del Sud

F 4

Superficie 99 538 km²
Abitanti 46 818 000
Densità 470 ab./km²
Lingua coreano
Religione confuciana, buddista
Moneta won sudcoreano
Capitale Seoul

Panorama notturno di Seoul, capitale della Corea del Sud.

Emirati Arabi Uniti

B 4

Superficie 83 600 km²
Abitanti 3 182 000
Densità 38 ab./km²
Lingua arabo
Religione musulmana
Moneta dirham
Capitale Abu Dhabi

Emirati Arabi: campi petroliferi ad Abu Dhabi.

Filippine

F 5

Superficie 300 000 km²
Abitanti 80 058 000
Densità 267 ab./km²
Lingua tagalog (filippino), inglese
Religione cattolica, musulm., protest.
Moneta peso filippino
Capitale Manila

Giappone

F G 3 4

Superficie 372 824 km²
Abitanti 127 435 000
Densità 342 ab./km²
Lingua giapponese
Religione scintoista, buddista
Moneta yen
Capitale Tokyo

Giappone: il Monte Fuji (3776 metri), ritenuto sacro e meta di pellegrinaggi.

Il Giappone è lo Stato con l'economia più sviluppata del continente asiatico. Viene anche chiamato il "Paese del Sol Levante" per la sua posizione geografica situata all'estremo oriente. Il territorio si estende su un arcipelago composto da 1042 isole, tra piccole e grandi, situate nell'Oceano Pacifico. Tutto il Giappone è montuoso, con valli strette e piccole pianure, e con molti vulcani ancora attivi. I terremoti sono assai frequenti, quasi quotidiani, mentre i maremoti (fortunatamente più rari) provocano onde gigantesche. Il monte più alto è il Fuji, un vulcano spento che si trova nell'isola di Honshu, e che con la caratteristica cima coperta di neve è diventato il simbolo del paesaggio giapponese. Il clima risente poco dell'influenza marina, poiché i venti monsonici portano aria fredda d'inverno e calda d'estate.
Il Paese è all'avanguardia nella ricerca scientifica e tecnologica. Lo sviluppo industriale è fiorente, nonostante la povertà del sottosuolo. L'agricoltura e la pesca sono assai sviluppate.

Giordania

A 4

Superficie 89 342 km²
Abitanti 5 323 000
Densità 60 ab./km²
Lingua arabo
Religione musulmana
Moneta dinar giordano
Capitale Amman

India

C D 4

Superficie 3 287 263 km²
Abitanti 1 041 440 000
Densità 317 ab./km²
Lingua hindi, inglese, lingue locali
Religione induista, musulm., sikh
Moneta rupia indiana
Capitale New Delhi

Una giovane donna con il sari, il tipico abito femminile indiano.

L'India è uno degli Stati più popolati del mondo. Un tempo colonia inglese, ha conquistato l'autonomia nel 1947 grazie a Gandhi, suo capo spirituale e politico. Il vasto territorio indiano, a eccezione del tratto nord-occidentale occupato dalla possente catena dell'Himalaya, è in prevalenza pianeggiante e collinare, con valli e pianure percorse da grandi fiumi. Fra questi il Gange, considerato un fiume sacro, nelle cui acque i fedeli si immergono secondo un antico rito religioso. Il problema più drammatico dell'India riguarda la necessità di sfamare tutta la popolazione. Ancora oggi la mortalità infantile è elevata, e la durata della vita umana è inferiore alla media mondiale. I terreni sono fertili, ma l'agricoltura viene praticata con metodi antiquati. La coltura più diffusa è quella del riso. Il sottosuolo è ricco di petrolio, carbone e altri minerali, non adeguatamente sfruttati. In notevole crescita è lo sviluppo dell'industria elettronica e informatica (il distretto di Bangalore è soprannominato la

"Silicon Valley indiana"). Il clima risente dell'azione dei monsoni, venti periodici che nella stagione calda spirano dal mare portando aria umida, mentre nella stagione fredda soffiano dal continente recando aria secca.

Indonesia

E F 6

Superficie 1 890 754 km²
Abitanti 212 108 000
Densità 112 ab./km²
Lingua indonesiano
Religione musulmana, protestante
Moneta rupia indonesiana
Capitale Giacarta

Iran

B 4

Superficie 1 645 258 km²
Abitanti 65 540 000
Densità 40 ab./km²
Lingua farsi
Religione musulmana sciita
Moneta rial
Capitale Teheran

L'Iran è l'antica Persia. Il suo territorio è costituito da un altopiano che, a nord, è circondato dalla catena dei Monti Elburz, e a sud dai Monti Zagros. Il clima è continentale, con inverni brevi e rigidi, ed estati lunghe e calde. L'agricoltura rappresenta la maggiore occupazione della popolazione, che da un terreno poco generoso riesce a trarre orzo, frumento, riso, tè, tabacco. Diffuso l'allevamento degli ovini, dai quali si ricavano lane pregiate con cui si realizzano a mano gli splendidi tappeti persiani. Ma la vera ricchezza è rappresentata dai giacimenti di petrolio, che viene raffinato e poi esportato.

Iraq

B 4

Superficie 434 128 km²
Abitanti 24 245 000
Densità 56 ab./km²
Lingua arabo, curdo
Religione musulmana sciita e sunnita
Moneta dinar iracheno
Capitale Baghdad

Il nucleo principale del territorio corrisponde alla Mesopotamia, regione tra il Tigri e l'Eufrate; i Monti Zagros segnano il confine con l'Iran. Il Paese, dopo la lunga dittatura di Saddam Hussein (1979-2003), caduta in seguito all'intervento militare degli Stati Uniti e dei loro alleati, sta con estrema difficoltà cercando di tornare alla normalità. A causa dei conflitti in cui è stato coinvolto negli ultimi anni la condizione socioeconomica è disastrosa e non trae vantaggio neppure dallo sfruttamento dei ricchi giacimenti di petrolio presenti in gran parte del territorio.

Israele

B 4

Superficie 20 700 km²
Abitanti 6 580 000
Densità 318 ab./km²
Lingua ebraico, arabo
Religione ebraica, musulmana
Moneta nuovo sheqel
Capitale Gerusalemme

Gerusalemme: il "muro del pianto" e, sullo sfondo, la cupola della moschea di Omar.

Lo Stato d'Israele, già esistente nell'antichità, si è ricostituito nel 1948, dopo la Seconda guerra mondiale. La parte sud del territorio è montuosa e desertica, la zona centrale è stretta e pianeggiante, con un clima temperato. L'area settentrionale è la più coltivata: tra i monti e le colline si stendono verdi vallate irrigate, con terreni fertili cosparsi di uliveti, vigneti, piantagioni di agrumi, boschi, pascoli e vegetazione lussureggiante. Il clima è mite, e le piogge cadono abbondanti. Il fiume più importante è il Giordano, che nasce in Israele ma che lo attraversa solo nel suo tratto iniziale. La costa, bagnata dal Mediterraneo, è lineare e sabbiosa. L'economia è in continuo sviluppo sia nel settore agricolo che industriale. Fiorente è il turismo, specie nei luoghi sacri della cristianità, anche se negli ultimi anni è limitato da una situazione di aperta conflittualità fra israeliani e palestinesi.

Kazakistan

B C

Superficie 2 724 900 km²
Abitanti 14 708 000
Densità 5 ab./km²
Lingua kazako, russo
Religione musulmana, ortodossa
Moneta tenge
Capitale Astana

Kirghizistan

C 3

Superficie 199 900 km²
Abitanti 5 012 000
Densità 25 ab./km²
Lingua kirghiso
Religione musulmana
Moneta som
Capitale Biškek

Kuwait

B 4

Superficie 17 818 km²
Abitanti 2 098 000
Densità 118 ab./km²
Lingua arabo
Religione musulmana sunnita
Moneta dinar kuwaitiano
Capitale Al Kuwait

Laos

E 4 5

Superficie 236 800 km²
Abitanti 5 713 000
Densità 24 ab./km²
Lingua lao, francese
Religione buddista
Moneta nuovo kip
Capitale Vientiane

Libano

A 4

Superficie 10 400 km²
Abitanti 3 475 000
Densità 334 ab./km²
Lingua arabo, francese
Religione musulmana, cristiana
Moneta lira libanese
Capitale Beirut

Malaysia

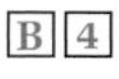

E 5

Superficie 329 847 km²
Abitanti 24 530 000
Densità 74 ab./km²
Lingua malese, inglese, cinese
Religione musulmana, buddista
Moneta dollaro della Malaysia
Capitale Kuala Lumpur

Maldive

C 5

Superficie 298 km²
Abitanti 280 000
Densità 940 ab./km²
Lingua divehi
Religione musulmana
Moneta rufiyaa
Capitale Male

Mongolia

D E 3

Superficie 1 564 160 km²
Abitanti 2 440 000
Densità 2 ab./km²
Lingua mongolo
Religione buddista, musulmana
Moneta tughrik
Capitale Ulan Bator

Myanmar (Birmania)

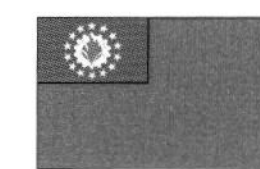

D 4

Superficie 676 577 km²
Abitanti 46 298 000
Densità 68 ab./km²
Lingua birmano
Religione buddista
Moneta kyat
Capitale Yangon (Rangoon)

Nepal

D 4

Superficie 147 181 km²
Abitanti 23 707 000
Densità 161 ab./km²
Lingua nepalese, idiomi locali
Religione induista, buddista
Moneta rupia nepalese
Capitale Kathmandu

Bhaktapur, valle di Kathmandu.

Oman

B 4

Superficie 309 500 km²
Abitanti 2 709 000
Densità 9 ab./km²
Lingua arabo
Religione musulmana
Moneta rial Omani
Capitale Mascate

Pakistan

C 4

Superficie 796 096 km²
Abitanti 143 768 000
Densità 181 ab./km²
Lingua urdu, inglese
Religione musulmana, cristiana
Moneta rupia pakistana
Capitale Islamabad

Il Pakistan si è costituito nel 1947, al momento della decolonizzazione britannica. Il territorio è prevalentemente montuoso (il K2, 8611 metri, è la seconda montagna più alta del mondo). La zona pianeggiante è costituita dalla valle dell'Indo e ad est, al confine con l'India, si estende il deserto del Thar. Le città più antiche sono Rawalpindi, Karachi e Lahore. La crescita economica è molto rallentata dalle tensioni interne che scoraggiano gli investimenti stranieri.

Qatar

B 4

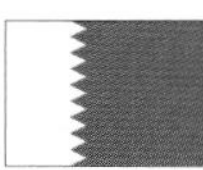

Superficie 11 437 km²
Abitanti 584 000
Densità 51 ab./km²
Lingua arabo
Religione musulmana sunnita
Moneta riyal del Qatar
Capitale Doha

Singapore

E 5

Superficie 685 km²
Abitanti 3 378 000
Densità 4929 ab./km²
Lingua inglese, malese, cinese, tamil
Religione buddista, taoista, musulmana
Moneta dollaro di Singapore
Capitale Singapore

Siria

A 4

Superficie 185 180 km²
Abitanti 17 040 000
Densità 92 ab./km²
Lingua arabo, curdo
Religione musulmana sunnita
Moneta lira sterlina siriana
Capitale Damasco

La Siria conquistò l'indipendenza nel 1946, dopo esser stata un protettorato francese. Il territorio è prevalentemente montuoso, con deserti rocciosi. Il clima è di tipo mediterraneo solo sulla costa. L'economia si basa sul settore agricolo e sullo sfruttamento del petrolio. I siti archeologici (fra cui quello di Ebla) testimoniano l'antico splendore.

Sri Lanka

D 5

Superficie 65 610 km²
Abitanti 18 957 000
Densità 289 ab./km²
Lingua singalese, tamil, inglese
Religione buddista, induista
Moneta rupia di Sri Lanka
Capitale Colombo

Tagikistan

C 4

Superficie 143 100 km²
Abitanti 6 323 000
Densità 44 ab./km²
Lingua tagico
Religione musulmana
Moneta somoni
Capitale Dušanbe

Taiwan

F 4

Superficie 36 188 km²
Abitanti 22 547 000
Densità 621 ab./km²
Lingua cinese
Religione buddista, taoista
Moneta nuovo dollaro di Taiwan
Capitale Taipei

Lo Stato di Taiwan, o Cina Nazionalista, comprende l'isola di Formosa e altre 85 isole più piccole. Il territorio è diviso in due zone ben distinte: una montuoso-collinare e una pianeggiante. La parte montana presenta rilievi tra loro paralleli che attraversano l'isola in senso verticale; i versanti sono molto ripidi verso est, meno impervi verso ovest, dove i declivi vengono predisposti a gradoni coltivabili. Il nome stesso di Taiwan, in cinese, significa appunto "terrazze sulla baia". Taiwan è uno Stato molto ricco, sia perché la manodopera viene pagata pochissimo, sia perché il sistema fiscale agevola gli investimenti stranieri. L'economia, un tempo prettamente agricola, ora si basa sull'attività industriale. La coltura principale è quella del riso. Si esportano legname, apparecchiature elettroniche, tabacco, carta e canfora.

Thailandia

D E 5

Superficie 513 115 km²
Abitanti 61 825 000
Densità 120 ab./km²
Lingua thai
Religione buddista
Moneta baht
Capitale Bangkok

Bangkok: il mercato dei fiori.

Timor Orientale

F 6

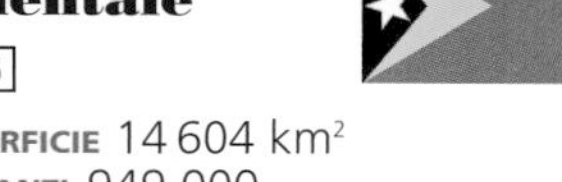

Superficie 14 604 km²
Abitanti 949 000
Densità 65 ab./km²
Lingua portoghese, tetum
Religione cattolica
Moneta dollaro USA e australiano
Capitale Dili

Il Paese, situato nella parte orientale dell'isola di Timor, si è reso ufficialmente indipendente dall'Indonesia nel 2002, dopo tre anni di violenti scontri militari.

Turchia

A 4

Superficie 779 452 km²
Abitanti 69 880 000
Densità 90 ab./km²
Lingua turco, curdo
Religione musulmana sunnita
Moneta lira turca
Capitale Ankara

Il territorio della Turchia appartiene sia all'Asia che all'Europa. La parte asiatica è molto più estesa di quella europea che comprende la bellissima città di Istanbul, centro molto importante anche dal punto di vista turistico. Le due zone sono divise dal mare di Marmara e dagli stretti del Bosforo e dei Dardanelli. L'economia turca non è molto fiorente, poiché si basa su un'agricoltura che stenta a modernizzarsi. Soddisfacenti sono le colture dei cereali, della frutta, del tè, del tabacco, del cotone, delle olive. Molto praticato l'allevamento dei caprini da cui si selezionano le razze pregiate che forniscono la lana d'angora. Il Paese dispone di risorse minerarie molto diversificate. Settori di punta dell'industria turca sono il cementificio, la metallurgia, la siderurgia e il tessile.

Turkmenistan

B C 4

Superficie 488 000 km²
Abitanti 5 263 000
Densità 11 ab./km²
Lingua turkmeno, russo, uzbeko
Religione musulmana
Moneta manat
Capitale Ašgabat

Uzbekistan

B C 3

Superficie 447 400 km²
Abitanti 25 127 000
Densità 56 ab./km²
Lingua uzbeco, russo
Religione musulmana
Moneta sum
Capitale Taškent

Vietnam

E 5

Superficie 331 690 km²
Abitanti 79 759 000
Densità 245 ab./km²
Lingua vietnamita
Religione buddista, cattolica
Moneta dong
Capitale Hanoi

Nord ovest del Vietnam.

Yemen

B 5

Superficie 527 968 km²
Abitanti 19 500 000
Densità 37 ab./km²
Lingua arabo
Religione musulmana
Moneta riyal
Capitale San'a

Africa fisica

Algeria

B C 2

Superficie 2 381 741 km²
Abitanti 31 376 000
Densità 13 ab./km²
Lingua arabo, francese, berbero
Religione musulmana
Moneta dinar algerino
Capitale Algeri

Il territorio algerino comprende un'ampia fetta del deserto del Sahara. Verso la costa si elevano due catene di monti: l'Atlante Telliano, che separa la fascia costiera dalla regione sahariana, e l'Atlante Sahariano al di là del quale, in direzione sud, si estende un vasto altopiano e poi il deserto. La zona desertica è costituita dall'*erg*, o deserto di sabbia, e dallo *hammada*, deserto di rocce. La regione è abitata dai Tuareg, una tribù nomade che si dedica all'allevamento dei dromedari, animali molto resistenti alla fame, alla sete e al caldo. Utilizzati come mezzi di trasporto, i dromedari forniscono anche carne per sfamare la popolazione.

Algeria: Tuareg o "uomini blu del deserto".

Il clima lungo la fascia costiera è umido-temperato, all'interno è continentale e diviene molto secco procedendo verso sud. I fiumi, assai scarsi e non sempre con sbocco sul mare, hanno un percorso irregolare e a carattere torrentizio.
I prodotti agricoli più diffusi sono i cereali, la vite e l'ulivo, ma le produzioni alimentari sono nel complesso insufficienti e il Paese importa più della metà del fabbisogno nazionale di frumento. Molto fiorente è la pesca del tonno e del pesce azzurro. Le risorse naturali più importanti sono il petrolio e il gas naturale.

Angola

C D 4

Superficie 1 246 700 km²
Abitanti 13 384 000
Densità 11 ab./km²
Lingua portoghese, lingue bantu
Religione cattolica, protestante
Moneta nuovo kwanza
Capitale Luanda

Benin

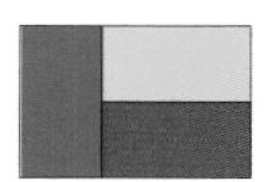

C 3

Superficie 112 622 km²
Abitanti 6 487 000
Densità 58 ab./km²
Lingua francese, idiomi locali
Religione animista, cattolica
Moneta franco C.F.A.
Capitale Porto-Novo

Botswana

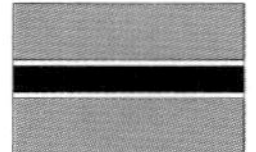

D 5

Superficie 581 730 km²
Abitanti 1 700 000
Densità 3 ab./km²
Lingua inglese, setswana
Religione animista, protestante
Moneta pula
Capitale Gaborone

Burkina Faso

B C 3

Superficie 274 400 km²
Abitanti 12 210 000
Densità 44 ab./km²
Lingua francese, malinke
Religione animista, musulmana
Moneta franco C.F.A.
Capitale Ouagadougou

Burundi

D 4

Superficie 27 834 km²
Abitanti 6 887 000
Densità 247 ab./km²
Lingua francese, kirundi
Religione cattolica, animista
Moneta franco del Burundi
Capitale Bujumbura

Camerun

C 3

Superficie 475 442 km²
Abitanti 15 535 000
Densità 35 ab./km²
Lingua francese, inglese
Religione cristiana, animista
Moneta franco C.F.A.
Capitale Yaoundé

Capo Verde

A 3

Superficie 4033 km²
Abitanti 450 000
Densità 112 ab./km²
Lingua portoghese, creolo
Religione cattolica
Moneta escudo del Capo Verde
Capitale Praia

Centrafricana, Rep.

D 3

Superficie 622 436 km²
Abitanti 3 844 000
Densità 6 ab./km²
Lingua francese, sango
Religione cristiana, animista, musulmana
Moneta franco C.F.A.
Capitale Bangui

Ciad

C D 3

Superficie 1 284 000 km²
Abitanti 8 589 000
Densità 7 ab./km²
Lingua francese, arabo
Religione musulmana, cristiana
Moneta franco C.F.A.
Capitale N'djamena

Comore

E 4

Superficie 1862 km²
Abitanti 732 000
Densità 393 ab./km²
Lingua francese, arabo
Religione musulmana, cristiana
Moneta franco comoriano
Capitale Moroni

Congo

C 3 4

Superficie 342 000 km²
Abitanti 3 205 000
Densità 9 ab./km²
Lingua francese
Religione cristiana, animista
Moneta franco C.F.A.
Capitale Brazzaville

Congo: villaggio sul fiume Kouyou.

Congo, Rep. Dem.

C D 4

Superficie 2 344 858 km²
Abitanti 53 993 000
Densità 23 ab./km²
Lingua francese, idiomi locali
Religione cattolica, protestante
Moneta franco congolese
Capitale Kinshasa

Situata nell'Africa equatoriale, la Repubblica Democratica del Congo si estende su un territorio costituito dall'ampio bacino del fiume omonimo. Il clima equatoriale ha permesso la crescita di una rigogliosa foresta dalla quale si ricavano caucciù e legno pregiato. L'instabilità politica non ha consentito all'economia uno sviluppo costante, malgrado le notevoli risorse minerarie. Soltanto cacao, caffè e cotone vengono esportati, mentre il resto della produzione agricola a malapena copre il fabbisogno alimentare interno.

Costa d'Avorio

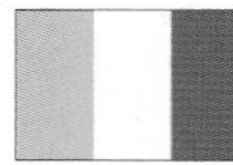

B 3

Superficie 320 763 km²
Abitanti 16 692 000
Densità 52 ab./km²
Lingua francese
Religione musulmana, cattolica, animista
Moneta franco C.F.A.
Capitale Yamoussoukro

Egitto

D 2

Superficie 1 001 449 km²
Abitanti 67 960 000
Densità 68 ab./km²
Lingua arabo, inglese
Religione musulmana, cristiana ortodossa
Moneta lira egiziana
Capitale Il Cairo

L'Egitto è bagnato dal Mare Mediterraneo e dal Mar Rosso collegati tra di loro dal canale di Suez. La sua superficie è tre volte quella italiana ed è al 90% desertica. L'economia e la vita dell'intero Paese dipendono dal Nilo, il fiume più lungo del mondo. Nell'antichità, le inondazioni stagionali rendevano fertili i terreni adiacenti; oggi, attraverso la creazione di bacini artificiali e in particolare con la

Africa politica

diga di Assuan, terminata nel 1970, gli egiziani possono irrigare i campi tutto l'anno. La coltivazione principale è quella del cotone. Si coltivano anche cereali, ortaggi, frutta, agrumi, canna da zucchero e datteri.
Il patrimonio archeologico dell'antica civiltà dei Faraoni fa sì che la capitale, Il Cairo, e la Valle dei Re siano meta di milioni di turisti che giungono da ogni parte del mondo per ammirare la maestosità della Sfinge e l'imponenza delle Piramidi.
L'economia è di tipo agricolo-industriale. Le industrie prevalenti sono alimentari, tessili, metallurgiche e siderurgiche. La pesca viene praticata su larga scala e da essa trae beneficio anche il commercio: infatti, nel Mar Rosso si trovano in abbondanza le perle e nel Mediterraneo le spugne. Importanti per l'economia del Paese sono anche i giacimenti di petrolio e di gas naturale.

Egitto: la Sfinge di Giza, presso Il Cairo, sullo sfondo la piramide di Chefren.

Eritrea

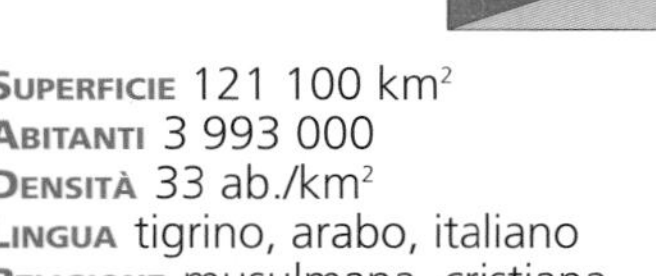

D E 3

SUPERFICIE 121 100 km^2
ABITANTI 3 993 000
DENSITÀ 33 ab./km^2
LINGUA tigrino, arabo, italiano
RELIGIONE musulmana, cristiana
MONETA nakfa
CAPITALE Asmara

Etiopia

D E 3

SUPERFICIE 1 133 882 km^2
ABITANTI 66 039 000
DENSITÀ 58 ab./km^2
LINGUA amharico, idiomi locali
RELIGIONE cristiana copta, musulmana
MONETA birr
CAPITALE Addis Abeba

Etiopia: prete copto in una chiesa a Lalibela.

L'Etiopia è uno Stato dell'Africa orientale. Il suo territorio presenta un vasto acrocoro, ossia un altopiano costituito da caratteristiche alture coniche senza punta, chiamate "ambe". L'acrocoro si abbassa, poi, fino alla zona desertica. La pianura più ampia si estende lungo la costa bagnata dal Mar Rosso. Il Paese è ricco di corsi d'acqua. I fiumi più importanti sono il Nilo Azzurro, che è emissario del lago Tana, e l'Omo Bottego, che è l'immissario del lago Rodolfo. Per quanto riguarda il clima, l'Etiopia ha due sole stagioni: l'inverno, da ottobre a marzo, asciutto, e l'estate, da aprile a settembre, piovosa.
L'economia, molto povera, è basata sull'agricoltura e sull'allevamento del bestiame (zebù). Le coltivazioni principali sono l'orzo e il caffè. Viene anche praticata la pesca delle conchiglie perlifere. Ricca è la fauna con elefanti, leoni, ippopotami, giraffe, gazzelle, rinoceronti.

Gabon

C 3 4

SUPERFICIE 267 667 km^2
ABITANTI 1 276 000
DENSITÀ 5 ab./km^2
LINGUA francese, lingue bantu
RELIGIONE cattolica, protestante
MONETA franco C.F.A.
CAPITALE Libreville

Gambia

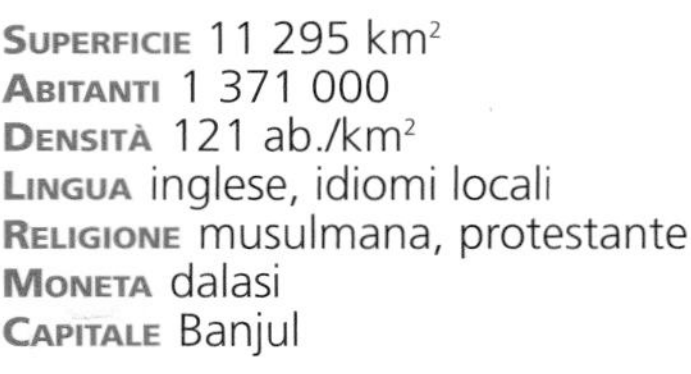

B 3

SUPERFICIE 11 295 km^2
ABITANTI 1 371 000
DENSITÀ 121 ab./km^2
LINGUA inglese, idiomi locali
RELIGIONE musulmana, protestante
MONETA dalasi
CAPITALE Banjul

Ghana

B 3

SUPERFICIE 238 533 km^2
ABITANTI 19 606 000
DENSITÀ 82 ab./km^2
LINGUA inglese, idiomi locali
RELIGIONE cristiana, musulmana
MONETA nuovo cedi
CAPITALE Accra

Gibuti

E 3

SUPERFICIE 23 200 km^2
ABITANTI 651 000
DENSITÀ 28 ab./km^2
LINGUA francese, arabo
RELIGIONE musulmana, cristiana
MONETA franco di Gibuti
CAPITALE Gibuti

Guinea

B 3

SUPERFICIE 245 857 km^2
ABITANTI 7 557 000
DENSITÀ 31 ab./km^2
LINGUA francese, idiomi locali
RELIGIONE musulmana, cristiana
MONETA franco della Guinea
CAPITALE Conakry

Guinea-Bissau

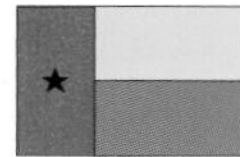

B 3

SUPERFICIE 36 125 km^2
ABITANTI 1 256 000
DENSITÀ 35 ab./km^2
LINGUA portoghese, creolo-portoghese
RELIGIONE musulmana, animista
MONETA franco C.F.A.
CAPITALE Bissau

Guinea Equatoriale

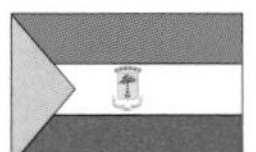

C 3

SUPERFICIE 28 051 km^2
ABITANTI 476 000
DENSITÀ 17 ab./km^2
LINGUA spagnolo, francese
RELIGIONE cattolica
MONETA franco C.F.A.
CAPITALE Malabo

Kenya

D 3 4

SUPERFICIE 582 646 km^2
ABITANTI 30 472 000
DENSITÀ 52 ab./km^2
LINGUA swahili, inglese
RELIGIONE animista, cristiana
MONETA scellino del Kenya
CAPITALE Nairobi

Kenya: una veduta di Nairobi, la capitale.

Il Kenya si trova nell'Africa nord-orientale ed è attraversato dall'Equatore.
Il territorio di questo Stato è piuttosto vario. I 400 chilometri che costituiscono la fertile fascia costiera sono di origine alluvionale. Verso l'interno il terreno si dispone a "gradoni", formando una regione di altopiani stepposi che copre circa il 70% dell'estensione complessiva keniana. A ovest si trova la parte più montuosa del Paese, dove svettano alti massicci, rilievi vulcanici (Monte Kenya, 5194 metri) e grandi laghi, come il lago Vittoria. La notevole altitudine di questa terra mitiga e tempera il clima equatoriale.
Le frequenti e abbondanti piogge, presenti su tutto il territorio, favoriscono la produzione agricola, che dà lavoro a più di due terzi della popolazione. Le principali colture sono: tè, caffè, frutta tropicale, mais e sorgo.

Kenya: Kilimangiaro.

Lesotho

D 5

SUPERFICIE 30 355 km^2
ABITANTI 2 235 000
DENSITÀ 74 ab./km^2
LINGUA inglese, sesotho
RELIGIONE cattolica, protestante
MONETA loti
CAPITALE Maseru

Liberia

B 3

Superficie 111 369 km^2
Abitanti 3 298 000
Densità 30 ab./km^2
Lingua inglese, dialetti sudanesi
Religione cristiana, animista, musulmana
Moneta dollaro liberiano
Capitale Monrovia

Libia

C D 2

Superficie 1 759 540 km^2
Abitanti 5 629 000
Densità 3 ab./km^2
Lingua arabo
Religione musulmana
Moneta dinaro libico
Capitale Tripoli

Madagascar

E 4 5

Superficie 587 041 km^2
Abitanti 16 913 000
Densità 29 ab./km^2
Lingua malagasy, francese
Religione animista, cristiana
Moneta franco malgascio
Capitale Antananarivo

Malawi

D 4

Superficie 118 484 km^2
Abitanti 10 659 000
Densità 90 ab./km^2
Lingua inglese, chichewa
Religione cristiana, musulmana, animista
Moneta kwacha del Malawi
Capitale Lilongwe

Mali

B C 3

Superficie 1 248 574 km^2
Abitanti 11 030 000
Densità 9 ab./km^2
Lingua francese, idiomi locali
Religione musulmana, animista
Moneta franco C.F.A.
Capitale Bamako

Mali, villaggio Dogon.

Marocco

B 2

Superficie 458 730 km^2
Abitanti 29 355 000
Densità 64 ab./km^2
Lingua arabo, berbero, francese
Religione musulmana
Moneta dirham
Capitale Rabat

Marocco: la Medina a Marrakech.

Il Marocco è uno Stato dell'Africa settentrionale che si estende lungo le coste dell'Atlantico. Il suo territorio è occupato, a nord, da quattro grandi catene montuose: il Rif, che costeggia il Mediterraneo fino allo Stretto di Gibilterra, l'Alto Atlante e il Medio Atlante, che presentano cime elevate oltre i 3000 metri, e l'Antiatlante che degrada dolcemente verso sud. La parte meridionale è occupata interamente dal Sahara, il maggiore dei deserti presenti sul nostro pianeta.
All'agricoltura tradizionale, basata essenzialmente sulla coltivazione dei cereali, si sono affiancate negli ultimi anni colture intensive, destinate all'esportazione: cotone, lino, barbabietola, canna da zucchero.
Di notevole interesse storico-artistico sono le cosiddette "quattro città imperiali": Rabat, Fès, Marrakech e Meknès. Sono antiche città islamiche sorte come sedi del governo centrale in epoche diverse, ricche di moschee e mercati.

Mauritania

B 3

Superficie 1 030 700 km^2
Abitanti 2 679 000
Densità 3 ab./km^2
Lingua arabo, francese, hassaniya
Religione musulmana
Moneta ouguiya
Capitale Nouakchott

Maurizio

E 4 5

Superficie 2045 km^2
Abitanti 1 205 000
Densità 589 ab./km^2
Lingua inglese, creolo-francese
Religione induista, cristiana, musul.
Moneta rupia di Maurizio
Capitale Port Louis

Mozambico

D 4 5

Superficie 799 380 km^2
Abitanti 18 082 000
Densità 23 ab./km^2
Lingua portoghese, lingue bantu
Religione animista, musul., cristiana
Moneta metical
Capitale Maputo

Namibia

C 5

Superficie 825 118 km^2
Abitanti 1 860 000
Densità 2 ab./km^2
Lingua inglese, tedesco, idiomi locali
Religione cristiana
Moneta dollaro namibiano
Capitale Windhoek

Niger

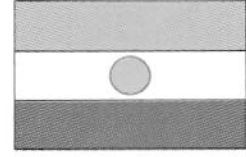

C 3

Superficie 1 186 408 km^2
Abitanti 11 640 000
Densità 10 ab./km^2
Lingua francese, idiomi locali
Religione musulmana, animista
Moneta franco C.F.A.
Capitale Niamey

Nigeria

C 3

Superficie 923 768 km^2
Abitanti 117 838 000
Densità 128 ab./km^2
Lingua inglese, idiomi locali
Religione musul., cristiana, animista
Moneta naira
Capitale Abuja

Ruanda

D 4

Superficie 26 338 km^2
Abitanti 8 162 715
Densità 310 ab./km^2
Lingua francese, ingl., kinyarwanda
Religione cattolica, animista
Moneta franco del Ruanda
Capitale Kigali

São Tomé e Príncipe

C 3

Superficie 1001 km^2
Abitanti 146 000
Densità 146 ab./km^2
Lingua portoghese
Religione cattolica, protestante
Moneta dobra
Capitale São Tomé

Seicelle

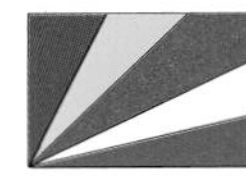

E 4

Superficie 455 km^2
Abitanti 81 000
Densità 178 ab./km^2
Lingua creolo-francese, inglese
Religione cattolica
Moneta rupia delle Seicelle
Capitale Victoria

Senegal

B 3

Superficie 196 712 km^2
Abitanti 10 244 000
Densità 52 ab./km^2
Lingua francese, wolof
Religione musulmana, animista
Moneta franco C.F.A.
Capitale Dakar

Il Senegal è uno Stato dell'Africa occidentale con capitale Dakar, sulla costa Atlantica. L'unico fiume di rilievo è il Senegal, interamente navigabile. Paese piuttosto povero di risorse, deve gran parte della propria economia al settore manufatturiero, alla coltivazione dell'arachide e allo sfruttamento forestale per la produzione della gomma arabica. La popolazione è costituita da varie tribù: alcune sedentarie come i Wolof, altre nomadi come i Peul, i Mandingo e i Diolo. In questi ultimi anni molti senegalesi sono emigrati, in cerca di lavoro e di migliori condizioni di vita.

Sierra Leone

B 3

Superficie 71 740 km^2
Abitanti 5 160 000
Densità 72 ab./km^2
Lingua inglese, idiomi locali
Religione musulmana, animista, cristiana
Moneta leone
Capitale Freetown

Somalia

E 3

Superficie 637 657 km²
Abitanti 9 557 000
Densità 15 ab./km²
Lingua somalo, arabo, inglese
Religione musulmana sunnita
Moneta scellino somalo
Capitale Mogadiscio

La Somalia, o Corno d'Africa, si affaccia a nord sul golfo di Aden e a est sull'Oceano Indiano. Il territorio presenta un aspetto pianeggiante, esclusa la zona settentrionale occupata da rilievi montuosi di media entità. La popolazione vive ancora, secondo le tradizioni indigene, organizzata in clan e sottoclan. Cotone, arachidi, gomma arabica e sesamo sono le colture principali del Paese.
Dopo una lunga guerra civile, la Somalia sta cercando di tornare alla normalità, ma resta ancora in una situazione di profonda crisi economica.

Mogadiscio: il vecchio porto con la torre del sultano Sansibar.

Sudafricana, Rep.

C D 5

Superficie 1 219 090 km²
Abitanti 45 186 000
Densità 37 ab./km²
Lingua afrikaans, inglese, idiomi locali
Religione cristiana, animista
Moneta rand sudafricano
Capitale Città del Capo, Pretoria

La punta meridionale del continente africano è occupata dalla Repubblica Sudafricana. Il Sudafrica si affaccia su due mari: l'Oceano Atlantico, che si estende a ovest del Capo di Buona Speranza, e l'Oceano Indiano, che da lì si apre verso est. Grazie alle miniere ricche di diamanti e di oro, l'economia di questo Paese è la più solida del continente.
In Sudafrica fino al 1992 vigeva il rigido regime dell'*apartheid*, basato su leggi che discriminavano la popolazione di pelle nera rispetto a quella di pelle bianca. Uno dei maggiori problemi del paese è attualmente rappresentato dalla diffusione dell'AIDS.

Sudafrica: Città del Capo.

Sudan

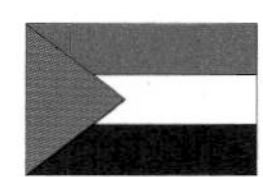

D 3

Superficie 2 503 890 km²
Abitanti 32 559 000
Densità 13 ab./km²
Lingua arabo, idiomi locali
Religione musulmana, animista
Moneta dinaro sudanese
Capitale Khartoum

Sudan: una ragazza con ornamenti tipici.

Il Sudan è lo Stato africano di maggior estensione territoriale ed è formato dal bacino del fiume Nilo, che attraversa il Paese interamente da nord a sud. La forte siccità, le scarse risorse minerarie, le frequenti inondazioni, la sanguinosa guerra civile hanno determinato una condizione di sottosviluppo che solo con grandi sforzi potrà essere superata. Gli insediamenti umani si concentrano per lo più lungo le rive del Nilo.

Swaziland

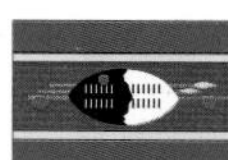

D 5

Superficie 17 364 km²
Abitanti 1 057 000
Densità 61 ab./km²
Lingua inglese, swazi
Religione cristiana, animista
Moneta lilangeni
Capitale Mbabane, Lobamba

Tanzania

D 4

Superficie 945 090 km²
Abitanti 34 569 232
Densità 37 ab./km²
Lingua swahili, inglese
Religione cristiana, musulmana animista
Moneta scellino della Tanzania
Capitale Dodoma

Togo

C 3

Superficie 56 785 km²
Abitanti 4 945 000
Densità 87 ab./km²
Lingua francese, idiomi locali
Religione animista, cristiana
Moneta franco C.F.A.
Capitale Lomé

Tunisia

B C 2

Superficie 164 150 km²
Abitanti 9 779 000
Densità 60 ab./km²
Lingua arabo, francese
Religione musulmana sunnita
Moneta dinaro tunisino
Capitale Tunisi

Tunisi: al centro il minareto della Moschea dell'Olivo.

La Tunisia è uno Stato del Nordafrica confinante con Algeria e Libia. Il territorio è attraversato a nord dalla catena dell'Atlante Algerino e più a sud da quella dell'Atlante Sahariano.
La zona meridionale è desertica, con alternanza di deserto di roccia e deserto di sabbia.
Lungo la fascia costiera soffia il maestrale che riesce a mitigare il vento caldo di scirocco che proviene dal deserto.
L'economia è prevalentemente agricola: fra le coltivazioni principali, l'ulivo e la palma da dattero. Molto sviluppato è l'allevamento di equini, ovini e caprini. Buona è la produzione del sughero e di un legno speciale prodotto dalla quercia Zeen che viene usato per le traversine delle rotaie. Il sottosuolo è ricco di fosfati, importanti per l'industria. La pricipale ricchezza del sottosuolo è costituita però da petrolio e gas naturale.

Uganda

D 3

Superficie 241 038 km²
Abitanti 24 551 021
Densità 102 ab./km²
Lingua inglese, swahili
Religione cristiana, musulmana
Moneta nuovo scellino ugandese
Capitale Kampala

Zambia

D 4

Superficie 752 614 km²
Abitanti 10 697 000
Densità 14 ab./km²
Lingua inglese, idiomi locali
Religione animista, cristiana
Moneta kwacha zambiano
Capitale Lusaka

Zimbabwe

D 4

Superficie 390 757 km²
Abitanti 11 450 000
Densità 29 ab./km²
Lingua inglese, idiomi locali
Religione animista, cristiana
Moneta dollaro dello Zimbabwe
Capitale Harare

Zimbabwe: elefanti sulla riva dello Zambesi.

America settentrionale fisica

America settentrionale politica

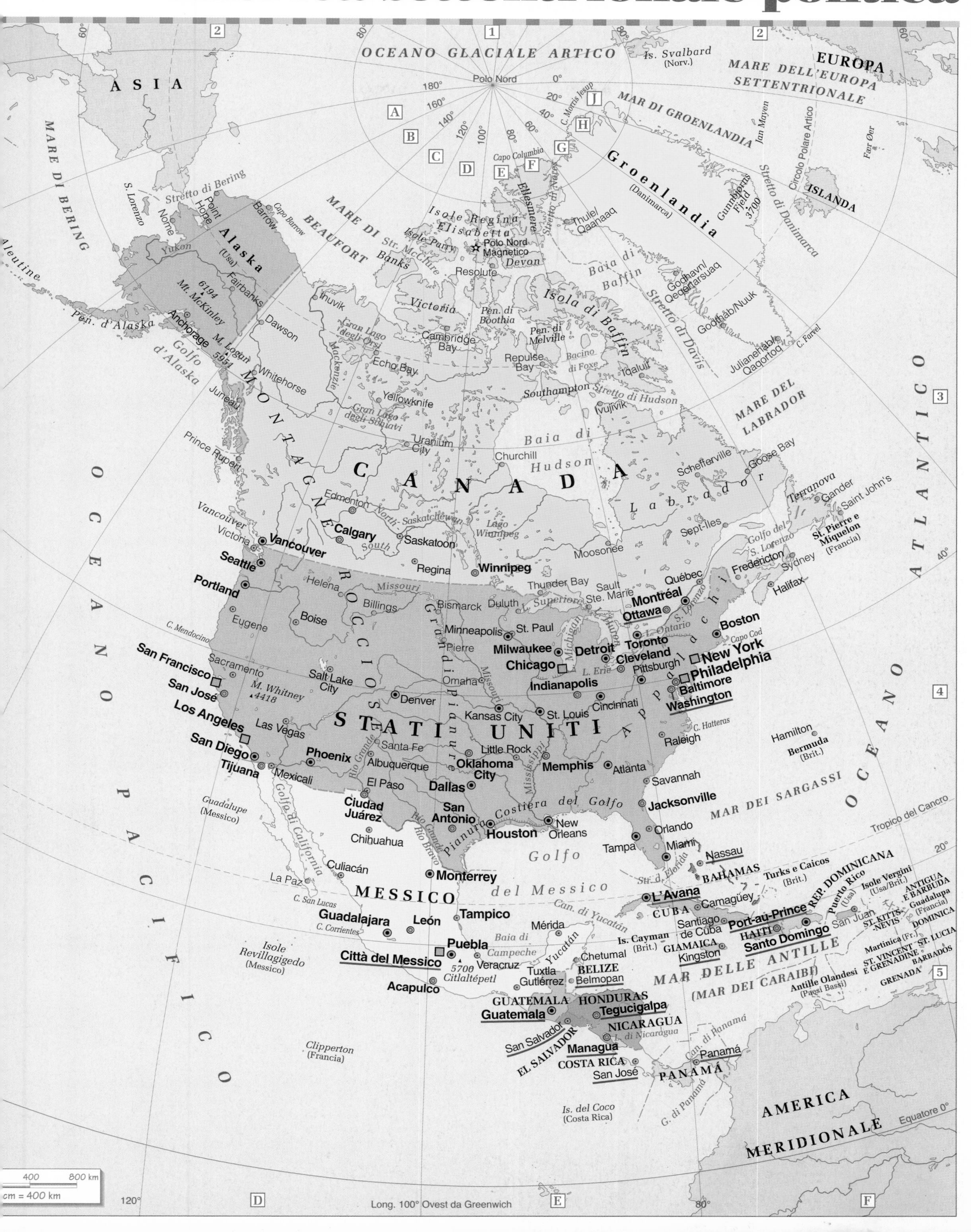

Gli Stati dell'America settentrionale

Antigua e Barbuda

F G 5

SUPERFICIE 442 km²
ABITANTI 76 000
DENSITÀ 172 ab./km²
LINGUA inglese, creolo-inglese
RELIGIONE protestante, cattolica
MONETA dollaro dei Caraibi orientali
CAPITALE Saint John's

Bahamas

F 4

SUPERFICIE 13 939 km²
ABITANTI 303 611
DENSITÀ 22 ab./km²
LINGUA inglese, creolo-inglese
RELIGIONE protestante, cattolica
MONETA dollaro delle Bahamas
CAPITALE Nassau

Barbados

F G 5

SUPERFICIE 431 km²
ABITANTI 270 000
DENSITÀ 626 ab./km²
LINGUA inglese
RELIGIONE protestante, cattolica
MONETA dollaro di Barbados
CAPITALE Bridgetown

Barbados: la baia di Gay nell'isola di santa Lucia.

Belize

E 5

SUPERFICIE 22 965 km²
ABITANTI 255 000
DENSITÀ 11 ab./km²
LINGUA inglese, spagnolo
RELIGIONE cattolica, protestante
MONETA dollaro del Belize
CAPITALE Belmopan

Canada

D E 3

SUPERFICIE 9 970 610 km²
ABITANTI 30 277 000
DENSITÀ 3 ab./km²
LINGUA inglese, francese
RELIGIONE cattolica, protestante
MONETA dollaro canadese
CAPITALE Ottawa

Il Canada occupa la parte settentrionale del Nord America e confina con gli Stati Uniti a nord-ovest e a sud, mentre a ovest è bagnato dall'Oceano Pacifico, a nord dal Mare Glaciale Artico e a est dall'Oceano Atlantico. È il secondo Paese per estensione dopo la Russia, con un territorio di circa 6500 km da ovest a est e di circa 5000 km da nord a sud, compreso tra le Montagne Rocciose a ovest e i Monti Appalachi ad est. Tra le due catene si trova un'ampia pianura, attraversata da molti fiumi, tra i quali i più importanti sono il Mackenzie e il San Lorenzo, che sfociano nel Mare Glaciale Artico il primo e nell'Oceano Atlantico il secondo. Sul territorio canadese si trovano circa 250 000 laghi, di diverse forme e dimensioni; tra questi, i principali sono il Gran Lago degli Orsi, il Gran Lago degli Schiavi e il Winnipeg. Il clima canadese è continentale: gli inverni sono lunghi e rigidi, anche se allontanandosi dal Polo, verso sud, si mitigano e si alternano a estati calde.
Il Canada possiede un vero e proprio patrimonio faunistico per i suoi parchi nazionali: più di trenta per circa 130 000 km².

Canada: il Parco Nazionale del Lago Moraine.

Tra gli animali, si possono trovare il caribù, il bue muschiato, l'orso bruno e l'orso grigio. Il Canada è inoltre uno dei Paesi più ricchi del mondo: il sottosuolo è assai ricco di minerali, petrolio e gas naturale, che vengono trasportati attraverso una rete di gasdotti e oleodotti di 50 000 km circa. Il Paese è anche in grado di produrre notevoli quantità di energia elettrica, per la maggior parte di derivazione idrica e in parte nucleare. Importanti sono anche i settori ad alta tecnologia: informatica, elettronica, aereospaziale, biotecnologie, telecomunicazioni.

Una veduta di Montréal.

Dal momento che il Canada è molto esteso, l'agricoltura si è potuta diversificare in vari modi. La coltivazione dei cereali è comunque una delle attività fondamentali: infatti questo Stato è un grande produttore ed esportatore di grano, anche grazie all'alto livello di meccanizzazione. Altre colture diffuse sono: tabacco, barbabietola da zucchero, patate, frutta, soia e lino. Vengono allevati bovini e suini, che alimentano l'esportazione di latticini e carne e, nelle regioni più fredde del Nord, animali da pelliccia. Molto importante è la pesca di salmoni, aragoste e merluzzi. Le vaste foreste che ricoprono alcune regioni danno vita a un'intensa attività di lavorazione del legno e di produzione della carta.

Costa Rica

E 5

SUPERFICIE 51 100 km²
ABITANTI 3 998 000
DENSITÀ 78 ab./km²
LINGUA spagnolo
RELIGIONE cattolica
MONETA colón
CAPITALE San José

Cuba

E F 4

SUPERFICIE 110 860 km²
ABITANTI 11 263 000
DENSITÀ 102 ab./km²
LINGUA spagnolo
RELIGIONE cattolica
MONETA peso cubano
CAPITALE L'Avana

Cuba è l'isola più grande dell'arcipelago cubano costituito da oltre 4000 tra isolotti, isole e *cayos*, piccole isole piatte e coralline bagnate dal Mar dei Caraibi, tra Stati Uniti, Giamaica e Haiti. Il territorio è principalmente pianeggiante con una natura ricca e fertile: sull'isola vivono più di 8000 specie vegetali e oltre 300 specie di uccelli; i fondali marini ospitano 900 specie di pesci e 4000 di molluschi.
Le piantagioni di canna da zucchero sono una delle voci più importanti dell'economia cubana insieme al tabacco: è a Cuba infatti che si producono artigianalmente i famosi sigari Avana.

Dominica

F G 5

SUPERFICIE 751 km²
ABITANTI 72 000
DENSITÀ 96 ab./km²
LINGUA inglese, creolo-francese
RELIGIONE cattolica, protestante
MONETA dollaro dei Caraibi Orientali
CAPITALE Roseau

Dominicana, Rep.

F 4 5

SUPERFICIE 48 511 km²
ABITANTI 8 879 000
DENSITÀ 183 ab./km²
LINGUA spagnolo
RELIGIONE cattolica, protestante
MONETA peso dominicano
CAPITALE Santo Domingo

El Salvador

E 5

SUPERFICIE 21 041 km²
ABITANTI 6 520 000
DENSITÀ 310 ab./km²
LINGUA spagnolo
RELIGIONE cattolica, protestante
MONETA colón, dollaro USA
CAPITALE San Salvador

Giamaica

E F 5

SUPERFICIE 10 991 km²
ABITANTI 2 620 000
DENSITÀ 238 ab./km²
LINGUA inglese, creolo-inglese
RELIGIONE protestante, cattolica
MONETA dollaro giamaicano
CAPITALE Kingston

Grenada

F 5

SUPERFICIE 344 km²
ABITANTI 102 000
DENSITÀ 296 ab./km²
LINGUA inglese, creolo-inglese
RELIGIONE cattolica, protestante
MONETA dollaro dei Caraibi orientali
CAPITALE Saint George's

Guatemala

E 5

Superficie 109 117 km^2
Abitanti 11 237 000
Densità 103 ab./km^2
Lingua spagnolo, dialetti maya
Religione cattolica
Moneta quetzal
Capitale Città del Guatemala

Il Guatemala ha circa 11 milioni di abitanti concentrati per il 20% nella capitale e, per il resto, in piccoli agglomerati urbani sparsi nelle zone degli altopiani e nella fascia del Pacifico. Nel Paese l'eredità culturale ed etnica maya è molto forte: qui infatti si sono svolte le più sanguinose guerre tra la popolazione indigena e i *conquistadores*, e ancora oggi oltre allo spagnolo si sentono parlare molte lingue derivate dall'antica lingua maya. L'economia del Paese, duramente provato da una lunga guerra civile terminata nel 1996, è basata principalmente sull'esportazione di caffè e sul turismo.

Rigoberta Menchú Tum, la contadina guatemalteca che ha lottato per i diritti del suo popolo, Nobel per la pace nel 1992.

Haiti

F 5

Superficie 27 700 km^2
Abitanti 8 385 000
Densità 303 ab./km^2
Lingua francese, creolo-francese
Religione cattolica, protestante
Moneta gourde
Capitale Port-au-Prince

Honduras

E 5

Superficie 112 492 km^2
Abitanti 6 738 000
Densità 60 ab./km^2
Lingua spagnolo
Religione cattolica, protestante
Moneta lempira
Capitale Tegucigalpa

Messico

D E 4 5

Superficie 1 958 201 km^2
Abitanti 101 223 000
Densità 52 ab./km^2
Lingua spagnolo
Religione cattolica, protestante
Moneta nuovo peso messicano
Capitale Città del Messico

Messico: la Piramide delle Nicchie, a El Tajin.

Il Messico si trova tra gli Stati Uniti e la stretta fascia dell'America centrale. Confina a sud-est con il Belize e il Guatemala, a est si affaccia sul Golfo del Messico, a sud-est sul Mare Caraibico e a ovest e sud-ovest sull'Oceano Pacifico. Lungo la costa dell'Oceano Pacifico si trova il sistema montuoso della Sierra Madre Occidental, lungo circa 1300 km e largo 300, mentre lungo le coste dell'Atlantico si trova la Sierra Madre Oriental. In mezzo c'è un altopiano, detto Mesa Central, con alcuni vulcani ancora attivi, come il Citlaltépetl (5700 m) e il Popocatépetl (5452 m). Il clima, generalmente caldo e secco, divide il Paese in tre fasce secondo l'altitudine: la *tierra arsa* (calda) fino a 800 metri; la *tierra templada* (temperata) fino a 1700 metri, e la *tierra fria* (fredda) fin oltre i 4000 metri. Città del Messico, fondata sulle rovine della città azteca Tenochtitlàn, è una delle città più popolate del mondo. Le colture sono soprattutto cerealicole (mais e fagioli sono la base dell'alimentazione locale).

Nicaragua

E 5

Superficie 131 812 km^2
Abitanti 5 342 000
Densità 41 ab./km^2
Lingua spagnolo
Religione cattolica, protestante
Moneta córdoba oro
Capitale Managua

Panamá

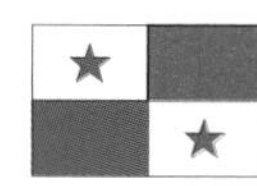

E F 5

Superficie 75 517 km^2
Abitanti 2 953 000
Densità 39 ab./km^2
Lingua spagnolo
Religione cattolica, protestante
Moneta balboa
Capitale Panamá

Saint Kitts e Nevis

F 5

Superficie 269 km^2
Abitanti 46 000
Densità 171 ab./km^2
Lingua inglese
Religione protestante, anglicana
Moneta dollaro dei Caraibi orientali
Capitale Basseterre

Saint Lucia

F G 5

Superficie 616 km^2
Abitanti 160 000
Densità 260 ab./km^2
Lingua inglese, creolo-francese
Religione cattolica
Moneta dollaro dei Caraibi orientali
Capitale Castries

Saint Vincent e Grenadine

F 5

Superficie 389 km^2
Abitanti 109 000
Densità 280 ab./km^2
Lingua inglese
Religione protestante, anglicana
Moneta dollaro dei Caraibi orientali
Capitale Kingstown

Stati Uniti

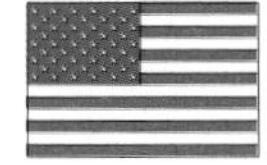

D E 4

Superficie 9 372 614 km^2
Abitanti 288 369 000
Densità 31 ab./km^2
Lingua inglese, spagnolo
Religione protestante, cattolica
Moneta dollaro USA
Capitale Washington

Gli Stati Uniti d'America si trovano tra il Canada, a nord, e il Messico, a sud, e si affacciano sia sull'Oceano Pacifico, a ovest, che sull'Atlantico, a est. Sono una confederazione di 51 Stati con autonomia governativa e legislativa, anche se fanno riferimento a un unico Parlamento. Da un punto di vista esclusivamente territoriale, il Paese si può suddividere in zone diverse a seconda del clima, della conformazione geografica e del paesaggio. Un primo scenario è dato dalle pianure costiere sull'Atlantico, a nord del fiume Hudson, caratterizzate da insenature, penisole e isole costiere; a sud dell'Hudson la costa è molto articolata e si apre in due grandi baie (Delaware e Chesapeake). La pianura è qui delimitata dall'altopiano del Piedmont. Vanno inoltre ricordate: la regione dei Monti Appalachi, le pianure del bacino dei fiumi Mississippi e Missouri, la regione delle Montagne Rocciose, le catene montuose occidentali, la costa sul Pacifico, l'Alaska e le isole Hawaii.
La grande estensione del Paese permette la presenza di climi e ambienti molto diversi: dai deserti come quello dello Stato dello Utah alle praterie della zona centrale; dai boschi di latifoglie delle zone costiere orientali e della regione degli Appalachi a quelli di conifere delle Montagne Rocciose; in Florida c'è una vegetazione quasi tropicale, mentre in California svettano le alte sequoie.
Gli USA sono il Paese leader dell'economia mondiale e il livello di produttività americano è tra i più elevati del mondo sia in agricoltura sia nell'industria. Le risorse minerarie sono notevoli: gli Stati Uniti sono tra i primi produttori mondiali di carbone, petrolio, rame, uranio, zolfo, piombo e gas naturale. La produzione industriale è vasta, abbraccia ogni settore e, in ciascuno, arriva ad alti livelli qualitativi grazie alle avanzate tecnologie che vengono adoperate.

Il Campidoglio a Washington, sede del Congresso degli Stati Uniti.

America meridionale fisica

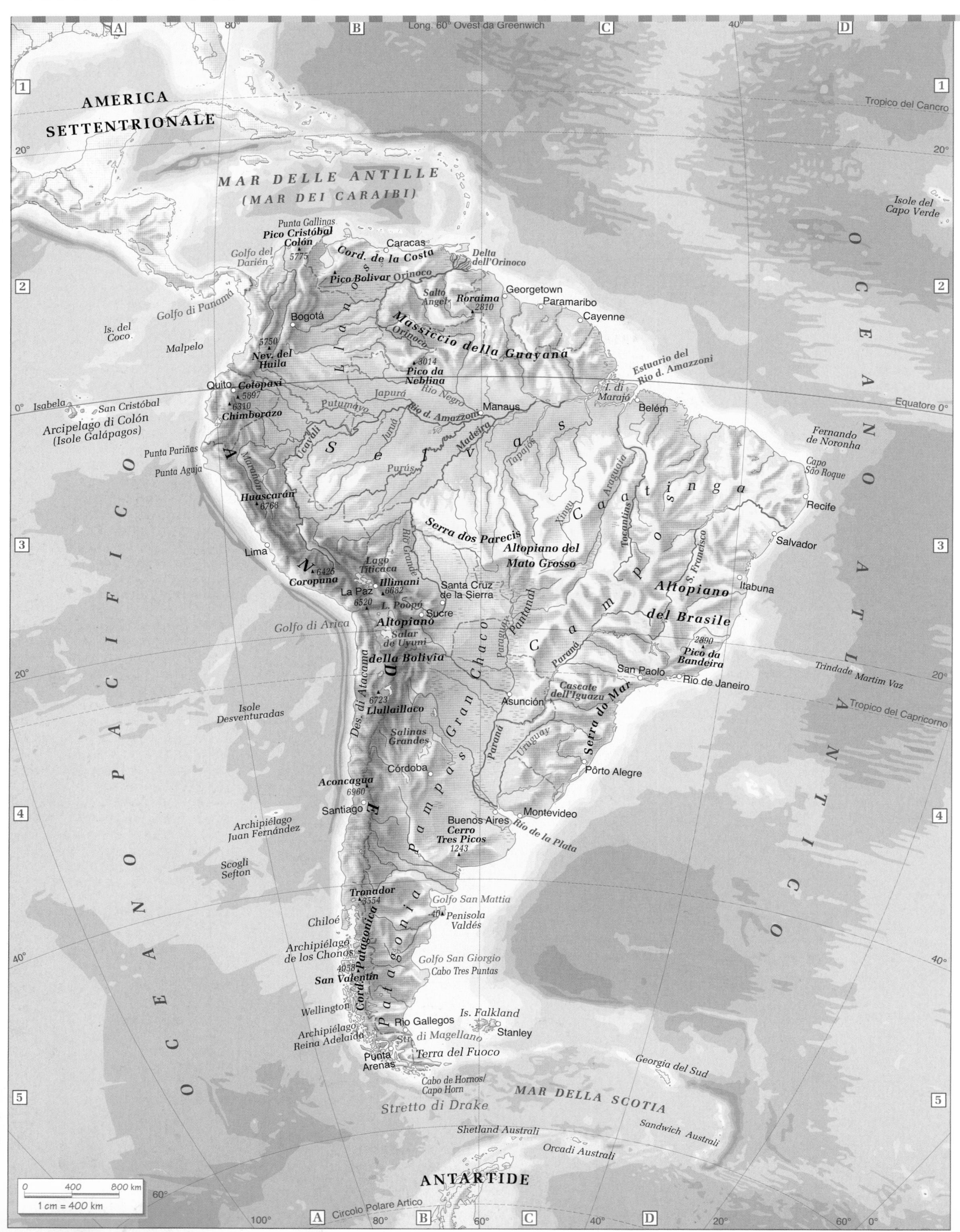

America meridionale politica

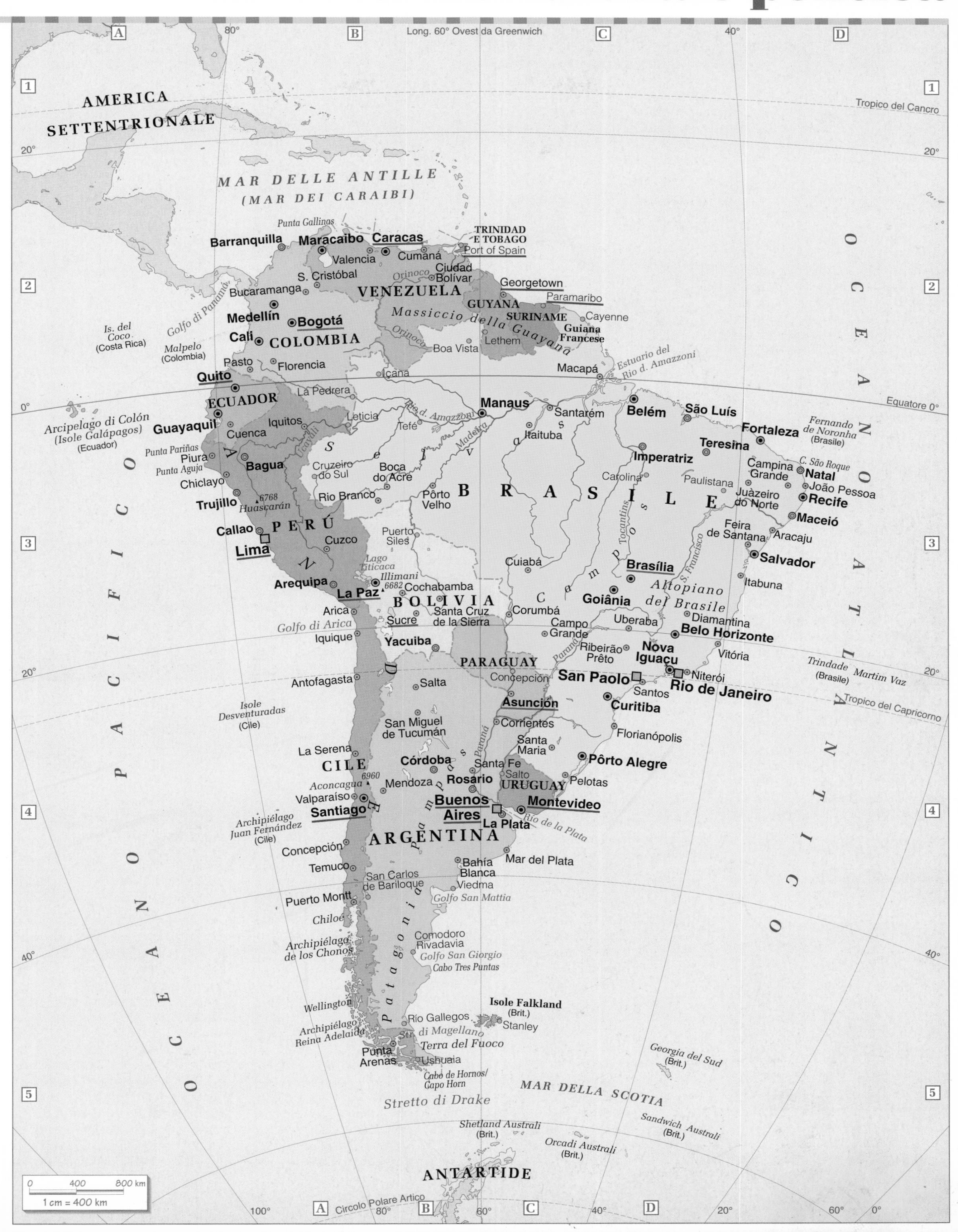

Gli Stati dell'America meridionale

Argentina

B 4 5

Superficie 2 780 272 km²
Abitanti 36 695 000
Densità 13 ab./km²
Lingua spagnolo
Religione cattolica, protestante
Moneta peso argentino
Capitale Buenos Aires

Il territorio argentino è molto esteso (circa nove volte l'Italia), la popolazione, invece, non è molto numerosa; inoltre, quasi un terzo degli abitanti si concentra nell'area metropolitana di Buenos Aires, la capitale. Un fenomeno, questo, causato dalla conformazione geografica dello Stato e dal clima. In molte zone, infatti, il freddo e l'aridità del terreno, non adatto all'agricoltura, non hanno permesso la nascita di centri abitati.
Nella fascia occidentale dell'Argentina si allunga la Cordigliera delle Ande che digrada verso est, aprendosi in territori pianeggianti: la regione della Pampa a nord e la Patagonia a sud. L'estremità meridionale del Paese e dell'intero continente latino-americano è la Terra del Fuoco, dove il clima rigido e gli inverni eccessivamente freddi limitano l'insediamento umano. L'unica attività produttiva rilevante in questa zona è l'allevamento degli ovini. La grave crisi socio-economica che sta attraversando l'Argentina ha provocato negli ultimi anni vaste proteste popolari. Grazie agli aiuti economici della comunità internazionale la situazione sta lentamente migliorando.
I settori portanti dell'economia sono l'agricoltura e l'allevamento bovino, mentre l'industria, sviluppatasi principalmente per l'afflusso di capitali stranieri, si basa sul settore alimentare, siderurgico, metallurgico, meccanico e tessile ed è concentrata nella capitale Buenos Aires. Il Paese ha buone risorse minerarie e idroelettriche; inoltre, i vasti giacimenti di petrolio permettono all'Argentina di essere quasi autosufficiente.

La regione della Pampa, che si estende a semicerchio dal Paranà al Rio Colorado.

Bolivia

B 3

Superficie 1 098 581 km²
Abitanti 8 464 000
Densità 8 ab./km²
Lingua spagnolo, idiomi locali
Religione cattolica, protestante
Moneta peso boliviano
Capitale La Paz, Sucre

Brasile

B C 3

Superficie 8 547 393 km²
Abitanti 174 633 000
Densità 20 ab./km²
Lingua portoghese
Religione cattolica, protestante
Moneta real
Capitale Brasília

Il Brasile è per estensione il maggiore Stato del Sudamerica: occupa, infatti, circa il 47% dell'intero territorio.
Al suo interno si distinguono due zone: il bacino del Rio delle Amazzoni, il fiume più ricco di acque del mondo, e l'Altopiano brasiliano. Il bacino amazzonico occupa un'area molto estesa: è formato da sedimenti alluvionali, attraversato da fiumi e ricoperto da fitte foreste equatoriali, abitate da tribù di indios dediti ancora oggi alla caccia e alla raccolta di radici e bacche.
Negli ultimi anni il disboscamento della foresta per creare terreni coltivabili ha avuto un tale incremento da suscitare in tutto il mondo preoccupazioni: la distruzione di questo ambiente naturale, definito il "polmone della Terra", compromette infatti l'equilibrio ecologico mondiale, perché la foresta amazzonica è un grande serbatoio di ossigeno, indispensabile alla vita del nostro pianeta. Negli ultimi dieci anni, molte iniziative sono nate a sostegno della vegetazione e delle popolazioni che abitano queste zone.
Il clima, equatoriale umido nell'interno, diviene temperato lungo le coste meridionali e nelle pianure del sud.

La foresta amazzonica. Se gli alberi continueranno ad essere abbattuti al ritmo attuale, tra cinquant'anni la foresta non esisterà più.

La coltivazione principale è il caffè, di cui il Brasile è il primo produttore al mondo. Si coltivano inoltre cacao, canna da zucchero, soia e cotone. Importanti sono la pesca e l'allevamento di bovini. Il Paese ha grandi risorse minerarie (ferro, nichel, cromo, oro, bauxite, manganese, tungsteno), soprattutto nell'altopiano centrale, ed è tra i primi dieci paesi industriali del mondo. Diffusa e moderna è l'industria di base: siderurgia, metallurgia, raffinazione del petrolio, chimica. Vanno anche ricordati i comparti meccanico e automobilistico. Le città più importanti sono Rio de Janeiro, al centro di una splendida baia, e San Paolo, il più grande centro industriale.
Il Brasile è Paese di forti differenze sociali: a fronte delle grandi ricchezze di poche persone, la maggioranza della popolazione, molto povera, vive nelle *favelas*, quartieri di baracche costruite con pezzi di lamiera alla periferia delle grandi città, privi di acqua, luce e fogne.

Cile

B 4

Superficie 756 096 km²
Abitanti 15 116 000
Densità 20 ab./km²
Lingua spagnolo
Religione cattolica, protestante
Moneta peso cileno
Capitale Santiago, Valparaíso

Il Cile confina con il Perú a nord, con la Bolivia a nord-est, con l'Argentina a est e si affaccia sull'Oceano Pacifico a ovest. È una lunga striscia di territorio che si snoda seguendo la Cordigliera delle Ande. Ci sono situazioni ambientali e climatiche molto diverse: la temperatura diminuisce andando da nord verso sud e dalle coste verso i massicci montuosi. A nord si trovano alcuni altopiani desertici, come quello di Atacama; questa zona, molto arida, è ricca di risorse minerarie, come il rame, di cui il Cile è il primo produttore mondiale.
Nella regione centrale del Paese, ad altitudini anche elevate, grazie al clima più dolce e temperato, si praticano l'allevamento di bovini e ovini e la coltivazione di cereali, piante da frutta e vite. Proprio per le buone condizioni ambientali, agevolate anche dalla presenza di molti corsi d'acqua, questa è la zona maggiormente popolata del Cile, con le città più importanti: Santiago e Valparaíso, le due capitali. La parte meridionale è formata dal lembo cileno della Patagonia e della Terra del Fuoco, dove si estraggono carbon fossile e limitate quantità di petrolio.

Cile: la regione della Patagonia.

Colombia

B 2

Superficie 1 141 748 km²
Abitanti 43 616 000
Densità 38 ab./km²
Lingua spagnolo
Religione cattolica
Moneta peso colombiano
Capitale Bogotá

La Colombia si affaccia sull'Oceano Pacifico a ovest e sul Mar delle Antille a nord. Il territorio, montuoso a ovest con le tre fasce parallele della Cordigliera delle Ande, è pianeggiante a est con piantagioni di caffè, cacao e banane. La capitale è Bogotá, situata a più di 2500 metri di altitudine. Fondata dagli spagnoli nel 1538 è stata distrutta da un terremoto all'inizio del secolo scorso. Oggi, completamente ricostruita, è un centro commerciale e industriale di rilievo. Sugli altipiani e nella foresta amazzonica sono presenti estese coltivazioni di coca, canapa indiana e papavero da oppio, che alimentano il traffico illegale della droga; dalla Colombia, infatti, proverrebbe l'80% della produzione mondiale di coca.

Ecuador

A B 3

Superficie 272 045 km²
Abitanti 12 388 000
Densità 46 ab./km²
Lingua spagnolo, quechua
Religione cattolica
Moneta dollaro USA
Capitale Quito

Guyana

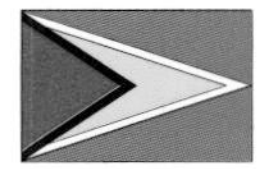

C 2

Superficie 215 083 km²
Abitanti 864 000
Densità 4 ab./km²
Lingua inglese, idiomi locali
Religione induista, cristiana
Moneta dollaro della Guyana
Capitale Georgetown

Paraguay

B C 4

Superficie 406 752 km²
Abitanti 5 206 000
Densità 13 ab./km²
Lingua spagnolo, guaraní
Religione cattolica
Moneta guaraní
Capitale Asunción

Il Paraguay confina a est con il Brasile, a ovest con la Bolivia e a sud-ovest con l'Argentina. La parte centrale è costituita da una pianura di origine alluvionale ancora parzialmente da bonificare. A est si trovano le foreste tropicali, mentre nel centro-nord ci sono savane e steppe. L'economia è sostenuta solo dall'allevamento e dall'agricoltura, sebbene pochi anni fa il Paraguay fosse uno dei Paesi più dinamici dell'America Latina, grazie all'istituzione di moderni impianti industriali con capitale pubblico. La principale coltivazione commerciale è la canna da zucchero, utilizzata soprattutto per la fabbricazione di rhum e alcol. Per l'esportazione sono coltivati il tabacco e il cotone, mentre i principali prodotti di sussistenza sono il mais, la manioca e i fagioli secchi.

Perú

B 3

Superficie 1 285 216 km²
Abitanti 26 749 000
Densità 21 ab./km²
Lingua spagnolo, idiomi locali
Religione cattolica
Moneta nuovo sol
Capitale Lima

Il Perú, affacciato sull'Oceano Pacifico, confina a nord con l'Ecuador e la Colombia, a est con il Brasile, a sud-est con la Bolivia e a sud con il Cile. Il territorio si distingue in tre zone: le coste, la fascia centrale andina e le "basse terre" amazzoniche, attraversate dagli affluenti del Rio delle Amazzoni. Questa regione, dal clima umido, è ricoperta da una fitta foresta equatoriale. Sulle Ande, al confine con la Bolivia, si trova il grande lago Titicaca, esteso per circa 8300 km². Lungo la fascia costiera sono diffuse le coltivazioni di cotone, canna da zucchero e caffè, per lo più destinate all'esportazione, mentre sull'altopiano andino si coltivano soprattutto cereali (mais, frumento) e patate, insufficienti a soddisfare il fabbisogno della popolazione (oltre 13 milioni di peruviani vivono in stato di indigenza).

Perú: lama e alpaca al pascolo.

Come molti altri Stati dell'America Latina, anche il Perú ha grandi ricchezze minerarie (rame, argento, oro) ed energetiche (petrolio, gas naturale), sfruttate però in piccolissima parte. Un ruolo importante è invece svolto dalla pesca, praticata con attrezzature moderne.

Suriname

C 2

Superficie 163 820 km²
Abitanti 423 000
Densità 3 ab./km²
Lingua olandese, caribe
Religione cristiana, induista
Moneta fiorino di Suriname
Capitale Paramaribo

Trinidad e Tobago

B 2

Superficie 5128 km²
Abitanti 1 275 000
Densità 249 ab./km²
Lingua inglese, creolo-inglese
Religione cristiana, induista
Moneta dollaro di Trinidad e Tobago
Capitale Port of Spain

Uruguay

C 4

Superficie 176 215 km²
Abitanti 3 361 000
Densità 19 ab./km²
Lingua spagnolo
Religione cattolica
Moneta nuovo peso uruguayo
Capitale Montevideo

L'Uruguay confina a nord e nord-est con il Brasile, a ovest con l'Argentina e a sud si affaccia sull'Oceano Atlantico con coste basse e sabbiose.
Il Paese è essenzialmente pianeggiante, anche se compaiono rilievi che non superano i 500 metri, detti *cuchillas*. Il terreno fertile e il clima umido e temperato dall'influenza dell'oceano hanno determinato lo sviluppo di praterie, che ricoprono il 60% dell'area totale uruguayana. Si coltivano cereali, soia, canna da zucchero, girasoli, agrumi e frutta e si allevano bovini e ovini. L'Uruguay non è particolarmente ricco di risorse minerarie e ciò ha rallentato lo sviluppo industriale, limitato al settore agroalimentare e più recentemente, con difficoltà, a nuovi ambiti: siderurgico, tessile, meccanico, chimico e petrolchimico.

Uruguay: la capitale Montevideo.

Venezuela

B 2

Superficie 916 445 km²
Abitanti 23 515 000
Densità 26 ab./km²
Lingua spagnolo
Religione cattolica
Moneta bolívar
Capitale Caracas

Venezuela: le cascate nella laguna di Canaima.

Il Venezuela confina a ovest con la Colombia, a sud con il Brasile, a est con la Guyana, a nord col Mar delle Antille e con l'Atlantico. All'interno dello Stato si possono distinguere tre tipologie di territorio: la fascia costiera-andina, la pianura alluvionale dei Llanos e il massiccio della Guayana. Il fiume più importante è l'Orinoco, che nasce dal massiccio della Guayana e sfocia nell'Atlantico attraversando da ovest a est quasi tutto il territorio venezuelano. Il clima è prevalentemente equatoriale, con temperature costanti, ma elevate.
La produzione agricola comprende: cacao, caffè, cotone, canna da zucchero, tabacco, palma da cocco, mais, manioca e riso, introdotto recentemente. Queste colture, però, spesso non bastano a coprire le necessità nazionali. L'allevamento è praticato con metodi antichi; la pesca e lo sfruttamento dei territori boschivi vengono utilizzati in minima parte rispetto alle potenzialità.
I settori più avanzati dell'industria sono il chimico, il petrolchimico, il siderurgico e il metallurgico. Preziose le risorse del sottosuolo, che hanno incrementato lo sviluppo del Paese: il petrolio, estratto nella regione del lago di Macaraibo, la bauxite, l'alluminio e il gas naturale. La precaria situazione politica ha impedito, però, un ampio sviluppo economico e industriale, provocando spesso gravi crisi finanziarie e sociali.

Oceania fisica e politica

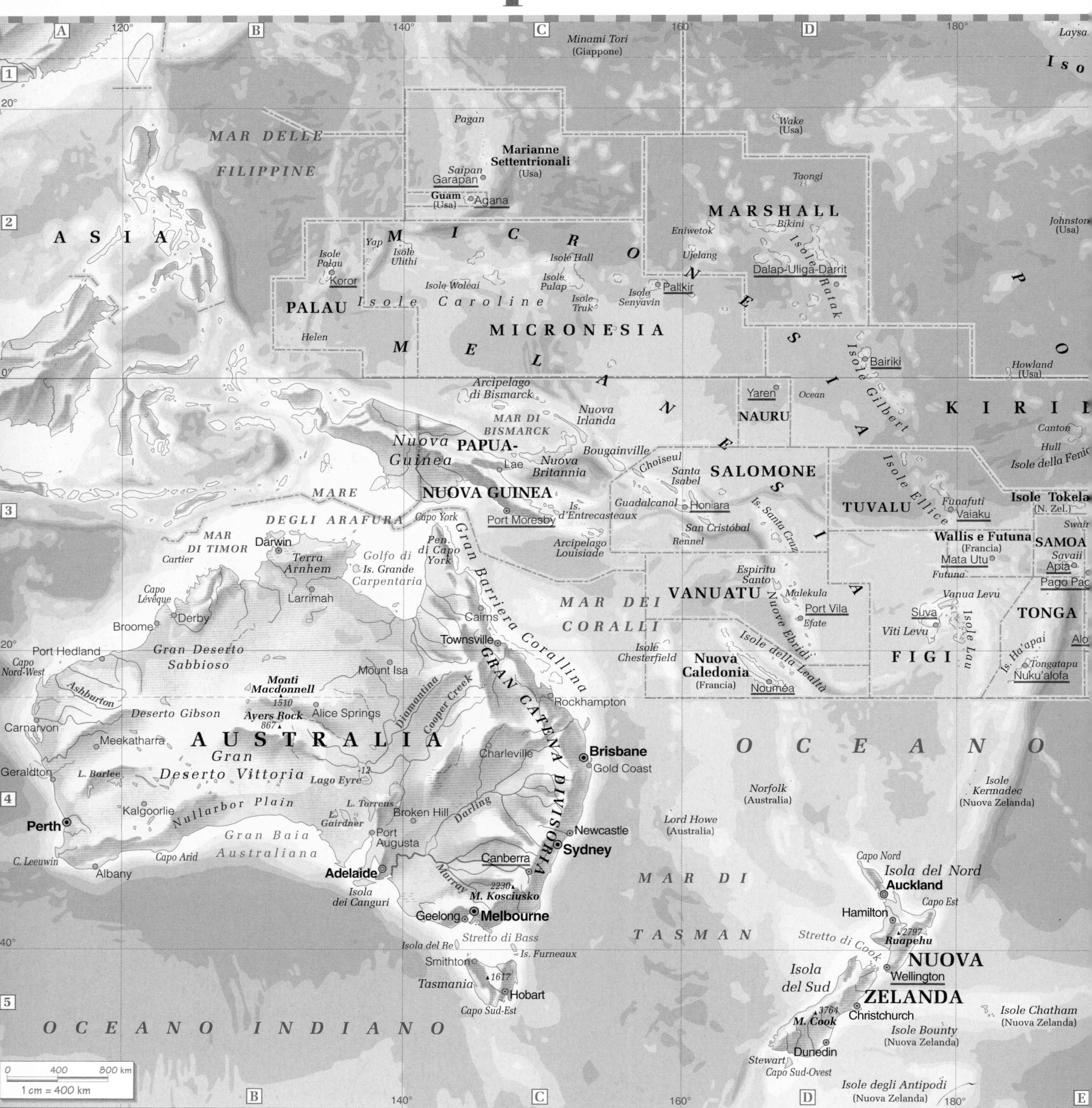

Australia

B C 4

Superficie 7 703 429 km²
Abitanti 19 704 000
Densità 3 ab./km²
Lingua inglese
Religione protestante, cattolica
Moneta dollaro australiano
Capitale Canberra

È lo Stato dell'Oceania più conosciuto ed esteso. Il territorio è costituito da un tavolato desertico e roccioso, formato da vari altopiani alti, in media, non più di 400 metri. La parte meridionale è un susseguirsi di pascoli e di terre fertili che, andando verso est, finiscono con i rilievi montuosi della Gran Catena Divisoria. Le città più importanti sono Sidney e Melbourne, lungo il litorale orientale, dove vive la maggior parte della popolazione. Qui le piogge favoriscono lo sviluppo dell'agricoltura: vasti frutteti si alternano a coltivazio-

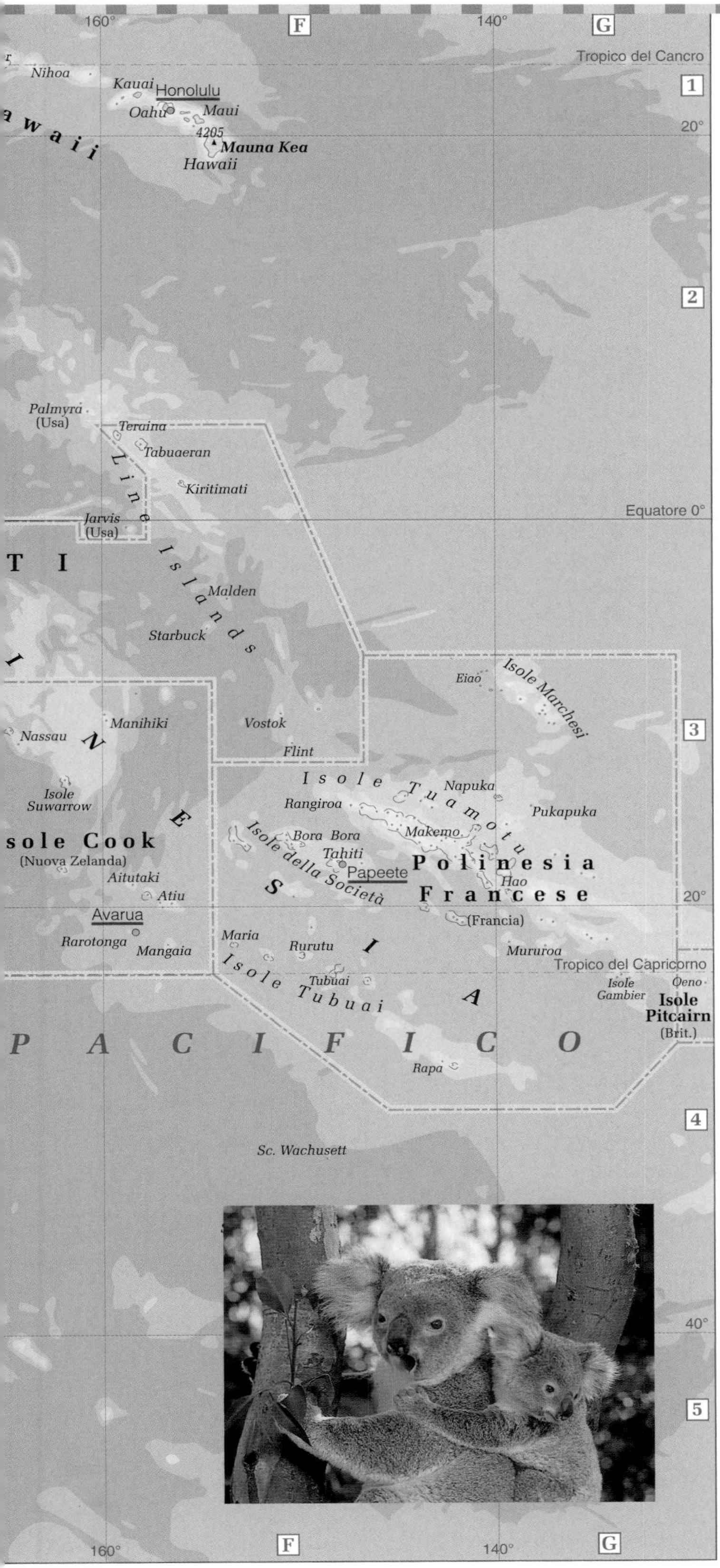

Gli Stati dell'Oceania

ni di cereali, cotone e canna da zucchero. L'allevamento di ovini e bovini consente al Paese di esportare lana, carne e latticini. La ricchezza del sottosuolo (bauxite, oro, petrolio) ha favorito le attività industriali.

In Australia vivono animali che non si trovano in nessun'altra parte del mondo, come il koala (nella foto) e il canguro.

Figi

D 3 4

Superficie 18 272 km^2
Abitanti 834 000
Densità 46 ab./km^2
Lingua inglese, figiano, hindi
Religione cristiana, induista
Moneta dollaro figiano
Capitale Suva

Kiribati

D E 3

Superficie 811 km^2
Abitanti 85 400
Densità 105 ab./km^2
Lingua gilbertese, inglese
Religione cattolica, protestante
Moneta dollaro australiano
Capitale Bairiki

Marshall

D 2

Superficie 181 km^2
Abitanti 54 000
Densità 298 ab./km^2
Lingua inglese, marshallese
Religione protestante
Moneta dollaro USA
Capitale Dalap-Uliga-Darrit

Micronesia

C 2

Superficie 702 km^2
Abitanti 110 000
Densità 157 ab./km^2
Lingua inglese
Religione cattolica, protestante
Moneta dollaro USA
Capitale Palikir

Nauru

D 3

Superficie 21 km^2
Abitanti 12 000
Densità 571 ab./km^2
Lingua inglese, nauruano
Religione protestante, cattolica
Moneta dollaro australiano
Capitale Yaren

Nuova Zelanda

D 4 5

Superficie 268 021 km^2
Abitanti 3 942 000
Densità 15 ab./km^2
Lingua inglese, maori
Religione protestante, cattolica
Moneta dollaro neozelandese
Capitale Wellington

Palau

B 2

Superficie 488 km^2
Abitanti 20 000
Densità 41 ab./km^2
Lingua inglese, palauano
Religione cattolica, protestante
Moneta dollaro USA
Capitale Koror

Papua-Nuova Guinea

C 3

Superficie 462 840 km^2
Abitanti 5 491 000
Densità 12 ab./km^2
Lingua inglese, motu
Religione protestante, cattolica
Moneta kina
Capitale Port Moresby

Salomone

D 3

Superficie 28 370 km^2
Abitanti 475 000
Densità 17 ab./km^2
Lingua inglese, idiomi locali
Religione protestante, anglicana
Moneta dollaro delle Isole Salomone
Capitale Honiara

Samoa

E 3

Superficie 2831 km^2
Abitanti 178 000
Densità 63 ab./km^2
Lingua samoano, inglese
Religione protestante, cattolica
Moneta tala
Capitale Apia

Tonga

E 3

Superficie 748 km^2
Abitanti 101 000
Densità 135 ab./km^2
Lingua inglese, tongano
Religione protestante, cattolica
Moneta paanga
Capitale Nuku'alofa

Tuvalu

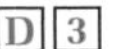

D 3

Superficie 26 km^2
Abitanti 12 000
Densità 468 ab./km^2
Lingua tuvaluano, inglese
Religione protestante
Moneta dollaro australiano
Capitale Vaiaku

Vanuatu

D 3

Superficie 12 190 km^2
Abitanti 206 000
Densità 17 ab./km^2
Lingua bislama, inglese, francese
Religione cristiana, animista
Moneta vatu
Capitale Port Vila

Artide e Antartide

Le regioni polari sono due: l'Artide, o Polo Nord, e l'Antartide, o Polo Sud. Mentre al Polo Nord sotto la spessa crosta di ghiaccio c'è solo mare, l'Antartide è un vero e proprio continente, grande come l'Europa, interamente ricoperto da una calotta di ghiaccio che in alcune zone raggiunge uno spessore di 4000 metri.

Il Polo Nord fu raggiunto per la prima volta nel 1908 dalla spedizione di Cook e Peary.

Artide

L'Artide si trova a nord del **Circolo Polare Artico**, e appartiene sia al continente americano che a quello eurasiatico. Il centro dell'Artide è occupato dalla **banchisa**, uno spesso strato di ghiaccio che si è formato sulla superficie marina. Le temperature in media sono molto basse, sempre inferiori agli 0 °C. Le precipitazioni nevose non sono abbondanti, mentre è frequente la nebbia. Ai bordi della banchisa polare, dove le temperature sono meno rigide, lo strato di ghiaccio talvolta si spezza, causando il distacco di grossi blocchi chiamati **iceberg**.

La vegetazione è presente solo nelle terre che si trovano ai bordi della banchisa ed è quasi sempre ridotta a muschi e licheni, specie capaci di resistere alle rigide condizioni climatiche della tundra. Gli animali presenti in queste terre sono: orsi bianchi, renne, caribù, volpi, lupi, uccelli marini, buoi muschiati e animali acquatici, come foche, trichechi, balene e otarie.

Ai margini dell'Artide vivono gli Eschimesi, che cacciano orsi e foche, e i Lapponi, allevatori di renne.

Tra il Circolo Polare e il Polo Nord sorge la più grande isola del mondo: la **Groenlandia**, vasta quasi sette volte l'Italia (2,2 milioni di chilometri quadrati), che appartiene politicamente alla Danimarca. Essa rientra in gran parte nelle terre del gelo perenne, perché è ricoperta da una calotta di ghiaccio spessa fino a 2000 metri (se questa calotta si sciogliesse, il livello degli oceani salirebbe di circa 7 metri).

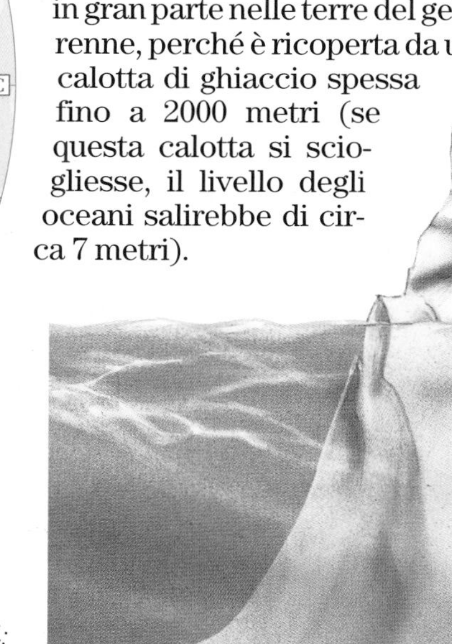

Alcuni iceberg raggiungono dimensioni impressionanti: ne è stato avvistato uno di 4000 chilometri quadrati, cioè più grande della Valle d'Aosta. Nel 1911 un enorme iceberg urtò nell'Oceano Atlantico il più grande piroscafo del mondo nel suo viaggio inaugurale tra l'Inghilterra e gli Stati Uniti: il "Titanic". L'urto fu tremendo e la nave affondò.

Mentre nelle zone artiche è molto diffuso l'orso bianco, l'animale caratteristico di quelle antartiche è il pinguino.

Antartide

L'Antartide si trova quasi completamente all'interno del **Circolo Polare Antartico** ed è circondata dal Mare Glaciale Antartico. Il continente ha coste non molto frastagliate e due grandi insenature, in corrispondenza con i mari di Weddel e di Ross. Il clima è molto rigido, caratterizzato da venti forti e freddissimi; la temperatura è ancora più bassa che al Polo Nord (fino a 80 °C sotto zero).
Le condizioni particolarmente rigide non hanno permesso all'uomo di stabilirsi su queste terre, se non in alcune **stazioni scientifiche** dove si studiano i fenomeni climatici e si fanno ricerche sulle ricchezze minerarie del sottosuolo (petrolio, carbone, minerali).
L'Antartide è abitata da pochi animali marini: plancton (piccolissimi organismi animali e vegetali), balene, balenottere, orche e da qualche uccello come le procellarie, i gabbiani e i pinguini, che vi vivono in numerose colonie.

Poli in pericolo

L'effetto serra

La superficie terrestre restituisce parte dell'energia assorbita dal Sole sotto forma di calore. Alcuni gas presenti nell'atmosfera, i cosiddetti gas serra (vapore acqueo, anidride carbonica, metano ecc.), "intrappolano" questo calore impedendo che la superficie della Terra si raffreddi eccessivamente. Il fenomeno è detto "effetto serra". Negli ultimi 150 anni si è avuto un consistente aumento della concentrazione dei gas serra nell'atmosfera, in particolare di anidride carbonica, prodotta bruciando combustibili fossili come petrolio, carbone e altri gas. Secondo molti scienziati, il fenomeno è associato all'aumento della temperatura globale sul pianeta e allo scioglimento dei ghiacci.

Il buco nell'ozono

Uno dei problemi causati dall'inquinamento dell'aria riguarda uno strato dell'atmosfera situato tra i 15 e i 40 chilometri d'altezza, l'ozonosfera. L'ozono contenuto in essa è un elemento essenziale per l'ambiente e gli esseri viventi, in quanto assorbe molta dell'energia irradiata dal Sole. In particolare, protegge dalle radiazioni ultraviolette che, senza lo schermo protettivo dell'ozonosfera, renderebbero la Terra priva di vita. Certi gas, come quelli contenuti nelle bombolette spray e nei circuiti dei frigoriferi, raggiungono l'ozonosfera e distruggono l'ozono. Negli ultimi anni si è formato un "buco" nell'ozono in corrispondenza dei Poli, attraverso il quale penetrano i raggi ultravioletti pericolosi per la vita.

Un'immagine rielaborata al computer che mostra il buco nell'ozono sopra il Polo Nord.

Le parole della geografia

Affluente
Corso d'acqua che si immette in un altro maggiore e più importante: è chiamato anche **tributario**.

Agricoltura
L'insieme delle attività volte alla coltivazione della terra per ottenere i prodotti necessari al fabbisogno dell'uomo. L'agricoltura è detta **estensiva** quando è praticata su vasti territori, ma con scarso impiego di mezzi meccanizzati; nel caso contrario è detta **intensiva**.

Allevamento
Tutte le attività volte alla cura e alla crescita degli animali utili all'uomo.

Alluvione
Fuoriuscita impetuosa di acqua e fango dall'alveo di un fiume o di un torrente. Causa principale sono le piogge, che possono far gonfiare un corso d'acqua a tal punto da farlo straripare, provocando così l'**inondazione** dei terreni circostanti.

Altimetria
Rappresentazione cartografica del rilievo. Le tecniche utilizzate possono essere: le **curve di livello**, isoipse, o lo **sfumo**.

Altopiano
Area pianeggiante o lievemente ondulata elevata rispetto al livello del mare.

Ambiente
L'insieme degli elementi naturali che caratterizzano un luogo.

Atmosfera
Involucro gassoso che circonda la Terra. I principali gas presenti nell'atmosfera sono: **ossigeno**, **anidride carbonica**, **azoto**. L'atmosfera si divide in strati che, partendo da quello più vicino alla Terra, si chiamano: troposfera, stratosfera, mesosfera e ionosfera.

Atmosferici, fenomeni
Tutti quei fenomeni, comprendenti i movimenti dell'aria, la formazione delle nuvole, le precipitazioni (pioggia, neve, grandine), i temporali e i fulmini, che avvengono nella parte dell'atmosfera più vicina alla Terra, cioè la troposfera.

Banchisa
Crosta di ghiaccio compatta che copre i mari delle zone polari.

Batimetria
Rappresentazione cartografica dei fondali marini o lacustri. Le **curve batimetriche** sono le linee che uniscono punti con la stessa profondità.

Brughiera
Distesa di terreno incolto, ricoperto di radi cespugli e arbusti.

Buco nell'ozono
"Buco" creatosi nell'ozonosfera in corrispondenza dei Poli, attraverso il quale penetrano i raggi ultravioletti, pericolosi per la vita e il clima terrestre. A causare il buco nell'ozonosfera (situata nella stratosfera, tra i 15 e i 40 chilometri d'altezza) sono alcuni gas (per esempio, quelli delle bombolette spray).

Calanchi
Solchi profondi e paralleli scavati dall'acqua piovana lungo i fianchi delle colline.

Canale
Corso d'acqua artificiale che serve a irrigare i campi coltivati.

Cardinali, punti
Est, Ovest, Nord, Sud rappresentano i punti di riferimento fondamentali per orientarsi; sono in relazione al movimento del Sole.

Carsismo
L'insieme dei fenomeni di erosione chimica tipici della zona del Carso, nei pressi di Trieste.

Cartografia
Scienza che studia e che riassume in sé tutte le operazioni, scientifiche e tecniche, necessarie alla rappresentazione di un territorio o di una porzione di esso sulla carta.

Esistono diversi tipi di carte a seconda delle indicazioni che si vogliono fornire. Le **carte fisiche** descrivono la morfologia del territorio, cioè indicano i rilievi, le pianure, i fiumi e altri elementi naturali. Le **carte politiche** indicano i confini nazionali, le divisioni amministrative di ciascuno Stato, riportano i nomi dei centri abitati. Le **carte tematiche** servono per conoscere la distribuzione sul territorio di determinati elementi o di fenomeni specifici (carte stradali, turistiche, nautiche, demografiche ecc.).

Clima
Il complesso delle condizioni atmosferiche caratteristiche di un territorio. È il risultato della combinazione di molti fattori, quali altitudine, latitudine, distanza dal mare, esposizione al Sole e ai venti.

Collina
Rilievo compreso tra i 200 e i 600 metri di altezza; ha prevalentemente forme tondeggianti.

Cometa
Corpo celeste gravitante intorno al Sole. Nella sua forma tipica è composta da un **nucleo** brillante, circondato da una **chioma** nebulosa, da cui parte un lungo strascico luminoso, detto **coda**.

Continente
Grande estensione di terre emerse circondata dagli oceani. I continenti sono: Africa, Asia, Europa, America, Oceania e Antartide.

Corrente marina
Vero e proprio "fiume" subacqueo d'acqua calda o fredda che si muove alla velocità di 6 chilometri all'ora. Quando le correnti passano vicino alle coste, ne influenzano il clima rendendolo più mite o più freddo. La più importante è la **Corrente del Golfo**, che nasce nel Golfo del Messico e giunge fino alle coste dell'Europa settentrionale.

Densità demografica
È un dato statistico che si calcola dividendo il numero delle persone che vivono su un territorio per il numero dei chilometri quadrati del territorio considerato.

Deserto
Regione in cui le precipitazioni sono scarse e la vegetazione povera. I deserti possono essere freddi o caldi. Sono ambienti nei quali la vita dell'uomo è difficilissima; le uniche aree dove sorgono piccoli villaggi sono le **oasi** (*vedi*), in cui la vegetazione è rigogliosa per la presenza di acqua.

Eclisse
Oscuramento temporaneo di un corpo celeste.

Ecologia
Scienza che studia le relazioni reciproche tra gli esseri viventi e l'ambiente naturale.

Economia
L'insieme delle attività riguardanti la produzione, la distribuzione e il consumo dei beni e dei servizi necessari alla vita dell'uomo.
I tre principali settori economici sono: il **primario** a cui appartengono agricoltura, allevamento, pesca, estrazione dei minerali; il **secondario** con industria e artigianato; il **terziario** con le attività inerenti turismo, commercio, trasporti e servizi.

Effetto serra
Alcuni gas presenti nell'atmosfera (vapore acqueo, anidride carbonica, metano) "intrappolano" il calore impedendo che la superficie della Terra si raffreddi eccessivamente. Negli ultimi 150 anni la concentrazione di questi gas (in particolare di anidride carbonica) è aumentata in modo eccessivo, provocando l'aumento della temperatura globale sul pianeta e lo scioglimento dei ghiacci.

Emisfero *vedi* Paralleli

Energia
Forza in grado di produrre movimento, luce, calore. Vari sono i tipi di energia utilizzati dall'uomo: elettrica, idrica, eolica, nucleare, chimica ecc.

Equinozio
Deriva dal latino *equa nox*, che significa "notte uguale" al giorno. Gli equinozi sono due: il **21 marzo**, o equinozio di primavera, e il **23 settembre**, o equinozio d'autunno.

Fasi lunari
La diversa illuminazione del Sole determina le fasi lunari: se è totalmente illuminata dal Sole, la Luna è detta **piena**; quando non è illuminata è detta **nuova**; infine la Luna si definisce **crescente** o **calante** quando è illuminata solo parzialmente.

Fauna
L'insieme delle specie animali che vivono in un ambiente o regione.

Fiordo
Profonda insenatura del mare che si ramifica tra coste alte e frastagliate.

Fiume
Corso d'acqua perenne che nasce da una sorgente e scorre verso valle fino a gettarsi in mare o in un altro fiume. Le anse che forma nel suo lento scorrere sui terreni pianeggianti si dicono **meandri**. Quando il fiume si getta nel mare, si possono avere due tipi di **foce**: a **estuario**, quando tutta l'acqua si riversa direttamente nel mare; a **delta**, quando si divide e si frammenta in corsi d'acqua minori. Quando un fiume si getta in un lago si chiama **immissario**, quando ne esce si chiama **emissario**.

Flora
L'insieme delle piante che vivono in un ambiente o regione.

Frana
Massa di terreno o di roccia che si stacca da un pendio e si muove verso il basso. Può essere causata da fenomeni naturali (abbondanti piogge, terremoti, eruzioni vulcaniche) o dall'intervento umano (per esempio, costruzione di edifici e vie di comunicazione su pendii, distruzione della vegetazione spontanea).

Fusi orari
I 24 spicchi, corrispondenti alle ore del giorno, in cui è convenzionalmente divisa la Terra, ciascuno delimitato da due meridiani. Ogni località all'interno dello stesso fuso ha la stessa ora.

Galassia
Agglomerato di stelle (da un milione a cento miliardi di stelle).

Geografia
Scienza che studia lo spazio geografico, cioè la superficie della Terra, e ne descrive le caratteristiche.

Geyser
Violenti getti d'acqua calda e vapori che fuoriescono in modo intermittente e regolare da piccoli crateri.

Ghiacciaio
Massa di ghiaccio prodotta dall'accumulo nel tempo di strati di neve. I ghiacciai sono presenti in alta montagna e nelle regioni polari. Nel loro movimento verso valle trasportano e depositano sassi e detriti che formano le **morene** ai lati della lingua glaciale.

Globalizzazione
È legata a processi economici, sociali e culturali che riguardano tutto il mondo. Il progredire della tecnologia, dei mezzi di comunicazione e di trasporto hanno reso tutto più vicino (merci, idee, persone), come se le distanze fossero ridotte. La globalizzazione tende a uniformare i gusti e le scelte delle persone nelle diverse parti del mondo.

Iceberg
Grossi blocchi di ghiaccio che si staccano ai bordi della banchisa polare, a causa dell'innalzamento della temperatura.

Idrografia
Branca della geografia che studia la distribuzione delle acque sulla superficie terrestre.

Inondazione *vedi* **Alluvione**

Inquinamento
Alterazione dell'ambiente naturale, causata dall'introduzione di sostanze, prodotte dalle attività umane, nocive alla vita animale e vegetale.

Internet
Rete di collegamento tra i computer di tutto il mondo: si può inviare e ricevere ogni tipo di informazione, comprare e vendere merci. Internet ha favorito enormemente il processo di **globalizzazione** (*vedi*).

Isola
Porzione di terra completamente circondata dal mare. Un gruppo di isole tra loro vicine si definisce **arcipelago**.

Istmo
Lingua di terra che unisce due ampi territori circondati da acque.

Lago
Distesa di acqua dolce raccolta in un avvallamento del terreno.

Latitudine
È la distanza di un punto dall'Equatore.

Longitudine
È la distanza di un punto dal Meridiano 0, o di Greenwich.

Mare, movimenti del
I movimenti del mare sono tre: le onde, le correnti (*vedi*) e le maree. Le **onde** sono provocate dal vento che solleva la massa d'acqua in superficie; le **maree** sono movimenti di innalzamento e abbassamento del livello dell'acqua dovuti all'attrazione lunare.

Meridiani
Linee immaginarie che uniscono i Poli e tagliano la Terra in spicchi uguali. Il meridiano fondamentale è il **meridiano di Greenwich**, che passa nei pressi di Londra.

Meteorite
Frammento di corpo celeste che vaga nello spazio e che può cadere sui vari pianeti del Sistema Solare.

Monsone
Vento periodico annuale tipico dell'Asia sud-orientale. Il monsone invernale, freddo e asciutto, spira verso il mare; quello estivo, che porta abbondanti piogge, spira dal mare verso terra.

Montagna
È un rilievo della superficie terrestre che può raggiungere altitudini molto elevate.
Quando i rilievi si presentano in successione formano le **catene montuose**; nel caso in cui il rilievo sia un gruppo montuoso imponente e isolato si definisce **massiccio montuoso**.

Oasi
Zona di terreno in area desertica dove la presenza di acqua (che sgorga naturalmente in superficie o viene raggiunta scavando dei pozzi) permette la vita della vegetazione.

Oceano
Grande distesa d'acqua sempre in movimento per effetto delle maree e delle correnti. Gli oceani si distinguono in Atlantico, Pacifico, Indiano, Artico e Antartico.

Orientamento
Conoscenza del punto in cui ci si trova o della direzione in cui ci si muove. La posizione del Sole durante il giorno e della Stella Polare durante la notte aiutano ad orientarsi.

Paesaggio
È tutto ciò che sta intorno a noi: l'insieme degli elementi naturali e di quelli artificiali, costruiti dall'uomo.

Pangea
Pangea è una parola che deriva dal greco *pan*, "tutta", e *gea*, "terra". Secondo la teoria della deriva dei continenti, 200 milioni di anni fa c'era un'unica massa di terra, detta appunto Pangea.

Paralleli
Linee immaginarie parallele all'**Equatore**, che è la circonferenza massima della Terra. L'Equatore divide la Terra in due **emisferi**: boreale al Nord, australe al Sud. Alcuni paralleli, come il **Tropico del Cancro** e il **Tropico del Capricorno**, il **Circolo Polare Artico** e il **Circolo Polare Antartico**, sono molto importanti perché servono a segnare i confini delle fasce climatiche.

Parco naturale
È un'area protetta da severe leggi che garantiscono la conservazione del paesaggio naturale e delle specie animali.

Passo o colle
Depressione naturale presente in una catena montuosa che permette il passaggio da un versante all'altro.

Penisola
Porzione di terraferma che si protende nel mare.

Pianeta
Corpo celeste freddo che non brilla di luce propria.

Pianura
Vasta regione pianeggiante, senza rilievi e depressioni.

Piogge acide
Piogge ricche di composti acidi che derivano dalla mescolanza di quantità eccessive di anidride carbonica e di altri gas nocivi con il vapore acqueo presente nell'atmosfera. Tali composti danneggiano gravemente la flora e la fauna delle foreste e i monumenti delle città.

Planisfero
È una carta che rappresenta su un piano tutta la superficie della Terra.

Popolazione
È l'insieme degli abitanti che vivono su un determinato territorio. La scienza che si occupa dello studio della popolazione è la **demografia**.

Porto
Specchio d'acqua ben riparato, attrezzato per consentire alle navi la sosta e le operazioni di sbarco e imbarco dei passeggeri e delle merci.

Prateria
Distesa di prati senza arbusti né alberi. Nelle zone temperate dell'America del Sud le praterie sono chiamate **pampas**.

Promontorio
Sporgenza montuosa, solitamente scoscesa, che si protende sul mare o su un lago.

Razza
È l'insieme delle caratteristiche fisiche (colore della pelle, tratti del viso, conformazione del cranio) delle diverse popolazioni che abitano la nostra Terra.

Rifiuti
L'uomo produce molti rifiuti che non sono **biodegradabili** (cioè che non possono essere decomposti da batteri, funghi ecc.) e devono essere smaltiti appositamente, per esempio bruciati negli inceneritori. Da alcuni anni si cerca di **riciclare** il più possibile i rifiuti, come la carta, il vetro, le lattine, la plastica: riciclare significa riutilizzare questi materiali di scarto per produrre nuovi oggetti. Per riciclare occorre innanzitutto fare la **raccolta differenziata**, cioè gettare i diversi rifiuti in contenitori differenti.

Risorse energetiche
L'insieme delle fonti di energia che l'uomo trova in natura; le più diffuse sono il petrolio, il carbone e il metano. Si possono sfruttare anche le risorse energetiche cosiddette **ecocompatibili**, a basso impatto ambientale, ovvero che inquinano meno di quelle tradizionali: per esempio l'energia solare e quella eolica.

Rocce
Massa di aggregati minerali che forma la parte più dura e compatta della crosta terrestre.

Satellite
Corpo celeste che ruota intorno a un pianeta. Il satellite della Terra è la Luna.

Savana
Vasta pianura dove le precipitazioni sono concentrate in un unico periodo dell'anno; la vegetazione è costituita da cespugli, oltre a pochi isolati alberi come il baobab e l'acacia.

Scala di riduzione
È il rapporto che indica di quante volte è stato rimpicciolito il territorio rappresentato su una carta. Es.: cm 1:10 000 significa che a ogni centimetro sulla carta corrispondono 10 000 cm nella realtà.

Sistema Solare
L'insieme costituito dal Sole e dai corpi celesti (pianeti, satelliti, meteoriti e comete) che gravitano intorno ad esso. I pianeti del **Sistema Solare**, cui appartiene anche la Terra, sono nove: Mercurio, Venere, Terra, Marte, Giove, Saturno, Urano, Nettuno, Plutone.

Smog
Mescolanza di polveri e di gas prodotta dagli scarichi delle automobili e dagli impianti di riscaldamento. Nelle grandi città la qualità dell'aria viene monitorata da centraline, e se le sostanze inquinanti superano i valori considerati nocivi per la salute, vengono presi dei provvedimenti (per esempio, il blocco del traffico).

Smottamento *vedi* **Frana**

Solstizio
Deriva dal latino *sol stat* che vuol dire "il Sole si ferma".
Il Sole raggiunge il punto più alto nel cielo il **21 giugno** (o solstizio d'estate) nell'emisfero settentrionale, il **22 dicembre** (o solstizio d'inverno) nell'emisfero meridionale.

Sorgente
Il luogo in cui l'acqua emerge in superficie dal sottosuolo. Si definisce **risorgiva** o **fontanile** quando l'acqua piovana, penetrata nel terreno, ritorna in superficie perché trova uno strato di rocce impermeabili.

Stato
Unità amministrativa sovrana su un determinato territorio.

Stella
È un corpo celeste che splende di luce propria. Le **costellazioni** sono gruppi di stelle che, unite da linee immaginarie, formano fantastiche figure mitologiche (Orione, Cassiopea ecc.), di animali (Orsa, Toro, Pesci ecc.), o di cose (Lira, Compasso ecc.).

Steppa
Vasta pianura dove la piovosità è scarsa; la vegetazione è costituita da cespugli, arbusti, muschi e licheni.

Stretto
Braccio di mare che separa due terre e attraverso il quale comunicano due mari vicini.

Taiga
Parola russa che significa "grandi boschi" e sta a indicare le estese foreste di conifere e betulle delle regioni settentrionali del continente asiatico.

Terra, movimenti della
La Terra compie due movimenti diversi: di **rotazione** intorno al proprio asse e di **rivoluzione** intorno al Sole. Per compiere il moto di rotazione, che determina l'alternarsi del dì e della notte, impiega un giorno; per compiere il moto di rivoluzione, che determina l'alternarsi delle stagioni, impiega un anno.

Terremoto
Scosse e vibrazioni della crosta terrestre provocate dalla frattura di masse rocciose poste a grande profondità: da qui (**ipocentro**), hanno origine onde sismiche che arrivano in superficie (**epicentro**), facendo tremare la terra.

Toponimo
Nome proprio di luogo o località.

Tundra
Grande distesa pianeggiante, povera di vegetazione e coperta di ghiaccio per lunghi periodi dell'anno.

Valle
Solco allungato tra le montagne, percorso da un fiume. Le valli scavate dai fiumi hanno forma a **V**, con pendii molto ripidi e fondovalle stretto; le valli di origine glaciale hanno forma a **U**, con pendii dolci e fondovalle ampio.

Vulcano
Apertura naturale della crosta terrestre da cui fuoriescono il **magma** e la **lava**, materiali incandescenti composti da rocce fuse, gas, vapori.

Zolle o placche
Grandi blocchi in movimento che costituiscono la **crosta terrestre**: una sorta di "buccia" che ricopre tutto il nostro pianeta.

AVVERTENZE

Nell'indice sono elencati, in ordine alfabetico, i nomi contenuti nelle carte dell'Atlante.
Il simbolo ▲ aiuta a distinguere con immediatezza gli Stati, il simbolo ● le capitali.
Ogni nome è seguito dal numero di pagina in cui appare, e da una lettera e un numero che indicano il riquadro in cui il nome deve essere cercato; per esempio: Abuja **168** C 3

Lettura dell'indice dei nomi

parametri che indicano l'area in cui cercare il nome indicato nell'indice

Abuja 136 C3

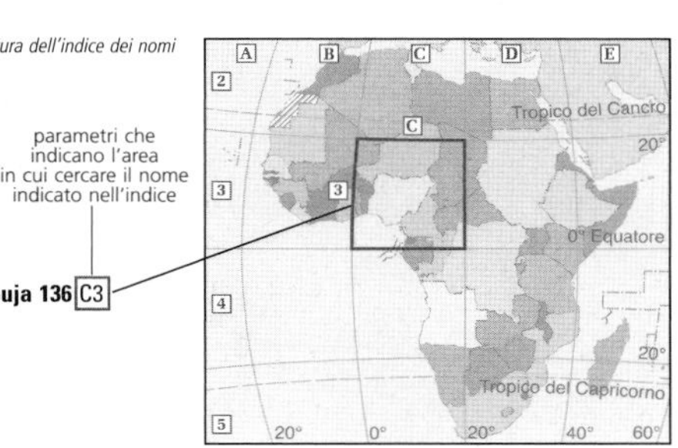

nome di Stato

Costa d'Avorio 136 B3

numero di pagina

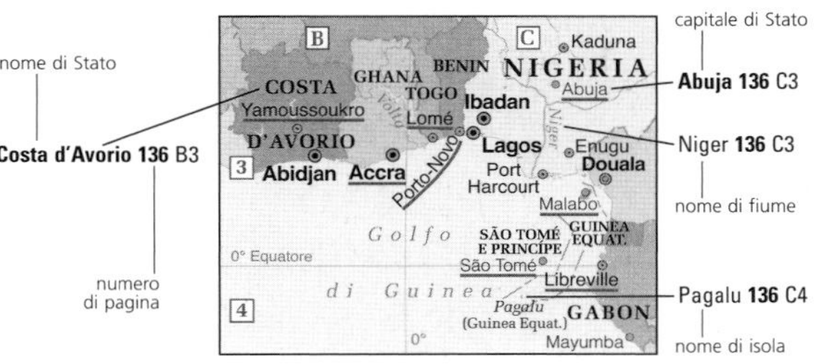

capitale di Stato

Abuja 136 C3

Niger 136 C3

nome di fiume

Pagalu 136 C4

nome di isola

A

Aaiún, El- **168** B 2
Aare **142** B-C 2
Abadan **162** B 4
Abano Terme **74** B 2
Abbadia San Salvatore **86** C 3
Abbasanta **117** A 2
Abbeville **132** D 1
Abbiategrasso **68** A 2
Åbenrå **138** D 2
Aberdeen **135** E-F 2
Abetone **86** B 1
Abetone, Passo dell'- **86** B 1
Abidjan **168** B 3
Åbo = Turku **144** E-F 3
Abruzzese, Appennino- **98** A-B 1-2
Abruzzo **98** A-B 1
Abruzzo, Parco Nazionale d'- **98** A 2
● Abu Dhabi **162** B 4
● Abuja **168** C 3
Acapulco **173** E 5
Acate = Dirillo **114** C 2-3
Acceglio **64** B 3
Acciaroli **102** C 2
● Accra **168** B 3
Acerenza **110** A 2
Acerno **102** C 2
Acerra **102** B 2
Aci Castello **115** D 2
Acireale **115** D 2
Aconcagua **176** B 4
Acquapendente **94** A 1
Acquasanta **92** B 3
Acquasparta **90** B 2
Acquaviva delle Fonti **106** B 3
Acqui Terme **64** C 3
Acri **112** B 2
Adamello **68** C 1
Adapazarı **156** C 3
Adare, Cape- **183** O 2
Adda **68** B 2
● Addis-Abeba **168** D 3
Adelaide **180** B 4
Adelfia **106** B 2
Aden **162** B 5
Aden, Golfo di- **160** B 5
Adige **72** B 2
Adour **132** C 5
Adrano **114** C 2
Adria **74** C 2
Adriano, Vallo di- **135** E-F 3
Adriatico, Mar- **120** E 4
Ærø **138** E 2
▲ Afghanistan **162** C 4
Afragola **102** B 2
Africa Orientale, Altopiano Lagoso dell'- **166** D 4
Agadez **168** C 3
Agalega **166** E 4
Agana **180** C 2
Agen **132** D 4
Aggius **117** B 2
Agiostrati **152** F 5
Agira **114** C 2
Agnello, Colle dell'- **64** A 3
Agnone **100** A 2
Agordo **74** C 1
Agri **110** B 2
Agrigento **114** B 2
Agrínion **152** D 5
Agro, Pontino- **94** B-C 2
Agropoli **102** B-C 2
Águilas **128** E 4
Aguja, Punta- **177** A 3
Agulhas, Capo- **168** D 5
Ahaggar **166** C 2
Ahmadabad **162** C 4
Aigialoúsa **152A**
Aitutaki **181** F 3
Aix-en-Provence **132** F 5
Ajaccio **132** A 5
Ajaccio, Golfo d'- **132** A 5
Ajan **162** F 3
Akanthou **152A**
Akdağ **153** H 6
Akrotiri **152A**
Aktau **162** B 3
Aktjubinsk **162** B 3
Alà, Monti di- **117** B 2
Ala, Punta- **86** B 3
Ala di Stura **64** B 2
Alagna Valsesia **64** B 2
Åland, Isole- **144** E 3
Alarcón, Lago de- **128** D 3
Alaska **173** B 2
Alaska, Catena d'- **172** B 2
Alaska, Golfo d'- **172** B 3
Alaska, Penisola d'- **172** A-B 3
Alassio **80** B 1-2
Alatri **94** C 2
Alba **64** B-C 3
Alba Adriatica **98** A 1
Albacete **128** E 3
Albanesi, Alpi- **152** C-D 3
Albani, Colli- **94** B 2
▲ Albania **122** E 4
Albano, Lago- **94** B 2
Albano Laziale **94** B 2
Albegna **86** C 3
Albenga **80** B 1
Alberobello **106** C 3
Alberto, Lago- **166** D 3
Albi **132** E 5
Albino **68** B 2
Albo, Monte- **117** B 2
Alborán, Isola di- **128** D 4-5
Alborán, Mare di- **128** C-D 4-5
Ålborg **138** D-E 1
Ålborg Bugt **138** E 1
Albuquerque **173** D 4
Alburno, Monte- **102** C 2
Alcalá de Henares **128** D 2
Alcamo **114** A 2
Alcañiz **128** E 2
Alcántara **128** B 3
Alcantara **114** C-D 2
Alcántara, Lago di- **128** B 2-3
Alcazar de San Juan **128** D 3
Alcira **128** E 3
Alcudia **128** G 3
Aldabra **166** E 4
Alderney **135** E 6
Alençon **132** D 2
Alentejo **128** A-B 3-4
Aleppo **162** A 4
Aleria **132** B 5
Alès **132** F 4
Ales **117** A 3
Alessandria (Egitto) **168** D 2
Alessandria (Italia) **64** C 3
Alessandro, Arcipelago- **172** C 3
Alessandro, Isola- **183** R 2
Alessandropoli **152** F 4
Ålesund **144** A-B 3
Aleutine, Isole- **172** A 3
Alfeo **152** D-E 6
Alföld **148** D-E 3
Alfonsine **82** C-D 2
Algarve **128** A-B 4
Algeciras **128** C 4
● Algeri **168** C 2
▲ Algeria **168** B-C 2
Alghero **117** A 2
Alghero (aeroporto) **117** A 2
Alghero, Rada di- **117** A 2
Aliákmon **152** E 4
Alicante **128** E 3
Alicarnasso **153** H 6
Alice, Punta- **112** C 2
Alice Springs **180** B 4
Alicudi, Isola- **114** C 1
Alì Terme **115** D 1-2
Aller **138** E 3
Allier **132** E 3-4
Alma Ata **162** C 3
Almanzor **128** C 2
Almería **128** D 4
Älmhult **144** D 4
Alofi **180** E 3
Alonesso **152** E 5
Alpi **120** D-E 4
Alpi Occidentali **132** G 4
Als **138** D 2
Alsazia **132** G 2
Altaj **162** D 3
Altaj (monti) **160** D 3
Altaj Mongolo **160** D 3
Altamura **106** B 3
Altano, Capo- **117** A 3
Altdorf **142** C 2
Altomonte **112** B 2
Altun Shan **160** D 4
Amalfi **102** B 2
Amandola **92** B 3
Amantea **112** B 2
Amaro, Monte- **98** B 1
Amathus **152A**
Amatrice **94** C 1
Amazzoni, Rio delle- **176** B 3
Amburgo **138** D-E 3
Amelia **90** B 2
Amendolara **112** B 2
American Highland **183** L 2
Amiata, Monte- **86** C 3
Amiens **132** D-E 2
Amirante **166** E 4
● Amman **162** A 4
Amorgo **152** F-G 6
Ampezzo **78** A 1
Ampollino, Lago- **112** B 2
● Amsterdam **123** D 3
Amudarja **160** C 4
Amundsen, Mare di- **183** Q 2
Amundsen-Scott Station **183** M 1
Amur **160** F 3
Anadyr **162** H 2
Anadyr, Altopiano dell'- **160** H 2
Anagni **94** C 2
Anatolia **153** G-H 5
Anchorage **173** B 2
Ancona **92** B 2
Åndalsnes **144** B 3
Andalusia **128** C 4
Andamane, Isole- **160** D 5
Andamane, Mar delle- **160** D 5
Ande **176** B 3-4
Andiria Burun **152A**
▲ Andorra **122** D 4
● Andorra la Vella **122** D 4
Andria **106** B 2
Andro **152** F 6
Aneto, Pico de- **128** F 1
Angara **160** D 3
Angel, Salto- **176** B 2
Angera **68** A 2
Ångermanälv **144** D 2-3
Angers **132** C 3
Angkor **162** E 5
Anglesey **135** D-E 4
Anglona **117** A 2
▲ Angola **168** C-D 4
Angoulême **132** D 4
Anholt **138** E 1
Aniene **94** C 2
● Ankara **162** A 3-4
Ann, Cape- **183** L 2
Annam **160** E 5
Annecy **132** G 4
Ansedonia **86** C 3
Anshan **162** F 3
● Antananarivo **168** E 4
Antartica, Penisola- **183** R 2
Antartide **183** R-L 1
Antelao **74** C 1
Antequera **128** C 4
Anticosti **172** F 3
▲ Antigua e Barbuda **173** F 5
Antille, Mar delle- (Mar dei Caraibi) **172** E-F 5
Antille Olandesi **173** F 5
Antipodi, Isole degli- **180** D 5
Antivari **152** C 3
Antofagasta **177** B 4
Antrodoco **94** C 1
Antsiranana **168** E 4
Anversa **132** F 1
Anzio **94** B 2
Aosta = Aoste **64** B 2
Aosta, Valle d'- **64** B 2
Aoste = Aosta **64** B 2
Apatity **156** C 1
● Apia **180** E 3
Appalachi **172** E-F 3-4
Appennini **120** E 4
Apricena **106** A 2
Aprilia **94** B 2
Apuane, Alpi- **86** B 1-2
Apuseni, Monti- **148** F 3
Aquila, L'- **98** A 1
Aquileia **78** B 2
▲ Arabia Saudita **162** A-B 4
Arabica, Penisola- **160** B 4
Arabico, Mare- **160** C 4-5
Aracaju **177** D 3
Aracena, Sierra de- **128** B 4
Arad **148** E 3
Arafura, Mare degli- **180** B 3
Aragona **114** B 2
Aragona (regione) **128** E-F 1-2
Araguaia **176** C 3
Arakan, Monti- **160** D 4-5
Aral, Lago d'- **160** B-C 3
Aralsk **162** C 3
Ararat **160** B 4
Arbatax **117** B 3
Arborea **117** A 3
Arborea (regione) **117** A 3
Arcachon **132** C 4
Arcadia **152** D-E 6
Arcangelo **156** D 1
Arcevia **92** A 2
Arci, Monte- **117** A 3
Arcidosso **86** C 3
Arcipelago Toscano, Parco Nazionale dell'- **86** B 3
Arco **72** A 3
Arcuentu, Monte- **117** A 3
Arcyz **149** I 3
Arda (Bulgaria) **152** F-G 4
Arda (Italia) **82** A 2
Årdalstangen **144** B 3
Ardenne **132** F 1-2
Arendal **144** B 4
Arenzano **80** B 1
Arequipa **177** B 3
Arezzo **86** C 2
Argenta **82** C 2
Argentan **132** C 2
Argentario, Monte- **86** C 3
Argentera **64** B 3
Argentera (monte) **64** A 3
Argentiera **117** A 2
Argentiera, Capo dell'- **117** A 2
▲ Argentina **177** B-C 4
Argento, Costa d'- **132** C 4-5
Argo **152** E 6
Argonne **132** F 2
Argosto **152** D 5
Argun **160** E 3
Århus **138** E 1
Ariano Irpino **102** C 1
Arica **177** B 3
Arica, Golfo di- **176** B 3
Arid, Capo- **180** B 4
Aritzo **117** B 3
Arkansas **172** E 4
Arkona, Capo- **138** F 2
Arlberg **142** D 2
Arles **132** F 5
Arlon **132** F 2
Arma di Taggia **80** A 2
Armavir **156** D 3
▲ Armenia **123** H 4
Armi, Capo dell'- **112** A 4
Armoricano, Massiccio- **132** B-C 2
Arnauti, Akra- **152A**
Arnheom **138** B 3
Arno **86** B 2
Arona **64** C 2
Arquà Petrarca **74** B 2
Arquata Scrivia **64** C 3
Arran **135** D 3
Arras **132** E 1
Arroscia **80** B 1
Arsoli **94** C 1
Árta **152** D 5
Árta, Golfo di- **152** D 5
Aru, Isole- **161** F 6
Arvidsjaur **144** E 2
Arzachena **117** B 1
Arzignano **74** B 2
Ascea **102** C 2
Ascensione **166** B 4
Asciano **86** C 2
Ascoli Piceno **92** B 3
Ascoli Satriano **106** A 2
Asenovgrad **152** F 3-4
● Ašgabat **162** B 4
Ashburton **180** A 4
Asiago **74** B 2
Asinara, Golfo dell'- **117** A 1-2
Asinara, Isola- **117** A 1
Asinara, Parco Nazionale dell'- **117** A 1
Asir **160** B 5
● Asmara **168** D 3
Åsnen **144** D 4
Aso **92** B 2
Asola **68** C 2
Asolo **74** B 2
Aspromonte **112** A 3
Aspromonte, Parco Nazionale dell'- **112** A-B 3
Aspropotamo **152** D 5
Assam **160** D 4
Assemini **117** A 3
Assen **138** C 3
Assisi **90** B 1
Assuan **168** D 2
Asta, Cima d'- **72** B 2
● Astana **162** C 3
Asti **64** C 3
Astrahan **156** D 3
Asturie **128** B-C 1
● Asunción **177** C 4
Åsunden **144** D 4
Asyût **168** D 2
Atacama, Deserto di- **176** B 4
Atella **110** A 2
● Atene **122** F 5
Aterau **162** B 3
Aterno **98** A 1
Atesine, Alpi- **72** A-C 2
Atessa **98** B 1
Athabasca, Lago- **172** D 3
Athlone **135** C 4
Áthos **152** F 4
Atina **94** C 2
Atiu **181** F 3
Atlanta **173** E 4
Atlante **166** B-C 2
Atlantico, Oceano- **183** S-K 2
Atri **98** A-B 1
Attairo, Monte- **153** G 6
Attica **152** E 5
Atyrau **156** E 3
Auch **132** D 5
Auckland **180** D 4
Auer = Ora **72** B 2
Augusta (Germania) **138** E 5
Augusta (Italia) **115** D 2
Augusta, Golfo di- **115** D 2
Aulla **86** A-B 1
Aurillac **132** E 4
Aurina, Valle- **72** C 1-2
Aurine, Alpi- **72** B-C 1
Auronzo di Cadore **74** C 1
Aurunci, Monti- **94** C 1
Ausoni, Monti- **94** C 2
▲ Australia **180** B-C 4
▲ Austria **122** E 4
Auxerre **132** E 3
● Avana, L'- **173** E 4
Avarua **181** F 4
Aveiro **128** A 2
Avella, Monti d'- **102** B 2
Avellino **102** B 2
Aversa **102** B 2
Avezzano **98** A 1
Aviano **78** A 1
Avigliana **64** B 2
Avigliano **110** A 2
Avignone **132** F 4-5
Ávila **128** C 2
Avilés **128** C 1
Avisio **72** B 2
Avola **115** D 3
Ayamonte **128** B 4
Aydın **153** G 6
Ayers Rock **180** B 4
Ayios Theodhoros **152A**
Ayr **135** D 3
Azahar, Costa del- **128** E-F 2-3
▲ Azerbaigian **123** H 4
Azov, Mar d'- **156** C 3
Azzurra, Costa- **132** G 5
Azzurro, Fiume- ⟶ Chang Jiang **160** E 4

B

Baba, Capo- **160** A 4
Bab al-Mandab **160** B 5
Back **172** D-E 2
Baconia, Selva- **148** C 3

Badajoz **128** B 3
Badgastein **142** E 2
Badia, Val- **72** B 2
Badia Polesine **74** B 2
Bad Ischl **142** E 2
Badolato Marina **112** B 3
Baf **152A**
Baffin, Baia di- **172** F-G 2
Baffin, Isola- **172** F 2
● Baghdad **162** B 4
Bagheria **114** B 1
Bagnacavallo **82** C-D 2
Bagnara Calabra **112** A 3
Bagni di Lucca **86** B 1-2
Bagni di Vinadio **64** B 3
Bagno di Romagna **82** C-D 3
Bagnoli del Trigno **100** A 2
Bagnolo Mella **68** C 2
Bagolino **68** C 2
Bagua **177** B 3
Bahama, Isole- **172** F 4
▲ Bahamas **173** F 4
Bahía Blanca **177** B 4
▲ Bahrein **162** B 4
Baia Mare **148** F 3
Baia Sardinia **117** B 1
Baia Terra Nova **183** O 2
● Bairiki **180** D 2
● Baku **123** H 4
Balakovo **156** D 2
Balaton, Lago- **148** C 3
Balcani, Piccoli- **152** G 3
Balcani Centrali **152** F 3
Balcani Occidentali **152** E 3
Baldo, Monte- **74** A 2
Baleari, Isole- **128** F-G 2-3
Balhaš **162** C 3
Balhaš, Lago- **160** C 3
Bali **160** E 6
Balıkesir **153** H 5
Balikpapan **162** E 5-6
Ballao **117** B 3
Balleny, Isole- **183** O 2
Ballina **135** B 3
Ballone, Poggio- **86** B 3
Bălţi **149** F 3
Baltiche, Alture- **139** K-L 2-3
Baltico, Mar- **144** D-E 4-5
Baltimore **173** F 4
● Bamako **168** B 3
Bamberg **138** E 4-5
Banato **148** E 4
Banbury **135** F 4-5
Banda, Mar di- **161** F 6
Bandar-e Abbas **162** B 4
● Bandar Seri Begawan **162** E 5
Bandeira, Pico da- **176** C 4
Bandırma **153** H 4
Bandung **162** E 6
Bangalore **162** C 5
Bangka **160** E 6
● Bangkok **162** E 5
▲ Bangladesh **162** D 4
● Bangui **168** C 3
Banja Luka **152** B 2
Banjarmasin **162** E 6
● Banjul **168** B 3
Banks **172** C-D 2
Banská Bystrica **148** D 2
Bantry **135** B 5
Bañuela **128** C 3
Baotou **162** E 3
Baracaldo **128** D 1
Baranoviči **156** B 2
▲ Barbados **173** F 5
Barbagia **117** B 3
Barcellona **128** G 2
Barcellona - Pozzo di Gotto **115** D 1
Bardi **82** A 2
Bardolino **74** A 2
Bardonecchia **64** A 2
Barents, Mar di- **156** D 1
Bari **106** B 2
Bari, Terra di- **106** B-C 2
Bârlad **148** H 3-4
Barlee, Lago- **180** A 4
Barletta **106** B 2
Barnaul **162** D 3
Baronie **117** B 2
Barranquilla **177** B 2
Barrow **173** B 2
Barrow (fiume) **135** C 4
Barrow, Capo- **173** B 2
Barumini **117** A 3
Baschi, Monti- **128** D-E 1
Basento **110** B 2
Basilea **142** B 2
Basilicata **110** A-B 2
Basiluzzo, Isola- **115** D 1
Basodino, Monte- **64** C 1
Bass, Stretto di- **180** C 4
Bassa California **172** D 4
Bassa da India **168** D 4
Bassano del Grappa **74** B 2
● Basseterre **36** C 2
Bassora **162** B 4
Bastia **132** B 5
Bastia Umbria **90** B 1
Bastogne **132** F 1
Battaglia Terme **74** B 2
Battipaglia **102** B 2
Batumi **156** D 3
Baunei **117** B 3
Bavarese, Selva- **138** F 5
Bavaresi, Alpi- **138** E 6
Baviera **138** E-F 5
Bayonne **132** C 5
Bayreuth **138** E 5
Baza **128** D 4
Bazardjuzju **156** D 3
Beaufort, Mare di- **172** B-C 2
Beauvais **132** E 2
Béchar **168** B 2
Bechet **148** G 5
Bedonia **82** A 2
Beida, El- **168** D 2
Beira **168** D 4-5
● Beirut **162** A 4
Beja **128** B 3
Békéscsaba **148** E 3
Belaja **156** E 2
Belém **177** C 3
Belfast **135** D 3
Belfort **132** G 3
▲ Belgio **122** D 3
Belgorod **156** C 2
● Belgrado **122** F 4
Belgrano, General- **183** R-S 2
Belice **114** A-B 2
▲ Belize **173** E 5
Bellagio **68** B 1-2
Bellano **68** B 1
Bellaria-Igea Marina **83** D 2
Bellavista, Capo- **117** B 3
Belle-Île **132** B 3
Bellingshausen, Mare di- **183** Q 2
Bellino, Monte- **86** C 3
Bellinzona **142** C 2
Belluno **74** C 1
● Belmopan **173** E 5
Belo Horizonte **177** C 3-4
Belomorsk **156** C 1
Beloreck **156** E 2
Belpasso **114** C-D 2
Belt, Grande- **138** E 2
Belucistan **160** C 4
Beluha **160** D 3
Belvedere Marittimo **112** A 2
Bembézar, Lago di- **128** C 3
Benabarre **128** F 1
Benadir **166** E 3
Benares **162** D 4
Benetutti **117** B 2
Benevento **102** B 1
Bengala, Golfo del- **160** D 5
Bengasi **168** C-D 2
Benguela **168** C 4
Benguela, Golfo di- **166** C 4
▲ Benin **168** C 3
Benin, Golfo di- **166** C 3
Ben Nevis **135** D 2
Benue **166** C 3
Berat **152** C-D 4
Berbera **168** E 3
Berceto **82** A-B 2
Bereznick **156** D 1
Berezniki **156** E 2
Berezovo **156** F 1
Bergamo **68** B 2
Bergen **144** A 3
Bergerac **132** D 4
Berici, Monti- **74** B 2
Bering, Mare di- **161** H-J 3
Bering, Stretto di- **160** J 2
Berkner, Isola- **183** R 2
● Berlino **122** E 3
Bermuda **173** F 4
Bermuda, Isole- **172** F 4
● Berna **122** D 4
Bernalda **110** B 2
Bernesi, Alpi- **142** B-C 2
Bernina **68** B 1
Bernina, Passo del- **68** C 1
Berounka **148** A 2
Berry **132** D-E 3
Berwick-upon-Tweed **135** E-F 3
Besançon **132** F-G 3
Beschidi **139** I-K 5
Besna-Kobila **152** E 3
Bessarabia **148-149** H-I 2-3
Betica, Cordigliera- **128** C-D 4
Bettola **82** A 2
Bevagna **90** B 2
Béziers **132** E 5
▲ Bhutan **162** D 4
Biała Podlaska **139** K 3-4
Białystok **139** K 3
Biancavilla **114** C 2
Bianco **112** B 3
Bianco, Lago- **156** C 1
Bianco, Mar- **156** C-D 1
Bianco, Monte- **64** A 2
Biarritz **132** C 5
Bibbiena **86** C 2
Bibione **74** D 2
Bié, Altopiano del- **166** C 4
Biel **142** B 2
Bielefeld **138** D 3
Biella **64** C 2
▲ Bielorussia (Russia Bianca) **122** F 3
Bielsko Biała **138** I 5
Biferno **100** A 2
Bihać **152** A 2
Bijagós, Arcipelago delle- **166** B 3
Bijelo Polje **152** C 3
Bikini **180** D 2
Bila Cerkva **148** J 2
Bilbao **128** D 1
Billings **173** D 3
Bilma **168** C 3
Bioko **166** C 3
Birgi **114** A 2
Birkenhead **135** E 4
▲ Birmania (Myanmar) **162** D 4
Birmingham **135** E-F 4
Bisaccia **102** C 1
Bisacquino **114** B 2
Biscaglia, Golfo di- **132** B-C 4
Bisceglie **106** B 2
Bischofshofen **142** E 2
Bisenti **98** A 1
Bisignano **112** B 2
● Biškek **162** C 3
Bismarck **173** D 3
Bismarck, Arcipelago di- **180** C 3
Bismarck, Mar di- **180** C 3
● Bissau **168** B 3
Bistriţa **148** G 3
Bistriţa (fiume) **148** H 3
Bithia **117** A 4
Bitola **152** D 4
Bitonto **106** B 2
Bitti **117** B 2
Bivona **114** B 2
Bjargtangar **144A**
Bjelašnica **152** C 3
Black Hills **172** D 3
Blackpool **135** E 4
Blagojevgrad **152** E 4
Blanca, Costa- **128** E-F 3
Blantyre **168** D 4
Blåvands Huk **138** C-D 2
Bled **152** A 1
Bloemfontein **168** D 5
Blois **132** D 3
Bludenz **142** C-D 2
Boa Vista **177** B 2
Bobbio **82** A 2
Bobolice **138** H 3
Bobrujsk **156** B 2
Boca do Acre **177** B 3
Bodélé **166** C 3
Boden **144** E 2
Bodø **144** D 2
Boema, Selva- **148** A 2
Boemia **148** A-B 2
Boeo, Capo- **114** A 2
● Bogotá **177** B 2
Boise **173** D 3
Bojano **100** A 2
Boknafjord **144** A 4
Bolesławiec **138** G 4
Boliden **144** E 2
Bolívar, Pico- **176** B 2
▲ Bolivia **177** B-C 3
Bolivia, Altopiano della- **176** B 3-4
Bollnäs **144** D 3
Bolmen **144** C 4
Bologna **82** C 2
Bolsena **94** A-B 1
Bolsena, Lago di- **94** A 1
Bolu **156** C 3
Bolungarvík **144A**
Bolzano = Bozen **72** B 2
Bonacardo **117** A 2
Bonagia, Golfo di- **114** A 1
Bondeno **82** C 2
Bonifacio **132** A-B 5
Bonifacio, Bocche di- **132** A-B 5
Bonifati, Capo- **112** A 2
Bonn **138** C 4
Bonny, Golfo di- **166** C 3
Bono **117** B 2
Bonorva **117** A 2
Boothia, Penisola di- **172** E 2
Bora Bora **181** F 3
Borås **144** C 4
Borbonese **132** E 3
Bordeaux **132** C 4
Bordighera **80** A 2
Bore **82** A 2
Borgarnes **144A**
Børgefjellet **144** C-D 2
Borgholm **144** D 4
Borgia **112** B 3
Borgogna **120** D 4
Borgogna, Canale di- **132** E-F 2-3
Borgomanero **64** C 2
Borgorose **94** C 1
Borgo San Dalmazzo **64** B 3
Borgo San Lorenzo **86** C 2
Borgosesia **64** C 2
Borgo Val di Taro **82** A 2
Borgo Valsugana **72** B 2
Bormida **64** C 3
Bormio **68** C 1
Borneo **160** E 6
Bornholm **138** G 2
Borzonasca **80** C 1
Bosa **117** A 2
Bosforo **153** H 4
Bosna **152** C 2
Bosnia **152** B-C 2
▲ Bosnia-Erzegovina **122** E 4
Boston **173** F 3
Botnia, Golfo di- **144** E-F 2-3
Botoşani **148** H 3
Botricello **112** B 3
▲ Botswana **168** D 5
Botte Donato, Monte- **112** B 2
Bougainville **180** C 3
Boulogne-sur-Mer **132** D 1
Bounty, Isole- **180** D 5
Bourg-en-Bresse **132** F 3
Bourges **132** E 3
Bournemouth **135** E-F 5
Bovalino **112** B 3
Bova Marina **112** A 4
Boves **64** B 3
Bovino **106** A 2
Bovolone **74** B 2
Bozen = Bolzano **72** B 2
Bozzolo **68** C 2
Bra **64** B 3
Bracciano **94** B 1
Bracciano, Lago di- **94** B 1
Bräcke **144** D 3
Bradano **110** B 2
Bradford **135** E-F 4
Braga **128** A 2
Bragança **128** B 2
Brahmaputra **160** D 4
Brăila **149** I 4
Brancaleone Marina **112** B 4
Brandeburgo **138** F 3
▲ Brasile **177** B-C 3
Brasile, Altopiano del- **176** C 3
● Brasília **177** C 3
Braşov **148** G 4
● Bratislava **122** E 4
Bratsk **162** E 3
Braunau **142** E 1
Braunschweig **138** E 3
Brava, Costa- **128** G 1-2
Bravo del Norte, Rio- = Rio Grande **172** D-E 4
Brazza **152** B 3
● Brazzaville **168** C 4
Brčko **152** C 2
Breda **138** B 4
Bregenz **142** C 2
Breidhafjördhur **144A**
Breidhdalsvík **144A**
Brema **138** D 3
Bremerhaven **138** D 3
Brenner = Brennero **72** B 1-2
Brennero **142** D 2
Brennero = Brenner **72** B 1-2
Brennero, Passo del- **72** B 1-2
Breno **68** C 2
Brenta **74** B 2
Brenta, Gruppo di- **72** A 2
Brescia **68** C 2
Breslavia **138** H 4
Bressanone = Brixen **72** B 2
Brest (Bielorussia) **156** B 2
Brest (Francia) **132** A 2
Bretagna **132** B-C 2-3
Breuil-Cervinia **64** B 2
Briançon **132** G 4
Brianza **68** B 2
Briatico **112** B 3
● Bridgetown **36** C 2
Brienza **110** A 2
Briga **142** C 2
Brighton **135** F 5
Brindisi **106** C 3
Brisbane **180** C 4
Brisighella **82** C 2
Bristol **135** E 5
Bristol, Baia di- **172** A 3
Bristol, Canale di- **135** D-E 5
Britanniche, Isole- **120** B-C 3
Brive-la-Gaillarde **132** D 4
Brixen = Bressanone **72** B 2
Brjansk **156** C 2
Brno **148** C 2
Broken Hill **180** C 4
Broni **68** B 2
Bronte **114** C 2
Brooks, Catena di- **172** B 2
Broome **180** B 3
Brugge **132** E 1
Bruneck = Brunico **72** B 2
▲ Brunei **162** E 5
Brunico = Bruneck **72** B 2
● Bruxelles **122** D 3
Bucaramanga **177** B 2
● Bucarest **122** F 4
Bucchianico **98** B 1
Buccino **102** C 2
Buckie **135** E 2
Bucovina **148** G-H 2-3
● Budapest **122** E 4
Buddusò **117** B 2
Búdhardalur **144A**
Budoni **117** B 2
Budrio **82** C 2
Bue Marino, Grotta del- **117** B 2
● Buenos Aires **177** C 4
Bug **139** K 3
Bug Meridionale **156** C 3
Bugrino **156** D 1
● Bujumbura **168** D 4
Bulawayo **168** D 3
▲ Bulgaria **122** F 4
Bulgheria, Monte- **102** C 2
Buona Speranza, Capo di- **168** C 5
Buonconvento **86** C 2
Burcei **117** B 3
Bureja, Monti del- **160** F 3
Burgas **152** G 3
Burgas, Golfo di- **152-153** G-H 3
Burgos **128** D 1
Burgsvik **144** E 4
▲ Burkina **168** B 3
Burrel **152** C-D 4
Bursa **153** H 4
Buru **161** F 6
▲ Burundi **168** D 4
Bury Saint Edmunds **135** G 4
Busalla **80** B-C 1
Busambra, Rocca- **114** B 2
Busca **64** B 3
Busseto **82** B 2
Busto Arsizio **68** A 2
Butera **114** C 2
Büyük Menderes → Meandro **153** G-H 6
Buzău **148** H 4
Buzuluk **156** E 2
Bydgoszcz **138** H-I 3
Bytom **138** I 4

C

Caatinga **176** C 3
Cabinda **168** C 4
Caboto, Stretto di- **172** G 3
Cabras **117** A 3
Cabras, Stagno di- **117** A 3
Cabrera **128** G 3
Caccamo **114** B 2
Caccia, Capo- **117** A 2
Caccia, Monte- **106** B 2
Cáceres **128** B 3
Cadelbosco di Sotto **82** B 2
Cadibona, Colle di- **80** B 1
Cadice **128** B 4
Cadice, Golfo di- **128** B 4
Cadore **74** C 1
Cadria, Monte- **72** A 3
Caen **132** C 2
Cagli **92** A 2
Cagliari **117** B 3
Cagliari, Golfo di- **117** B 3
Cahors **132** D 4
Caiazzo **102** B 1
Cairns **180** C 3
● Cairo, Il- **168** D 2
Cairo Montenotte **80** B 1
Caivano **102** B 2
Calabria **112** B 2
Calabria, Parco Nazionale della- **112** B 2
Calabritto **102** C 2
Calabro, Appennino- **112** B 2-3
Cala Gonone **117** B 2
Calais **132** D 1
Calais, Passo di- **132** D 1
Calamata **152** E 6
Calangianus **117** B 2
Călăraşi **148** H 4
Calascibetta **114** C 2
Calasetta **117** A 3
Calatafimi **114** A 2
Calatayud **128** E 2
Calavà, Capo- **114** C 1
Calcide **152** E 5
Calcidica, Penisola- **152** E 4
Calcutta **162** D 4
Caldaro sulla strada del Vino = Kaltern an der Weistrasse **68** B 2
Caldirola **64** D 3
Caledonia, Canale di- **135** D 2
Calgary **173** D 3
Cali **177** B 2
California, Golfo di- **172** D 4
Calino **152** G 6
Calitri **102** C 2
Callao **177** B 3
Calmucchi **156** D 3
Calore **102** C 2
Caltabellotta **114** B 2
Caltagirone **114** C 2
Caltanissetta **114** C 2
Caltavuturo **114** B 2
Calvi **132** A 5
Calvo, Monte- **106** A 2
Camagüey **173** F 4
Camaiore **86** B 2
Camaldoli, Eremo di- **86** C 2
Camarat, Capo- **132** G 5
Camargue **132** F 5
Ca Mau, Punta di- **162** E 5
▲ Cambogia **162** E 5
Cambrici, Monti- **135** E 4-5
Cambridge **135** F-G 4
Cambridge Bay **173** D 2
Camerino **92** B 2
Camerota **102** C 2
Camerun (monte) **166** C 3
▲ Camerun **168** C 3
Camigliatello Silano **112** B 2
Cammarata **114** B 2
Cammarata, Monte- **114** B 2

Mazzola
Peanut Butter
Gel
soda ginger

61
44
+ 46
33
18
183691
190486
183691
374177
193441
190691

46 46
54 38
5 54
Monaco 9950
138 E5
132 G5

536
550

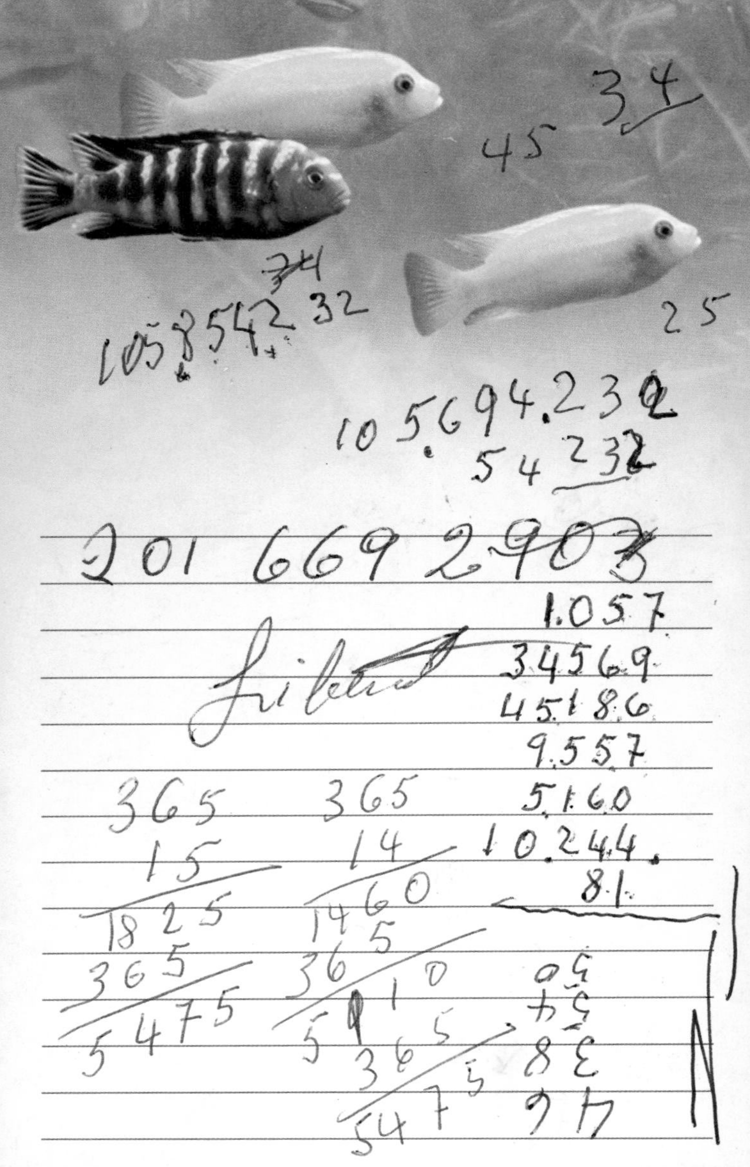

34
45
25
1058542.32
105694.232
54232
201 669 2903
1.057
34569
45186
9557
5160
10244
81
365
15
1825
365
14
1460

Camonica, Val- **68** C 1-2
Campagna **102** C 2
Campana **112** B 2
Campana, Pianura- **102** A-B 1
Campanella, Punta- **102** B 2
Campania **102** B-C 2
Campano, Appennino- **102** B-C 1-2
Campano, Arcipelago- **102** A-B 2
Campbeltown **135** D 3
Campeche, Baia di- **172** E 4-5
Campi Bisenzio **86** C 2
Campidano **117** A 3
Campi Flegrei **102** B 2
Campiglia Marittima **86** B 2
Campina Grande **177** D 3
Campione d'Italia **68** A-B 2
Campli **98** A 1
Campobasso **100** A 2
Campo Grande **177** C 4
Campolato, Capo- **115** D 2
Campomarino **100** B 2
Camporeale **114** B 2
Campos **176** C 3-4
Camposauro **102** B 1
Campotosto **98** A 1
Campotosto, Lago di- **98** A 1
Campo Tures = Sand in Taufers **68** B-C 2
▲ Canada **173** D-F 3
Çanakkale **152** G 1
Canale, Isole del- **135** E 6
Canale, Val- **78** B 1
Canavese **64** B 2
Canazei **72** B 2
● Canberra **180** C 4
Candelaro **106** A 2
Candia → Iraklion **152** F 7
Canelli **64** C 3
Canguri, Isola dei- **180** B 4
Canicattì **114** B 2
Canne **106** B 2
Canneddi, Punta li- **117** A 1
Cannobio **64** C 1
Canosa di Puglia **106** B 2
Cansiglio, Bosco del- **74** C 1
Cantabrica, Cordigliera- **128** B-D 1
Cantabrico, Mar- **128** B-C 1
Cantal **132** E 4
Canterbury **135** G 5
Canton **162** E 4
Canton (isola) **180** E 3
Cantù **68** B 2
Caorle **74** C 2
Capaccio **102** C 2
Capaci **114** B 1
Capanne, Monte- **86** B 3
Capannori **86** B 2
Capitanata **106** A 2
Capizzi **114** C 2
Capodichino **102** B 2
Capodimonte **94** A 1
Capo di Ponte **68** C 1
Capo d'Orlando **114** C 1
Capoterra **117** A 3
▲ Capo Verde **168** A 3
Capo Verde, Isole del- **166** A 3
Capo York, Penisola di- **180** C 3
Capracotta **100** A 2
Capraia, Isola di- (Puglia-Italia) **106** A 1
Capraia, Isola di- (Toscana-Italia) **86** A 2
Caprara, Punta- **117** A 1
Capraro, Monte- **100** A 2
Caprarola **94** B 1
Caprera, Isola- **117** B 1
Capri **102** B 2
Capri, Isola di- **102** B 2
Capua **102** B 1
● Caracas **177** B 2
Caraglio **64** B 3
Caraibi, Mar dei → Mar delle Antille **172** E-F 5
Carapelle **106** A 2
Caravanche **152** A 1
Caravius, Monte is- **117** A 3
Carbonara, Capo- **117** B 3
Carbonara, Pizzo- **114** C 2
Carbonia **117** A 3
Carcassonne **132** E 5
Cardiff **135** E 5
Cardiga, Monte- **117** B 3
Carelia **156** C 1
Cariati **112** B 2
Carignano **64** B 3
Carini **114** B 1
Carini, Golfo di- **114** B 1
Carlentini **114** D 2
Carlisle **135** E 3
Carloforte **117** A 3
Carmagnola **64** B 3
Carnarvon **180** A 4
Carnia **78** A-B 1
Carniche, Alpi- **78** A-B 1
Carolina **177** C 3
Caroline, Isole- **180** B-C 2
Carpazi **120** F 4
Carpazi Bianchi **148** C-D 2
Carpazi Boscosi **148** F-G 2
Carpazi Occidentali **148** D-E 2
Carpazi Orientali **148** F-H 2-3
Carpegna **92** A 2
Carpegna, Monte- **92** A 2
Carpentaria, Golfo di- **180** B-C 3
Carpi **82** B 2
Carpinone **100** A 2
Carrantuohill **135** B 4-5
Carrara **86** B 1
Carrù **64** B 3
Cartagena **128** E 4
Cartier **180** B 3
Carvoeiro, Cabo- **128** A 3
Casablanca **168** B 2
Casalbordino **98** B 1
Casalecchio di Reno **82** C 2
Casale Monferrato **64** C 2
Casalmaggiore **68** C 3
Casalpusterlengo **68** B 2
Casamassima **106** B 3
Casarano **107** D 4
Cascate, Catena delle- **172** C-D 3
Cascia **90** C 2
Casciana Terme **86** B 2
Cascina **86** B 2
Caselle **64** B 2
Casentino **86** C 2
Caserta **102** B 1
Casey **183** M 2
Caso **152** G 7
Casole d'Elsa **86** C 2
Casoli **98** B 1
Casoria **102** B 2
Caspica, Depressione- **156** D-E 3
Caspio, Mar- **162** B 3-4
Cassandra, Golfo di- **152** E-F 4-5
Cassano allo Ionio **112** B 2
Cassino **94** C 2
Castagneto Carducci **86** B 2
Castelbuono **114** C 2
Castel di Sangro **98** B 2
Castelfidardo **92** B 2
Castelfiorentino **86** B-C 2
Castel Fraiano **98** B 2
Castelfranco Veneto **74** B 2
Castella, le- **112** C 3
Castellabate **102** B 2
Castellammare, Golfo di- **114** A-B 1
Castellammare del Golfo **114** A 1
Castellammare di Stabia **102** B 2
Castellana, Grotte di- **106** C 3
Castellana Grotte **106** C 3
Castellaneta **106** B 3
Castell'Arquato **82** A 2
Castellón de la Plana **128** E 2
Castelnovo ne' Monti **82** B 2
Castel San Giovanni **82** A 1
Castel San Pietro Terme **82** C 2
Castelsardo **117** A 2
Casteltermini **114** B 2
Castelvetrano **114** A 2
Castel Volturno **102** A 1-2
Castiadas **117** B 3
Castiglia, Nuova- **128** C-D 2-3
Castiglia, Vecchia- **128** C 1-2
Castiglioncello **86** B 2
Castiglione dei Pepoli **82** C 2
Castiglione del Lago **90** B 1
Castiglione della Pescaia **86** B 3
Castiglione delle Stiviere **68** C 2
Castiglion Fiorentino **86** C 2
Castlebar **135** B 4
Castres **132** E 5
● Castries **36** C 2
Castrocaro Terme **82** C 2
Castroreale Terme **115** D 1
Castrovillari **112** B 2
Catalano, Sistema Costiero- **128** F-G 2
Catalogna **128** F-G 1-2
Catania **114-115** D 2
Catania, Golfo di- **114-115** D 2
Catania, Piana di- **114** C-D 2
Catanzaro **112** B 3
Catanzaro Marina **112** B 3
Catena Costiera **172** C 3-4
Catinaccio **72** B 2
Catoche, Cabo- **172** E 4
Catria, Monte- **92** A 2
Cattaro **152** C 3
Cattaro, Bocche di- **152** C 3
Cattolica **83** D 3
Cattolica Eraclea **114** B 2
Catuso, Monte- **114** B 2
Caucaso **156** D 3
Caulonia **112** B 3
Causses **132** E 4
Cava de' Tirreni **102** B 2
Cavalese **72** B 2
Cavarzere **74** C 2
Cavoli, Isola dei- **117** B 3
Cavour, Canale- **64** C 2
Cayenne **177** C 2
Cayman, Isole- **173** E 5
Cazombo **168** D 4
Čeboksary **156** D 2
Cebu **162** F 5
▲ Ceca, Repubblica- **122** E 4
Ceccano **94** C 2
Cecina **86** B 2
Cecina (fiume) **86** B 2
Cecita, Lago di- **112** B 2
Cedrino **117** B 2
Cefalonia **152** D 5
Cefalù **114** C 1
Ceglie Messapica **106** C 3
Celano **98** A 1
Celébes (Sulawesi) **160** E-F 6
Celébes, Mar di- **160-161** F 5
Čeljabinsk **162** C 3
Čeljuskin, Capo- **162** E 2
Celtico, Mare- **135** C-D 5
Ceno **82** A-B 2
Cento **82** C 2
Cento Croci, Passo di- **82** A 2
▲ Centrafricana, Repubblica- **168** C-D 3
Centrale, Sistema- **128** B-D 2
Centro, Canale del- **132** F 3
Centuripe **114** C 2
Ceppo, Monte- **80** A 2
Ceram **161** F 6
Čerepovec **156** C 2
Ceresole Reale **64** B 2
Cerignola **106** A 2
Cerigo **152** E 6
Cerigotto **152** E 7
Čerkasy **156** C 3
Čerkessk **156** D 3
Černihiv **156** C 2
Černivci **156** B 3
Cernjahovsk **139** J 2
Cernobbio **68** B 2
Cerreto Sannita **102** B 1
Čerski, Monti- **160** F-G 2
Certaldo **86** B-C 2
Cervales **128** C 3
Cervaro **106** A 2
Cervati, Monte- **102** C 2
Cerveteri **94** B 2
Cervia **82-83** D 2
Cervialto, Monte- **102** C 2
Cervignano del Friuli **78** B 2
Cervino **64** B 1-2
Cervo **80** B 2
Češa, Baia della- **156** D 1
Cesano **92** A-B 2
Cesarò **114** C 2
Cesena **82** D 2
Cesenatico **83** D 2
České Budějovice **148** B 2
Cetona, Monte- **86** C 3
Ceuta **128** C 5
Ceva **64** C 3
Cevedale, Monte- **72** A 2
Cevenne **132** E-F 4
Chagos, Isole- **160** C 6
Châlons-sur-Marne **132** F 2
Châlon-sur-Saône **132** F 3
Chambéry **132** F 4
Chamonix **132** G 3-4
Champagne **132** F 2
Champoluc **64** B 2
Chang Jiang (Fiume Azzurro) **160** E 4
Changsha **162** E 4
Chaozhou **162** E 4
Charente **132** C 4
Chari **166** C 3
Charkiv **156** C 2-3
Charleroi **132** F 1
Charles, Cape- **172** G 3
Charleville **180** C 4
Charleville-Mézières **132** F 2
Chartres **132** D 2
Châteauroux **132** D 3
Chatham, Isole- **180** E 5
Chaumont **132** F 2
Chaves **128** B 2
Chech, Erg- **166** B 2
Chełm **139** K4
Chemnitz **138** F 4
Chengdu **162** E 4
Chennai **162** D 5
Cher **132** D 3
Cheradi, Isole- **106** C 3
Cherasco **64** B 3
Cherbourg **132** C 2
Cherlen **160** E 3
Cherso **152** A 2
Cherson **156** C 3
Chesterfield, Isole- **180** C 3-4
Chetumal **173** E 5
Cheviot, Monti- **135** E-F 3
Chiana, Val di- **86** C 2
Chianciano Terme **86** C 2
Chiang Mai **162** D 5
Chianti **86** C 2
Chiaramonte Gulfi **114** C 3
Chiaravalle **92** B 2
Chiari **68** B-C 2
Chiaromonte **110** B 2
Chiascio **90** B 1
Chiasso **68** A-B 2
Chiavari **80** C 1
Chiavenna **68** B 1
Chicago **173** E 3
Chiclayo **177** A-B 3
Chiem, Lago- **138** F 6
Chienti **92** B 2
Chieri **64** B 2-3
Chiesa in Valmalenco **68** B 1
Chiese **68** C 2
Chieti **98** B 1
Chihuahua **173** D 4
Chiloé **177** B 5
Chimborazo **176** B 3
Chio **152** G 5
Chio (isola) **152** F-G 5
Chioggia **74** C 2
Chirripó **172** E 5
Chisimaio **168** E 4
● Chişinău **122** F 4
Chisone **64** B 3
Chittagong **162** D 4
Chiusi **86** C-D 2
Chiusi, Lago di- **86** C 2
Chivasso **64** B 2
Chmel'nyc'kyj **156** B 3
Choiseul **180** C 3
Chojnice **138** H 3
Chongqing **162** E 4
Chonos, Archipiélago de los- **177** B 5
Chōra Sfakiōn **152** E-F 7
Christchurch **180** D 5
Churchill **173** E 3
Churchill (fiume-Canada) **172** D 3
▲ Ciad **168** C-D 3
Ciad, Bacino del- **166** C 3
Ciad, Lago- **166** C 3
Ciampino **94** B 2
Cianciana **114** B 2
Cicladi, Isole- **152** F 6
Cicolano **94** C 1
Ciechanów **139** J 3
Cigliano **64** B-C 2
▲ Cile **177** B 4
Cilento **102** C 2
Cilento e Vallo di Diano, Parco Nazionale del- **102** C 2
Cimini, Monti- **94** B 1
Ciminna **114** B 2
Cimljansk, Bacino di- **156** D 3
Cimone, Monte- **82** B 2
▲ Cina **162** D-E 4
Cincinnati **173** E 4
Cinese, Bassopiano- **160** E 4
Cinese Meridionale, Mar- **160** E 5
Cinese Orientale, Mar- **160** F 4
Cingoli **92** B 2
Cinisello Balsamo **68** B 2
Cinque Terre, Parco Nazionale delle- **80** C 1
Cinto, Monte- **132** A-B 5
Ciociaria **94** C 2
▲ Cipro **162** A 4
Circeo, Capo- **94** C 2
Circeo, Monte- **94** C 2
Circeo, Parco Nazionale del- **94** B-C 2
Ciriè **64** B 2
Cirò Marina **112** C 2
Cisa, Passo della- **82** A 2
Cisterna di Latina **94** B 2
Čita **162** E 3
Citlaltépetl **172** E 5
● Città del Capo **168** C 5
Cittadella **74** B 2
● Città del Messico **173** E 5
Città di Castello **90** B 1
Città di Pieve **90** B 2
Cittaducale **94** B 1
Cittanova **112** B 3
Ciudad Bolívar **177** B 2
Ciudad Juárez **173** D 4
Ciudad Real **128** D 3
Ciudi, Lago dei- **156** B 2
Cividale del Friuli **78** B 1
Civita Castellana **94** B 1
Civitanova Marche **92** B 2
Civitavecchia **94** A 1
Civitella del Tronto **98** A 1
Civitella Roveto **98** A 2
Cixerri **117** A 3
Clermont-Ferrand **132** E 4
Cles **72** B 2
Cleveland **173** E 3
Cliffs of Moher **135** B 4
Clipperton **172** D 5
Clitunno, Fonti del- **90** B 2
Cluj Napoca **148** F 3
Clusone **68** B-C 2
Clyde **135** E 3
Clyde, Firth of- **135** D 3
Cnosso **152** F 7
Coblenza **138** C 4
Coca, Pizzo di- **68** C 1
Coccovello, Monte- **110** A 2
Cochabamba **177** B 3
Cochin **162** C 5
Cocincina **160** E 5
Coco, Isla del- **176** A 2
Cocuzzo, Monte- **112** B 2
Cod, Capo- **173** F 3
Coda Cavallo, Capo- **117** B 2
Codigoro **80** D 2
Codogno **68** B 2
Codroipo **78** A-B 2
Cofano, Golfo di- **114** A 1
Coghinas **117** A 2
Coghinas, Lago del- **117** A-B 2
Coglians, Monte- **78** A 1
Cognac **132** C 4
Cogne **64** B 2
Coimbra **128** A 2
Coira **142** C 2
Colico **68** B 1
Colima, Nevado de- **172** D 5
Collalto **72** C 2
Colle di Val d'Elsa **86** C 2
Colleferro **94** B-C 2
Collesalvetti **86** B 2
Colle Sannita **102** B 1
Collesano **114** B 2
Colmar **132** G 2
▲ Colombia **177** B 2
Colombine, Monte- **68** C 2
● Colombo **162** C-D 5
Colón, Arcipelago di- → Isole Galápagos **177** A 3
Colonia **138** C 4
Colonna, Capo- **112** C 2
Colorado **172** D 4
Colorado, Altopiano del- **172** D 4
Colorno **82** B 2
Columbia **172** C-D 3
Columbia, Capo- **173** F 3
Comacchio **82** D 2
Comacchio, Valli di- **82** C-D 2
Comeglians **78** A 1
Comino, Capo- **117** B 2
Comiso **114** C 3
Como **68** B 2
Como, Lago di- **68** B 1-2
Comodoro Rivadavia **177** B 5
▲ Comore **168** E 4
Comore, Isole- **166** E 4
Comorin, Capo- **162** C 5
Comunismo, Picco del- **160** C 4
● Conakry **168** B 3
Concepción (Cile) **177** B 4
Concepción (Paraguay) **177** C 4
Condofuri **112** A 3
Conegliano **74** C 2
Conero, Monte- **92** B 2
▲ Congo **168** C 3-4
Congo = Zaire **166** C 4
Congo, Bacino del- **166** C-D 3-4
▲ Congo, Repubblica Democratica del- **168** D 4
Conselice **82** C 2
Contessa, Punta della- **107** D 3
Contursi Terme **102** C 2
Conversano **106** C 3
Conza, Sella di- **102** C 2
Coo **152** G 6
Cook, Isole- **181** E-F 3
Cook, Monte- **180** D 5
Cook, Stretto di- **180** D 4-5
Cooper Creek **180** C 4
● Copenaghen **122** E 3
Copertino **107** D 3
Copparo **80** C 2
Coralli, Mar dei- **180** C 3
Corato **106** B 2
Corbara, Lago di- **90** B 2
Corciano **90** B 1
Córdoba (Argentina) **177** B 4
Córdoba (Spagna) **128** C 3-4
Corea **160** F 4
Corea, Stretto di- **160** F 4
▲ Corea del Nord **162** F 3
▲ Corea del Sud **162** F 4
Corfù **152** C 5
Corfù (isola) **152** C-D 5
Corigliano, Golfo di- **112** B 2
Corigliano Calabro **112** B 2
Corinaldo **92** B 2
Corinto **152** E 5-6
Corinto, Canale di- **152** E 5-6
Corinto, Golfo di- **152** E 5
Coriza **152** D 4
Cork **135** B 5
Cork, Baia di- **135** B 5
Corleone **114** B 2
Corleto Perticara **110** B 2
Cormons **78** B 2
Cornacchia, Monte- **106** A 2
Cornate, le- **86** B 2
Cornia **86** B 2
Corniglio **82** B 2
Corno Grande **98** A 1
Cornovaglia **135** D 5
Coropuna **176** B 3
Corrasi, Punta- **117** B 2
Correggio **82** B 2
Correnti, Isola delle- **114-115** D 3
Corrib, Lough- **135** B 4
Corrientes **177** C 4
Corrientes, Cabo- **173** D 4
Corsica **132** A-B 5
Corsica, Canale di- **132** B 4-5
Corsico **68** B 2
Corso, Capo- **132** A-B 4
Cortemilia **64** C 3
Cortina d'Ampezzo **74** C 1
Cortona **86** C-D 2
Çorum **156** C 3
Corumbá **177** C 3
Coruña, La- **128** A 1
Coscerno, Monte- **90** B 2
Cosenza **112** B 2
Cossato **64** C 2
Cossovo **152** D 3
Costa, Cordillera de la- **176** B 2
▲ Costa d'Avorio **168** B 3
Costanza (Germania) **138** D 6
Costanza (Romania) **149** I 4

Costanza, Lago di- **138** D 6
▲ Costa Rica **173** E 5
Costiera, Catena- **112** A-B 2
Costiere, Montagne- **172** C 3
Costozza **74** B 2
Cotentin **132** C 2
Cotopaxi **176** B 2-3
Cottbus **138** G 4
Courmayeur **64** A 2
Coventry **135** F 4
Cozie, Alpi- **64** A-B 3
Cracovia **139** J 4
Craiova **148** F 4
Crati **112** B 2
Crema **68** B 2
Cremona **68** B-C 2
Creta **152** F 7
Creta, Mar di- **152** F 7
Crete, le- **86** C 2
Creus, Cabo de- **128** G 1
Creuse **132** D 3
Creusot, Le- **132** F 3
Crimea **156** C 3
Crispiniano, Monte- **106** A 2
Crissolo **64** B 3
Cristallo, Monte- **74** C 1
Cristóbal Colón, Pico- **176** B 2
Cristoforo Colombo **80** B 1
Crişul Alb **148** E-F 3
▲ Croazia **122** E 4
Croce, Monte- **72** B 2
Croce, Picco della- **72** B 2
Cross Fell **135** E 3
Crotone **112** C 2
Crozet, Isole- **166** E 6
Cruzeiro do Sul **177** B 3
Cuango **166** C 4
▲ Cuba **173** E-F 4
Cubango **166** C 4
Čučki, Penisola dei- **160** J 2
Cuenca (Ecuador) **177** B 3
Cuenca (Spagna) **128** D 2
Cuenca, Serranía de- **128** D-E 2
Cufra **168** D 2
Cuiabá **177** C 3
Cuiavia **138** J 3
Culiacán **173** D 4
Cullera **128** E 3
Cumaná **177** B 2
Cumberland, Monti del- **135** E 3
Cuneo **64** B 3
Cuorgnè **64** B 2
Cupra Marittima **92** B 2
Curili, Isole- **161** G 3
Curitiba **177** C 4
Curzola **152** B 3
Cusna, Monte- **82** B 2
Cutro **112** B-C 2
Cuxhaven **138** D 3
Cuzco **177** B 3
Częstochowa **138** I 4

D

● Dacca **162** D 4
Daghestan **156** C 3
● Dakar **168** B 3
Dakovica **152** D 3
Dalälv **144** D 3
Dalaman **153** H 6
● Dalap-Uliga-Darrit **180** D 2
Dalian **162** F 4
Dallas **173** E 4
Dalmazia **152** A-B 2-3
Dalmine **68** B 2
● Damasco **162** A 4
Damavand **160** B 4
▲ Danimarca **122** D-E 3
Danimarca, Stretto di- **172** H-J 2
Danubio **138** E 5
Danubio, Delta del- **149** I 4
Danzica **138** I 2
Danzica, Golfo di- **138** I 2
Dardanelli **152** G 4-5
Dar es Salaam **168** D 4
Darfo - Boario Terme **68** C 2
Darfur **166** D 3
Darién, Golfo del- **176** B 2
Darling **180** C 4
Darmstadt **138** D 5
Dart, Cape- **183** P 2
Darwin **180** B 3
Daugavpils **144** G 5
Daunia, Monti della- **106** A 2
Davao **163** F 5
Davis **183** M 2
Davis, Mare di- **183** M 2-3
Davis, Stretto di- **172** G 2
Dawson **173** C 2
Debrecen **148** E 3
Decazeville **132** E 4
Deccan **160** C-D 4-5
Decimomannu **117** A 3
Deggendorf **138** F 5
Delfi **152** E 5
Delfinato **132** F 4
Demone, Val- **114** C 1-2
Demonte **64** B 3
Den Helder **138** B 3
Denia **128** F 3
Denizli **153** H 6
Denver **173** D 4
Derbent **156** D 3
Derby (Australia) **180** B 3
Derby (Regno Unito) **135** F 4
Deruta **90** B 1-2
Desenzano del Garda **68** C 2
Desna **156** C 2
Dessau **138** F 4
Desventuradas, Isole- **177** A-B 4
Detroit **173** E 3
Deutsche Bucht **138** C 2
Deva **148** F 4
Devoll **152** D 4
Devon **172** E 2
Dežnev, Capo- **160** J 2
Dhekelia **152A**
Diamante **112** A 2
Diamantina **180** B-C 4
Diamantino **177** C 3
Diano, Vallo di- **102** C 2
Diano Marina **80** B 2
Dieppe **132** D 2
Digione **132** F 3
Dikson **162** D 2
● Dili **163** F 6
Dimitrovgrad **156** D 2
Dinariche, Alpi- **120** E 4
Dingle **135** A 4
Dingle, Baia di- **135** A 4-5
Dipkarpas **152A**
Dirillo = Acate **114** C 2-3
Disgrazia, Monte- **68** B 1
Dittaino **114** C 2
Djouf, El- **166** B 2
Dnepr **156** C 3
Dnepr, Alture del- **120** G 3-4
Dnestr **156** B 3
Dnipropetrovs'k **156** C 3
Dobbiaco = Toblach **72** C 2
Dobreta-Turnu Severin **148** F 4
Dobrič **152** G 3
Dobrugia **149** H-I 4-5
Dodecaneso **152-153** G 6
● Dodoma **168** D 4
Dogliani **64** B 3
● Doha **162** B 4
Dolcedorme, Serra- **112** B 2
Dolgellau **135** D-E 4
Dolianova **117** B 3
Dolomiti **72** B-C 2
Dolomiti Bellunesi, Parco Nazionale delle- **74** B-C 1
Dombås **144** B 3
▲ Dominica **173** F 5
▲ Dominicana, Repubblica- **173** F 5
Domodossola **64** C 1
Domusnovas **117** A 3
Don **156** C 2
Donec **156** C 3
Donec'k **156** C 3
Donegal, Baia di- **135** B 3
Dongting, Lago- **160** E 4
Dora Baltea **64** B 2
Dorada, Costa- **128** F 2
Dora Riparia **64** B 2
Dordogna **132** C-D 4
Dore, Monts- **132** E 4
Dorgali **117** B 2
Dortmund **138** C 4
Douala **168** C 3
Doubs **132** F 3
Douglas **135** D 3
Douro = Duero **128** B 2
Dover **135** G 5
Dover, Stretto di- **135** G 5
Dovrefjell **144** B 3
Downpatrick **135** D 3
Draghi, Monti dei- **166** D 5
Drake, Stretto di- **176** B-C 5
Dráma **152** F 4
Drammen **144** C 4
Drava **142** E 2
Dresda **138** F 4
Dreux **132** D 2
Drin **152** C-D 3
Drin, Golfo del- **152** C 4
Drina **152** C 2
Dronero **64** B 3
● Dublino **122** C 3
Dudley **135** E 4
Duero = Douro **128** D 2
Duisburg **138** C 4
Dukla, Passo di- **139** J 5
Duluth **173** E 3
Dumfries **135** E 3
Dumont D'Urville **183** N 2
Dumont D'Urville, Mare- **183** N 2-3
Dunántúl **148** C-D 3
Duncansby, Capo- **135** E 1
Dundalk **135** C 3-4
Dundee **135** E 2
Dunedin **180** D 5
Dunfermline **135** D-E 2
Dunkerque **132** E 1
Dún Laoghaire **135** C-D 4
Durazzo **152** C 4
Durazzo, Golfo di- **152** C 4
Durban **168** D 5
Durham **135** F 3
Durmitor **152** C 3
Durness **135** D 1
● Dušanbe **162** C 4
Düsseldorf **138** C 4
Dvina Occidentale **156** B 2
Dvina Settentrionale **156** D 1
Dzeržinsk **156** D 2

E

East London **168** D 5
Eberswalde **138** F 3
Eboli **102** C 2
Ebridi, Isole- **135** C 1-2
Ebro **128** D 1
Echo Bay **173** D 2
Écija **128** C 4
▲ Ecuador **177** A-B 3
Édessa **152** E 4
Edimburgo **135** E 3
Edipsós **152** E 5
Edirne **152** G 4
Edith Ronne, Terra di- **183** R-S 1
Edmonton **173** D 3
Edolo **68** C 1
Edremit, Golfo di- **152** G 5
Efate **180** D 3
Egadi, Isole- **114** A 1-2
Egeo, Mar- **152** F 5
Egersund **144** A-B 4
Egina **152** E 6
Egina, Golfo di- **152** E-F 6
▲ Egitto **168** D 2
Eifel **138** C 4
Eindhoven **138** B 4
Eisenach **138** E 4
Eisenstadt **142** G 2
Elba **138** E 3
Elba, Isola d'- **86** B 3
Elbasan **152** C-D 4
Elbert, Mount- **172** D 4
Elbląg **138** I 2
Elbrus **156** D 3
Elburz, Monti- **160** B 4
Elche **128** E 3
Elhovo **152** G 3
Elista **156** D 3
Elk **139** K 3
Ellesmere **172** E-F 1-2
Ellice, Isole- **180** D 3
Elmas **117** B 3
El Paso **173** D 4
Elsa **86** B-C 2
▲ El Salvador **173** E 5
Emden **138** C 3
Emi Koussi **166** C 2-3
Emilia-Romagna **82** B-C 2
Emine, Capo- **153** H 3
▲ Emirati Arabi Uniti **160** B 4
Emmaste **144** F 4
Emmen **138** C 3
Empoli **86** B 2
Ems **138** C 3
Endine, Lago di- **68** B 2
Engels **156** D 2
Eniwetok **180** D 2
Enna **114** C 2
Ennedi **166** D 3
Ennis **135** B 4
Enns **142** F 2
Enschede **138** C 3
Entrecasteaux, Isole d'- **180** C 3
Enugu **168** C 3
Enza **82** B 2
Eolie, Isole- = Isole Lipari **114** C 1
Epidauro **152** E 6
Épinal **132** G 2
Epiro **152** D 5
Episkopi **152A**
Eraclea Minoa **114** B 2
Erba **68** B 2
Ercolano **102** B 2
Erebus, Mount- **183** O 2
Erei, Monti- **114** C 2
● Erewan **123** H 4-5
Erfurt **138** E 4
Erice **114** A 1
Erie, Lago- **172** E-F 3
Erimanto, Monte- **152** D 5-6
▲ Eritrea **168** D 3
Erlangen **138** E 5
Ernest Legovue, Scoglio- **181** F 4
Ernici, Monti- **94** C 2
Erris Capo- **135** A 3
Erzegovina **152** B-C 3
Erzincan **156** C 4
Erzurum **156** C 3
Esbjerg **138** D 2
Escalaplano **117** B 3
Esfahan **162** B 4
Esino **92** B 2
Eskilstuna **144** D 4
Eskişehir **156** C 4
Esla **128** C 1
Espiritu Santo **180** D 3
Espoo **144** F 3
Essen **138** C 4
Est, Capo- **180** D 4
Este **74** B 2
▲ Estonia **122** F 3
Estrela, Serra da- **128** A-B 2-3
Estremadura (Portogallo) **128** A 3
Estremadura (Spagna) **128** B-C 3
Estremoz **128** B 3
Esztergom **148** D 3
▲ Etiopia **168** D-E 3
Etiopico, Acrocoro- **166** D-E 3
Etna, Monte- → Mongibello **114** C-D 2
Eubea **152** F 5
Eufrate **160** B 4
Euganei, Colli- **74** B 2
Eugene **173** C 3
Europa, Picos de- **128** C 1
Europa Settentrionale, Mar dell'- → Mar di Norvegia **120** D 2
Everest **160** D 4
Evje **144** B 4
Évora **128** B 3
Exeter **135** E 5
Eyrarbakki **144A**
Eyre, Lago- **180** B 4

F

Fabriano **92** A 2
Faenza **82** C 2
Fær Øer **120** C 2
Faggiola, Monte- **82** C 2
Fair **135** H 2
Fairbanks **173** B 2
Faisalabad **162** C 4
Falcade **74** B 1
Falconara **92** B 2
Falconara Marittima **92** B 2
Falcone, Capo del- **117** A 1-2
Falcone, Punta- **117** B 1
Falerna Marina **112** B 2-3
Falesie **132** D 1-2
Falkland, Isole- **177** C 5
Falmouth **135** D 5
Falster **138** F 2
Falterona, Monte- **86** C 1
Falun **144** D 3
Famagusta **152A**
Fanø **138** D 2
Fano **92** B 2
Faraday **183** R 2
Fara in Sabina **94** B 1
Faro **128** B 4
Fårön **144** E 4
Fårösund **144** E 4
Farquhar **166** E 4
Farvel, Capo- **173** G 2-3
Fasano **106** C 3
Fassa, Val di- **72** B 2
Fatima **128** A 3
Favalto, Monte- **90** B 1
Favara **114** B 2
Favignana **114** A 2
Favignana, Isola- **114** A 2
Faxaflói **144A**
Faya-Largeau **168** C 3
Fderik **168** B 2
Fehmarn **138** E 2
Fehmarnbelt **138** E 2
Feira de Santana **177** D 3
Feldberg **138** D 6
Feldkirch **142** C 2
Felixstowe **135** G 4-5
Felizzano **64** C 3
Feltre **74** B 1-2
Fenestrelle **64** B 2
Fenice, Isola della- **180** E 3
Fenis **64** B 2
Fens, The- **135** F-G 4
Férai **152** G 4
Ferentillo **90** B 2
Ferentino **94** C 2
Fermo **92** B 2
Fernando de Noronha **176** D 3
Ferrandina **110** B 2
Ferrara **82** B 2
Ferras, Commandante- **183** R 2
Ferrato, Capo- **117** B 3
Ferrazzano **100** A 2
Ferret, Col- **64** B 2
Ferriere **82** A 2
Ferro, Capo- **117** B 1
Ferro, Porte di- **148** F 4
Ferrol, El- **128** A 1
Ferru, Monte- **117** A 2
Fertilia **117** A 2
Fès **168** B 2
Festo **152** F 7
Fethiye, Golfo di- **153** H 6
Fetlar **135** H 1
Fezzan **166** C 2
Fiandra **132** E 1
Fichtelgebirge **138** E 4
Ficulle **90** B 2
Fidenza **82** B 2
Fiemme, Val di- **72** B 2
Fiesole **86** C 2
Figari, Capo- **117** B 1-2
▲ Figi **180** D 3
Figline Valdarno **86** C 2
Figueira da Foz **128** A 2
Filadelfia **112** B 3
Filchner **183** R 2
Filicudi, Isola- **114** C 1
Filippi **152** F 4
Filippine (isole) **160-161** F 5
▲ Filippine **162** E-F 5
Filippine, Mar delle- **161** F 5
Finale Emilia **82** C 2
Finale Ligure **80** B 1
Finisterre **128** A 1
▲ Finlandia **122** F 2
Finlandia, Golfo di- **144** F-G 3-4
Finmarksvidda **144** F 1
Finnmark **144** F-G 1
Fiora **94** A 1
Fiorenzuola d'Arda **82** A 2
Fiori, Montagna dei- **98** A 1
Firenze **86** C 2
Firenzuola **86** C 1
Fishguard **135** D 4-5
Fiuggi **94** C 2
Fiume **152** A 2
Fiumicino **94** B 2
Fivizzano **86** B 1
Fläming **138** F 3
Flensburg **138** D 2
Flint **181** F 3
Florencia **177** B 2
Flores **160** F 6
Florianópolis **177** C 4
Florida **172** E 4
Florida, Stretti della- **172** E 4
Floridia **115** D 2
Flórina **152** D 4
Florø **144** A 3
Flumendosa **117** B 3
Flumendosa, Lago del- **117** B 3
Fluminimaggiore **117** A 3
Foggia **106** A 2
Foglia **92** A 2
Föhr **138** D 2
Foix **132** D 5
Foligno **90** B 2
Folkestone **135** G 5
Follonica **86** B 3
Follonica, Golfo di- **86** B 3
Fondi **94** C 2
Fonni **117** B 2
Fontainebleau **132** E 2
Fontanarossa **114** C-D 2
Fontanellato **82** B 2
Fontur **144A**
Foppolo **68** B 1
Fordongianus **117** A 3
Forio **102** A 2
Forlì **82** D 2
Forlì, Bocca di- **100** A 2
Forlì-Cesena, Provincia di- **82** D 2
Formazza **64** C 1
Formentera **128** F 3
Formia **94** C 2
Formosa = Taiwan **160** F 4
Formosa, Stretto di- **160** E-F 4
Fornæs **138** E 1
Forneaux, Isole- **180** C 5
Fornovo di Taro **82** B 2
Fortaleza **177** D 3
Forte dei Marmi **86** B 2
Forth, Firth of- **135** E 2
Fortore **106** A 2
Fossacesia **98** B 1
Fossano **64** B 3
Fossato, Colle di- **90** B 1
Fossil Bluff **183** R 2
Fossombrone **92** A 2
Foula **135** G-H 1
Foxe, Bacino di- **172** F 2
Francavilla al Mare **98** B 1
Francavilla di Sicilia **115** D 2
Francavilla Fontana **106** C 3
Francesco Giuseppe, Terra di- **160** B-C 1-2
Francese, Bassopiano- **120** D 4
Francesi, Punta di li- **117** B 1
▲ Francia **122** C-D 4
Francofonte **114** C 2
Francoforte sull'Oder **138** G 3
Francoforte sul Meno **138** D 4
Franconia **138** D-E 5
Franconia, Selva di- **138** E 4
Frasassi, Grotte di- **92** A-B 2
Frasca, Capo della- **117** A 3
Frascati **94** B 2
Fredericton **173** F 3
Frederikshavn **138** E 1
Fredrikstad **144** C 4
● Freetown **168** B 3
Fregene **94** B 2
Freiberg **138** F 4
Fréjus **132** G 5
Fréjus, Colle del- **64** A 2
Fréjus, Traforo del- **64** A 2
Frentani, Monti dei- **98** B 2
Friburgo **142** B 2
Friburgo in Brisgovia **138** C 5-6
Frignano **82** B 2
Frisia **138** C 3
Frisone Occidentali, Isole- **138** B 3
Frisone Orientali, Isole- **138** C 3
Frisone Settentrionali, Isole- **138** D 2
Friuli **78** A-B 2
Friuli Venezia Giulia **78** A-B 1
Frosinone **94** C 2
Frosolone **100** A 2
Fucino, Piana del- **98** A 1-2
Fujisan **161** F 4
Fulda **138** D 4
Fumaiolo, Monte- **82** D 3

Funafuti **180** D 3
Fürstenfeld **142** G 2
Fuscaldo **112** A-B 2
Futa, Passo della- **86** C 1
Futuna **180** E 3
Fuzhou **162** E 4
Fyn **138** E 2

G

▲ Gabon **168** C 4
● Gaborone **168** D 5
Gaeta **94** C 2
Gaeta, Golfo di- **94** C 2
Gagliano del Capo **107** D 4
Gairdner, Lago- **180** B 4
Gaizinkalns **144** F 4
Galápagos, Isole- → Arcipelago di Colón **177** A 3
Galaţi **149** I 4
Galatina **107** D 3
Galatone **107** D 3
Galizia (Polonia) **139** J-L 5
Galizia (Spagna) **128** A-B 1
Gallarate **68** A 2
Gállego **128** E 1
Galles **132** E 4
Galliate **64** C 2
Gallinas, Punta- **177** B 2
Gallipoli (Italia) **106-107** C-D 3
Gallipoli (Turchia) **152** G 4
Gällivare **144** E 2
Gallo, Capo- (Grecia) **152** D 6
Gallo, Capo- (Italia) **114** B 1
Gallura **117** B 1
Galway **135** B 4
▲ Gambia **168** B 3
Gambier, Isole- **181** G 4
Gander **173** G 3
Gandja **156** D 3
Gange **160** D 4
Gange, Pianura del- **160** C-D 4
Gangi **114** C 2
Gap **132** F-G 4
Garapan **180** C 2
Garcia de Sola, Lago di- **128** C 3
Garda **74** A 2
Garda, Lago di- **68** C 2
Gardone Riviera **68** C 2
Gardone Val Trompia **68** C 2
Garessio **64** B-C 3
Garfagnana **86** B 1
Gargano **106** A-B 2
Gargano, Parco Nazionale del- **106** A 2
Gargano, Testa del- **106** B 2
Gargnano **68** C 2
Garigliano **102** A 1
Gariglione, Monte- **112** B 2
Garlasco **68** A 2
Garmisch-Partenkirchen **138** E 6
Garoe **168** E 3
Garonna **132** D 5
Gata, Akra- **152A**
Gata, Cabo de- **128** D-E 4
Gata, Sierra de- **128** B 2
Gattinara **64** C 2
Gausta **144** B 4
Gävle **144** D 3
Gavoi **117** B 2
Gavorrano **86** B 3
Gdynia **138** I 2
Gediz **153** G-H 5
Gedser **138** E-F 2
Geelong **180** C 4
Gela **114** C 2
Gela, Golfo di- **114** C 2-3
Gela, Piana di- **114** C 2-3
Gemona del Friuli **78** B 1
Gennargentu, Monti del- **117** B 2-3
Gennargentu e Golfo di Orosei, Parco Nazionale del- **117** B 2
Genova **80** B 1
Genova, Golfo di- **80** B-C 1-2
Gent **132** E 1
Genzano di Lucania **110** B 2
● Georgetown **177** C 2
▲ Georgia **123** H 4
Georgia del Sud **176** D 5
Gera **138** F 4
Geraldton **180** A 4
▲ Germania **122** D-E 3
Germanico, Bassopiano **138** C-F 3
Germanico Settentrionale, Bassopiano- **120** D-E 3
Gerona **128** G 1
Gerrei **117** B 3
● Gerusalemme **162** A 4
Ghadames **168** C 2
▲ Ghana **168** B 3
Ghati Occidentali **160** C 5
Ghati Orientali **160** C-D 5
Ghilarza **117** A 2
● Giacarta **162** E 6
Giallo, Fiume- → Huang He **160** E 4
Giallo, Mar- **160** F 4
▲ Giamaica **173** F 5
Giánnina **152** D 5
Giannutri, Isola di- **86** C 3
Giant's Causeway **135** C 3
▲ Giappone **163** F-G 4
Giappone, Mare del- **160-161** F 3-4
Giapponese, Arcipelago- **161** F-G 4
Giardini-Naxos **115** D 2
Giarre **115** D 2
Giava **160** E 6
Giava, Mar di- **160** E 6
Giba **117** A 3
Gibellina **114** A 2
Gibilterra **128** C 4
Gibilterra, Stretto di- **128** B-C 5
Gibson, Deserto- **180** B 4
▲ Gibuti **168** E 3
● Gibuti **168** E 3
Giglio, Isola del- **86** B 3
Gijón **128** C 1
Gilbert, Isole- **180** D 2-3
Gimigliano **112** B 3
Gimma **168** D 3
Ginevra **142** B 2
Ginevra, Lago di- **142** A-B 2
Gino, Pizzo di- **68** B 1
Ginosa **106** B 3
Gioia, Golfo di- **112** A 3
Gioia, Piana di- **112** B 3
Gioia del Colle **106** B 3
Gioia Tauro **112** A 3
Gioiosa Marea **114** C 1
▲ Giordania **162** A 4
Giovi, Passo dei- **64** C 3
Gironda **132** C 4
Giudicarie, Valli- **72** A 2-3
Giulianova **98** A-B 1
Giulie, Alpi- **152** A 1-2
Giura **132** G 3
Giura di Franconia **138** E 5
Giura di Svevia **138** D-E 5
Giurgiu **148** G-H 5
Gîza, El- **168** D 2
Giżycko **139** J 2
Gjumri **156** D 3
Glaciale Artico, Oceano- **182** A-J 1
Glasgow **135** D 3
Glazov **156** E 2
Glen More **135** D 2
Glessen **138** D 4
Glittertind **144** B 3
Gliwice **138** I 4
Głogów **138** H 4
Glomma **144** C 3
Gloucester **135** E 5
Gmünd **142** F 1
Gobi **160** D-E 3
Goceano **117** B 2
Goceano, Catena del- **117** A-B 2
Godavari **160** C 5
Godhavn = Qeqertarsuaq **173** G 2
Godthåb = Nuuk **173** G 2
Goiânia **177** C 3
Goito **68** C 2
Gökçeada **152** F-G 4
Gol **144** B 3
Gold Coast **180** C 4
Golfo Aranci **117** B 1-2
Goljam Perelik **152** F 4
Gomel **156** C 2
Gongga Shan **160** E 4
Gonnesa, Golfo di- **117** A 3
Goose Bay **173** F-G 3
Gorgona, Isola di- **86** A 2
Gorizia **78** B 2
Görlitz **138** G 4
Gornalunga **114** C-D 2
Gorzano, Monte- **98** A 1
Gorzów Wielkopolski **138** G 3
Gospić **152** A 2
Götaälv **144** C 4
Götaland **144** C-D 4
Göteborg **144** C 4
Gotland **144** E 4
Gottinga **138** D 4
Gough **166** B 6
Gozzo **152** F 7
Grado **78** B 2
Gragnano **102** B 2
Graie, Alpi- **64** B 1-2
Grammichele **114** C 2
Grampiani, Monti- **135** D-E 2
Granada **128** D 4
Gran Bacino **172** D 3-4
Gran Bagna **64** A 2
Gran Baia Australiana **180** B 4
Gran Barriera Corallina **180** C 3-4
Gran Bretagna **135** G 3
Gran Catena Divisoria **180** C 4
Gran Chaco **176** B-C 4
Grand Canyon **172** D 4
Grande, Isola- **180** B 3
Grande, Montagna- **114** A 2
Grande, Río- **176** B 3
Grande, Río- = Rio Bravo del Norte **172** D-E 4
Grandes, Salinas- **176** B 4
Gran Deserto Sabbioso (Algeria) **166** B-C 2
Gran Deserto Sabbioso (Australia) **180** B 3-4
Gran Deserto Vittoria **180** B 4
Grandi Antille **172** E-F 5
Grandi Pianure **172** D-E 3-4
Grängesberg **144** D 3
Granitola, Capo- **114** A 2
Gran Lago Salato **172** D 3
Gran Paradiso **64** B 2
Gran Paradiso, Parco Nazionale del- **64** B 2
Gran Pilastro **72** B 1-2
Gran San Bernardo **64** B 2
Gran Sasso d'Italia **98** A 1
Gran Sasso e Monti della Laga, Parco Nazionale del- **98** A 1
Granville **132** C 2
Grappa, Monte- **74** B 2
Grassano **110** B 2
Grasse **132** G 5
Gravedona **68** B 1
Gravina in Puglia **106** B 3
Graz **142** F 2
Great Yarmouth **135** G 4
▲ Grecia **122** F 5
Greco, Akra- **152A**
Gredos, Sierra de- **128** C 2
Greenock **135** D 3
Greenwich **135** G 5
Greifswald **138** F 3
Grein **142** F 1
▲ Grenada **173** F 5
Grenen **138** E 1
Grenoble **132** F 4
Gressoney-la-Trinité **64** B 2
Grimsby **135** F-G 4
Grintavec **152** A 1
Groenlandia **173** G-H 3
Groenlandia, Mare di- **172** J 2
Gromo **68** B-C 2
Grönfjället **144** D 2
Groninga **138** C 3
Grootfontein **168** C 4
Grosser Arber **138** F 5
Grosseto **86** C 3
Grosseto, Formiche di- **86** B 3
Grossglockner **142** E 2
Grottaglie **106** C 3
Grottaglie (aeroporto) **106** C 3
Grottaminarda **102** C 1
Grottammare **92** B 2-3
Grozny **156** D 3
Grudziądz **138** I 3
Grugliasco **64** B 2
Grumento Nova **110** A 2
Grumo Appula **106** B 2
Guadalajara **173** D 4
Guadalcanal **180** C 3
Guadalquivir **128** C 4
Guadalupa **173** F 5
Guadalupe **173** D 4
Guadarrama, Sierra de- **128** C-D 2
Guadiana **128** B 3-4
Gualdo Tadino **90** B 1
Guam **180** C 2
Guarda **128** B 2
Guardafui, Capo- **168** E 3
Guardea **90** B 2
Guardia, La- **128** A 2
Guardiagrele **98** B 1
Guardialfiera, Lago di- **100** A 2
Guardo **128** C 1
Guascogna **132** C-D 5
Guastalla **82** B 2
▲ Guatemala **173** E 5
● Guatemala **173** E 5
Guayana, Massiccio della- **176** B-C 2
Guayaquil **177** A-B 2
Gubbio **90** B 1
Gudena **138** D 1
Gudvangen **144** B 3
Guernsey **135** E 6
Guglionesi **100** A 2
Guiana Francese **177** C 2
Guidonia - Montecelio **94** B 2
Guienna **132** C-D 4
▲ Guinea **168** B 3
Guinea, Golfo di- **166** B-C 3-4
▲ Guinea-Bissau **168** B 3
▲ Guinea Equatoriale **168** C 3
Guinea Meridionale **166** C 4
Guinea Settentrionale **166** B-C 3
Guiyang **162** E 4
Gunnbjørns Fjeld **172** H 2
Guspini **117** A 3
▲ Guyana **177** B-C 2
Güzelyurt **152A**
Gyda **162** C 2
Gyda, Penisola di- **160** C-D 2
Györ **148** C 3
Gyrne **152A**
Gýtheion **152** E 6

H

Ha'apai, Isola- **180** E 3-4
Haarlem **138** B 3
Habarovsk **162** F 3
Haderslev **138** D 2
Hadramaut **160** B 5
Hailar **162** E-F 3
Hailuoto **144** F 2
Hainan **160** E 5
▲ Haiti **173** F 5
Halifax **173** F 3
Hall, Isole- **180** C 2
Halle **138** E-F 4
Halley Bay **183** S 2
Halmahera **161** F 5
Halmstad **144** C 4
Haltia **144** E 1
Hamar **144** C 3
Hämeenlinna **144** F 3
Hamilton (Bermuda) **173** F 4
Hamilton (Nuova Zelanda) **180** D 4
Hamina **144** G 3
Hamm **138** C 4
Hammerfest **144** F 1
Hango **144** F 4
Hanka, Lago- **160** F 3
Hannover **138** D 3
Hanö, Baia di- **144** D 5
● Hanoi **162** E 4
Hao **181** G 3
Harar **168** E 3
● Harare **168** D 4
Harbin **162** F 3
Hardangerfjord **120** D 2
Hardangerjøkulen **144** B 3
Hardangervidda **144** B 3-4
Härnösand **144** D-E 3
Harstad **144** D 1
Harwich **135** G 5
Haskovo **152** F 4
Hasselt **132** F 1
Hastings **135** G 5
Hatanga **162** E 2
Hatteras, Cape- **173** F 4
Haugesund **144** A 4
Hausruck **142** E 1
Hautes Fagnes **132** G 1
Havířov **148** D 2
Havre, Le- **132** D 2
Hawaii **181** F 2
Hawaii, Isole- **180-181** E 1-2
Heidelberg **138** D 5
Heilbronn **138** D 5
Helen **180** B 2
Helena **173** D 3
Helgeland **144** C-D 2
Helmand **160** C 4
Helsingborg **144** C 4
● Helsingfors = Helsinki **122** F 2
Helsingør **138** F 1
● Helsinki = Helsingfors **122** F 2
Hera Lacinia, Tempio di- **112** C 2-3
Herat **162** C 4
Herning **138** D 1
Hiddensee **138** F 2
Highlands **135** D-E 2
High Willhays **135** D-E 5
Higiaz **160** A 4
Hiiumaa **144** F 4
Hildesheim **138** D-E 3
Hillerød **138** F 2
Hillswick **135** H 1
Himalaya **160** C-D 4
Hindukush **160** C 4
Hispaniola **172** F 4-5
Hitra **144** B 3
Hjälmaren **144** D 4
Hobart **180** C 5
Ho Chi Minh **162** E 5
Hof **138** E 4
Höfn **144A**
Hokkaido **161** G 3
Holyhead **135** D 4
Honaz **153** H 6
▲ Honduras **173** E 5
Honduras, Golfo di- **172** E 5
Hong Kong **162** E 4
● Honiara **180** D 3
Honningsvåg **144** F 1
Honolulu **181** F 1
Honshu **161** F 4
Hopër **156** D 2
Horlivka **156** C 3
Horn, Capo = Cabo de Hornos **177** B 5
Hornavan **144** D-E 2
Hornos, Cabo de- = Capo Horn **177** B 5
Horsens **138** D 2
Horyn' **148** H 1
Hospitalet de Llobregat, L'- **128** F-G 2
Houston **173** E 4
Howland **180** E 2
Hradec Králové **148** B-C 1
Huambo **168** C 4
Huang He (Fiume Giallo) **160** E 4
Huascarán **176** B 3
Hudiksvall **144** D 3
Hudson, Baia di- **172** E 2-3
Hudson, Stretto di- **172** F 2
Huê **162** E 5
Huelva **128** B 4
Huesca **128** E 1
Huila, Nevado del- **176** B 2
Hull **180** E 3
Humber **135** F 4
Húnaflói **144A**
Hunsrück **138** C 5
Huron, Lago- **172** E 3
Húsavík **144A**
Hyderabad (India) **162** C 5
Hyderabad (Pakistan) **162** C 4
Hyères **132** G 5
Hyères, Isole- **132** F-G 5

I

Ialomiţa **149** H 4
Iberico, Sistema- **128** D-E 1-2
Ibiza **128** F 3
Ibiza (isola) **128** F 3
Iblei, Monti- **114** C 2
Içana **177** B 2
Ida **152** F 7
Idaban **168** C 3
Idra **152** E 6
Idro, Lago d'- **68** C 2
Iglesias **117** A 3
Iglesiente **117** A 3
Igoumenítsa **152** D 5
Igra **156** E 2
Igrim **156** F 1
Igualada **128** F 2
Iguazu, Cascate dell'- **176** C 4
Iguidi, Erg- **166** B 2
Iisalmi **144** G 3
Ijsselmeer **138** B 3
Île de France **132** D-E 2
Illimani **176** B 3
Ilmen, Lago- **156** C 2
Imandra, Lago- **156** C 1
Imatra **144** G 3
Imera Meridionale → Salso **114** B-C 2
Imola **82** C 2
Imperatriz **177** C 3
Imperia **80** B 2
Impruneta **86** C 2
Inari **144** G 1
Inari, Lago- **144** G 1
İnce, Capo- **156** C 3
Indalsälv **144** D 3
▲ India **162** C-D 4
Indianapolis **173** E 3-4
Indiano, Oceano- **183** L 2-3
Indo **160** C 4
Indocina **160** D-E 5
▲ Indonesia **162-163** E-F 6
Infreschi, Punta degli- **102** C 3
Inghilterra **135** E-G 4
Ingolstadt **138** E 5
Inn **142** D 2
Innsbruck **142** D 2
Inowrocław **138** I 3
Inta **156** F 1
Interlaken **142** B 2
Inuvik **173** C 2
Inverigo **68** B 2
Inverness **135** D-E 2
Ionie, Isole- **152** C-D 5
Ionio, Mar- **120** E 5
Iqaluit **173** F 2
Iquique **177** B 4
Iquitos **177** B 3
Iraklion (Candia) **152** F 7
▲ Iran **162** B 4
Iran, Altopiano dell'- **160** B 4
▲ Iraq **162** B 4
Irkutsk **162** E 3
▲ Irlanda **122** C 3
Irlanda, Mar d'- **135** D-E 4
Irlanda del Nord **135** C 3
Iroise **132** A 2
Irpinia **102** C 1-2
Irrawaddy **160** D 4
Irsina **110** B 2
Irtyš **160** C 3
Irún **128** E 1
Isabela **176** A 2-3
Isar **138** E 5
Isarco **72** B 2
Isarco, Valle- **72** B 2
Ischia **102** B 2
Ischia, Isola d'- **102** A-B 2
Iseo **68** C 2
Iseo, Lago d'- **68** C 2
Isernia **100** A 2
Isili **117** B 3
Iskăr **152** F 3
● Islamabad **162** C 4
▲ Islanda **122** A-B 2
Islay **135** C 3
Isola del Gran Sasso d'Italia **98** A 1
Isola del Liri **94** C 2
Isola di Capo Rizzuto **112** C 2
Isola Rossa **117** A 1-2
Isonzo **78** B 2
Ispica **114** C 3
Ispwich **135** G 4
▲ Israele **162** A 4
Issyk-Kul **160** C 3
Istanbul **153** H 4
Istria **152** A 2
Itabuna **177** D 3
Itaca **152** D 5
Itaituba **177** C 3
▲ Italia **122** E 4
Ittiri **117** A 2
Ivalo **144** G 1
Ivano-Frankivs'k **156** B 3
Ivanovo **156** D 2

Ivdel **156** F 1
Ivrea **64** B 2
Ivujivik **173** F 2
Iževsk **156** E 2
Izmail **149** I 4
Izmit **153** H 4
Iznik, Lago di- **153** H 4
Izu, Isole- **161** F-G 4

J

Jabllanicës **152** D 4
Jablonovy, Monti- **160** E 3
Jaca **128** E 1
Jacksonville **173** E 4
Jaén **128** D 4
Jaipur **162** C 4
Jajce **152** B 2
Jakutsk **162** F 2
Jalpug, Lago- **149** I 4
Jalta **156** C 3
Jamal, Penisola- **160** C 2
Jambol **152** G 3
James, Baia di- **172** E-F 3
Jammer Bugt **138** D 1
Jan Mayen **182** H 2
Jantra **152** F 3
Japurá **176** B 3
Jarama **128** D 2
Jaroslavl **156** C 2
Jarosław **139** K 4
Jarvis **181** E-F 2-3
Jaya, Puncak- **161** F 6
Jejsk **156** C 3
Jekaterinburg **156** E-F 2
Jelec **156** C 2
Jelenia Góra **138** G 4
Jena **138** E 4
Jenisej **160** D 3
Jerez de la Frontera **128** B 4
Jergeni **156** D 3
Jersey **135** E 6
Jerzu **117** B 3
Jesi **92** B 2
Jesolo **74** C 2
Jihlava **148** B 2
Jilin **162** F 3
Jinan **162** E 4
Jiul **148** F 4
João Pessoa **177** D 3
Joensuu **144** G 3
Jôf di Montasio **78** B 1
Johannesburg **168** D 5
Johnston **180** E 2
Joškar-Ola **156** D 2
Jostedalsbreen **144** B 3
Jotunheimen **144** B 3
Juan Fernández, Archipiélago- **177** A-B 4
Juba **168** D 3
Júcar **128** E 3
Julianehåb = Qaqortoq **173** G 2
Juneau **173** C 3
Jura **135** C-D 2-3
Juruá **176** B 3
Južno-Sahalinsk **163** G 3
Jylland **138** D 1-2
Jyväskylä **144** F 3

K

K2 **160** C 4
● Kabul **162** C 4
Kaduna **168** C 3
Kagera **166** D 4
Kaiserslautern **138** C 5
Kajaani **144** G 2
Kalahari, Deserto del- **166** D 5
Kalambáka **152** D 5
Kalaraş **149** I 3
Kalémie **168** D 4
Kalgoorlie **180** B 4
Kaliakra, Capo- **153** H 3
Kaliningrad **139** J 2
Kalisz **138** I 4
Kalixälv **144** F 2
Kallavesi **144** G 3
Kalmar **144** D 4
Kaló Neró **152** D 6
Kaltern an der Weistrasse = Caldaro sulla strada del Vino **72** B 2
Kaluga **156** C 2
Kama **156** E 1
Kama, Bacino di- **156** E 2
Kamčatka, Penisola- **161** G-H 3
Kamina **168** D 4
● Kampala **168** D 3
Kamyšin **156** D 2-3
Kananga **168** D 4
Kanchenjunga **160** D 4
Kandahar **162** C 4
Kandalakša **156** C 1
Kanin, Penisola di- **156** D 1
Kanin Nos, Capo- **156** D 1
Kankan **168** B 3
Kano **168** C 3
Kanpur **162** C-D 4
Kansas City **173** E 4
Kapela **152** A 2
Kapos **148** D 3
Kaposvár **148** C 3
Kara, Mare di- **160** C 2
Karachi **162** C 4
Karadžica **152** D 4
Karaganda **162** C 3
Karakoram **160** C-D 4
Karakum **160** B-C 4
Karamay **162** D 3
Karasburg **168** C 5
Karasjok **144** F 1
Kărdzăli **152** F 4
Karesuando **144** E-F 1
Karlovac **152** A 2
Karlovo **152** F 3
Karlovy Vary **148** A 1
Karlskrona **144** D 4
Karlsruhe **138** D 5
Karlstad **144** C 4
Karoo **166** D 5
Kasai **166** C 4
Kasama **168** D 4
Kashi **162** C 4
Kashmir **160** C 4
Kassala **168** D 3
Kastellion **152** E 7
Kateríni **152** E 4
● Kathmandu **162** D 4
Katowice **138** I 4
Kattegat **138** E 1
Kauai **181** F 1
Kaunas **144** F 5
Kavála **152** F 4
Kayes **168** B 3
Kayseri **156** C 4
▲ Kazakistan **162** B-C 3
Kazakistan, Alture del- **160** C-D 3
Kazan **156** D 2
Kebnekaise **144** E 1-2
Keflavík **144A**
Kemijärvi **144** G 2
Kemijärvi (lago) **144** G 2
Kemijoki **144** G 2
Kempten **138** E 6
Kenya (monte) **166** D 3-4
▲ Kenya **168** D 3
Kerč **156** C 3
Kerč, Stretto di- **156** C 3
Kerinci **160** E 6
Kermadec, Isole- **180** E 4
Kerman **162** B 4
Kerme, Golfo di- **153** G-H 6
Ketrzyn **139** J 2
● Khartoum **168** D 3
Khingan, Grande- **160** E-F 3
Kičevo **152** D 4
Kiel **138** E 2
Kiel, Canale di- **138** D-E 2
Kiel, Golfo di- **138** E 2
Kielce **139** J 4
● Kigali **168** D 4
● Kijev **122** G 3
Kijev, Bacino di- **156** B-C 2
Kilimane **168** D 4
Kilimangiaro **166** D 4
Kilkenny **135** C 4
Killarney **135** B 4
Kimberley **168** D 5
Kinabalu **160** E 5
Kinešma **156** D 2
King's Lynn **135** G 4
● Kingston **173** F 4
Kingston-upon-Hull **135** F-G 4
Kinnaird, Capo- **135** F 2
● Kinshasa **168** C 4
▲ Kirghizistan **162** C 3
▲ Kiribati **180-181** E 3
Kiritimati **181** F 2
Kirkcaldy **135** E 2
Kirkenes **144** G-H 1
Kırklareli **152** G 4
Kirkpatrik, Mount- **183** O 1
Kirkwall **135** E 1
Kirlangiç Burun **156** C 3
Kirovakan **156** D 3
Kiruna **144** E 2
Kisalföld **148** C 3
Kisangani **168** D 3
Kiskunsag **148** D 3
Kisumu **168** D 4
Kitakyushu **162** F 4
Kitzbühel **142** E 2
Kjustendil **152** E 3
Klagenfurt **142** F 2
Klaipeda **144** E 5
Klarälv **144** C 3
Klinovec **148** A 1
Ključevskaja Sopka **161** H 3
Kłodzko **138** H 4
Knin **152** B 2
Kobanke **138** F 2
Kodiak **172** B 3
Köflach **142** F 2
Koindu **168** B 3
Kokand **162** C 3
Kokkola **144** F 3
Kola, Penisola di- **156** C 1
Kolari **144** F 2
Kolgujev **156** D 1
Kolkasrags **144** F 4
Kołobrzeg **138** G 2
Kolomna **156** C 2
Kolpino **156** C 2
Kolyma **160** G 2
Kolyma, Monti del- **160** G-H 2
Komrat **149** I 3
Kondopoga **156** C 1
Konin **138** I 3
Konoša **156** C-D 1
Konotop **156** C 2
Konžakovski Kamen **156** E 2
Kopaonik **152** D 3
Kopet Dag **160** B 4
Korf **162** H 2
Kormakíti Burun **152A**
● Koror **180** B 2
Körös **148** E 3
Korosten **148** J 1
Kosciusko, Monte- **180** C 4
Košice **148** E 2
Koslan **156** D 1
Kostroma **156** D 2
Koszalin **138** H 2
Kotelnic **156** D 2
Kotka **144** G 3
Kotlas **156** D 1
Kouvola **144** G 3
Kovel' **148** G 1
Kovrov **156** D 2
Kozáni **152** D 4
Kragujevac **152** D 2
Krajina **152** B 2
Kraljevo **152** D 3
Kranjska Gora **78** B 1
Krasnodar **156** C 3
Krasnojarsk **162** D 3
Krasnokamsk **156** E 2
Krasnoturinsk **156** F 1-2
Krasnouralsk **156** F 2
Krasnovodsk **162** B 3
Krefeld **138** C 4
Krems an der Donau **142** F 1
Kristiansand **138** B 4
Kristianstad **144** B 4-5
Kristiansund **144** B 3
Kristinestad **144** E 3
Kryvyj Rih **156** C 3
● Kuala Lumpur **162** E 5
Kuban **156** C 3
Kukës **152** D 3
Kuma **144** D 3
Kumanovo **152** D 3
Kungur **156** E 2
Kunlun Shan **160** C-D 4
Kunming **162** E 4
Kuopio **144** G 3
Kupa **152** B 2
Kupang **163** F 6
Kura **156** D 3
Kuressaare **144** F 4
Kursk **156** C 2
Kurski Zaliv **139** J 2
Kuş, Lago- **153** G-H 4
Kutaisi **156** D 3
▲ Kuwait **162** B 4
● Kuwait, al- **162** B 4
Kyle of Lochalsh **135** D 2
Kyme **152** F 5
Kyoga, Lago- **166** D 3
Kyoto **163** F 4
Kythrea **152A**
Kyushu **160-161** F 4
Kzyl-Orda **162** C 3

L

Laa an der Thaya **142** G 1
Labbro, Monte- **86** C 3
Labrador **172** F 3
Labrador, Mare del- **172** G 3
Labytnangi **156** F 1
Laccadive, Isole- **160** C 5
Laconi **117** B 3
Laconia, Golfo di- **152** E 6
Ladispoli **94** B 2
Ladoga, Lago- **156** C 1
Lae **180** C 3
Lærdal **144** B 3
Læsø **138** E 1
Laga, Monti della- **98** A 1
Lagan **144** C 4
Lagarina, Val- **72** A-B 3
Laghi, Ripiano dei- **144** F-G 3
Lagonegro **110** A 4
Lagos (Nigeria) **168** C 3
Lagos (Portogallo) **128** A 4
Lagosta **152** B 3
Lahore **162** C 4
Lahti **144** F 3
L'Aia **138** B 3
Lambert Glacier **183** L 2
Lambro **68** B 2
La Mecca **162** A-B 4
Lamezia Terme **112** B 3
Lamía **152** E 5
Lampedusa **114** A 3
Lampedusa, Isola di- **114** B 3
Lampione, Isola di- **114** A 3
Lancaster **135** E 3
Lanciano **98** B 1
Landeck **142** D 2
Landes **132** C 4-5
Land's End **135** D 5
Landshut **138** F 5
Langeland **138** E 2
Langhe **64** B-C 3
Langhirano **82** B 2
Langjökull **144A**
Langres, Plateau de- **132** F 3
Lanusei **117** B 3
Lanzhou **162** E 4
▲ Laos **162** E 5
● La Paz (Bolivia) **177** B 3
La Paz (Messico) **173** B 4
La Pedrera **177** B 3
La Plata **177** C 4
Lappeenranta **144** G 3
Lapponia **144** E-H 1-2
Laptev, Mar di- **160** E-F 2
Larderello **86** B 2
Larino **100** A 2
Larissa **152** E 5
Larne **135** D 3
Larrimah **180** B 3
Larvik **144** B-C 4
La Serena **177** B 4
La Spezia **80** C 1
La Spezia, Golfo di- **80** C-D 1-2
Las Vegas **173** D 4
Laterza **106** B 3
Latiano **106** C 3
Latina **94** B 2
Latisana **78** A-B 2
Latronico **110** A 2
Lattari, Monti **102** B 2
Lau, Isole- **180** D 3
Laurenzana **110** A-B 2
Lauria **110** A 2
Laurino **102** C 2
Laurio **152** F 6
Lauro, Monte- **114** C 2
Laval **132** C 2
Lavarone **72** B 3
Lavello **110** A 1
Laveno **68** A 2
Laysan **180** E 1
Lazio **94** B 1
Lealtà, Isole della- **180** D 3
Lecce **107** D 3
Lecco **68** B 2
Lecco, Lago di- **68** B 2
Leeds **135** F 4
Leeuwin, Capo- **180** A 4
Lefke **152A**
● Lefkosia = Nicosia **162** A 4
Legnago **74** B 2
Legnano **68** A 2
Legnica **138** H 4
Leibnitz **142** F 2
Leicester **135** F 4
Leinì **64** B 2
Leitha **142** G 1-2
Lemno **152** F 5
Lena **160** F 2
Lendinara **74** B 2
Leningradskaja **183** O-N 2
Lensk **162** E 2
Lentini **114** C-D 2
Leoben **142** F 2
León (Messico) **173** D 4
León (Spagna) **128** C 1
Leonardo da Vinci **94** B 2
Leone, Golfo del- **132** E-F 5
Leone, Monte- **64** C 1
Leonessa **94** B-C 1
Leonforte **114** C 2
Leoni, Monte- **86** C 3
Lepini, Monti- **94** B-C 2
Lepontine, Alpi- **64** C 1
Lercara Friddi **114** B 2
Lerici **80** C 1
Lérida **128** F 2
Lerno, Monte- **117** B 2
Lero **152** C 6
Lesbo **152** F-G 5
Lesima, Monte- **68** B 3
Lesina **106** A 2
Lesina (isola) **152** B 3
Lesina, Lago di- **106** A 2
Leskovac **152** D-E 3
▲ Lesotho **168** D 5
Lessini, Monti- **72** B 3
Leszno **138** H 4
Lethem **177** C 2
Letícia **177** B 3
Letojanni **115** D 2
▲ Lettonia **122** F 3
Leucade **152** D 5
Levanger **144** C 3
Levante, Riviera di- **80** C 1-2
Levanto **80** C 1
Levanzo, Isola di- **114** A 1-2
Lévêque, Capo- **180** B 3
Leverano **106-107** C-D 3
Levice **148** D 2
Levico Terme **72** B 2-3
Lewis **135** C 1
Lhasa **162** D 4
▲ Libano **162** A 4
▲ Liberia **168** B 3
▲ Libia **168** C-D 2
Libico, Deserto- **166** D 2
● Libreville **168** C 3-4
Licata **114** B 2
Licosa, Punta- **102** B 2
Lidia **153** G-H 5
Lido **74** C 2
Lido di Metaponto **110** B 2
Lido di Ostia **94** B 2
▲ Liechtenstein **122** D-E 4
Liegi **132** F 1
Lienz **142** E 2
Liepāja **144** E 4
Liezen **142** F 2
Lignano Sabbiadoro **78** B 2
Ligure, Appennino- **80** B-C 1
Ligure, Mar- **80** B-C 2
Liguria **80** B-C 1
Lika **152** A 2
Lilla **132** E 1
Lillehammer **144** C 3
● Lilongwe **168** D 4
● Lima **177** B 3
Limassol **152A**
Limbara, Monte- **117** B 2
Limerick **135** B 4
Limfjorden **138** D 1
Limoges **132** D 4
Limone Piemonte **64** B 3
Limone sul Garda **68** C 2
Limosino **132** D 3-4
Limpopo **166** D 5
Linares **128** D 3
Linaro, Capo- **94** A 1
Linas, Monte- **117** A 3
Linate **68** B 2
Lindau **138** D 6
Lindesnes **144** B 4
Lindo **153** H 6
Line Islands **181** F 2-3
Linguadoca **132** E 4-5
Linguaglossa **114-115** D 2
Linguetta, Capo- **152** C 4
Linköping **144** D 4
Linosa, Isola di- **114** A-B 2
Linz **142** F 1
Lione **132** F 4
Lipari **114** C 1
Lipari, Isola- **114** C 1
Lipari, Isole- = Isole Eolie **114** C 1
Lipeck **156** C 2
Lipsia **138** F 4
Liri **94** C 2
● Lisbona **122** C 5
Liscia, Lago della- **117** B 1-2
Lisieux **132** D 2
Lissa **152** B 3
Líthino, Capo- **152** F 7
Little Rock **173** E 4
▲ Lituania **122** F 3
Livenza **74** C 2
Liverpool **135** E 4
Livigno **68** C 1
Livingstone, Cascate- **166** C 4
Livorno **86** B 2
Lizard Point **135** D 5
Ljubercy **156** C 2
Ljusnan **144** D 3
Llanos **176** B 2
Llullaillaco **176** B 4
Loano **80** B 1
Lobito **168** C 4
Locana **64** B 2
Locarno **142** C 2
Locorotondo **106** C 3
Locri **112** B 3
Lodi **68** B 2
Łódź **138** I 4
Lofoten **144** C-D 1-2
Logan, Mount- **172** B-C 2
Logone **166** C 3
Logroño **128** D 1
Logudoro **117** A 2
Loira **132** E 3
Lolland **138** E 2
Loma, Monti- **166** B 3
Lombarde, Prealpi- **68** B 2
Lombardia **68** B-C 2
Lombok **160** E 6
● Lomé **168** C 3
Lomellina **68** A 2
Lomello **68** A 2
Lomond, Loch- **135** D 2
Łomża **139** K 3
Londonderry **135** C 3
● Londra **122** C 3
Longarone **74** C 1
Longobucco **112** B 2
Lonigo **74** B 2
Lop Nur **160** D 3-4
Lorca **128** E 4
Lord Howe **180** C 4
Lorena **132** F-G 2
Loreto **92** B 2
Loreto Aprutino **98** A-B 1
Lorient **132** B 3
Lorne, Firth of- **135** C-D 2
Los Angeles **173** D 4
Losanna **142** B 2
Lossnen **144** C 3
Louisiade, Arcipelago- **180** C 3
Lourdes **132** C-D 5
Lovere **68** C 2
Lowestoft **135** G 4
Lowlands **135** D-E 3
Lozère, Monte- **132** E 4
Lualaba **166** D 4
● Luanda **168** C 4
Lubango **168** C 4
Lubecca **138** E 3

Lubecca, Baia di- **138** E 2
● Lubiana **122** E 4
Lublino **139** K 4
Lubumbashi **168** D 4
Lucania **110** A-B 2
Lucano, Appennino- **110** A-B 2
Lucca **86** B 2
Lucera **106** A 2
Lucerna **142** C 2
Lucignano **86** C 2
Luc'k **156** B 2
Lucknow **162** D 4
Lüderitz **168** C 5
Ludogorije **152** G 3
Ludvika **144** D 3
Ludwigshafen **138** D 5
Lugano **142** C 2
Lugano, Lago di- **68** A 1-2
Lugo (Italia) **82** C 2
Lugo (Spagna) **128** B 1
Luhans'k **156** C 3
Luleå **144** F 2
Luleälv **144** E 2
Lumezzane **68** C 2
Luminosa, Costa- **128** E 4
Luna, Alpe della- **86** D 2
Lunda **166** C-D 4
Luneburgo **138** E 3
Luneburgo, Brughiera di- **138** D-E 3
Lunéville **132** G 2
Lunga, Isola- **152** A 2-3
Lunigiana **86** A 1
Luosto **144** G 2
● Lusaka **168** D 4
Lusazia **138** F-G 4
Lushnje **152** C 4
▲ Lussemburgo **122** D 4
● Lussemburgo **122** D 4
Lussino **152** A 2
Luton **135** F 4-5
Luz, Costa de la- **128** B 4
Luza **156** D 1
Luzon **160** F 5
Luzon, Stretto di- **160** E-F 4-5
Luzzi **112** B 2
L'viv **156** B 2-3
Lycksele **144** E 2

M

Maanselkä **144** G 1-2
Maastricht **138** B 4
Macao **162** E 4
Macapá **177** C 2
Macdonnell, Monti- **180** B 4
Macedonia (regione) **152** E 4
▲ Macedonia **122** F 4
Maceió **177** D 3
Macerata **92** B 2
Macerata Feltria **92** A 2
Mackenzie **172** C 2
Mackenzie, Monti- **172** C 2
Macomer **117** A 2
Macugnaga **64** B-C 2
Madagascar (isola) **166** E 5
▲ Madagascar **168** E 5
Madama **168** C 2
Maddalena, Colle della- **64** A 3
Maddalena, Isola- **117** B 1
Maddalena, la- **117** B 1
Maddalena, Parco Nazionale della- **117** B 1
Maddaloni **102** B 1
Madeira **176** B-C 3
Madesimo **68** B 1
Madona **144** G 4
Madonie **114** B-C 2
Madonna di Campiglio **72** A 2
Madre Occidental, Sierra- **172** D 4
Madre Oriental, Sierra- **172** D-E 4
● Madrid **122** C 4
Madurai **162** C 5
Magadan **162** G 3
Magdeburg **138** E 3
Magellano, Stretto di- **176** B 5
Magenta **68** A 2
Maggiorasca, Monte- **82** A 2
Maggiore, Lago- **64** C 2
Maggiore, Monte- **102** B 1
Magliano in Toscana **86** C 3
Maglie **107** D 3
Magnitogorsk **156** E 2
Magonza **138** D 4-5
Magra **80** C 1
Mahačkala **156** D 3
Mahajanga **168** E 4
Mahón **128** H 3
Maiduguri **168** C 3
Maiella, la- **98** B 1
Maiella, Parco Nazionale della- **98** B 1-2
Mainarde, le- **94** C-D 2
Mainland (Orcadi-Regno Unito) **135** E 1
Mainland (Shetland-Regno Unito) **135** H 1
Maiorca **128** G 3
Maira **64** B 3
Majkop **156** D 3
Makasar, Stretto di- **160** E 5-6
Makemo **181** F 3
Makran **160** B-C 4
Mala, Punta- **172** E-F 5
● Malabo **168** C 3
Malacca **160** D-E 5
Malacca, Stretto di- **160** D-E 5
Málaga **128** C 4
Malakal **168** D 3
Malanje **168** C 4
Mälaren **144** D 4
▲ Malawi **168** D 4
Malawi, Lago- **166** D 4
▲ Malaysia **162** E 5
Malcesine **74** A 2
Malden **181** F 3
▲ Maldive **162** C 5
Maldive, Isole- **160** C 5
Mal di Ventre, Isola di- **117** A 3
● Male **162** C 5
Malè **72** A 2
Malekula **180** D 3
Malese, Arcipelago- **160-161** E-F 5-6
Malfa **114** C 1
▲ Mali **168** B-C 3
Malia, Capo- **152** E 6
Mallaig **135** D 2
Malles Venosta = Mals im Vinschgau **72** A 2
Malmö **144** C 5
Måløy **144** A 3
Malpelo **176** A 2
Malpensa **68** A 2
Mals im Vinschgau = Malles Venosta **72** A 2
▲ Malta **122** E 5
Malung **144** C-D 3
Man **135** D 3
Manacor **128** G 3
Manacore del Gargano **106** B 2
Manado **163** F 5
● Managua **173** E 5
● Manama **162** B 4
Manaus **177** B-C 3
Mancha, La- **128** D 3
Manchester **135** E 4
Manciano **86** C 3
Manciuria **160** F 3
Mandalay **162** D 4
Mandas **117** B 3
Manduria **106** C 3
Manerbio **68** C 2
Manfredonia **106** A 2
Manfredonia, Golfo di- **106** A-B 2
Mangaia **181** F 4
Maniago **78** A 1
Manica, La- **132** B-D 1-2
Manihiki **181** F 3
● Manila **162** F 5
Manisa **152** G 5
Mannersdorf **142** G 2
Mannheim **138** D 5
Mannu **117** A 3
Mannu, Capo- **117** A 2
Mannu, Riu- **117** A 2
Mans, Le- **132** D 2-3
Mantova **68** C 2
Manyč **156** D 3
● Maputo **168** D 5
Mar, Serra do- **176** C 4
Maracaibo **177** B 2
Maradi **168** C 3
Marajó, Isola di- **176** C 3
Maramba **168** D 4
Marambio, Vicecomodoro- **183** R 2
Maramureş **148** F-G 3
Maranello **82** B 2
Marano, Laguna di- **78** B 2
Marano Lagunare **78** B 2
Marañón **176** B 3
Marargiu, Capo- **117** A 2
Maratea **110** A 2-3
Maratona **152** F 5
Marcaria **68** C 2
Marche **92** A-B 2
Marchesato **112** B-C 2
Marchesi, Isole- **181** G 3
Marciana Marina **86** B 3
Marco Polo **74** C 2
Mar del Plata **177** C 4
Maremma **86** B-C 2-3
Marettimo, Isola- **114** A 2
Margherita di Savoia **106** B 2
Marghine, Catena del- **117** A-B 2
Marguaréis, Punta- **64** B 3
Mari **152A**
Maria **181** F 4
Marianne, Isole- **161** G 4-5
Marianne Settentrionali **180** C 2
Maria Teresa, Scoglio- **181** F 4
Maribor **152** A 1
Marica **152** F-G 3
Marie Byrd, Terra di- **183** Q-P 2
Mariehamn **144** E 3
Marina di Camerota **102** C 2-3
Marina di Cecina **86** B 2
Marina di Gioiosa Jonica **112** B 3
Marina di Grosseto **86** B-C 3
Marina di Leuca **107** D 4
Marina di Pisa **86** B 2
Marina di Ragusa **114** C 3
Marina di Ravenna **82** D 2
Marinella **114** A 2
Marineo **114** B 2
Marino **94** B 2
Mario, Monte- **94** B 2
Marittime, Alpi- **80** A 1-2
Mariupol' **156** C 3
Markham, Mount- **183** O-N 1
Marmara **152-153** G-H 4
Marmara, Mar di- **153** G-H 4
Marmolada **72** B 2
Marmora, Punta la- **117** B 3
Marmore, Cascata delle- **90** B 2
Marna **132** F 2
▲ Marocco **168** B 2
Marostica **74** B 2
Marotta **92** B 2
Maroua **168** C 3
Marrakech **168** B 2
Marroqui, Punta- **128** C 4
Marsala **114** A 2
Marsciano **90** B 2
▲ Marshall **180** D 2
Marsica **98** A 2
Marsiglia **132** F 5
Marta **94** A 1
Martano, Monte- **90** B 2
Martigny **142** B 2
Martigues **132** F 5
Martim Vaz **176** D 4
Martina Franca **106** C 3
Martinica **173** F 5
Maruggio **106** C 3
Marzabotto **82** C 2
Marzüq **168** C 2
Mascarene, Isole- **166** E 4-5
● Mascate **162** B 4
● Maseru **168** D 5
Mashhad **162** B 4
Masovia **139** J 3
Massa **86** B 1
Massa-Carrara, Provincia di- **86** A-B 1
Massaciuccoli, Lago di- **86** B 2
Massafra **106** C 3
Massa Marittima **86** B 2
Massiccio Centrale **132** E 4
Masuria **139** J 3
Matadi **168** C 4
Matapán **152** E 6
Mata Utu **180** E 3
Matelica **92** B 2
Matera **110** B 2
Matese, Monti del- **100** A 2
Mato Grosso, Altopiano del- **176** C 3
Mátra **148** D 3
Mattina, Monte- **102** C 1-2
Mattinata **106** B 2
Maui **181** F 1
Mauna Kea **181** F 2
Mauria, Passo di- **74** C 1
▲ Mauritania **168** B 3
Maurizio (isola) **166** E 5
▲ Maurizio **168** E 4
Mauro, Monte- **100** A 2
Mavinga **168** D 4
Mawson **183** L 2
Mayotte (isola) **166** E 4
Mayotte (un. amm.) **168** E 4
Mayumba **168** C 4
Mazara, Val di- **114** A-B 2
Mazara del Vallo **114** A 2
Mazzagullo, Monte- **112** B 2
Mazzarino **114** C 2
● Mbabane **168** D 5
Mbandaka **168** C 3-4
Mbeya **168** D 4
Mbuji-Mayi **168** D 4
McClure, Stretto di- **172** C-D 2
McKinley, Mount- **172** B 2
Mc Murdo **183** O 1-2
McRobertson, Costa di- **183** L 2
Meana Sardo **117** B 3
Meandro (Büyük Menderes) **153** G-H 6
Mechelen **132** F 1
Mecsek **148** D 3
Medan **162** D 5
Mede **68** A 2
Medellín **177** B 2
Medi Germanici, Monti- **120** D-E 3
Medina **162** A 4
Medinaceli **128** D 2
Mediterraneo, Mar- **120** D-F 5
Medugorje **152** B 3
Medvežjegorsk **156** C 1
Meekatharra **180** A 4
Megista **153** H 6
Mekong **160** E 5
Melanesia **180** C-D 2-3
Melbourne **180** C 4
Mele, Capo- **80** B 2
Meleda **152** B 3
Melegnano **68** B 2
Melfi **110** A 1
Melilla **128** D 5
Melito di Porto Salvo **112** A 4
Melitopol' **156** C 3
Melk **142** F 1
Melrhir, Chott- **166** C 2
Melun **132** E 2
Melville, Penisola di- **172** E 2
Memmingen **138** E 5-6
Memphis **173** E 4
Menaggio **68** B 1
Mendocino, Cape- **173** C 3
Mendoza **177** B 4
Menegosa, Monte- **82** A 2
Menfi **114** A 2
Meno **138** D 4-5
Mentana **94** B 1
Mentawai, Arcipelago delle- **160** D 5-6
Menzies, Mount- **183** L 2
Meran = Merano **72** B 2
Merano = Meran **72** B 2
Merate **68** B 2
Mercante, Passo del- **112** B 3
Mercato Saraceno **82** D 2-3
Mérida **173** E 4
Merrick **135** D 3
Merse **86** C 2
Mesagne **106** C 3
Meseta Meridionale **128** C-D 2-3
Meseta Settentrionale **128** C-D 1-2
Mesima **112** B 3
Mesola **82** D 2
Mesopotamia **160** B 4
Messenia, Golfo di- **152** E 6
▲ Messico **173** D-E 4
Messico, Altopiano Centrale del- **172** D-E 4
Messico, Golfo del- **172** E 4
Messina **115** D 1
Messina, Stretto di- **115** D 1
Mesta **152** F 4
Mestre **74** C 2
Meta, Monti della- **98** A-B 2
Metallifere, Colline- **86** B-C 2
Metalliferi, Monti- → Erzgebirge **138** F 4
Metalliferi Slovacchi, Monti- **148** D-E 2
Metaponto, Piana di- **110** B 2
Metapontum **110** B 2
Metauro **92** A-B 2
Meteore **152** D 5
Metz **132** F-G 2
Mexicali **173** D 4
Mezen **128** D 1
Mezen (fiume) **156** D 1
Mezzogiorno, Canale del- **132** E-F 5
Mezzola, Lago di- **68** B 1
Miami **173** E-F 4
Micene **152** E 6
Michigan, Lago- **172** E 3
Micono **152** F 6
Micronesia (isola) **180** B-D 2-3
▲ Micronesia **180** C 2
Mičurinsk **156** D 2
Middelburg **138** A 4
Middlesbrough **135** F 3
Midžor **152** E 3
Miglionico **110** B 2
Mikkeli **144** G 3
Mikolajiv **156** C 3
Mikun **156** D-E 1
Milano **68** B 2
Milano Marittima **82-83** D 2
Milazzo **115** D 1
Milazzo, Capo di- **115** D 1
Milazzo, Golfo di- **115** D 1
Mileto **112** B 3
Miletto, Monte- **100** A 2
Milford Haven **135** D 5
Militello in Val di Catania **114** C 2
Millau **132** E 4
Millesimo **80** B 1
Milo **152** F 6
Milwaukee **173** E 3
Minch, The- **135** C-D 1-2
Minch, The Little- **135** C 2
Mincio **68** C 2
Mindanao **161** F 5
Minden **138** D 3
Mindoro **160** F 5
Minervino Murge **106** B 2
Minho = Miño **128** A 1
Minneapolis **173** E 3
Minniti **112** A 3
Miño = Minho **128** B 1
Minorca **128** G-H 2
● Minsk **122** F 3
Minto, Mount- **183** O 2
Minturno **94** C 2
Mira **74** C 2
Mirabella Eclano **102** B-C 1
Miranda do Douro **128** B 2
Mirandola **82** C 2
Mirano **74** C 2
Mirny **183** M 2
Misia **153** G-H 5
Misilbesi, Portella- **114** A-B 2
Misilmeri **114** B 1
Miskolc **148** E 2
Mississippi **172** E 4
Missolungi **152** D 5
Missouri **172** E 3-4
Misterbianco **114** C 2
Mistretta **114** C 2
Mitchell, Mount- **172** E 4
Mitilene **152** G 5
Mittellandkanal **138** D 3
Mitumba, Catena dei- **166** D 4
Mizen, Capo- **135** A-B 5
Mizuho **183** K-L 2
Mjøsa **144** C 3
Modena **82** B 2
Modica **114** C 3
Modugno **106** B 2
Moena **72** B 2
● Mogadiscio **168** E 3
Mogilev **156** C 2
Mo i Rana **144** D 2
Mola di Bari **106** C 2
Molara, Isola- **117** B 2
Moldava **148** B 2
Moldavia (regione) **148** H 3
▲ Moldavia **122** F 4
Moldoveanu **148** G 4
Molfetta **106** B 2
Molinella **82** C 2
Molise **100** A 2
Molodežnaja **183** L 2
Molucche **161** F 5-6
Mombasa **168** D 4
Møn **138** F 2
● Monaco **138** E 5
▲ Monaco **132** G 5
Monastir **117** B 3
Moncalieri **64** B 2-3
Moncalvo **64** C 2
Moncayo, Sierra de- **128** E 2
Mončegorsk **156** C 1
Moncenisio, Colle del- **64** A 2
Monchique, Serra de- **128** A 4
Mondego **128** A-B 2
Mondello **114** B 1
Mondovì **64** B 3
Mondragone **102** A 1
Monfalcone **78** B 2
Monferrato **64** B-C 2-3
Mongibello → Monte Etna **114** C-D 2
Monginevro, Colle del- **40** A 3
Mongolia (regione) **160** D-E 3
▲ Mongolia **162** D-E 3
Mongu **168** D 4
Monopoli **106** C 3
Monreal del Campo **128** E 2
Monreale **114** B 1
● Monrovia **168** B 3
Monselice **74** B 2
Montagnana **74** B 2
Montalcino **86** C 2
Montalto di Castro **94** A 1
Montalto Uffugo **112** B 2
Montana **152** E 3
Montauban **132** D 4
Mont-de-Marsan **132** C 4-5
Montebello, Il- **74** C 2
Montebelluna **74** C 2
Monte Bianco, Traforo del- **40** A-B 2
Montecassiano **92** B 2
Montecassino, Abbazia di- **94** C 2
Montecatini Terme **86** B 2
Montecchio Maggiore **74** B 2
Montecorvino Rovella **102** B 2
Monte Cotugno, Lago di- **110** B 2
Montecristo, Isola di- **86** B 3
Monte Croce Carnico, Passo- **78** A 1
Monte Croce di Comèlico, Passo- **74** C 1
Montefalco **90** B 2
Monte Falterona, Campigna e delle Foreste Casentinesi, Parco Nazionale del- **86** C 2
Montefeltro **92** A 2
Montefiascone **94** B 1
Montefiorino **82** B 2
Montegranaro **92** B 2
Montélimar **132** F 4
Montella **102** C 2
Montenegro **152** C 3
Montenero di Bisaccia **100** A 2
Montepescali **86** C 3
Montepulciano **86** C 2
Monteriggioni **86** C 2
Monteroduni **100** A 2
Monteroni di Lecce **107** D 3
Monterosso al Mare **80** C 1
Monterotondo **94** B 1
Monterrey **173** D-E 4
Monte San Giovanni Campano **94** C 2
Monte San Savino **86** C 2
Monte Sant'Angelo **106** A 2
Monte Santo **152** E-F 4
Monte Santo, Golfo di- **152** E-F 4
Monte Santu, Capo di- **117** B 2
Montesarchio **102** B 1
Montescaglioso **110** B 2
Montesilvano Marina **98** B 1
Montevarchi **86** C 2
● Montevideo **177** C 4
Monti **117** B 2
Monticiano **86** C 2
Montilla **128** E 3

Monti Sibillini, Parco Nazionale dei- **90** B-C 2
Montluçon **132** E 3
Montone **82** C-D 2
Montorio al Vomano **98** A 1
Montpellier **132** E 5
Montréal **173** F 3
Mont-Saint-Michel, Le- **132** C 2
Monviso **64** B 3
Monza **68** B 2
Moosonee **173** E 3
Mora **144** D 3
Morava (Serbia e Montenegro) **152** D 2
Morava (Rep. Ceca) **148** C 1-2
Morava Meridionale **152** D 3
Morava Occidentale **152** D 3
Moravia **148** B-C 2
Moravia, Alture di- **148** B-C 2
Moray Firth **135** E 2
Morbegno **68** B 1
Morena, Sierra- **128** B-D 3
Mores **117** A 2
Mórfou, Golfo di- **152A**
Morlaix **132** B 2
Mormanno **112** A-B 2
● Moroni **168** E 4
Morris Jesup, Capo- **173** H 3
Mors **138** D 1
Mortara **68** A 1
Morte, Valle della- **172** D 4
Morto, Mar- **160** A 4
Morvan **132** F 3
Mosa (Francia) **132** F 2
Mosa (Germania) **138** B 4
● Mosca **123** G 3
Mosca, Bacino di- **121** H 3
Mosel **138** C 4
Mosjøen **144** C 2
Mostar **152** B 3
Mosul **162** B 4
Motala **144** D 4
Motilla del Palancar **128** E 3
Motril **128** D 4
Motta San Giovanni **112** A 3-4
Mottola **106** C 3
Moulins **132** E 3
Mount Isa **180** B 4
Mozambico **168** E 4
▲ Mozambico **168** D 4-5
Mozambico, Canale di- **166** D-E 4-5
Mtwara-Mikindani **168** E 4
Muchinga, Monti- **166** D 4
Mugello **86** C 1-2
Muggia **78** B 2
Muhu **144** F 4
Mulargia, Lago- **117** B 3
Mulhacén **128** D 4
Mulhouse **132** G 3
Mull **135** C-D 2
Multan **162** C 4
Mumbay **162** C 5
Munamägi **144** G 4
Münster **138** C 3-4
Muonio **144** F 2
Muonioälv **144** F 2
Murano **74** C 2
Muraši **156** D 2
Murazzano **64** C 3
Murcia **128** E 3
Mureşul **148** G 3
Murge, le- **106** B 2-3
Murgia Sgolgore **106** B 3
Müritz, Lago di- **138** F 3
Murmansk **156** C 1
Muro Lucano **110** A 2
Murom **156** D 2
Murray **180** C 4
Murro di Porco, Capo- **115** D 3
Mururoa **181** G 4
Musala **152** E 3
Musone **82** B 2
Mussomeli **114** B 2
Mutria, Monte- **100** A 2
Muži **156** F 1
Muztag **160** D 4
Mwanza **168** D 4
▲ Myanmar ⟶ Birmania **162** D 4
Mytišči **156** C 2

N

Naberežnyje Čelny **156** E 2
Næstved **138** E 2
Nagoya **163** F 4
Nagpur **162** C 4
Nahičevan **156** E 4
● Nairobi **168** D 4
Nakskov **138** E 2
Nalčik **156** D 3
Namdal **144** C 2
Namib, Deserto- **166** C 4-5
Namibe **168** C 4
▲ Namibia **168** C 5
Nampula **168** D 4
Namsos **144** C 2
Namur **132** F 1
Nanchang **162** E 4
Nancy **132** G 2
Nanfio **152** F 6
Nan Ling **160** E 4
Nansha o Spratly, Isole- **160** E 5
Nantes **132** C 3
Napoli **102** B 2
Napoli, Golfo di- **102** B 2
Napuka **181** F-G 3
Narbona **132** E 5
Nardò **107** D 3
Nares, Stretto di- **172** F 1-2
Narew **139** K 3
Narjan-Mar **156** E 1
Narmada **160** C 4
Narni **90** B 2
Naro **114** B 2
Narodnaja **156** F 1
Narva **144** G 4
Narva (fiume) **144** G 4
Narva, Golfo di- **144** G 4
Narvik **144** D 1
Näsijärvi **144** F-G 3
Naso **114** C 1
● Nassau **173** F 4
Nassau (isola) **181** E 3
Nasser **166** D 2
Nässjö **144** D 4
Nasso **152** F 6
Natal **177** D 3
Nauplia, Golfo di- **152** E 6
▲ Nauru **180** D 3
Nava, Colle di- **80** A 1
Navarino **152** D 6
Navarra **128** D-E 1
● N'djamena **168** C 3
Ndola **168** D 4
Neagh, Lough- **135** C 3
Neblina, Pico da- **176** B 2
Nebrodi, Monti- **114** C 2
Neckar **138** D 5
Necker **181** E 1
Necropoli Etrusca **94** A 1
Negrar **74** A 2
Negro, Rio- **176** B 3
Neisse = Nysa **138** G 4
Nelson **172** E 3
Neman **156** B 2
Nemi, Lago di- **94** B 2
Nemunas **144** F 5
▲ Nepal **162** D 4
Nera **90** B 2
Nera, Selva- **138** D 5-6
Nereto **98** A 1
Neris **144** F 5
Nero, Mar- **156** B 3
Nervi **80** C 1
Nery, Monte- **64** B 2
Ness, Loch- **135** D-E 2
Neto **112** B 2
Nettuno **94** B 2
Nettuno, Grotta di- **117** A 2
Neubrandenburg **138** F 3
Neuchâtel **142** B 2
Neuchâtel, Lago di- **142** B 2
Neumayer, Georg von- **183** S 2
Neuruppin **138** F 3
Neusiedl, Lago di- **142** G 2
Neustrelitz **138** F 3
Nevada, Sierra- (Spagna) **128** D 4
Nevada, Sierra- (USA) **172** C-D 4
Nevers **132** E 3
Nevinnomyssk **156** D 3
Nevoso, Monte- **152** A 2
Newcastle **180** C 4
Newcastle-upon-Tyne **135** F 3
● New Delhi **162** C 4
New Orleans **173** E 4
New York **173** F 3
● Niamey **182** C 3
▲ Nicaragua **173** E 5
Nicaragua, Lago di- **172** E 5
Nicaria **152** G 6
Nicastro **112** B 3
Nichelino **64** B 2-3
Nicobare, Isole- **160** D 5
Nicosia **114** C 2
● Nicosia = Lefkosia **162** A 4
Nicotera **112** A 3
Nieddu, Monte- **117** B 2
Nieuwpoort **132** E 1
Niger (fiume) **166** B 3
▲ Niger **168** C 3
Niger, Bacino del- **166** B 3
▲ Nigeria **168** C 3
Nihoa **181** E 1
Nikšić **152** C 3
Nilo **166** D 2
Nimega ⟶ Nijmegen **138** B 4
Nîmes **132** F 5
Nio **152** F 6
Niort **132** C 3
Niš **152** D-E 3
Niscemi **114** C 2
Niterói **177** C 4
Nitra **148** D 2
Niue **181** E 3
Nižnekamsk **156** E 2
Nižnevartovsk **162** C 2
Nižni Novgorod **156** D 2
Nižni Tagil **156** E-F 2
Nizza **132** G 5
Nizza Monferrato **64** C 3
Noale **74** C 2
Nocera Inferiore **102** B 2
Nocera Umbra **90** B 1
Nogara **74** B 2
Noire, Montagne- **132** E 5
Nola **102** B 2
Noli **80** B 1
Noli, Capo di- **80** B 1
Nome **173** A 2
Nonantola **82** C 2
Nora **114** A-B 3
Norcia **90** C 2
Nord, Canale del- **135** D 3
Nord, Capo- **180** D 4
Nord, Capo **144** F-G 1
Nord, Isola del- **180** D 4
Nord, Mare del- **120** D 3
Nord Equatoriali, Rilievi- **166** C-D 3
Nordfjord **144** A-B 3
Nordhausen **138** E 4
Nordkinn **144** G 1
Nordvik **162** E 2
Nord-West, Capo- **180** A 4
Norfolk **180** D 4
Norilsk **162** D 2
Norimberga **138** E 5
Normandia **132** C-D 2
Norrland **144** D-E 2
Norrköping **144** D 4
Northampton **135** F 4
North Downs **135** F-G 5
North Saskatchewan **172** D 3
North West Highlands **135** D 1-2
▲ Norvegia **122** E 2
Norvegia, Capo- **183** S 2
Norvegia, Mar di- ⟶ Mar dell'Europa Settentrionale **120** D 2
Norwich **135** G 4
Noto **114** D 3
Noto, Golfo di- **115** D 3
Noto, Val di- **114** C 2-3
Nottingham **135** F 4
Nouadhibou **168** B 2
● Nouakchott **168** B 3
Nouméa **180** D 4
Nova Iguaçu **177** C 4
Novaja Zemlja **160** B-C 2
Novara **64** C 2
Novara di Sicilia **114-115** D 2
Nova Scotia **172** F 3
Novellara **82** B 2
Novgorod **156** C 2
Novi Ligure **64** C 3
Novi Sad **152** C 2
Novohrad-Volyns'kyj **148** H 1
Novokujbyševsk **156** D 2
Novolazarevskaja **183** K 2
Novorossijsk **156** C 3
Novosibirsk **162** D 3
Novotroick **156** E 2
Nubia, Deserto di- **166** D 2
Nudo, Col- **74** C 1
Nu Jiang **160** D 4
● Nuku'alofa **180** E 4
Nullarbor Plain **180** B 4
Numana **92** B 2
Nuoro **117** B 2
Nuova Britannia **180** C 3
Nuova Caledonia **180** D 4
Nuova Guinea **180** C 3
Nuova Irlanda **180** C 3
Nuova Siberia, Isole della- **160** F-G 2
▲ Nuova Zelanda **180** D 5
Nuove Ebridi **180** D 3
Nurallao **117** B 3
Nuraminis **117** B 3
Nure **82** A 2
Nurra, la- **117** A 2
Nuuk = Godthåb **173** G 2
Nyala **168** D 3
Nyíregyháza **148** E 3
Nykøbing **138** E-F 2
Nynäshamn **144** D-E 4
Nysa = Neisse **138** G 4

O

Oahu **181** F 1
Ob **162** C-D 2-3
Oban **135** D 2
Obeid, El- **168** D 3
Obšči Syrt **156** D-E 2
Occhito, Lago di- **106** A 1
Ocean **180** D 3
Ocrida **152** D 4
Ocrida, Lago di- **152** D 4
Odense **138** E 2
Oder = Odra **138** G 3
Oderzo **74** C 2
Odessa **156** C 3
Odra = Oder **138** H 4
Ofanto **102** C 2
Ogaden **166** E 3
Ogasawara, Isola- **161** G 4
Ogliastra **117** B 3
Oglio **68** C 1
Ogooué **166** C 3-4
Ohio **172** E 4
Ohotsk **162** G 3
Ohotsk, Mare di- **160-161** G 3
Oka **156** C 2
Okinawa **160** F 4
Oklahoma City **173** E 4
Oknica **148** H 2
Öland **144** D 4
Olanda **138** B 3
Olbia **117** B 2
Olbia (aeroporto) **117** B 2
Olbia, Golfo di- **117** B 2
Oldenburg **138** D 3
Oleggio **64** C 2
Oléron, Isola d'- **132** C 3-4
Oliena **117** B 2
Ólimbos **152** G 5
Olimpia **152** D 6
Olimpo, Monte- **152** E 4
Olomouc **148** C 2
Olona **68** A 2
Olsztyn **139** J 3
Oltrepò Pavese **68** B 2-3
Oltul **148** G 4-5
Omaha **173** E 3
▲ Oman **162** B 4
Oman, Golfo di- **160** B-C 4
Ombrone **86** C 3
Omdurman **168** D 3
Omegna **64** C 2
Omodeo, Lago- **117** A 2
Omsk **162** C 3
Onega **156** C 1
Onega (fiume) **156** C 1
Onega, Lago- **156** C 1
Ontario, Lago- **172** F 3
Opole **138** H-J 4
Oppido Mamertina **112** A-B 3
Ora = Auer **72** B 2
Oradea **148** F 3
Öræfajökull **144A**
Orange **132** F 4
Orange (fiume) **166** C 5
Orani **117** B 2
Orano **168** B 2
Orba **64** C 3
Orbassano **64** B 2-3
Orbetello **86** C 3
Orbetello, Laguna di- **86** C 3
Orcades **183** R 2
Orcadi, Isole- **135** D-E 1
Orcadi Australi, Isole- **183** R 2
Orco **64** B 2
Ordos **160** E 3-4
Ordu **156** C 3
Örebro **144** D 4
Orel **156** C 2
Orenburg **156** E 2
Orense **128** B 1
Øresund **138** F 2
Orfani, Golfo di- **152** E-F 4
Orgosolo **117** B 2
Orientale, Porta- **148** F 4
Orinoco **176** B 2
Orinoco, Delta dell'- **176** B 2
Orio al Serio **68** B 2
Oriolo **112** B 1
Oristano **117** A 3
Oristano, Golfo di- **117** A 3
Orivesi **144** G-H 3
Orlando **173** E 4
Orleanese **132** D 2-3
Orléans **132** D 2-3
Ormea **64** B 3
Oro, Capo d'- **152** F 5
Oro, Conca d'- **114** B 1
Orobie, Alpi- **68** B-C 1
Oropa, Santuario d'- **64** B-C 2
Orosei **117** B 2
Orosei, Golfo di- **117** B 2
Orsi, Gran Lago degli- **172** C-D 2
Orsk **156** E 2
Orta, Lago d'- **64** C 2
Orta Nova **106** A 2
Orta San Giulio **64** C 2
Orte **94** B 1
Ortegal, Cabo- **128** B 1
Ortisei = Sankt Ulrich **72** B 2
Ortles **72** A 2
Ortona **98** B 1
Orune **117** B 2
Orust **144** C 4
Orvieto **90** B 2
Orzinuovi **68** B-C 2
Osaka **163** F 4
Oschiri **117** B 2
Osijek **152** C 2
Osimo **92** B 2
Oskarshamn **144** D 4
● Oslo **122** E 2-3
Oslofjord **144** C 4
Osnabrück **138** C-D 3
Ossa **152** E 5
Ossola, Val d'- **64** C 1
Ostenda **132** E 1
Österdalälv **144** C 3
Osterøy **144** A 3
Östersund **144** D 3
Ostia Antica **94** B 2
Ostiglia **68** D 2
Ostrava **148** D 2
Ostrołęka **139** J 3
Ostuni **106** C 3
Óthrys **152** E 5
Otranto **107** D 3
Otranto, Canale d'- **152** C 4-5
Otranto, Terra d'- **107** D 3
Ottana **117** B 2
● Ottawa **173** F 3
● Ouagadougou **168** B 3
Ouanda-Djallé **168** D 3
Oubangui **166** C-D 3
Ouesso **168** C 3
Oulu **144** F 2
Oulujärvi **144** G 2
Oulujoki **144** G 2
Ounasjoki **144** F 2
Ovada **64** C 3
Oviedo **128** C 1
Ovindoli **98** A 1
Ovo, Capo dell'- **106** C 3
Oxford **135** F 5
Ozark, Altopiano d'- **172** E 4
Ozieri **117** B 2

P

Paceco **114** A 2
Pachino **114-115** D 3
Pacifico, Oceano- **183** P 2
Padana, Pianura- **68** A-D 2
Padang **162** E 6
Paderborn **138** D 4
Padova **74** B 2
Padula **102** C 2
▲ Paesi Bassi **122** D 3
Paestum **102** B-C 2
Pagalu **168** C 4
Pagan **180** C 2
Paganica **98** A 1
Pago **152** A 2
Pago Pago **180** E 3
Paistunturit **144** G 1
Pajjer **156** F 1
▲ Pakistan **162** C 4
Palagiano **106** C 3
Palagonia **114** C 2
Palau **117** B 1
▲ Palau **180** B 2
Palau, Isole- **180** B 2
Palawan **160** E 5
Palazzolo Acreide **114** C 2-3
Palazzolo sull'Oglio **68** B 2
Paldiski **144** F 4
Palembang **162** E 6
Palencia **128** C 1
Palermo **114** B 1
Palermo, Golfo di- **114** B 1
Palese **106** B 2
Palestrina **94** B 2
● Palikir **180** C 2
Palinuro **102** C 2
Palinuro, Capo- **102** C 2
Palk, Stretto di- **160** D 5
Palla Bianca **72** A 2
Pallano, Monte- **98** B 1
Pallastunturi **144** F 1
Palma **128** G 3
Palma di Montechiaro **114** B 2
Palmanova **78** B 2
Palmarola, Isola- **94** B 3
Palmas, Golfo di- **117** A 3-4
Palmer, Terra di- **183** R 2
Palmer Station **183** R 2
Palmi **112** A 3
Palmyra **181** E 2
Palos, Cabo de- **128** E 4
Palos de la Frontera **128** B 4
Pamir **160** C 4
Pampas **176** B 4
Pamplona **128** E 1
● Panamá **173** F 5
▲ Panamá **173** E-F 5
Panamá, Canale di- **172** E-F 5
Panamá, Golfo di- **172** E-F 5
Panarea, Isola- **114** D 1
Panaro **82** B 2
Pančevo **152** D 2
Pan di Zucchero **72** B 1-2
Panevežys **144** F 5
Pantalica, Necropoli di- **114** D 2
Pantanal **176** C 3-4
Pantelleria **114** B 3
Pantelleria, Isola di- **112** B 3
Paola **112** B 2
Papeete **181** F 3
Papola Casale **106** C 3
▲ Papua-Nuova Guinea **180** C 3
Paraguay (fiume) **176** C 3-4
▲ Paraguay **177** B-C 4
● Paramaribo **177** C 2
Paraná **176** C 4
Pardubice **148** B 1-2
Parecis, Serra dos- **176** B-C 3
● Parigi **122** D 4
Pariñas, Punta- **177** A 3
Parma **82** B 2
Parnaso, Monte- **152** E 5
Parnone, Monte di- **152** E 6
Pärnu **144** F 4
Pärnu (fiume) **144** F 4
Paro **152** F 6
Parry, Isole- **172** C-D 2
Partanna **114** A 2

Partinico **114** B 1
Passavia **138** F 5
Passero, Capo- **115** D 3
Passignano sul Trasimeno **90** B 1
Passirio **72** B 2
Passo **152** D 5
Pasto **177** B 2
Pasubio **72** B 3
Patagonia **176** B 5
Patagonica, Cordillera- **176** B 5
Paternò **114** C 2
Paterno **110** A 2
Patmo **152** G 6
Patrasso **152** D 5
Patrasso, Golfo di- **152** D 5
Pattada **117** B 2
Patti **114** C 1
Patti, Golfo di- **114-115** D 1
Pau **132** C 5
Paulistana **177** C 3
Pavia **68** B 2
Pavia, Certosa di- **68** B 2
Pavione, Monte- **74** B 1
Pavullo nel Frignano **82** B 2
Pazardžik **152** F 3
Peace **172** D 3
Peć **152** D 3
Peccioli **86** B 2
Pečenga **156** C 1
● Pechino **162** E 3
Pečora **156** E 1
Pečora (fiume) **156** E 1
Pecora, Capo- **117** A 3
Pecoraro, Monte- **112** B 3
Pécs **148** D 3
Pegli **80** B 1
Pelagie, Isole- **114** A 3
Pelagosa **152** B 3
Peleaga **148** F 4
Pellegrino, Cozzo del- **112** B 2
Peloritani, Monti- **115** D 1-2
Peloro, Capo- **115** D 1
Pelotas **177** C 4
Pelvoux **132** G 4
Pembroke **135** D 5
Penna, Punta della- **98** B 1
Pennabilli **92** A 2
Penne **98** A 1
Penne, Punta- **106** C 3
Pennine, Alpi- **64** B-C 1-2
Pennini, Monti **135** E-F 3-4
Pennino, Monte- **90** B 1
Pentland Firth **135** E 1
Penza **156** D 2
Penzance **135** D 5
Perche, Col de- **132** D-E 5
Perdasdefogu **117** B 3
Perdido, Monte- **132** C-D 5
Peretola **86** C 2
Pergamo **152** G 5
Pergine Salsugana **72** B 2
Pergola **92** A 2
Périgueux **132** D 4
Perm **156** E 2
Përmet **152** D 4
Pernik **152** E 3
Perosa Argentina **64** B 3
Perpignano **132** E 5
Persico, Golfo- **160** B 4
Perth (Australia) **180** A 4
Perth (Regno Unito) **135** E 2
Perthus, Col du- **132** E 5
▲ Perú **177** B 3
Perugia **90** B 1
Pervomajs'k **148** J 2
Pervomajski **156** D 1
Pesa **86** C 2
Pesaro **92** A 2
Pescara **98** B 1
Pescara (fiume) **98** A-B 1
Pescasseroli **98** A 2
Peschici **106** A-B 2
Peschiera del Garda **74** A 2
Pescia **86** B 2
Pescina **98** A 1-2
Pescocostanzo **98** B 2
Pescopagano **110** A 2
Peshawar **162** C 4
Pesio, Certosa di- **64** B 3
Peterhead **135** F 2
Petralia Sottana **114** C 2
Petrel **183** R 2
Petrella, Monte- **94** C 2
Petrella Tifernina **100** A 2
Petrič **152** E 4
Petropavlovsk-Kamčatski **163** G 3
Petroso, Monte- **94** C 2
Petrozavodsk **156** C 1
Pevek **162** H 2
Peyia **152A**
Pforzheim **138** D 5
Philadelphia **173** F 3-4
● Phnom Penh **162** E 5
Phoenix **173** D 4
Piacenza **82** A 1
Piadena **68** C 2
Piana degli Albanesi **114** B 2
Pianella **98** B 1
Pianosa, Isola- **86** B 3
Pianura Costiera del Golfo **172** E 4
Piatra Neamţ **148** H 3
Piave **74** C 1
Piazza Armerina **114** C 2
Piazza Brembana **68** B 2
Piccardia **132** D-E 2
Piccole Antille **172** F 5
Piccolo San Bernardo **64** A 2
Piedimonte Matese **102** B 1
Pieksämäki **144** G 3
Piemonte **64** B-C 2
Pienza **86** C 2
Pierre **173** D-E 3
Pietrabbondante **100** A 2
Pietra del Pertusillo, Lago di- **110** A-B 2
Pietra Ligure **80** B 1
Pietraperzia **114** C 2
Pietrasanta **86** B 2
Pietra Spada, Passo di- **112** B 3
Pietrosu **148** G 3
Pieve di Cadore **74** C 1
Pieve di Teco **80** A 1
Pievepelago **82** B 2
Pieve Santo Stefano **86** D 2
Piła **138** H 3
Pilat, Monte- **132** F 4
Pilica **139** J 4
Pinar del Río **173** E 4
Pindo **152** D 4-5
Pinerolo **64** B 3
Pineto **98** B 1
Ping **160** D 5
Pinzolo **72** A 2
Piombino **86** B 3
Piombino, Canale di- **86** B 2-3
Piossasco **64** B 3
Piotrków Trybunalski **139** J 4
Piove di Sacco **74** C 2
Pirenei **128** E-F 1
Pireo **152** E 5-6
Pirgo **152** D 6
Pirin **152** E 4
Pisa **86** B 2
Pisanino, Monte- **86** B 1
Pisano, Monte- **86** B 2
Pisciotta **102** C 2
Piscopi **153** G 6
Pisticci **110** B 2
Pistoia **86** B 2
Pisuerga **128** C 1
Pitcairn, Isole- **181** G 4
Piteå **144** E 2
Piteälv **144** E 2
Piteşti **148** G 4
Pittsburg **173** F 3
Pittsburgh **177** A 3
Pizzo **112** B 3
Pizzoli **98** A 1
Pizzorne, le- **86** B 2
Pizzuta, La- **114** B 2
Pjatigorsk **156** D 3
Plata, Río de la- **176** C 4
Platani **114** B 2
Platì **112** B 3
Plauen **138** F 4
Plauris, Monte- **78** B 1
Pleven **152** F 3
Ploaghe **117** A 2
Ploča, Capo- **152** A-B 3
Płock **139** J 3
Ploieşti **148** H 4
Plovdiv **152** F 3
Plymouth **135** D-E 5
Plzeň **148** A 2
Po **64** C 2
Po, Colline del- **64** B-C 2
Po, Delta del- **74** C 3
Pobeda **160** G 2
Podeba, Isole- **183** M 2
Podenzano **82** A 2
Podgorica **152** C 3
Podlachia **139** K 3
Podolia **148** G-I 2
Podolsk **156** C 2
Podravina **152** B-C 1-2
Poggibonsi **86** C 2
Poinsett, Cape- **183** M 2
Pointe Noire **168** C 4
Point Hope **173** A 2
Poitiers **132** C-D 3
Pola **152** A 2
Polesella **74** B 3
Polesia **120** F 3
Polesine **74** B 2-3
Policandro **152** F 6
Policastro, Golfo di- **102** C 2-3
Policoro **110** B 2
Polignano a Mare **106** C 2-3
Polinesia **180-181** E-F 2-4
Polinesia Francese **181** F-G 3
Pólis **152A**
Polistena **112** B 3
Polla **102** C 2
Pollino, Monte- **110** B 3
Pollino, Parco Nazionale del- **110** B 2-3
▲ Polonia **122** E-F 3
Poltava **156** C 3
Pomarance **86** B 2
Pomerania **138** F-H 2-3
Pomerania, Golfo di- **138** G 2
Pomezia **94** B 2
Pomigliano d'Arco **102** B 2
Pompei **102** B 2
Pompei (rovine) **102** B 2
Ponente, Riviera di- **80** B 1-2
Ponsacco **86** B 2
Pontarlier **132** F-G 3
Pontassieve **86** C 2
Pont Canavese **64** B 2
Pontebba **78** B 1
Pontecorvo **94** C 2
Pontedecimo **80** B 1
Pontedera **86** B 2
Ponte di Legno **68** C 1
Pontevedra **128** A 1
Pontevico **68** C 2
Pontianak **162** E 5-6
Pontine, Isole- = Isole Ponziane **94** C 3
Pontinia **94** C 2
Ponto, Monti del- **160** A 3
Pontremoli **86** A 1
Pont-Saint-Martin **64** B 2
Ponza, Isola di- **94** B 3
Ponziane, Isole- = Isole Pontine **94** C 3
Poopó, Lago- **176** B 3
Popoli **98** A 1
Poppi **86** C 2
Pordenone **78** A 2
Pordoi, Passo- **72** B 2
Pori **144** E 3
Porjus **144** E 2
Poro, Monte- **112** A 3
Poronajsk **162** G 3
Porretta, Passo della- **86** B 1
Porretta Terme **82** B 2
Portadown **135** C 3
Port Augusta **180** B 4
● Port-au-Prince **173** F 5
Portbou **128** G 1
Port Elizabeth **168** D 5
Port Harcourt **168** C 3
Port Hedland **180** A 4
Portici **102** B 2
Portland **173** C 3
● Port Louis **168** E 5
● Port Moresby **180** C 3
Porto **128** A 2
Pôrto Alegre **177** C 4
Porto Azzurro **86** B 3
Porto Cervo **117** B 1
Porto Cesareo **106** C 3
Porto di Levante **114** C 1
Porto Empedocle **114** B 2
Portoferraio **86** B 3
Portofino **80** C 1
● Port of Spain **177** B 2
▲ Portogallo **122** C 4-5
Portogruaro **74** C 2
Portomaggiore **82** C 2
● Porto-Novo **168** C 3
Porto Recanati **92** B 2
Porto Said **168** D 2
Porto San Giorgio **92** B 2
Porto Santo Stefano **86** C 3
Portoscuso **117** A 3
Porto Tolle **74** C 3
Porto Torres **117** A 2
Porto Vecchio **132** B 5
Pôrto Velho **177** B 3
Portovenere **80** C 1
Portsmouth **135** F 5
Port Sudan **168** D 3
● Port Vila **180** D 3
Posada **117** B 2
Positano **102** B 2
Potenza **110** A 2
Potsdam **138** F 3
Poverello, Monte- **115** D 1
Poyang, Lago- **160** E 4
Poznań **138** H 3
Pozzallo **114** C 3
Pozzomaggiore **117** A 2
Pozzuoli **102** B 2
● Praga **122** E 3-4
● Praia **168** A 3
Praia a Mare **112** A 2
Prato **86** C 2
Prato, Monte- **86** B 1
Pratola Peligna **98** A 1
Pratomagno **86** C 2
Predazzo **72** B 2
Predil, Passo del- **78** B 1
Predoi = Prettau **72** C 1
Pregolja **139** J-K 2
Prenestini, Monte- **94** B-C 2
Presanella, la- **72** A 2
Presolana, Pizzo della- **68** C 1-2
Prespa, Lago di- **152** D 4
● Pretoria **168** D 5
Prettau = Predoi **72** C 1
Préveza **152** D 5
Prilep **152** D 4
Prima cateratta **166** D 2
Prince Rupert **173** C 3
Príncipe **166** C 3
Principe Edoardo, Isola- **166** D 6
Pripjat **156** B-C 2
Pripjat, Paludi del- **156** B 2
Priština **152** D 3
Priverno **94** C 2
Prizren **152** D 3
Prizzi **114** B 2
Procida, Isola di- **102** A-B 2
Promontore, Capo- **152** A 2
Provenza **132** F-G 5
Prussia **138-139** I-J 2-3
Prut **148** H 2
Przemyśl **139** K 5
Psarà **152** F 5
Pskov **156** B 2
Pskov, Lago di- **156** B 2
Puebla **173** E 5
Puertollano **128** C 3
Puerto Montt **177** B 5
Puerto Rico **173** F 5
Puerto Siles **177** B 3
Puglia **106** B 3
Pugnochiuso **106** B 2
Pukapuka **181** G 3
Pula **117** A 3-4
Pula, Capo di- **117** A-B 4
Pulap, Isole- **180** C 2
Puławy **139** K 4
Pulsano **106** C 3
Pune **162** C 5
Punjab **160** C 4
Punta Ala **86** B 3
Punta Arenas **177** B 5
Punta Raisi **114** B 1
Purús **176** B 3
Pusan **162** F 4
Pusteria, Val- **72** B-C 2
Putignano **106** C 3
Putumayo **176** B 3
Puy, Le- **132** E-F 4
● P'yŏngyang **162** F 4

Q

Qaanaaq = Thule **173** F 2
Qacentina **168** C 2
Qaqortoq = Julianehåb **173** G 2
▲ Qatar **162** B 4
Qattâra, Depressione di- **166** D 2
Qeqertarsuaq = Godhavn **173** G 2
Qilian Shan **160** D-E 4
Qiqihar **162** F 3
Quarnaro **152** A 2
Quarta cateratta **166** D 3
Quartu Sant'Elena **117** B 3
Québec **173** F 3
Quetta **162** C 4
Quezon City **162** F 5
Quimper **132** A 2-3
Quinta cateratta **166** D 3
● Quito **177** B 2-3

R

Raahe **144** F 2
● Rabat **168** B 2
Racalmuto **114** B 2
Racconigi **64** B 3
Race, Cape- **172** G 3
Radom **139** J 4
Ragusa (Bosnia-Erzegovina) **152** C 3
Ragusa (Italia) **114** C 3
Rainier, Mount- **172** C 3
Raleigh **173** F 4
Ramacca **114** C 2
Ramière, Punta- **64** A-B 3
Randazzo **114** C 2
Randers **138** E 1
Rangiroa **181** F 3
● Rangoon ⟶ Yangon **162** D 5
Rapa **181** F 4
Rapallo **80** C 1
Rapolano Terme **86** C 2
Rarotonga **181** F 4
Ras Dascian **166** D 3
Ratak, Isole- **180** D 2
Ratisbona **138** F 5
Rauma **144** E 3
Ravanusa **114** B 2
Ravenna **82** D 2
Re, Isola del- **180** C 4
Ré, Isola di- **132** C 3
Reading **135** F 5
Reatini, Monti- **94** B-C 1
Recanati **92** B 2
Recco **80** C 1
Recife **177** D 3
Recoaro Terme **74** B 2
Redon **132** B-C 3
Regalbuto **114** C 2
Reggello **86** C 2
Reggio di Calabria **112** A 3
Reggio nell'Emilia **82** B 2
Regina **173** D 3
Regina Carlotta, Isole- **172** C 3
Regina Elisabetta, Isole- **172** D-E 2
Regina Maud, Terra della- **183** S-K 2
▲ Regno Unito **122** C 3
Reims **132** E-F 2
Reina Adelaida, Archipiélago- **177** B 5
Rende **112** B 2
Rendsburg **138** D 2
Rennel **180** D 3
Rennes **132** C 2
Reno (Germania) **138** C 4
Reno (Italia) **82** D 2
Reno, Foce del- **82-83** D 2
Repulse Bay **173** E 2
Resia, Passo di- **72** A 2
Reşiţa **148** E 4
Resolute **173** E 2
Retiche, Alpi- **72** A-B 2
Retimo **152** F 7
Revillagigedo, Isole- **172** D 5
Reykjanes **144A**
● Reykjavík **122** A 2
Rho **68** A-B 2
Riace Marina **112** B 3
Rialto Centrale Russo **156** C 2
Rias Altas **128** A 1
Rias Bajas **128** A 1
Ribadeo **128** B 1
Ribe **138** D 2
Ribeirão Prêto **177** C 4
Ribera **114** B 2
Rîbniţa **149** I 3
Riccia **100** A 2
Riccione **83** D 2
Richards Bay **168** D 5
Riesi **114** C 2
Rieti **94** B 1
Rif, Er- **166** B 2
Rifstangi **144A**
● Riga **122** F 3
Riga, Golfo di- **144** F 4
Riihimäki **144** F 3
Rimini **83** D 2
Ringkøbing **138** D 1
Ringkøbing Fjord **138** C-D 1-2
Rio Branco **177** B 3
Rio de Janeiro **177** C 4
Rio delle Amazzoni, Estuario del- **176** C 2-3
Río Gallegos **177** B 5
Riola Sardo **117** A 2-3
Rionero in Vulture **110** A 2
Ripatransone **92** B 2
Riposto **115** D 2
Riunione (isola) **166** E 5
Riunione (un. amm.) **168** E 5
Riva del Garda **72** A 3
Rivarolo Canavese **64** B 2
Rivergaro **82** A 2
Rivne **156** B 2
Rivoli **64** B 2
● Riyadh **162** B 4
Rizzuto, Capo- **112** C 3
Rjazan **156** C 2
Roanne **132** F 3
Robson, Mount- **172** C 3
Roca, Cabo da- **128** A 3
Roca Vecchia **107** D 3
Roccadaspide **102** C 2
Rocca di Cambio **98** A 1
Rocca di Neto **112** C 2
Rocca di Papa **94** B 2
Rocca Imperiale **112** B 1
Roccamonfina **102** B 1
Roccaraso **98** B 2
Rocca San Casciano **82** C 2
Rocca Sinibalda **94** B 1
Roccastrada **86** C 2
Rocciamelone **64** B 2
Rocciose, Montagne- **172** C-D 3-4
Rochelle, La- **132** C 3
Roche-sur-Yon, La- **132** C 3
Rockhampton **180** C 4
Rodano **132** F 3-4
Rodez **132** E 4
Rodi **153** H 6
Rodi (isola) **153** H 6
Rodi Garganico **106** A 2
Rodnei, Monti- **148** G 3
Rodolfo, Lago- ⟶ Lago Turkana **166** D 3
Rodoni, Capo- **152** C 4
Rodope, Monti⟶ **152** F-G 4
Rogen **144** C 3
Rogliano **112** B 2
Roia **80** A 2
● Roma **122** E 4
Romagna **82** C-D 2
Romagnano Sesia **64** C 2
Roman **148** H 3
▲ Romania **122** F 4
Rømø **138** D 2
Roncade **74** C 2
Ronchi dei Legionari (aeroporto) **78** B 2
Ronciglione **94** B 1
Roncisvalle, Passo di- **132** C 5
Ronda, Serranía de- **128** C 4
Rønne **138** G 2
Ronne, Banchisa di- **183** R 1-2
Roosevelt, Isola- **183** O 2
Roraima **176** B 2
Rosa, Monte- **64** B 2
Rosario **177** B 4
Rosarno **112** A 3
● Roseau **36** C 2
Rosenheim **138** F 6
Roseto degli Abruzzi **98** B 1
Rosignano Marittimo **86** B 2
Rosignano Solvay **86** B 2
Rosolini **114** C 3
Ross, Mare di- **183** O 2
Rossano **112** B 2

Indice dei nomi

Ross Ice Shelf **183** P-O 1
Rosslare Harbour **135** C 4
Rosso, Mar- **166** D-E 2-3
Røssvatnet **144** C-D 2
Rostock **138** F 2
Rostov-na-Donu **156** F 3
Rothera **183** R 2
Rotterdam **138** B 4
Roubaix **132** E 1
Rouen **132** D 2
Rovaniemi **144** F 2
Rovereto **72** A-B 3
Rovigo **74** B 2
Roxas **162** F 5
Royal Canal **135** C 4
Rozewie, Capo- **138** I 2
Roztocze **139** K 4
Rozzano **68** B 2
Rtanj **152** D 3
▲ Ruanda **168** D 4
Ruapehu **180** D 4
Rub'al Khali **160** B 4-5
Rügen **138** F 2
Ruhr **138** C 4
Rumelia **152** F-G 3
Rurutu **181** F 4
Ruse **152** G 3
▲ Russia **122** H-J 3
Rustavi **156** D 3
Ruvo di Puglia **106** B 2
Ruwenzori **166** D 3
Rybinsk **156** C 2
Rybinsk, Bacino di- **156** C 2
Ryukyu, Isole- **160-161** F 4
Rzeszów **139** K 4

S

Saalfeld **138** E 4
Saaremaa **144** E-F 4
Sabadell **128** G 2
Sabatini, Monti- **94** B 1
Sabaudia **94** B-C 2
Sabaudia, Lago di- **94** B-C 2
Sabbioncello **152** B 3
Sabbioneta **68** C 2-3
Sabina **94** B 1
Sabini, Monti- **94** B 1
Sable, Cape- (USA) **172** E 4
Sable, Cape- (USA) **172** F 3
Sables-d'Olonne, les- **132** C 3
Saccarello, Monte- **80** A 1
Sacco **94** C 2
Sacile **78** A 2
Sacramento **173** C 4
Sagunto **128** E 3
Sahalin **160-161** G 3
Sahara **166** B-D 2
Sahara Occidentale **168** B 2
Saiani, Monti- **160** D 3
Saimaa **144** G 3
Saint-Brieuc **132** B 2
Saint Denis **168** E 5
Saint-Dizier **132** F 2
Sainte-Marie, Capo- **168** E 5
Saint-Étienne **132** F 4
● Saint George's **36** C 2
Saint Helier **135** E 6
Saint John's (Canada) **173** G 3
● Saint John's (Antigua e Barbuda) **36** C 2
Saint Kilda **135** B 2
▲ Saint Kitts e Nevis **173** F 5
Saint-Lô **132** C 2
Saint-Louis **168** B 3
Saint Louis **173** E 4
▲ Saint Lucia **173** F 5
Saint-Malo **132** B-C 2
Saint Malo, Golfo di- **132** B-C 2
Saint-Nazaire **132** B 3
Saint Paul **173** E 3
Saint Pierre e Miquelon **173** G 3
Saint-Quentin **132** E 2
Saint-Tropez **132** G 5
Saint-Vincent **64** B 2
▲ Saint Vincent e Grenadine **173** F 5
Saipan **180** C 2
Sajó **148** E 2
Sala Consilina **102** C 2
Salah, In- **168** C 2
Salamanca **128** C 2
Salamina **152** E 6
Salamis **152A**
Salavat **156** E 2
Saldus **144** F 4
Salehard **156** F 1
Salemi **114** A 2
Salentina, Penisola- **106-107** C-D 3
Salentine, Murge- **107** D 3-4
Salerno **102** B 2
Salerno, Golfo di- **102** B 2
Salice Terme **68** B 3
Salina, Isola- **114** C 1
Salisburghesi, Alpi- **139** F 6
Salisburgo **142** E 2
Salò **68** C 2
▲ Salomone **180** D 3
Salonicco **152** E 4
Salonicco, Golfo di- **152** E 4-5
Salpausselkä **144** G-H 3
Salso **112** C 2
Salso (Imera Meridionale) **114** B-C 2
Salsomaggiore Terme **82** A-B 2
Salta **177** B 4
Salt Lake City **173** D 3
Salto **177** C 4
Salto (fiume) **94** C 1
Salto, Lago del- **94** C 1
Salton, Lago- **172** D 4
Saluzzo **64** B 3
Salvador **177** D 3
Salween **160** D 4
Salzach **138** F 5-6
Samara **156** E 2
Samara (fiume) **156** E 2
Samara, Bacino di- **156** D 2
Samarcanda **162** C 3-4
Sambiase **112** B 3
Sambre **132** E-F 1
Samland **139** J 2
Samo **152** G 6
Samo (isola) **152** G 6
▲ Samoa **180** E 3
Samoa Americane **180** E 3
Samotracia **152** F 4
Sampeyre **64** B 3
Samsø **138** E 2
Samsun **156** C 3
● San'a **162** B 5
Sanae **183** S 2
San Antonio **173** E 4
San Bartolomeo in Galdo **102** B-C 1
San Benedetto, Alpe di- **86** C 1-2
San Benedetto del Tronto **92** B 3
San Benedetto Po **68** C 2
San Bonifacio **74** B 2
San Carlos de Bariloche **177** B 5
San Casciano in Val di Pesa **86** C 2
San Cataldo (Puglia-Italia) **107** D 3
San Cataldo (Sicilia-Italia) **114** B-C 2
San Cristóbal **177** B 2
San Cristóbal (isola-Ecuador) **176** A 3
San Cristóbal (isola-Salomone) **180** D 3
San Damiano d'Asti **64** B-C 3
Sanday **135** E 1
San Demetrio né Vestini **98** A 1
Sandhammaren **144** D 5
San Diego **173** D 4
Sand in Taufers = Campo Tures **68** B-C 2
Sandness **135** H 1
San Domino, Isola- **106** A 1
San Donà di Piave **74** C 2
San Donato Milanese **68** B 2
Sandras dağ **153** H 6
Sandur **144A**
Sandwich Australi **183** S 3
San Fele **110** A 2
San Felice Circeo **94** C 2
San Francisco **173** C 4
San Fratello **114** C 1-2
San Gallo **142** C 2
San Gavino Monreale **117** A 3
San Gemini **90** B 2
San Gimignano **86** B-C 2
San Ginesio **92** B 2
San Giorgio, Canale di- **135** C-D 4-5
San Giorgio, Golfo- **176** B 5
San Giorgio Ionico **106** C 3
San Giovanni in Fiore **112** B 2
San Giovanni in Persiceto **82** C 2
San Giovanni Rotondo **106** A 2
San Giovanni Valdarno **86** C 2
San Giuliano, Lago di- **110** B 2
San Giuliano Terme **86** B 2
San Gottardo **142** C 2
Sangro **98** B 2
● San José (Costa Rica) **173** E 5
San José (USA) **173** C 4
San Juan **173** F 5
Sankt Leonhard = San Leonardo **72** B 2
Sankt Moritz **142** C 2
Sankt Pölten **142** F 1
Sankt Ulrich = Ortisei **72** B 2
San Leo **92** A 2
San Leonardo = Sankt Leonhard **72** B 2
San Leonardo de Siete Fuentes **117** A 2
San Lorenzo (fiume) **172** F 3
San Lorenzo (isola) **172** A 2
San Lorenzo, Golfo del- **172** F 3
San Luca **112** B 3
San Lucas, Cabo- **173** D 4
Sanluri **117** A 3
San Marco, Capo- (Sardegna-Italia) **117** A 3
San Marco, Capo- (Sicilia-Italia) **114** A-B 2
San Marco Argentano **112** B 2
San Marco dei Cavoti **102** B 1
San Marco in Lamis **106** A 2
▲ San Marino **122** E 4
San Martin **183** R 2
San Martino, Pale di- **72** B 2
San Martino di Castrozza **72** B 2
San Matteo, Punta di- **132** A 2
San Mattia, Golfo- **176** B 5
San Miguel de Tucumán **177** B 4
San Miniato **86** B 2
Sannicandro Garganico **106** A 2
San Nicola, Isola- **106** A 1
Sannio **102** B 1
Sannita, Appennino- **102** B-C 1
San Paolo **177** C 4
San Pellegrino Terme **68** B 2
San Pietro, Isola di- **117** A 3
San Pietroburgo **156** C 1-2
San Pietro Vernotico **107** D 3
San Remo **80** A 2
● San Salvador **173** E 5
San Salvo **98** B 1
San Sebastián **128** D 1
Sansepolcro **86** D 2
San Severino Marche **92** B 2
San Severo **106** A 2
Santa Caterina di Pittinuri **117** A 2
Santa Caterina Valfurva **68** C 1
Santa Cesarea Terme **107** D 3
Santa Coloma de Gramanet **128** G 2
Santa Croce, Capo- **115** D 2
Santa Croce, Monte- (Basilicata-Italia) **110** A 2
Santa Croce, Monte- (Campania-Italia) **102** A-B 1
Santa Croce Camerina **114** C 3
Santa Croce di Magliano **100** A 2
Santa Croce sull'Arno **86** B 2
Santa Cruz, Isola- **180** D 3
Santa Cruz de la Sierra **177** B 3
Santadi **117** A 3
Santa Fe (Argentina) **177** B 4
Santa Fe (USA) **173** D 4
Sant'Agata di Militello **114** C 1
Sant'Agata di Puglia **106** A 2
Santa Isabel **180** C 3
Santa Margherita **117** A-B 4
Santa Margherita Ligure **80** C 1
Santa Maria **177** C 4
Santa Maria Capua Vetere **102** B 1
Santa Maria di Leuca, Capo- **107** D 4
Santa Maria Maggiore **64** C 1
Santa Marinella **94** A 1-2
Santander **128** D 1
Sant'Andrea, Isola- **106** C 3
Sant'Angelo dei Lombardi **102** C 2
Sant'Angelo Lodigiano **68** B 2
Sant'Anna **112** C 3
Sant'Antioco **117** A 3
Sant'Antioco, Isola di- **117** A 3-4
Sant'Antonio di Santadi **117** A 3
Šantar, Isole- **160** F 3
Sant'Arcangelo **110** B 2
Santarcangelo di Romagna **83** D 2
Santarém (Brasile) **177** C 3
Santarém (Portogallo) **128** A 3
Santa Severina **112** B-C 2
Santa Teresa di Riva **115** D 2
Santa Teresa Gallura **117** B 1
Sant'Elena **166** B 4
Sant'Elia, Capo- **117** B 3
Sant'Elpidio a Mare **92** B 2
San Teodoro **117** B 2
Santerno **82** C 2
Sant'Eufemia, Golfo di- **112** B 3
Sant'Eufemia Lamezia **112** B 3
Santhià **64** C 2
● Santiago **177** B 4
Santiago de Compostela **128** A 1
Santiago de Cuba **173** F 4-5
● Santo Domingo **173** F 5
Santorino **152** F 6
Santos **177** C 4
Santo Stefano d'Aveto **80** C 1
Santo Stefano di Camastra **114** C 1-2
Šanty **156** D 3
San Valentín **176** B 5
San Vincenzo **86** B 2
San Vito **117** B 3
San Vito, Capo- (Puglia-Italia) **106** C 3
San Vito, Capo- (Sicilia-Italia) **114** A 1
San Vito al Tagliamento **78** A 2
San Vito Chietino **98** B 1
San Vito dei Normanni **106** C 3
San Vito lo Capo **114** A 1
São Francisco **176** C 3
São Luís **177** C 3
São Mamede, Serra de- **128** B 3
Saona **132** F 3
São Roque, Cabo de- **177** D 3
● São Tomé **168** C 3-4
São Tomé (isola) **166** C 3
▲ São Tomé e Príncipe **168** C 3
São Vicente, Cabo de- **128** A 4
Sappada **74** C 1
Sapporo **163** G 3
Sapri **102** C 2
Šar, Monti- **152** D 3-4
Saragozza **128** E 2
● Sarajevo **122** E 4
Sarandë **152** D 4-5
Saransk **156** D 2
Sarapul **156** E 2
Saratov **156** D 2
Sarca **72** A 2-3
Sardara **117** A 3
Sardegna **117** A-B 2
Sardegna, Mar di- **117** A 2-3
Sargassi, Mar dei- **172** F 4
Sarmatico, Bassopiano- **156** B-D 2
Sarmi **163** F 6
Särna **144** C 3
Sarnano **92** B 2
Sarno **102** B 2
Saronno **68** B 2
Saros, Golfo di- **152** G 4
Sarroch **117** A-B 3
Sarsina **82** D 3
Sarteano **86** C 3
Sarzana **80** C 1
Saskatoon **173** D 3
Sassari **117** A 2
Sassnitz **138** F 2
Sasso Marconi **82** C 2
Sassuolo **82** B 2
Satu Mare **148** F 3
Saturnia **86** C 3
Saudhárkrókur **144A**
Sault Sainte Marie **173** E 3
Saumur **132** C 3
Sauze d'Oulx **64** A 2-3
Sava **152** C 2
Savaii **180** E 3
Savannah **173** E 4
Savelli **112** B 2
Savigliano **64** B 3
Savio **82** C-D 2-3
Savoia **132** G 3
Savona **80** B 1
Savonlinna **144** G 3
Savuto **112** B 2
Sbruč **148** H 2
Scala, Monte della- **114** C 2
Scalea **112** A 2
Scalea, Capo- **112** A 2
Scalloway **135** H 1
Scandicci **86** C 2
Scandinave, Alpi- **144** B-D 2-3
Scandinavia **120** E 2
Scania **144** C 5
Scanno **98** A 2
Scansano **86** C 3
Scaramia, Capo- **114** C 3
Scarborough **135** F 3
Scario **102** C 2
Scarpanto **153** G 7
Scavo, Portella dello- **114** B 2
Schärding **142** E 1
Schefferville **173** F 3
Schelda **132** E-F 1
Schiavi, Gran Lago degli- **172** D 2
Schio **74** B 2
Schleswig **138** D 2
Schweinfurt **138** E 4
Schwerin **138** E 3
Schwyz **142** C 2
Sciacca **114** B 2
Sciaffusa **142** C 2
Scicli **114** C 3
Scilla **112** A 3
Scilly, Isole- **135** C 5-6
Sciro **152** F 5
Scopelo **152** E 5
Scordia **114** C 2
Scotia, Mar della- **176** C-D 5
Scott **183** O 2
Scott, Isole- **183** O 2
Scozia **135** D-E 2
Scrivia **64** C 2-3
Scutari **152** C 3
Scutari, Lago di- **152** C 3
Seattle **173** C 3
Sebastopoli **156** C 3
Sebenico **152** A 3
Secchia **82** B 2
Sedan **132** F 2
Sedilo **117** A 2
Sedini **117** A 2
Sefton, Scogli- **176** A 4
Segesta **114** A 2
Seghedino **148** E 3
Segna **152** A 2
Segni **94** C 2
Segovia **128** C 2
Segura **128** D-E 3
Seicelle (isola) **166** E 4
▲ Seicelle **168** E 4
Seinäjoki **144** F 3
Selargius **117** B 3
Sele **102** C 2
Sele, Piana del- **102** B-C 2
Selinunte **114** A 2
Sella, Gruppo di- **72** B 2
Sella di Camporosso **78** B 1
Selvas **176** B-C 3
Semarang **162** E 6
Semey (Semipalatinsk) **162** D 3
Semipalatinsk (Semey) **162** D 3
Semmering **142** F-G 2
Sempione **64** C 1
Semprevisa, Monte- **94** C 2
Sendai **163** G 4
Senegal (fiume) **166** B 3
▲ Senegal **168** B 3
Senigallia **92** B 2
Senise **110** B 2
Senja **144** D 4
Senna **132** F 2-3
Senna, Baia della- **132** C 2
Sennori **117** A 2
Senorbì **117** B 3
Sens **132** E 2
Senyavin, Isole- **180** C 2
● Seoul **162** F 4
Sepino **100** A 2
Sept-Îles **173** F 3
Serbia e Montenegro, Unione di **122** E-F4
Serchio **86** B 1
Seret **148** G 2
Serfanto **152** F 6
Sergino **162** C 2
Seriana, Val- **68** B 1-2
Seriate **68** B 2
Serio **68** B 2
Seriola, Bocca- **90** B 1
Sermoneta **94** B-C 2
Serov **156** F 2
Serpeddì, Punta- **117** B 3
Serpentara, Isola- **117** B 3
Serpuhov **156** C 2
Serra, la- **64** B-C 2
Serracapriola **106** A 2
Serra San Bruno **112** B 3
Serravalle Scrivia **64** C 3
Serre, le- **112** B 3
Sesia **64** C 2
Sessa Aurunca **102** A 1
Sesta cateratta **166** D 3
Sesto Calende **68** A 2
Sesto Fiorentino **86** C 2
Sestola **82** B 2
Sesto San Giovanni **68** B 2
Sestriere **64** A 3
Sestri Levante **80** C 1
Sestu **117** B 3
Sète **132** F 5
Sette Comuni, Altopiano dei- **74** B 2
Sette Fratelli, Monte dei- **117** B 3
Settimo Torinese **64** B 2
Settimo Vittone **64** B 2
Setúbal **128** A 3
Setúbal, Baia di- **128** A 3
Seu d'Urgell, La- **128** F 1
Seui **117** B 3
Sevan, Lago di- **156** D 3
Severn **135** E 4-5
Severnaja Zemlja **160** D-E 1-2
Severodvinsk **156** C 1
Severomorsk **156** C 1
Seydhisfjördhur **144A**
Sezze **94** B 2
Sfântu Gheorghe **148** G 4
Sferracavallo, Capo- **117** B 3
Shanghai **162** F 4
Shannon **135** B 4
Shasta, Mount- **172** C 3
Sheffield **135** F 4
Shenyang **162** F 3
Shetland, Isole- **135** G-H 1
Shetland Australi, Isole- **183** R 2
Shikoku **161** F 4
Shiraz **162** B 4
Siam, Golfo del- **160** D-E 5
Šiauliai **144** F 4-5
Sibari **112** B 2
Sibari, Piana di- **112** B 2
Siberia **160** C-F 2
Siberia Centrale, Altopiano della- **160** E 2
Siberiano Occidentale, Bassopiano- **160** C 2-3
Siberia Orientale, Mare della- **160** G-J 2
Sibillini, Monti- **92** B 2-3
Sibiu **148** G 4
Sicandro **152** F 6
Sicani, Monti- **114** B 2
Sicilia **114** B-C 2
Sicilia, Mar di- **114** A-C 2-3
Siculiana **114** B 2
Siderno **112** B 3
Sideroo, Capo- **152** G 7
Sidley, Mount- **183** P 2
Siedlce **139** K 3
Siegen **138** D 4
Siena **86** C 2
▲ Sierra Leone **168** B 3
Sifno **152** F 6
Siglufjördhur **144A**
Signa **86** C 2
Signy Island **183** R 2
Sihote Alin **160** F 3
Sila, la- **112** B 2
Sila Grande **112** B 2
Sila Greca **112** B 2
Sila Piccola **112** B 2
Siliqua **117** A 3
Silistra **152** G 2
Siljan **144** D 3
Šilka **160** E 3
Silvi Marina **98** B 1

Silvretta **142** D 2
Simav **153** H 5
Simbirsk **156** D 2
Simeto **114** C 2
Simferopol' **156** C 3
Simi **153** G 6
Sinalunga **86** C 2
Sines **128** A 3
● Singapore **162** E 5
▲ Singapore **37** G 2
Sinis **117** A 2-3
Siniscola **117** B 2
Sinni **110** B 2
Sinop **156** C 3
Sion **142** B 2
Šipka, Passo- **152** F 3
Siple Station **183** Q 2
Sira **152** F 6
Siracusa **115** D 2
Sirente, Monte **98** A 1
Siretul **148** H 3
▲ Siria **162** A 4
Sirino, Monte- **110** A 2
Sirmione **68** C 2
Sirte **168** C 2
Sisak **152** B 2
Sisteron **132** F-G 4
Sistiana **78** B 2
Sitía **152** G 7
Sivas **156** C 4
Siviglia **128** B 4
Sîwa **168** D 2
Sjælland **138** E-F 2
Skagatá **144A**
Skagerrak **144** B 4
Skellefteå **144** E 2
Skelleftehamn **144** E 2
Skien **144** B 4
● Skopje **122** F 4
Skövde **144** C-D 4
Skye **135** C 2
Slavonia **152** B-C 2
Slavonski Brod **152** B-C 2
Slesia **138** H-I 4
Sletterhage **138** E 1
Sligo **135** B 3
Sliven **152** G 3
Slobozia **148** H 4
Slovacchia (regione) **148** D-E 2
▲ Slovacchia **122** E 4
▲ Slovenia **122** E 4
Sluč **148** H 1
Słupsk **138** H 2
Smeralda, Costa- **117** B 1
Smirne **152** G 5
Smirne, Golfo di- **152** G 5
Smithton **180** C 5
Smolensk **156** C 2
Smólikas **152** D 4
Snake **172** D 3
Sniardwy, Lago- **139** J-K 3
Snøhetta **144** B 3
Snowdon **135** D-E 4
Soave **74** B 2
Soči **156** C 3
Società, Isole della- **181** F 3
Socotra **160** B 5
Sodankylä **144** G 2
Söderhamn **144** D 3
● Sofia **122** F 4
Sognefjord **144** A-B 3
Soissons **132** E 2
Sol, Costa del- **128** C-D 4
Sole, Val di- **72** A 2
Soletta **142** B 2
Solferino **68** C 2
Solikamsk **156** E 2
Solingen **138** C 4
Sollefteå **144** D-E 3
Solopaca **102** B 1
Solway Firth **135** E 3
Somali, Penisola dei- **166** E 3
▲ Somalia **168** E 3
Sommen **144** D 4
Sonda, Stretto delle- **160** E 6
Sønderborg **138** D-E 2
Sondrio **68** B 1
Sora **94** C 2
Sorano **86** C 3
Soresina **68** B 2
Sorgono **117** B 2
Soria **128** D 2
Sorø **138** E 2
Soro, Monte- **114** C 2
Sørøy **144** E-F 1
Sorrento **102** B 2
Sorsatunturi **144** G 2
Sorsele **144** D 2
Sorso **117** A 2
Sortavala **156** C 1
Sosva Settentrionale **156** F 1
Southampton **135** F 5
Southampton (isola) **172** E 2
South Downs **135** F-G 5
Southend-on-Sea **135** G 5
Southern Uplands **135** D-E 3
South Ronaldsay **135** E 1
South Saskatchewan **172** D 3
Soverato **112** B 3
Sovetski **156** F 1
Spada, Capo- **152** E 7
Spadafora **115** D 1
▲ Spagna **122** C 5
Spalato **152** B 3
Sparagio, Monte- **114** A 1
Spargi, Isola- **117** B 1
Sparta **152** E 6
Spartivento, Capo-
(Calabria-Italia) **112** B 4
Spartivento, Capo-
(Sardegna-Italia) **117** A 4
Spello **90** B 1-2
Sperlonga **94** C 2
Sperone, Capo- **117** A 4
Spezzano Albanese **112** B 2
Spilamberto **82** C 2
Spilimbergo **78** A 2
Spina **82** D 2
Spinazzola **106** B 3
Spittal am der Drau **142** E 2
Spluga, Passo dello- **68** B 1
Spoleto **90** B 2
Spoltore **98** B 1
Sporadi Meridionali
152-153 G 6-7
Sporadi Settentrionali **152** E-F 5
Spotorno **80** B 1
Springbok **168** C 5
Spulico, Capo- **112** B 2
Squillace **112** B 3
Squillace, Golfo di- **112** B 3
Squinzano **107** D 3
▲ Sri Lanka **162** D 5
Srinagar **162** C 4
Stagnone, Isole dello- **114** A 2
Stampalia **152** G 6
Stanley **177** C 5
Stanley, Cascate- **166** D 3-4
Stanovoj, Monti- **160** F 3
Stara Zagora **152** F 3
Starbuck **181** F 3
Stargard Szczeciński **138** G 3
Starnberg, Lago di- **138** E 6
▲ Stati Uniti **173** D-E 4
Stavanger **144** A 4
Stavropol **156** D 3
Steinkjer **144** C 2-3
Stella, Monte della- **102** C 2
Stelvio, Parco Nazionale dello-
64 C 1
Stelvio, Passo dello- **68** C 1
Stendal **138** E 3
Sterlitamak **156** E 2
Sterzing = Vipiteno **72** B 2
Stettino **138** G 3
Stewart **180** D 5
Steyr **142** F 1
Stia **86** C 2
Stigliano **110** B 2
Stilo **112** B 3
Stilo, Punta- **112** B 3
Stintino **117** A 2
Stoccarda **138** D 5
● Stoccolma **122** E 3
Stockport **135** E 4
Stockton-on-Tees **135** F 3
Stoke-on-Trent **135** E 4
Stokmarknes **144** D 1
Stonehenge **135** E-F 5
Stora Lulevatten **144** E 2
Storavan **144** D-E 2
Stord **144** A 3-4
Storlien **144** C 3
Stornoway **135** C 1
Storsjön **144** D 3
Storuman **144** D 2
Stradella **68** B 2
Stralsund **138** F 2
Strangia, Monti-
152-153 G-H 3-4
Stranraer **135** D 3
Strasburgo **132** G 2
Stratford-upon-Avon **135** F 4
Stresa **64** C 2
Stromboli, Isola- **115** D 1
Strömsund **144** D 3
Strongoli **112** C 2
Struma **152** E 3-4
Strumica **152** E 4
Stura, Valle- **64** B 3
Stura di Demonte **64** B 3
Stura di Viù **64** B 2
Styr **148** G 1
Subasio, Monte- **90** B 1
Subiaco **94** C 2
Subotica **152** C 1
Suceava **148** H 3
● Sucre **177** B 3
Sud, Costa del- **117** A 4
Sud, Isola del- **180** D 5
▲ Sudafricana, Repubblica-
168 D 5
Sudan (regione) **166** C-D 3
▲ Sudan **168** D 3
Sudd **166** D 3
Sud-Est, Capo- **180** C 5
Sudeti **148** B-C 1
Sud-Ovest, Capo- **180** D 5
Südtirol ⟶ Trentino-Alto Adige
68 A-B 2
Suez, Canale di- **166** D 2
Sugana, Val- **72** B 2-3
Suhona **156** D 1
Suhumi **156** D 3
Sulawesi ⟶ Celébes **160** E-F 6
Sulcis **117** A 3
Sulitjelma **144** D 2
Sulmona **98** A 1
Sulu, Mar di- **160** E-F 5
Sumatra **160** D-E 5-6
Sumba **160** E-F 6
Sumbawa **160** E 6
Sumburgh **135** H 1
Sumburgh, Cape- **135** H 1-2
Šumen **152** G 3
Sumgait **156** D 3
Sumy **156** C 2
Sunderland **135** F 3
Sundsvall **144** D 3
Sunion, Capo- **152** E-F 6
Suntar-Hajata, Monti-
160 F-G 2
Suomenselkä **144** F-G 3
Superga **64** B 2
Superiore, Lago- **172** E 3
Sura **156** D 2
Surabaya **162** E 6
Surgut **162** C 2
▲ Suriname **177** C 2
Susa **64** B 2
Susa, Valle di- **64** A-B 2
Sutlej **160** C 4
Sutri **94** B 1
● Suva **180** D 3
Suwałki **139** K 2
Suwarrow, Isole- **181** E 3
Suzzara **68** C 2-3
Svalbard **176** G 2
Svartisen **144** C 1
Svealand **144** D 3-4
Sveg **144** D 3
Svendborg **138** E 2
Svetozarevo **152** D 2-3
Svevia **138** D-E 5
Svevo-Bavarese, Altopiano-
138 D-F 5-6
▲ Svezia **122** E 2
▲ Svizzera **122** D 4
Svolvær **144** D 1
Swains **180** E 3
Swansea **135** D-E 5
▲ Swaziland **168** D 5
Świebodzin **138** G 3
Świnoujście **138** G 3
Sybaris-Copia **112** B 2
Sydney (Australia) **180** C 4
Sydney (Canada) **173** F-G 3
Syktyvkar **156** E 1
Sylarna **144** C 3
Sylt **138** D 2
Syowa **183** K-L 2
Syrdarja **160** C 3
Syzran **156** D 2
Szczecinek **138** H 3
Székesfehérvár **148** D 3
Szolnok **148** E 3
Szombathely **148** C 3

T

Tábor **148** B 2
Tabora **168** D 4
Tabriz **162** B 4
Tabuaeran **181** F 2
Taggia **80** A 2
▲ Tagikistan **162** C 4
Tagliacozzo **98** A 1
Tagliamento **78** A-B 2
Taglio di Po **74** C 2-3
Tago **128** C 3
Tahat **166** C 2
Tahiti **181** F 3
Taigeto, Monte- **152** E 6
● Taipei **162** F 4
Taivalkoski **144** G 2
▲ Taiwan **162** F 4
Taiwan = Formosa **160** F 4
Tajmyr, Penisola del- **160** D-E 2
Tajulmulco **172** E 5
Taklimakan, Deserto di- **160** D 3-4
Talamone **86** C 3
Talana **117** B 2
Talavera de la Reina **128** C 2
● Tallinn **122** F 3
Tamanrasset ⟶ Tamenghest
168 C 2
Tambov **156** D 2
Tamenghest (Tamanrasset)
168 C 2
Tamigi **135** F 5
Tampa **173** E 4
Tampere **144** F 3
Tampico **173** E 4
Tana = Teno **144** F 1
Tanagro **102** C 2
Tanaro **64** C 3
Tanezrouft **166** B-C 2
Tanga **168** D 4
Tanganica, Lago- **166** D 4
Tangeri **168** B 2
Tanimbar, Arcipelago- **161** F 6
▲ Tanzania **168** D 4
Taongi **180** D 2
Taormina **115** D 2
Taoudenni **168** B 2
Tapajós **176** C 3
Tara **152** C 3
Taran, Capo- **138-139** I-J 2
Tarantine, Murge- **106** C 3
Taranto **106** C 3
Taranto, Golfo di- **106** C 3
Tarbes **132** C-D 5
Tarcento **78** B 1
Târgu Jiu **148** F 4
Târgu Mureş **148** G 3
Tarifa **128** C 4
Tarim **160** D 3
Tarnobrzeg **139** J 4
Taro **82** B 2
Tarquinia **94** A 1
Tarragona **128** F 2
Tartu **144** G 4
Tarvisio **78** B 1
● Taškent **162** C 3
Tasman, Mar di- **180** C-D 4
Tasmania **180** C 5
Taso **152** F 4
Tatra, Alti- **148** D-E 2
Taunton **135** E 5
Taunus **138** C-D 4
Tauri, Alti- **142** E 2
Tauri, Bassi- **142** E-F 2
Taurianova **112** A-B 3
Taurisano **107** D 4
Tauro **160** A 4
Tavda **156** F 1
Taviano **107** D 4
Tavira **128** B 4
Tavolara, Isola- **117** B 2
Tavoliere **106** A 2
● Tbilisi **123** H 4
Tczew **138** I 2
Teano **102** B 1
Tebe **152** E 5
Tefé **177** B 3
Teglio **68** C 1
● Tegucigalpa **173** E 5
● Teheran **162** B 4
Telegrafo, Pizzo- **114** B 2
Telemark **152** B 4
Telposiz **156** E 1
Tempio Pausania **117** B 2
Temuco **177** B 4
Tenda, Colle di- **64** B 3
Tenna **92** B 2
Tenna, Punta- **114** B 2
Tennessee **172** E 4
Teno = Tana **144** F 1
Teraina **181** F 2
Teramo **98** A 1
Terek **156** D 3
Teresina **177** C 3
Terkirdağ **152** G 4
Terme di Lurisia **64** B 3
Terme Luigiane **112** A-B 2
Termia **152** F 6
Termini Imerese **114** B 1
Termini Imerese, Golfo di- **114** B 2
Terminillo, Monte- **94** B-C 1
Termoli **100** A-B 1
Termopili **152** E 5
Terni **90** B 2
Ternopil' **156** B 3
Terra Arnhem **180** B 3
Terracina **94** C 2
Terra del Fuoco **176** B 5
Terra del Sole **82** C 2
Terralba **117** A 3
Terranova **172** G 3
Terrasini **114** B 1
Terrassa **128** F 2
Terza cateratta **166** D 3
Tessaglia **152** D-E 5
Testa, Capo- **117** B 1
Tetovo **152** D 3
Teulada **117** A 4
Teulada, Capo- **117** A 4
Teulada, Golfo di- **117** A 4
Tevere **94** B 1
Thabana Ntlenyana **166** D 5
▲ Thailandia **162** D-E 5
Thar, Deserto- **160** C 4
Tharros **117** A 3
Thiene **74** B 2
Thiesi **117** A 2
● Thimphu **162** D 4
Thionville **132** G 2
Thisted **138** D 1
Thistilfjord **144A**
Thjórsá **144A**
Thórisvatn **144A**
Thuile, la- **64** A 2
Thule = Qaanaaq **173** F 2
Thunder Bay **173** E 3
Thurston, Isola- **183** Q 2
Thyborøn Kanal **138** C-D 1
Tianjin **162** E 4
Tian Shan **160** C-D 3
Tianshui **162** E 4
Tibesti **166** C 2
Tibet, Altopiano del- **160** D 4
Tibisco **152** D 2
Ticino **68** A-B 2
Tidone **82** A 2
Tighina **149** I 3
Tigri **160** B 4
Tijuana **173** D 4
Tilburg **138** B 4
Timani, Monti- **156** D-E 1
Timişoara **148** E 4
Timişul **148** E 4
Timor **161** F 6
Timor, Mar di- **180** B 3
▲ Timor Orientale **163** F 6
Tinos **152** F 6
Tinto **128** B 4
Tione di Trento **72** A 2
Tipperary **135** B 4
● Tirana **122** E 4
Tirano **68** C 1
Tiraspol **149** I 3
Tirolo **72** B 1-2
Tirrenia **86** B 2
Tirreno, Mar- **120** E 4-5
Tirso **117** B 2
Tiszántúl **148** E 3
Titicaca, Lago- **176** B 3
Titov Veles **152** D 4
Tivoli **94** B 2
Toamasina **168** E 4
Toblach = Dobbiaco **72** C 2
Tocantins **176** C 3
Toce **64** C 1
Todi **90** B 2
Togliatti **156** D 2
▲ Togo **168** C 3
Toirano, Grotte di- **80** B 1
Tokaj **148** E 2
Tokelau **180** E 3
● Tokyo **163** F-G 4
Toledo **128** C 3
Toledo, Monti di- **128** C 3
Tolentino **92** B 2
Tolfa **94** A 1
Tolfa, Monte della- **94** A 1
Toliara **168** E 5
Tolmezzo **78** A-B 1
Tôlonaro **168** E 5
Tolone **132** F 5
Tolosa **132** D 5
Tolve **110** B 2
Tombouctou **168** B 3
Tommot **162** F 3
Tonale, Passo del- **68** C 1
Tonara **117** B 2-3
Tonchino, Golfo del- **160** E 5
▲ Tonga **180** E 3
Tongatapu **180** E 4
Top, Lago- **156** C 1
Torbay **135** E 5
Torcello **74** C 2
Torino **64** B 2
Torino di Sangro Marina **98** B 1
Torneälv **144** F 2
Torneträsk **144** E 1
Tornimparte **98** A 1
Tornio **144** F 2
Tornionjoki **144** F 2
Toro, Isola il- **117** A 4
Toronto **173** F 3
Torre Annunziata **102** B 2
Torre Canne **106** C 3
Torre del Greco **102** B 2
Torre de' Passeri **98** A 1
Torremaggiore **106** A 2
Torrens, Lago- **180** B 4
Torre Pellice **64** B 3
Torriglia **80** C 1
Torto **112** B 2
Tortolì **117** B 3
Tortona **64** C 3
Tortorici **114** C 1
Tortosa, Cabo de- **128** F 2
Toruń **138** I 3
Tor Vaianica **94** B 2
Toscana **86** B-C 2
Toscano, Arcipelago- **86** A-B 2-3
Tosco-Emiliano, Appennino-
92 B-C 2-3
Tossa de Mar **128** G 2
Toubkal **166** B 2
Touggourt **168** C 2
Tourcoing **132** E 1
Tournai **132** E 1
Tours **132** D 3
Townsville **180** C 3
Trabaria, Bocca- **92** A 2
Tracia **152-153** G-H 4
Tracia, Mar di- **152** F 4
Tradate **68** A-B 2
Trafalgar, Cabo- **128** B 4
Traiano, Vallo di- **149** I 4-5
Tranco, Lago del- **128** D 3
Trani **106** B 2
Transantartici, Monti-
183 O-N 1-2
Transilvania **148** F-G 3
Transilvaniche, Alpi- **148** F-H 4
Trapani **114** A 1
Trasimeno, Lago- **90** B 1
Tratalias **117** A 3
Trebbia **82** A 2
Trebisacce **112** B 2
Trebisonda **156** C 3
Trecate **64** C 2
Tre Cime di Lavaredo **72** C 2
Trelleborg **144** C 5
Tremiti, Isole- **106** A 1
Trent **135** F 4
Trentino-Alto Adige ⟶ Südtirol
68 A-B 2
Trento **72** B 2
Tre Signori, Picco dei- **72** C 1

Tre Signori, Pizzo dei- **68** B 2
Tresnuraghes **117** A 2
Tres Picos, Cerro- **176** B 4
Tres Puntas, Cabo- **177** B 5
Trevi **90** B 2
Treviglio **68** B 2
Treviri **138** C 5
Treviso **74** C 2
Tricarico **110** B 2
Tricase **107** D 4
Tricorno, Monte- **152** A 1
Trieste **78** B 2
Trieste, Golfo di- **78** B 2
Trigno **100** A 1-2
Tríkala **152** D 5
Trikomo **152A**
Trincomalee **162** D 5
Trindade **176** D 4
▲ Trinidad e Tobago **177** B-C 2
Trinità, Lago della- **114** A 2
Trinitapoli **106** B 2
Trino **64** C 2
Trionto **112** B 2
Trionto, Capo- **112** B 2
Tripoli (Grecia) **152** E 6
● Tripoli (Libia) **168** C 2
Tristan da Cunha **166** B 5
Trivandrum **162** C 5
Trivento **100** A 6
Troglav **152** B 2-3
Troia **106** A 2
Troia (rovine) **152** G 4-5
Troina **114** C 2
Trollhättan **144** C 4
Tromelin **166** E 4
Tromsø **144** E 1
Tronador **176** B 5
Trondheim **144** C 3
Trondheimsfjord **144** B-C 3
Tronto **98** A 1
Troodos **152A**
Tropea **112** A 3
Troyes **132** E-F 2
Trujillo **177** B 3
Truk, Isole- **180** C 2
Tsaratanana **166** E 4
Tsingtau **162** F 4
Tuamotu, Isole- **181** F-G 3
Tuapse **156** C 3
Tubinga **138** D 5
Tubuai **181** F 4
Tubuai, Isole- **181** F 4
Tula **156** C 2
Tulcea **149** I 4
Tumen **160** F 3
Tundža **152** G 3
Tunguska Inferiore **160** D-E 2
Tunguska Pietrosa **160** D-E 2-3
● Tunisi **168** C 2
▲ Tunisia **168** C 2
Tura **162** E 2
Turanico, Bassopiano- **160** B-C 3
Turano, Lago di- **94** B-C 1
▲ Turchia **162** A 4
Turchino, Passo del- **80** B 1
Turfan, Depressione di- **160** D 3
Turgaj, Porta del- **160** C 3
Turia **128** E 3
Turingia **138** D-E 4
Turingia, Selva di- **138** E 4
Turkana, Lago- (Lago Rodolfo) **166** D 3
▲ Turkmenistan **162** B-C 4
Turks e Caicos **173** F 4
Turku = Åbo **144** E-F 3
Tursi **110** B 2
Tuscania **94** A 1
▲ Tuvalu **180** D 3
Tuxtla Gutiérrez **173** E 5
Tuzla **152** C 2
Tver **156** C 2
Tweed **135** E 3
Tyndaris **114** D 1

U

Uberaba **177** C 3
Ucayali **176** B 3
Uccellina, Monti dell'- **86** C 3
▲ Ucraina **122** F-G 4
Uddevalla **144** C 4
Uddjaure **144** D-E 2
Udine **78** B 1
Uebi Scebeli **166** E 3
Uelzen **138** E 3
Ufa **156** E 2
▲ Uganda **168** D 3
Ugento **107** D 4
Uhta **156** E 1
Uig **135** C 2
Uist Meridionale **135** C 1
Uist Settentrionale **135** C 2
Ujelang **180** D 2
Ujung Pandang **162** E 6
Ukmergė **144** F 5
● Ulan Bator **162** E 3
Ulan-Ude **162** E 3
Ulithi, Isole- **180** B-C 2
Ullapool **135** D 2
Ulma **138** D-E 5
Ulster **135** B-C 3
Ulubat, Lago- **153** H 4
Uludağ **153** H 4
Uman **153** J 2
Umbertide **90** B 1
Umbria **90** B 2
Umbro-Marchigiano, Appennino- **92** A-B 2-3
Umeå **144** E 3
Umeälv **144** E 2
Una **152** B 2
Ungava, Penisola di- **172** F 2-3
Ungherese, Pianura- **120** E-F 4
▲ Ungheria **122** E 4
Unst **135** H 1
Uppsala **144** D 4
Ural **160** B 3
Urali, Monti- **162** B-C 2-3
Urali Centrali **156** E-F 2
Urali Meridionali **156** E 2
Urali Polari **156** F 1
Urali Settentrionali **156** E 1
Uranium City **173** D 3
Urbania **92** A 2
Urbino **92** A 2
Urbino, Monte- **90** B 1
Uruguay (fiume) **176** C 4
▲ Uruguay **177** C 4
Ürümqi **162** D 3
Usa **156** E 1
Usedom **138** G 2
Ushuaia **177** B 5
Ust-Cilma **156** E 1
Ustica **114** B 1
Ustica, Isola di- **114** B 1
Ústí nad Labem **148** B 1
Utrecht **138** B 3
Uvali Settentrionali **156** D-E 1-2
Uyuni, Salar de- **176** B 3-4
▲ Uzbekistan **162** B-C 3
Užhorod **148** F 2

V

Vaal **166** D 5
Vaasa **144** E 3
Vác **148** D 3
Vado Ligure **80** B 1
● Vaduz **122** D 4
Váh **148** C-D 2
● Vaiaku **180** D 3
Vairano Patenora **102** B 1
Valacchia **148** F-H 4
Valamare **152** D 4
Valdagno **74** B 2
Valdaj **156** C 2
Valdarno **86** C 2
Valdepeñas **128** D 3
Valdés, Penisola- **176** B 5
Valdobbiadene **74** B 2
Valeggio sul Mincio **74** A 2
Valence **132** F 4
Valencia (Spagna) **128** E 3
Valencia (Venezuela) **177** B 2
Valencia, Golfo di- **128** E-F 3
Valenza **64** C 2-3
Valga **144** G 4
Val Grande, Parco Nazionale della- **64** C 1
Valguarnera Caropepe **114** C 2
Valladolid **128** C 2
Valle d'Aosta = Vallée d'Aoste **40** B 2
Valle dei Templi **114** B 2
Valledoria **117** A 2
Vallée d'Aoste = Valle d'Aosta **40** B 2
Vallesi, Alpi- **142** B 2
● Valletta **122** E 5
Vallo di Lucania **102** C 2
Valmiera **144** F 4
Valmontone **94** B 2
Valona **152** C 4
Valona, Baia di- **152** C 4
Valparaíso **177** B 4
Valpelline **64** B 2
Valsesia **64** C 2
Valsinni **110** B 2
Valtellina **68** B-C 1
Vancouver **173** C 3
Vancouver (isola) **172** C 3
Vandea **132** C 3
Vänern **144** C 4
Vannes **132** B 3
Vanua Levu **180** D 3
▲ Vanuatu **180** D 3
Vara **80** C 1
Varaita **64** B 3
Varallo **64** C 2
Varanger, Penisola di- **144** G-H 1
Varangerfjord **144** G-H 1
Varano, Lago di- **106** A 2
Varaždin **152** B 1
Varazze **80** B 1
Vardar **152** E 4
Vardø **144** H 1
Varese **68** A 2
Varese, Lago di- **68** A 2
Varese Ligure **80** C 1
Varkaus **144** G 3
Varna **152** G 3
● Varsavia **122** F 3
Varzi **68** B 3
Varzo **64** C 1
Västerås **144** D 4
Västerdalälv **144** C 3
Västervik **144** D 4
Vasto **98** B 1
Vaticano, Capo- **112** A 3
▲ Vaticano, Città del- **94** B 2
Vatnajökull **144A**
Vatneyri **144A**
Vättern **144** D 4
Växjö **144** D 4
Veglia, Isola- **152** A 2
Vejle **138** D 2
Vejo **94** B 1
Velebit **152** A 2
Velikije Luki **156** C 2
Veliki Ustjug **156** D 1
Veliko Tărnovo **152** F 3
Velino **94** B 1
Velino, Monte- **98** A 1
Velletri **94** B 2
Velsk **156** D 1
Venafro **100** A 2
Venaria **64** B 2
Veneta, Laguna- **74** C 2
Veneta, Pianura- **74** B-C 2
Venete, Prealpi- **74** B-C 1-2
Veneto **74** B-C 2
Venezia **74** C 2
Venezia, Golfo di- **74** C 2
▲ Venezuela **177** B 2
Venosa **110** A 2
Venosta, Val- **72** A-B 2
Venta **144** F 4
Ventimiglia **80** A 2
Ventotene, Isola- **94** C 3
Ventoux, Mont- **132** F 4
Ventspils **144** E 4
Venzone **78** B 1
Veracruz **173** E 5
Verbania **64** C 2
Verbano-Cusio-Ossola, Provincia del- **64** C 1-2
Verbicaro **112** A 2
Vercelli **64** C 2
Verde, Capo- **168** B 3
Verde, Costa- **128** B-C 1
Verdon-sur-Mer, Le- **132** C 4
Verdun **132** F 2
Vergato **82** C 2
Vergini, Isole- **173** F 5
Verhni Baskunčak **156** C 3
Verhojansk **162** F 2
Verhojansk, Monti di- **160** F 2
Verna, la- **86** C 2
Vérnon **152** D 4
Véroia **152** E 4
Veroli **94** C 2
Verona **74** A-B 2
Verrès **64** B 2
Versailles **132** E 2
Versilia **86** B 1-2
Vesoul **132** G 3
Vesterålen **144** D 1
Vestfjord **144** D 1-2
Vestmannaeyjar **144A**
Vesuvio **102** B 2
Vesuvio, Parco Nazionale del- **102** B 2
Vetralla **94** B 1
Vetta d'Italia **72** C 1
Vettore, Monte- **92** B 3
Vetulonia **86** C 3
Viadana **68** C 3
Viareggio **86** B 2
Viborg **138** D 1
Vibo Valentia **112** B 3
Vicenza **74** B 2
Vichy **132** E 3
Vico, Lago di- **94** B 1
Vicovaro **94** B 1
Victoria (Canada) **173** C 3
Victoria (isola) **172** D 2
● Victoria (Seicelle) **168** E 4
Victoria, Terra- **183** O-N 2
Vidin **152** E 2-3
Viedma **177** B 5
● Vienna **122** E 4
Vienne **132** D 3
● Vientiane **162** E 5
Vierzon **132** D-E 3
Vieste **106** B 2
▲ Vietnam **162** E 5
Vigevano **68** A 2
Viggiano **110** A 2
Viglio, Monte- **94** C 2
Vignemale **132** C 5
Vignola **82** C 2
Vignola Mare **117** B 1
Vihren **152** E 4
Vík **144A**
Vila Nova de Gaia **128** A 2
Vila Real **128** B 2
Villa Adriana **94** B 2
Villabate **114** B 1
Villach **142** E 2
Villacidro **117** A 3
Villafranca **74** A 2
Villafranca di Verona **74** A 2
Villamassargia **117** A 3
Villa Minozzo **82** B 2
Villanova Monteleone **117** A 2
Villaputzu **117** B 3
Villarosa **114** C 2
Villa San Giovanni **112** A 3
Villa Santa Maria **98** B 2
Villasimius **117** B 3
Villasor **117** A-B 3
Villena **128** E 3
● Vilnius **122** F 3
Vimercate **68** B 2
Vinaros **128** F 2
Vinci **86** B 2
Vinkovci **152** C 2
Vinnycja **156** B 3
Vinson, Massif- **183** Q 2
Vipiteno = Sterzing **72** B 2
Visby **144** E 4
Visentin, Col- **74** C 1
Vishakhapatnam **162** D 5
Visso **92** B 3
Vistola **138** I 3
Vitalba, Monte- **86** B 2
Viterbo **94** B 1
Viti Levu **180** D 3
Vitória **177** C 4
Vitoria **128** D 1
Vitoša **152** E 3
Vittoria **114** C 3
Vittoria, Cascate- **166** D 4
Vittoria, Lago- **166** D 4
Vittorio Veneto **74** C 2
Viverone, Lago di- **64** C 2
Vizzini **114** C 2
Vjatka **156** D 2
Vjatka (fiume) **156** D-E 2
Vladikavkaz **156** D 3
Vladimir **156** D 2
Vladivostok **162** F 3
Voghera **68** A-B 2-3
Voiussa **152** C 4
Vojvodina **152** C-D 2
Volga **156** C 2
Volga, Alture del- **156** D 2
Volgograd **156** D 3
Volgograd, Bacino di- **156** D 2-3
Volhov **156** C 2
Volinia **156** B 2
Volinia, Alture della- **148** G-H 1
Volo **152** E 5
Vologda **156** C-D 2
Volsini, Monti- **94** A-B 1
Volsk **156** D 2
Volta **166** B 3
Volterra **86** B 2
Voltri **80** B 1
Volturino, Monte- **110** A 2
Volturno **102** B 1
Volžsk **156** D 3
Vomano **98** A 1
Vopnafjördhur **144A**
Vóras **152** E 4
Vorkuta **156** F 1
Vormsi **144** F 4
Voronež **156** C 2
Vörts, Lago- **144** F-G 4
Vosgi **132** G 2
Vostok (base geofisica) **183** M 2
Vostok (isola) **181** F 3
Voxnan **144** D 3
Vranje **152** D 3
Vrbas **152** B 2
Vulcano, Isola- **114** C 1
Vulci **94** A 1
Vulture, Monte- **110** A 2
Vyborg **156** B 1
Vyčegda **156** D 1
Vyg, Lago- **156** C 1

W

Wachusett, Scoglio- **181** F 4
Waddenzee **138** B 3
Wadi Halfa **168** D 2
Wake **180** D 2
Wałbrzych **138** H 4
Wallis e Futuna **180** E 3
Walvis Bay **168** C 5
Warta **138** H 3
Wash, The- **135** G 4
● Washington **173** F 4
Waterford **135** C 4
Wau **168** D 3
Weddell, Mare di- **183** R 2
Wejherowo **138** I 2
● Wellington **180** D 5
Wellington (isola) **177** B 5
Wels **142** E-F 1
Wenzhou **162** F 4
Wesel **138** C 4
Weser **138** D 3
Westerwald **138** D 4
Westport **135** B 4
Wexford **135** C 4
Weymouth **135** E 5
Whalsay **135** H 1
Whitehorse **173** C 2
Whitney, Mount- **172** D 4
Wick **135** E 1
Wicklow, Monti- **135** C 4
Wiener Neustadt **142** G 2
Wieprz **139** K 4
Wiesbaden **138** D 4
Wight **135** F 5
Wildpitze **142** D 2
Wilhelmshaven **138** D 3
Wilkes, Terra di- **183** M-N 2
● Windhoek **168** C 5
Windsor **135** F 5
Winnipeg **173** E 3
Winnipeg, Lago- **172** E 3
Winterthur **142** C 2
Wiślany, Zalew- **138-139** I-J 2
Wismar **138** E 3
Wittenberg **138** F 4
Wittenberge **138** E 3
Włocławek **138** I 3
Woleai, Isole- **180** C 2
Wolfsberg **142** F 2
Wolfsburg **138** E 3
Wolin **138** G 2
Wolverhampton **135** E 4
Worcester **135** E 4
Wrangel **160** H-J 2
Wrath, Cape- **135** D 1
Wuhan **162** E 4
Wuppertal **138** C 4
Würzburg **138** E 5
Wuyi Shan **160** E 4
Wye **135** E 4-5

X-Y

Xánthi **152** F 4
Xi'an **162** E 4
Xi Jiang **160** E 4
Xingu **176** C 3
Xining **162** D-E 4
Xisha, Isole- **160** E 5
Yacuiba **177** B 4
Yalu **160** F 3
● Yamoussoukro **168** B 3
● Yangon (Rangoon) **162** D 5
● Yaoundé **168** C 3
Yap **180** B 2
● Yaren **180** D 3
Yell **135** H 1
Yellowknife **173** D 2
Yell Sound **135** H 1
▲ Yemen **162** B 5
Yokohama **163** F 4
York **135** F 3-4
York, Capo- **180** C 3
Yucatán **172** E 4-5
Yucatán, Canale di- **172** E 4
Yukon **172** A-B 2
Yumen **162** D 3-4

Z

Zafferana Etnea **115** D 2
Zafferano, Capo- **114** B 1
Zafra **128** B 3
● Zagabria **122** E 4
Zagarolo **94** B 2
Zagros, Monti- **160** B 4
Zaire = Congo **166** C-D 3
Zambesi **166** D 4
▲ Zambia **168** D 4
Zamora **128** C 2
Zannone, Isola- **94** C 3
Zante **152** D 6
Zante (isola) **152** D 6
Zanzibar **168** D 4
Zanzibar (isola) **166** D-E 4
Zaporižžja **156** C 3
Zara **152** A 2
Zea **152** F 6
Zelanda **138** A-B 4
Zenica **152** B 2
Zhengzhou **162** E 4
Zielona Góra **138** G 4
Ziguinchor **168** B 3
Žilina **148** D 2
▲ Zimbabwe **168** D 4
Zimmara, Monte- **114** C 2
Zinzulusa **107** D 4
Zlatoust **156** E 2
Zonguldak **156** C 3
Zoppo, Portella dello- **114** C-D 2
Zrenjanin **152** D 2
Zugspitze **138** E 6
Zújar **128** C 3
Zújar, Lago del- **128** C 3
Zungaria **160** D 3
Zurigo **142** C 2
Zwickau **138** F 4
Zwolle **138** C 3
Žytomyr **156** B 2

Atlante attivo

Esercizi e attività per imparare la Geografia

Indice

200 Orientarsi nello spazio
201 Tante carte
202 La popolazione
203 Le fonti di energia
204 I mari e il ciclo dell'acqua
205 L'Italia fisica: i mari e le coste
206 L'Italia fisica: i fiumi e i laghi
207 L'Italia fisica: i rilievi e le pianure
208 L'Italia settentrionale fisica e politica
210 L'Italia centrale fisica e politica
212 L'Italia meridionale fisica e politica
214 L'Italia insulare fisica e politica
216 L'Italia delle regioni
217 L'Italia e le comunicazioni via mare
218 Un ricordo dalle regioni
219 Una ricerca su...
220 L'Europa fisica
221 L'Europa politica
222 L'Unione Europea
223 Sicuri sulla strada

Orientarsi nello spazio

1. Quali sono i punti cardinali mancanti?

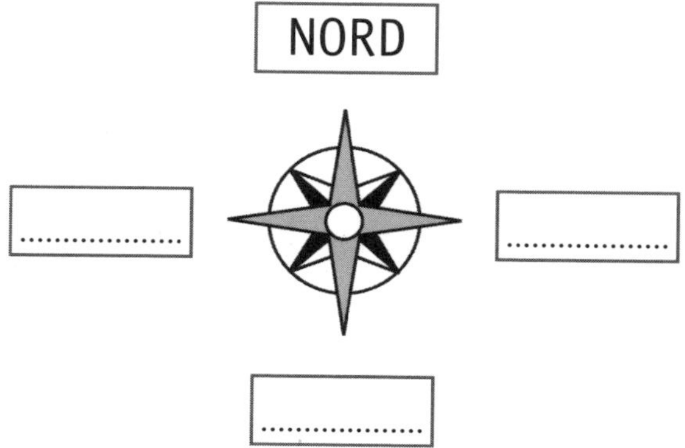

2. Completa scrivendo al posto giusto le parole:

Parallelo 0 o Equatore
Meridiano 0 - Tropico

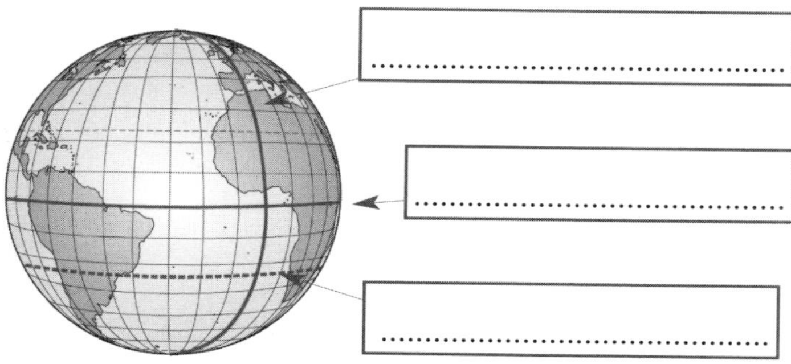

3. Indica con una X se è vero (V) o falso (F).

- I fusi orari sono 24. V F
- La latitudine indica la distanza di un punto su un parallelo dall'Equatore. V F
- L'Equatore è la circonferenza meno ampia. V F
- La bussola indica sempre il Sud. V F
- L'Equatore è un meridiano. V F
- L'Equatore è un parallelo. V F
- La longitudine indica la distanza di un punto dal meridiano di Greenwich. V F
- I paralleli sono 180. V F
- La Stella Polare indica sempre il Nord. V F
- L'emisfero Nord o boreale si trova a nord del meridiano di Greenwich. V F
- Per orientarsi nell'emisfero australe si prende come riferimento la costellazione della Croce del Sud. V F

4. Inserisci i nomi delle stelle di riferimento.

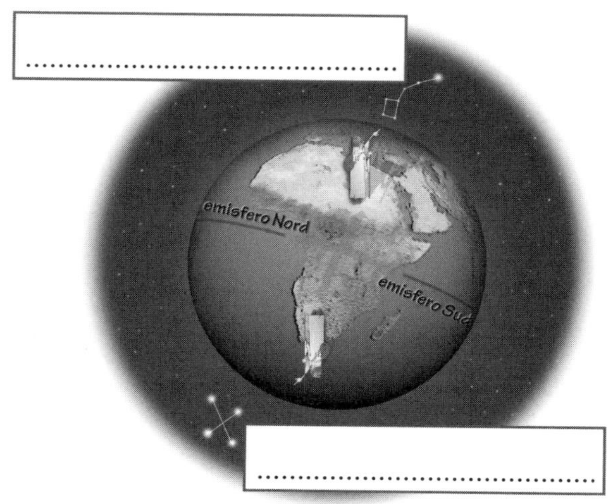

5. Completa inserendo al posto giusto le parole:

Oriente - Levante - punti cardinali - Est
Ovest - Mezzogiorno - Occidente
Ponente - Sud - Settentrione - Meridione
Mezzanotte - Nord

Per orientarsi bisogna tenere presente i quattro .... Il Sole sorge sempre in un punto chiamato .... o .... o .... e tramonta sempre dalla parte opposta, ... o .... o .... Durante il tragitto da Est a Ovest, quando il Sole splende alto nel cielo, indica il .... o .... o ....; mentre la posizione opposta, dove il Sole non si vede mai, si chiama .... o .... o ....

6. Completa scrivendo al posto giusto i nomi dei venti:

Grecale - Australe - Libeccio - Levante
Scirocco - Tramontana - Maestrale - Ponente

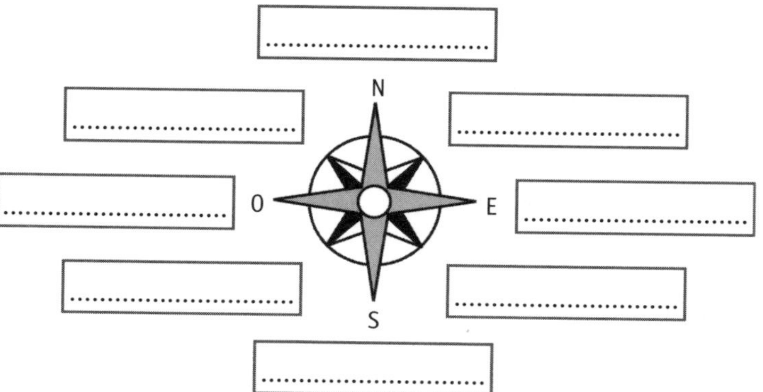

1. Completa le frasi unendo in maniera corretta le due parti.

LA CARTA FISICA	rappresenta con vari colori i diversi elementi del paesaggio naturale
LA CARTA TEMATICA	descrive le suddivisioni del territorio effettuate dall'uomo
LA CARTA POLITICA	serve per poter disegnare rimpicciolita la realtà
LA SCALA DI RIDUZIONE	serve per conoscere solo determinati elementi del territorio (strade, musei ecc.)

2. Osserva attentamente le seguenti carte geografiche. Completa scrivendo al posto giusto:

carta fisica - carta tematica - carta politica

....

....

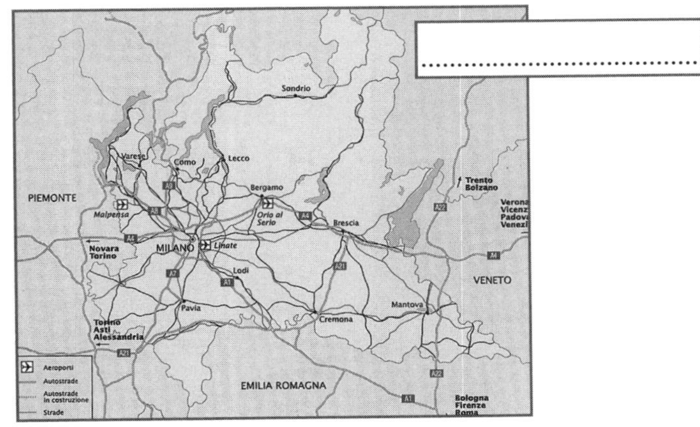

....

3. Quale scala sceglieresti?

1:10 000 **1:5 000 000**
1:50 **1:6**

Pianta di un appartamento 1: ....

Cartina di una città 1: ....

Carta stradale d'Italia 1: ....

Fotografia del tuo amico preferito 1: ....

4. Osserva la pianta del centro di Firenze. Sai individuare le caselle in cui si trovano i seguenti monumenti?

DUOMO **B, 2**

PONTE VECCHIO

SANTA CROCE

PALAZZO DELLA SIGNORIA

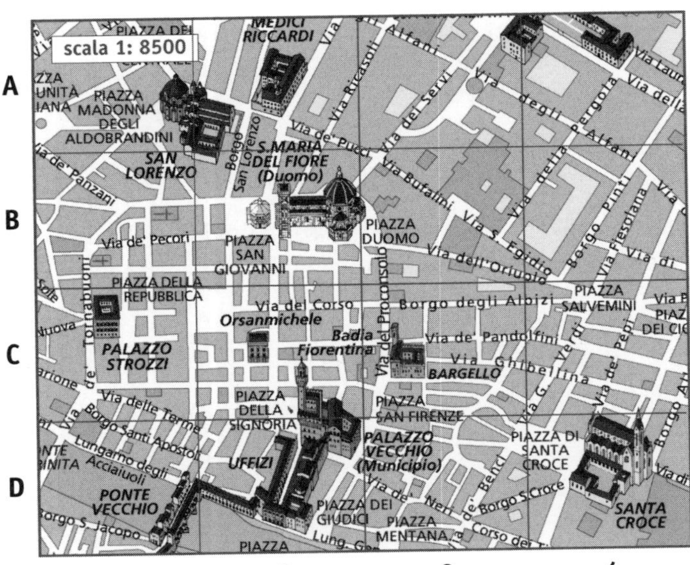

il planisfero della popolazione

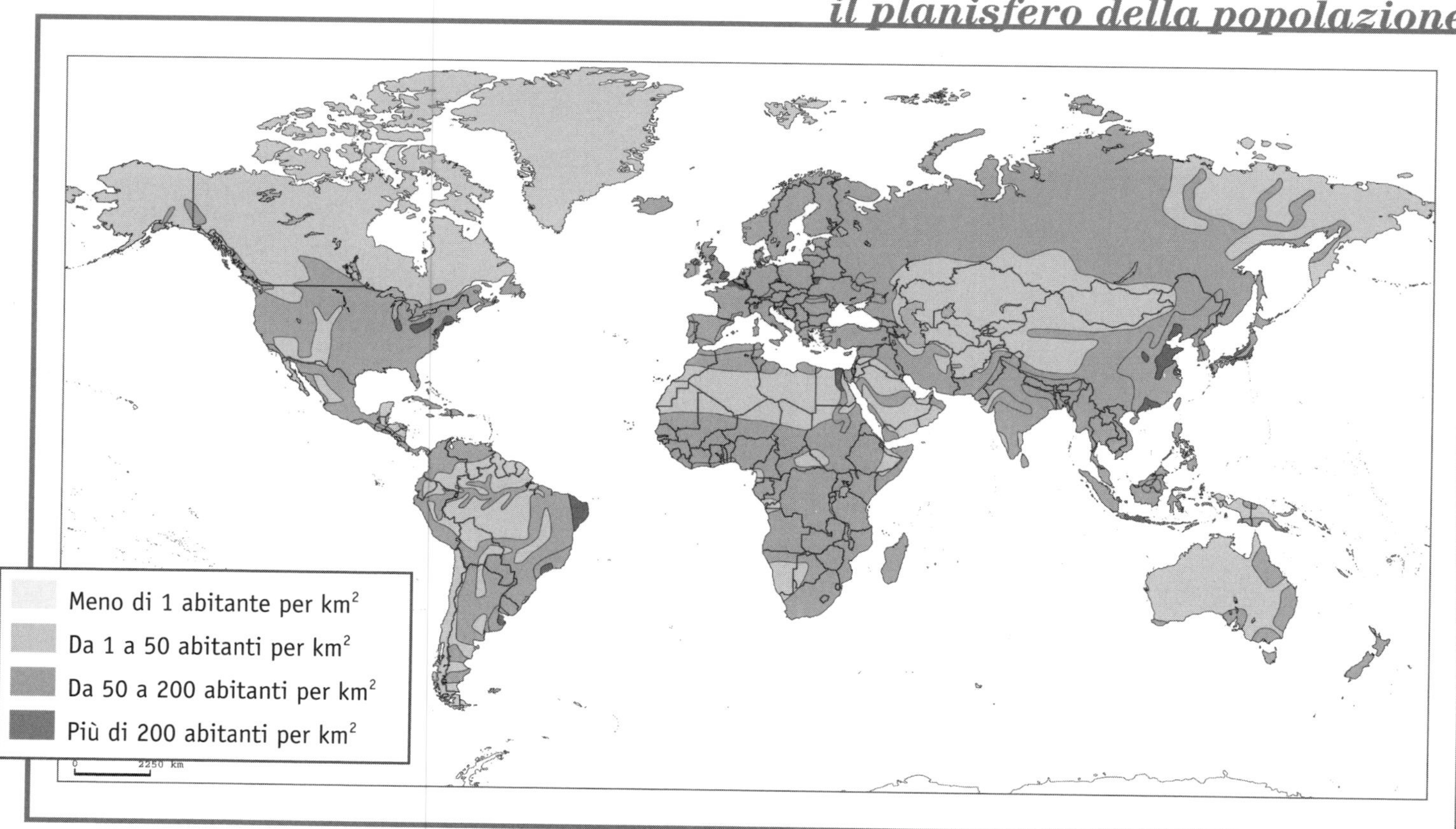

1. Indica con una X se è vero (V) o falso (F), aiutandoti anche con la cartina.

- L'Oceania è densamente abitata. V F
- Soltanto poche zone d'Europa sono densamente abitate. V F
- L'Africa settentrionale è densamente abitata. V F
- Gran parte dell'Africa settentrionale è quasi disabitata perché lì si estende il deserto del Sahara. V F
- Tutto il continente americano è scarsamente abitato. V F
- La maggiore densità di popolazione coincide con la presenza di grandi città. V F
- La presenza di zone ghiacciate coincide con un'alta densità di popolazione. V F
- La zona centro-occidentale del Brasile è densamente abitata. V F
- Il Canada è scarsamente abitato. V F
- Alcune zone della Gran Bretagna sono densamente abitate. V F

2. Scrivi il nome dei continenti sulla cartina.

educazione alla cittadinanza

IL COMUNE

◆ Colora di giallo solo le affermazioni vere.

Il numero dei consiglieri comunali è uguale per tutti i Comuni d'Italia.

Con le elezioni politiche si elegge il Sindaco.

Tutti i cittadini maggiorenni hanno diritto di voto.

Il Sindaco viene eletto dai cittadini del Comune.

Il Consiglio comunale viene scelto dal Sindaco.

1. Completa la tabella, scrivendo i vantaggi e gli svantaggi per l'uomo nell'uso delle varie risorse energetiche.

FONTI DI ENERGIA	VANTAGGI	SVANTAGGI E RISCHI
CARBONE	....	....
PETROLIO	....	....
ENERGIA NUCLEARE	....	....
ENERGIA SOLARE	....	....
ENERGIA EOLICA	....	....

2. Unisci le parole alle definizioni cui si riferiscono.

PETROLIO	deriva dalla decomposizione degli alberi.
CARBONE	è un gas che si trova in abbondanza in natura.
METANO	è prodotta dal vento.
ENERGIA NUCLEARE	è prodotta dal calore del Sole.
ENERGIA SOLARE	è una sostanza liquida che deriva dalla decomposizione di microrganismi marini.
ENERGIA EOLICA	è prodotta da reazioni che avvengono all'interno degli atomi.

3. Colora di giallo solo le affermazioni vere.

I Paesi più sviluppati sono quelli che hanno maggiori consumi di energia.

L'energia solare e l'energia eolica sono forme di energia assolutamente pulita.

Dal petrolio si ottengono la benzina, il gasolio, il metano e il carbone.

L'energia nucleare non presenta rischi ambientali.

Il petrolio si trova nel sottosuolo.

I Paesi in via di sviluppo non hanno fonti di energia da poter utilizzare.

1. Riordina le sequenze del ciclo dell'acqua, scrivendo il numero nel quadratino.

	L'acqua caduta si raccoglie nei fiumi.
	L'acqua evapora dai mari e dagli oceani.
	Il vapore in alto incontra aria più fredda e si condensa.
	L'acqua scorre di nuovo fino al mare.
	L'acqua cade nuovamente a terra sotto forma di pioggia, grandine o neve.

2. Indica con una X se è vero (V) o falso (F).

- La desalinizzazione è la trasformazione dell'acqua di mare in acqua dolce. V F
- L'acqua occupa il 30% della superficie terrestre. V F
- Le falde acquifere sono accumuli di acque sotterranee. V F
- Le correnti marine sono prodotte dal vento sulla superficie del mare. V F
- Le onde marine sono prodotte dal vento sulla superficie del mare. V F
- Le distese marine sono sempre in movimento a causa delle correnti e delle maree. V F
- Gli animali e le piante che vivono nel mare cambiano a seconda della profondità. V F
- Dove nel mare la luce solare non riesce a penetrare le piante crescono rigogliose. V F
- Il fitoplancton è composto da organismi vegetali piccolissimi. V F
- Il fitoplancton è alla base della catena alimentare del mare. V F
- Le nuvole sono accumuli di smog in cielo. V F

educazione ambientale

RISPARMIO IDRICO FAI DA TE

◆ Colora di azzurro i comportamenti che puoi adottare quotidianamente per risparmiare l'acqua.

- Bere l'acqua delle bottiglie invece che l'acqua del rubinetto.
- Usare la lavatrice a pieno carico.
- Fare la doccia invece del bagno in vasca.
- Applicare i riduttori di flusso ai rubinetti di casa.
- Usare la lavastoviglie a mezzo carico.
- Chiudere il rubinetto mentre ci si lava i denti.

3. Rispondi alle domande.

- Secondo te, come può l'inquinamento atmosferico essere pericoloso anche per le piante e gli animali della Terra?

....

....

....

- Perché la flora e la fauna del mare sono in pericolo se sulla superficie delle acque c'è il petrolio?

....

....

....

1. Scrivi al posto giusto sul disegno le seguenti parole:

arcipelago - isole - promontorio
faro - baia - golfo - costa

2. Completa inserendo le seguenti parole:

rocciose - alte - basse - dune
spiagge - golfi - insenature - promontori
Sardegna - Liguria - Campania - Calabria

Le coste italiane sono in prevalenza .... e sabbiose, tranne in .... , in ...., in ...., e in ...., dove prevalgono quelle .... e ....
Tipiche delle coste basse sono le .... e le ...., mentre le coste alte sono caratterizzate da ...., ... e ....

3. Scrivi al posto giusto i nomi dei mari che bagnano l'Italia.

4. Collega con una freccia, come nell'esempio.

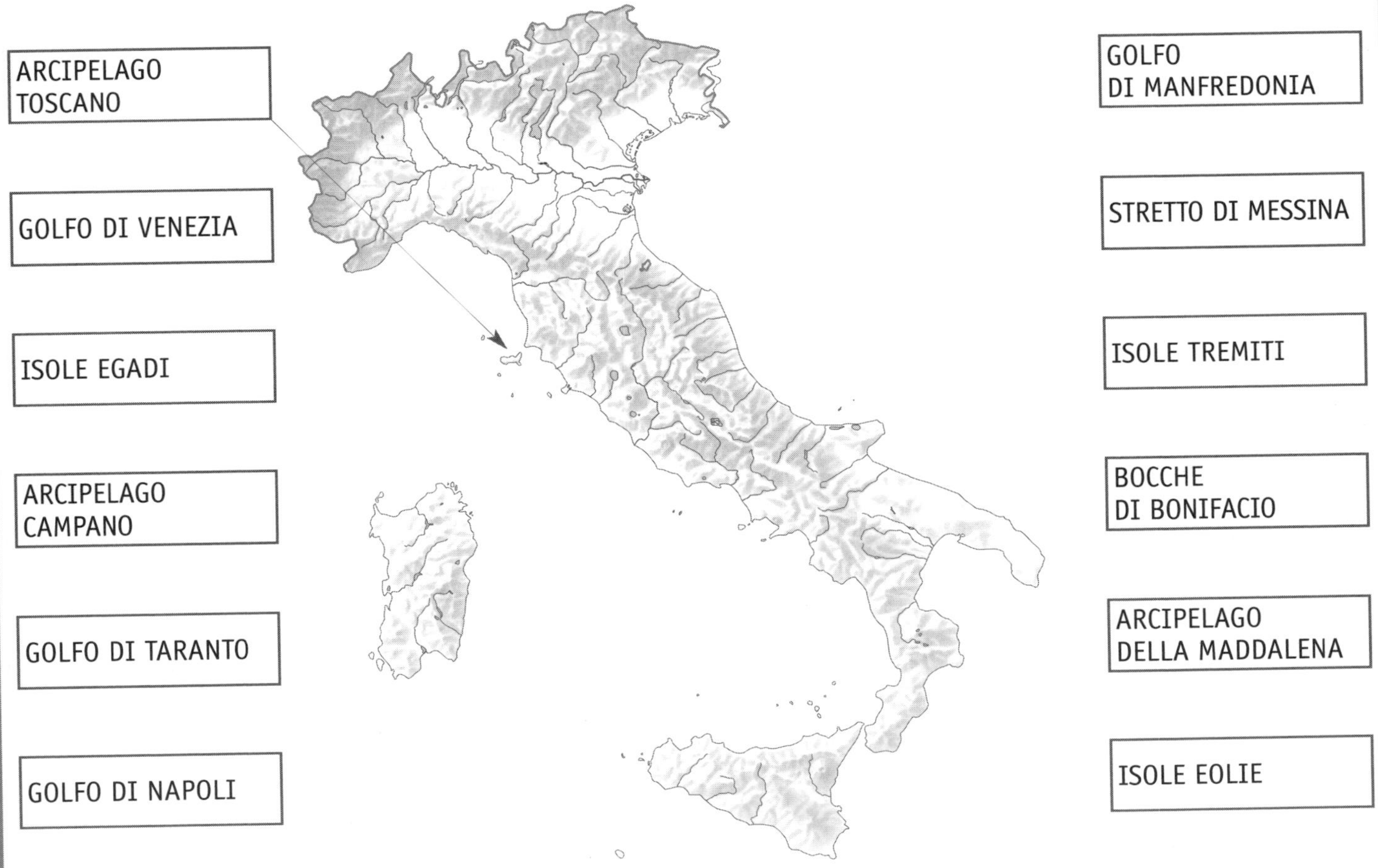

ARCIPELAGO TOSCANO

GOLFO DI VENEZIA

ISOLE EGADI

ARCIPELAGO CAMPANO

GOLFO DI TARANTO

GOLFO DI NAPOLI

GOLFO DI MANFREDONIA

STRETTO DI MESSINA

ISOLE TREMITI

BOCCHE DI BONIFACIO

ARCIPELAGO DELLA MADDALENA

ISOLE EOLIE

L'Italia fisica: i fiumi e i laghi

1. Che cos'è? Colora la risposta giusta.

Il letto di un fiume è → il luogo in cui scorre il fiume. / il punto d'incontro tra fiume e affluente.

Gli argini sono → un fiume ancora vicino alla sorgente. / i limiti laterali del fiume.

La foce a estuario → ha la forma di un imbuto. / si apre in tanti rami.

L'emissario è → un fiume che entra nel lago. / un fiume che nasce dal lago.

Il lago vulcanico → è creato dall'uomo con uno sbarramento. / occupa il cratere di un vulcano spento.

Il fiume più lungo del mondo è → il Nilo. / il Po.

2. Collega con una freccia il nome dei fiumi e dei laghi, come nell'esempio.

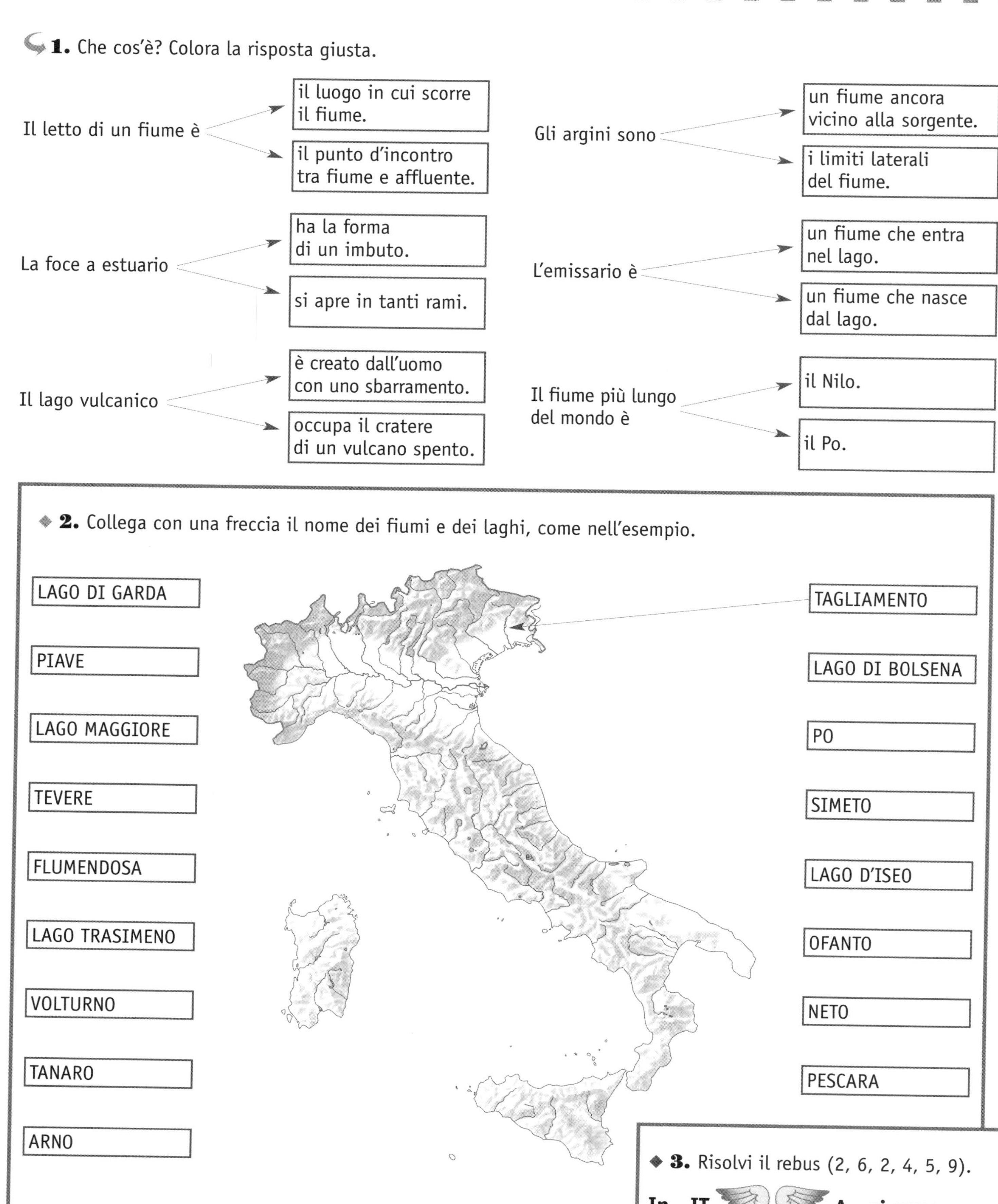

LAGO DI GARDA	TAGLIAMENTO
PIAVE	LAGO DI BOLSENA
LAGO MAGGIORE	PO
TEVERE	SIMETO
FLUMENDOSA	LAGO D'ISEO
LAGO TRASIMENO	OFANTO
VOLTURNO	NETO
TANARO	PESCARA
ARNO	

3. Risolvi il rebus (2, 6, 2, 4, 5, 9).

In IT A ci sono

L VUL CI

1. Colora di giallo solo le affermazioni vere.

Le montagne spesso si presentano in successione, formando le catene montuose.

La collina è un rilievo che supera i 667 m s.l.m.

La Pianura Padana ha origine vulcanica.

In montagna la vegetazione non cambia con il variare dell'altitudine.

Gli animali caratteristici dell'habitat montano sono stambecchi, marmotte, camosci e aquile.

In Italia non ci sono pianure alluvionali.

La prateria è un'area verde e collinare, con molti alberi e bassi arbusti.

In pianura le strade sono piene di curve e tornanti.

2. Collega con una freccia il nome delle pianure, dei monti e delle colline, come nell'esempio.

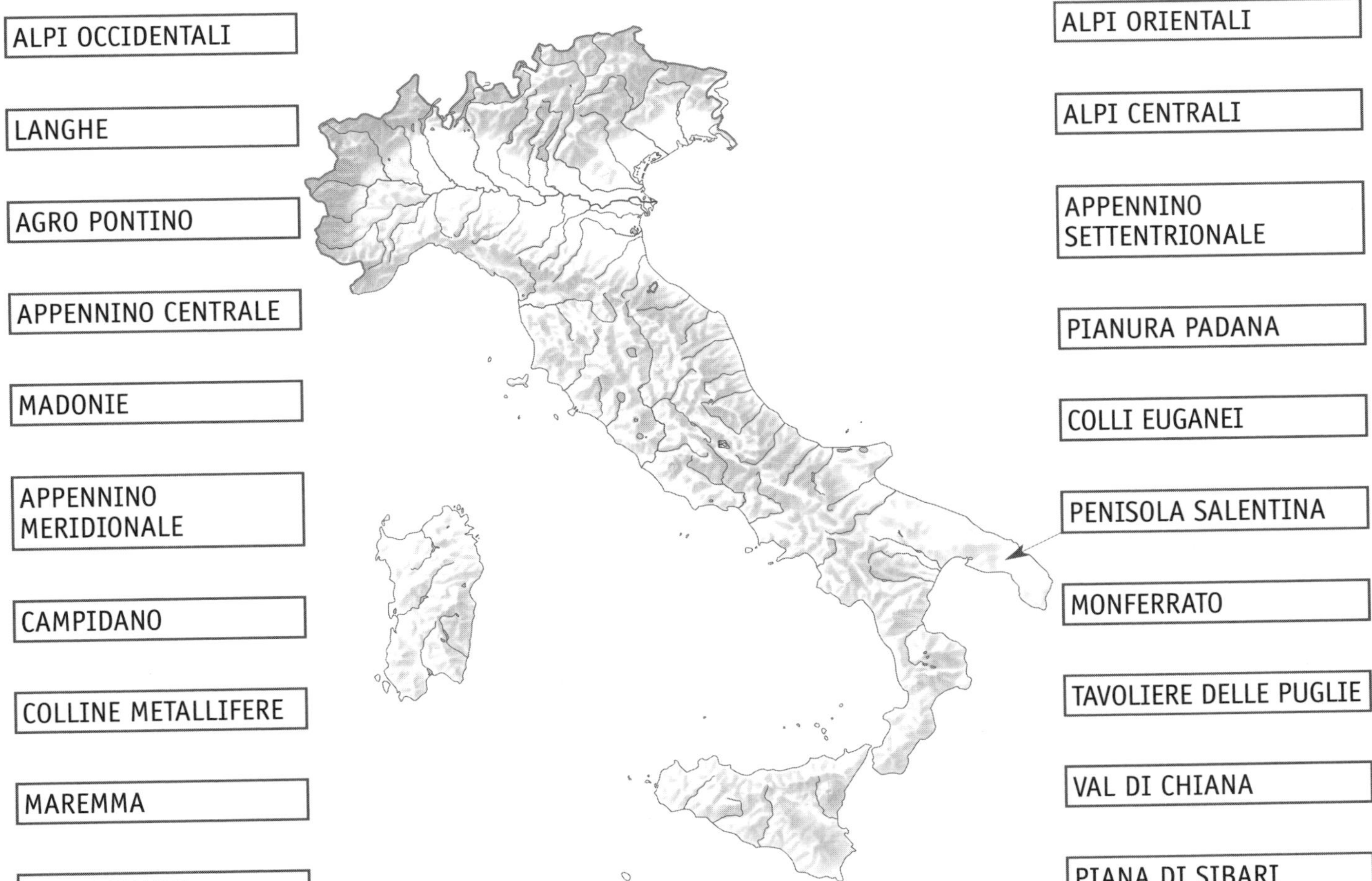

L'Italia settentrionale fisica

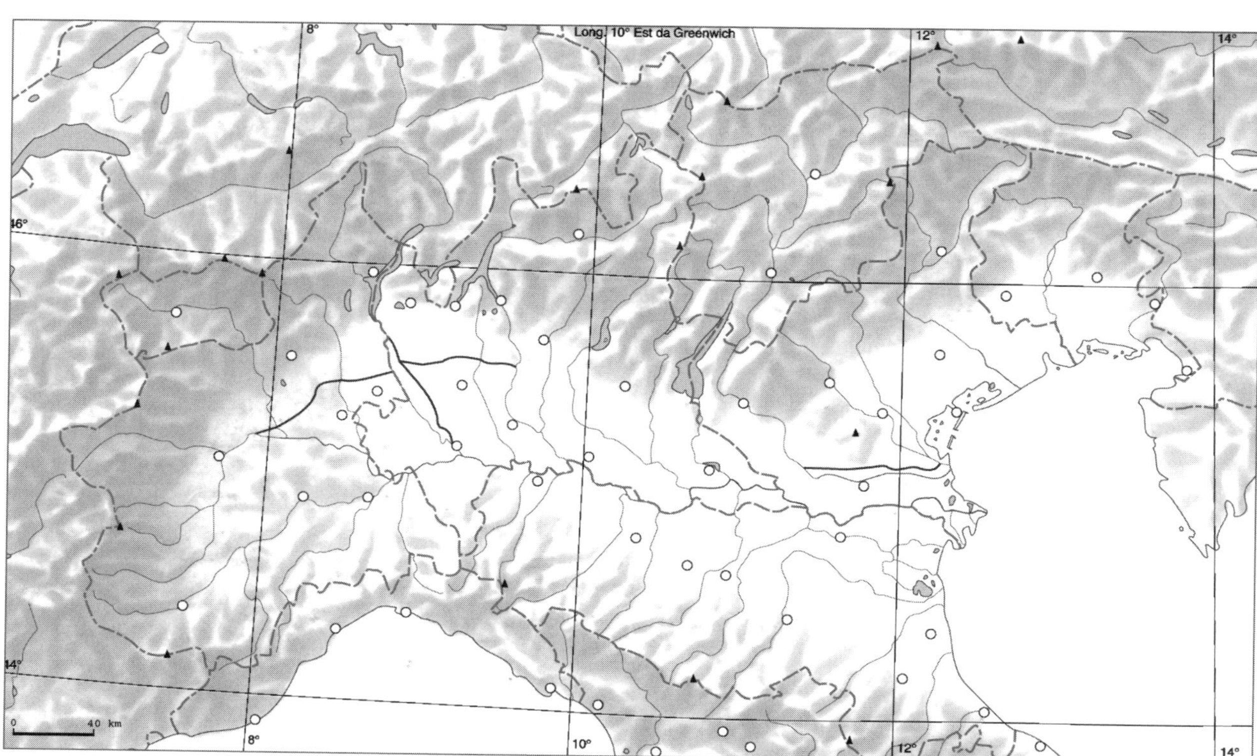

◆ **1.** Colora la carta, differenziando fra mari, fiumi, laghi, pianure, colline e montagne.

◆ **2.** Nella tabella sono indicati i monti più alti dell'Italia settentrionale. Aiutandoti con la cartina a pagina 38 dell'Atlante, completa la tabella.

MONTE	ALTITUDINE IN METRI
Gran Paradiso	....
Monte Bianco	....
Monte Rosa	....
Bernina	....
Adamello	....
Ortles	....
Marmolada	....
Monviso	....
Argentera	....
Cervino	....

educazione ambientale

GITA IN MONTAGNA

◆ Colora di rosa i comportamenti che vanno tenuti in montagna per salvaguardare l'ambiente.

Non accendere fuochi.

Chiamare i vigili del fuoco o la protezione civile se si avvista un incendio.

Buttare i fiammiferi e le sigarette dal finestrino.

Gettare le lattine in terra e non raccoglierle.

Fare confusione e spaventare gli animali.

3. Aiutandoti con la cartina a pagina 38, completa le seguenti frasi.

• L'Italia del Nord è bagnata dal Mar ....

e dal Mar ....

• Il fiume più lungo dell'Italia del Nord è ....

• I laghi dell'Italia settentrionale sono: ....

....

....

1. Leggi con attenzione le informazioni che riguardano le regioni dell'Italia settentrionale e completa.

REGIONE E CAPOLUOGO	CLIMA	TERRITORIO	INDUSTRIA	AGRICOLTURA
PIEMONTE	....	....	....	....
VALLE D'AOSTA	....	....	....	....
LOMBARDIA	....	....	....	....
TRENTINO-ALTO ADIGE	....	....	....	....
VENETO	....	....	....	....
LIGURIA	....	....	....	....
EMILIA-ROMAGNA	....	....	....	....
FRIULI-VENEZIA GIULIA	....	....	....	....

2. Inserisci nella cartina a pagina 208 il nome dei capoluoghi e delle province dell'Italia settentrionale, aiutandoti con la cartina a pagina 54 dell'Atlante.

3. Rispondi alle domande.

- Quali sono le regioni settentrionali totalmente montuose?

....

- Quali regioni sono attraversate dal Po?

....

....

- Quali regioni comprendono la Pianura Padana?

....

....

- Quali lingue sono parlate nel Trentino-Alto Adige?

....

....

- Dove soffia la bora?

....

....

L'Italia centrale fisica

◆ **1.** Colora la carta, differenziando tra mari, fiumi, laghi, pianure, colline, montagne.

◆ **2.** Nella tabella sono indicati i monti più alti dell'Italia centrale. Aiutandoti con la cartina a pagina 38, indica la loro altitudine.

◆ **3.** Inserisci nella cartina il nome dei capoluoghi e delle province dell'Italia centrale, aiutandoti con la cartina a pagina 54.

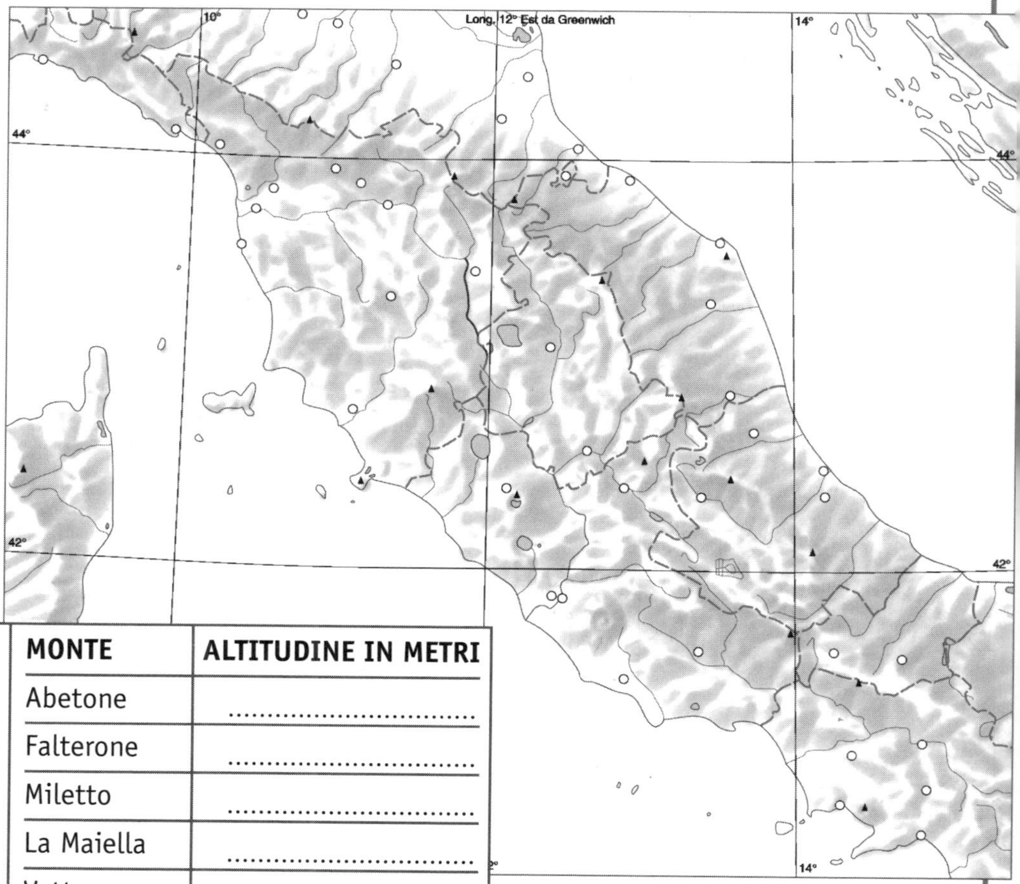

Long. 12° Est da Greenwich

MONTE	ALTITUDINE IN METRI	MONTE	ALTITUDINE IN METRI
Cimone	....	Abetone	....
La Meta	....	Falterone	....
Amiata	....	Miletto	....
Fumaiolo	....	La Maiella	....
Terminillo	....	Vettore	....
Catria	....	Gran Sasso	....

4. Rispondi alle domande.

- Qual è l'unica vetta dell'Appennino Centrale con nevi perenni? ....
- Che cosa sono i calanchi?

....

....

5. Indica con una X se è vero (V) o falso (F).

- Il territorio della Toscana è prevalentemente collinare. V F
- L'Appennino Tosco-Emiliano ha cime molto elevate. V F
- L'Umbria è bagnata dal Mar Tirreno. V F
- Il lago Trasimeno è il maggiore d'Italia. V F
- Nelle Marche i fiumi sono di breve lunghezza. V F
- Il monte più alto delle Marche si chiama Vettore. V F
- Le Marche sono la regione del Centro Italia più ricca di laghi. V F
- Le isole Ponziane appartengono al Lazio. V F
- L'Abruzzo è una regione prevalentemente montuosa. V F
- I corsi d'acqua del Molise hanno carattere torrentizio. V F
- Il fiume Tevere non bagna Roma. V F
- Il Tevere attraversa l'Umbria da nord a sud. V F
- I monti Sabini si trovano in Toscana. V F
- Il fiume più importante della Toscana è l'Arno. V F

1. Colora di giallo solo le affermazioni vere.

Palazzo Madama si trova a Roma.

Il vino Chianti viene prodotto in Toscana.

Il marmo di Carrara si trova nelle Alpi Apuane.

La Città del Vaticano è lo Stato più piccolo del mondo.

La città di Urbino conobbe il massimo splendore in età romana.

La cascata delle Marmore si trova in Molise.

Il Parco Nazionale d'Abruzzo è un'area pianeggiante.

educazione alimentare

TUTTI A TAVOLA!

◆ A quali regioni appartengono questi piatti tipici?

2. Leggi con attenzione le informazioni che riguardano le regioni dell'Italia centrale e completa.

REGIONE E CAPOLUOGO	CLIMA	TERRITORIO	INDUSTRIA	AGRICOLTURA
TOSCANA	....	....	....	....
UMBRIA	....	....	....	....
MARCHE	....	....	....	....
LAZIO	....	....	....	....
ABRUZZO	....	....	....	....
MOLISE	....	....	....	....

L'Italia meridionale fisica

◆ **1.** Colora la carta, differenziando tra mari, fiumi, laghi, pianure, colline, montagne.

◆ **2.** Unisci i nomi dei fiumi, come nell'esempio.

◆ **3.** Aiutandoti con l'Atlante, inserisci nella cartina il nome dei capoluoghi e delle province di Campania, Puglia, Basilicata e Calabria.

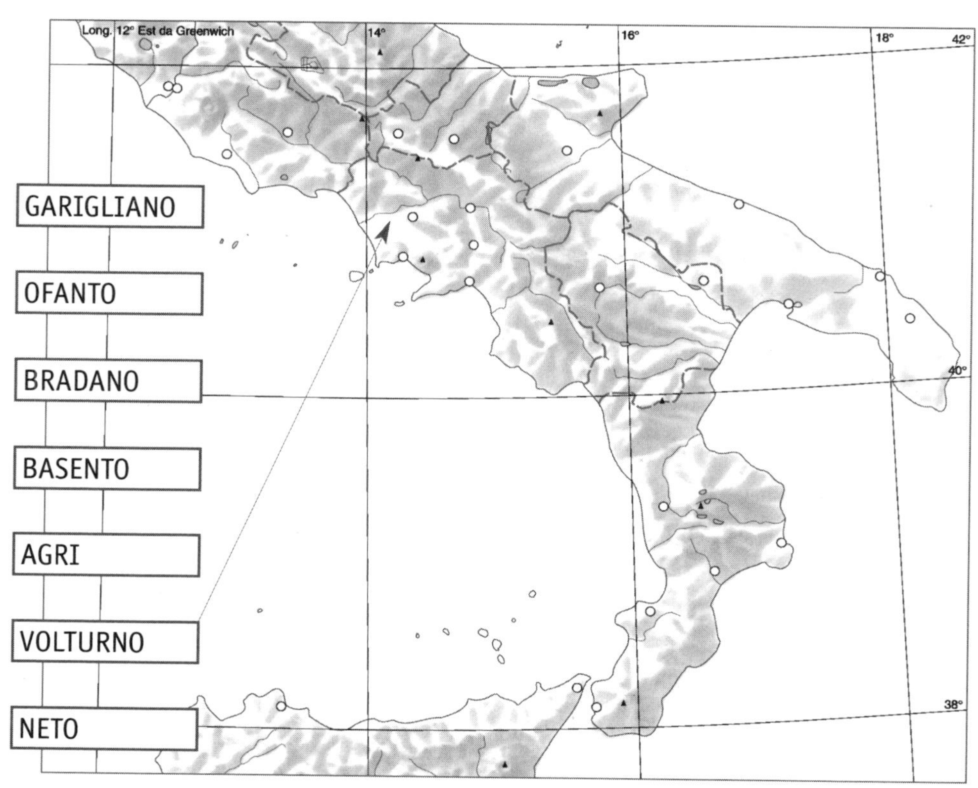

4. Completa le seguenti frasi:

- In Campania si trova un vulcano chiamato ....
- In Campania ci sono tre golfi: il ...., il .... e il ....
- La Campania è bagnata dal Mar ....
- In Puglia si eleva un altopiano di 500 m s.l.m. chiamato ....
- In Calabria ci sono tre zone pianeggianti: la Piana di ...., la Piana di ...., e la Piana di ....
- La Puglia è bagnata dal Mar .... e dal Mar ....
- Il Salento rappresenta la parte .... della Puglia.
- Lo stretto di Messina separa la .... dalla ....
- La Basilicata è bagnata dal Mar .... e dal Mar ....

5. Indica con una X se è vero (V) o falso (F).

- Il territorio della Basilicata è prevalentemente pianeggiante. V F
- L'unica pianura della Basilicata è la Piana di Metaponto. V F
- La Calabria è bagnata dal Mar Tirreno e dal Mar Ionio. V F
- La Calabria ha pochi fiumi a carattere torrentizio. V F
- La Penisola Salentina si trova in Basilicata. V F
- Il Promontorio del Gargano si trova in Puglia. V F
- Il Tavoliere delle Puglie è una pianura alluvionale. V F
- La Puglia è una regione povera d'acqua. V F
- Il Vesuvio è un vulcano ancora attivo. V F
- La costa della Campania ha un aspetto molto vario. V F
- L'Arcipelago Campano comprende, fra le altre, le isole di Capri e Ischia. V F

1. Leggi con attenzione le informazioni che riguardano le regioni dell'Italia meridionale e completa.

REGIONE E CAPOLUOGO	CLIMA	TERRITORIO	INDUSTRIA	AGRICOLTURA
CAMPANIA	....	....	....	....
PUGLIA	....	....	....	....
BASILICATA	....	....	....	....
CALABRIA	....	....	....	....

2. Rispondi alle domande.

- Che cosa accadde a Pompei nel 79 d.C.?

....

....

- Che cosa sono i "bronzi di Riace"? Dove sono attualmente esposti?

....

....

- Che cosa sono i "sassi" di Matera?

....

....

- Che cosa sono i "trulli" e in quale regione si trovano?

....

....

- Quali colonie fondarono i Greci in Calabria?

....

....

- Che cosa sono i bradisismi? Dove si verificano?

....

....

3. Completa con la parola giusta.

- I primi insediamenti in Campania risalgono alla .... **(preistoria/età moderna)**.
- La Puglia è fra i primi produttori in Italia di .... **(cipolle/uva)** e .... **(olive/susine)**.
- In Basilicata il .... **(52%/21%)** degli abitanti è impegnato nel settore terziario.
- In Basilicata ci sono industrie .... **(chimiche/siderurgiche)** e .... **(casearie/meccaniche)**.
- La Puglia ha un clima .... **(mediterraneo/continentale)**.
- La Calabria ha un elevato tasso di .... **(occupazione/disoccupazione)**.
- In Calabria ci sono paesi dove si parla l' .... **(arabo/albanese)** perché popolati da abitanti di origine .... **(albanese/araba)**.
- Gli .... **(arabi/albanesi)** si insediarono in Calabria fra il XV e il XVII secolo.

L'Italia insulare fisica

atlante attivo

◆ **1.** Colora la carta, differenziando tra mari, fiumi, laghi, pianure, colline, montagne.

◆ **2.** Aiutandoti con l'Atlante, inserisci nella cartina il nome dei capoluoghi e delle province di Sicilia e Sardegna.

◆ **3.** Unisci i nomi dei fiumi, come nell'esempio.

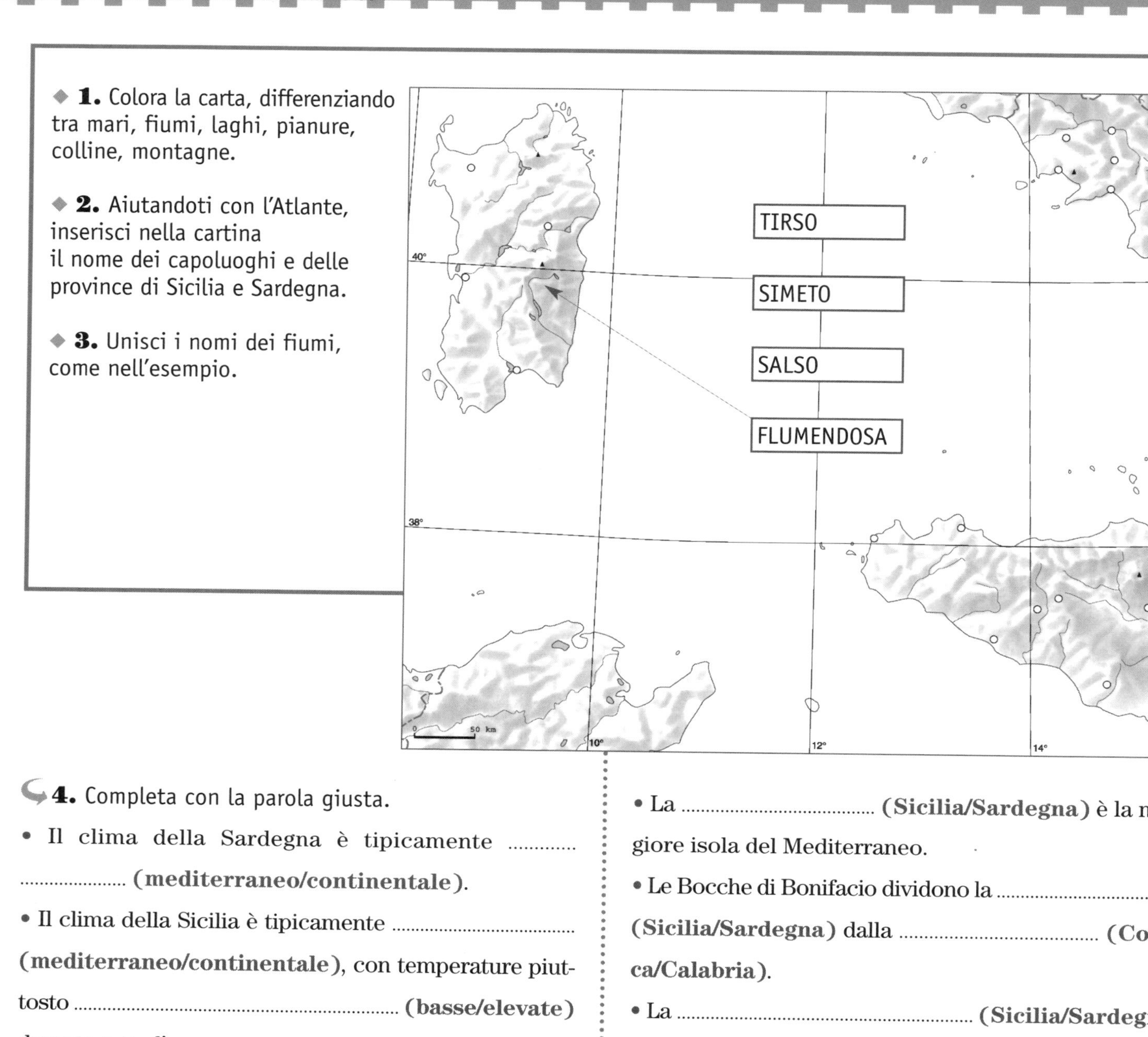

4. Completa con la parola giusta.

- Il clima della Sardegna è tipicamente .... **(mediterraneo/continentale)**.
- Il clima della Sicilia è tipicamente .... **(mediterraneo/continentale)**, con temperature piuttosto .... **(basse/elevate)** durante tutto l'anno.
- La .... **(Sicilia/Sardegna)** è la maggiore isola del Mediterraneo.
- Le Bocche di Bonifacio dividono la .... **(Sicilia/Sardegna)** dalla .... **(Corsica/Calabria)**.
- La .... **(Sicilia/Sardegna)** è la prima produttrice di agrumi in Italia.

5. Con l'aiuto della carta fisica e dei grafici nell'Atlante prova a fare una descrizione del territorio di queste due regioni.

SICILIA

Territorio prevalentemente
- ☐ montuoso
- ☐ collinare
- ☐ pianeggiante

Monti ....

Fiumi ....

Laghi ....

SARDEGNA

Territorio prevalentemente
- ☐ montuoso
- ☐ collinare
- ☐ pianeggiante

Monti ....

Fiumi ....

Laghi ....

1. Aiutandoti con i dati che trovi nell'Atlante, completa la tabella.

	SICILIA	SARDEGNA
PROVINCE	....	....
INDUSTRIA	....	....
AGRICOLTURA	....	....
ALLEVAMENTO	....	....

2. Unisci ciascuna affermazione alla regione cui appartiene.

Il suo antico nome era Trinacria.

Le Bocche di Bonifacio la dividono dalla Corsica.

È circondata dal Mar Tirreno e dal Mar Mediterraneo.

Vi si trovano numerosissimi nuraghi.

Vi sono stati creati molti laghi artificiali.

È la maggiore isola del Mar Mediterraneo.

SICILIA

SARDEGNA

Lo stretto di Messina la divide dalla Calabria.

La popolazione nel passato, per sfuggire ai pirati e alla malaria, viveva nell'interno.

L'artigianato vi produce merletti, ceramiche, ricami, oggetti in sughero.

È la prima produttrice in Italia di agrumi.

Greci, Arabi e Normanni vi hanno lasciato importanti monumenti.

Appartengono al suo territorio anche le isole di Pantelleria e di Ustica.

L'Italia delle regioni

1. Scrivi nei cartellini il nome delle regioni a cui si riferiscono.

2. Quali regioni appartengono all'Italia del Nord? Colorale di verde.
Quali regioni appartengono all'Italia centrale? Lasciale in bianco.
Quali regioni appartengono all'Italia meridionale e insulare? Colorale in rosso.
Che cosa ti ricorda l'Italia colorata in questo modo?

1. Osserva la cartina tematica: vi sono indicati i principali traghetti che collegano alcuni porti d'Italia. Rispondi alle domande.

- Quali sono le isole straniere collegate con porti italiani?

....

....

....

....

- Quali città straniere sono collegate?

....

....

....

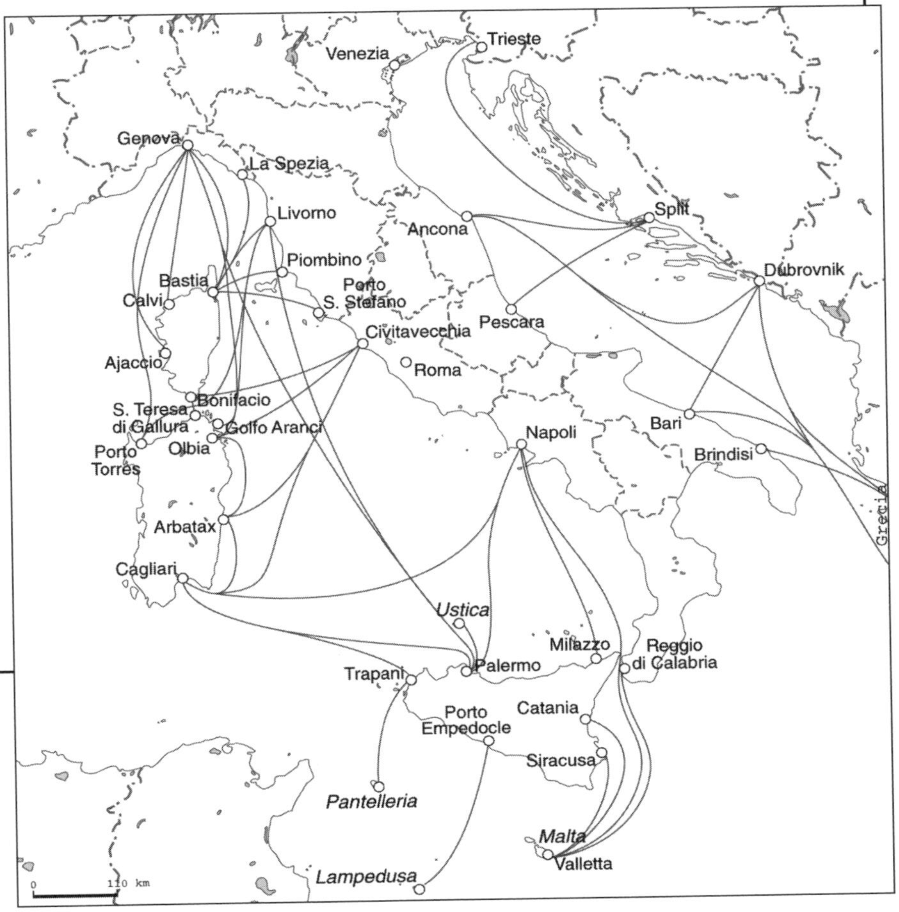

2. Completa la tabella, segnando con una ✗ i porti collegati con quelli della prima colonna a sinistra.

	Golfo degli Aranci	Cagliari	Palermo	La Valletta	Dubrovnik	Split	Bastia
GENOVA							
NAPOLI							
LIVORNO							
CIVITAVECCHIA							
REGGIO CALABRIA							
TRIESTE							
ANCONA							
BARI							
PESCARA							
PIOMBINO							

Un ricordo dalle regioni

1. Per ogni regione italiana cerca qualcosa che la rappresenti. Nei cartellini incolla una foto, fai un disegno, scrivi una notizia, una curiosità...

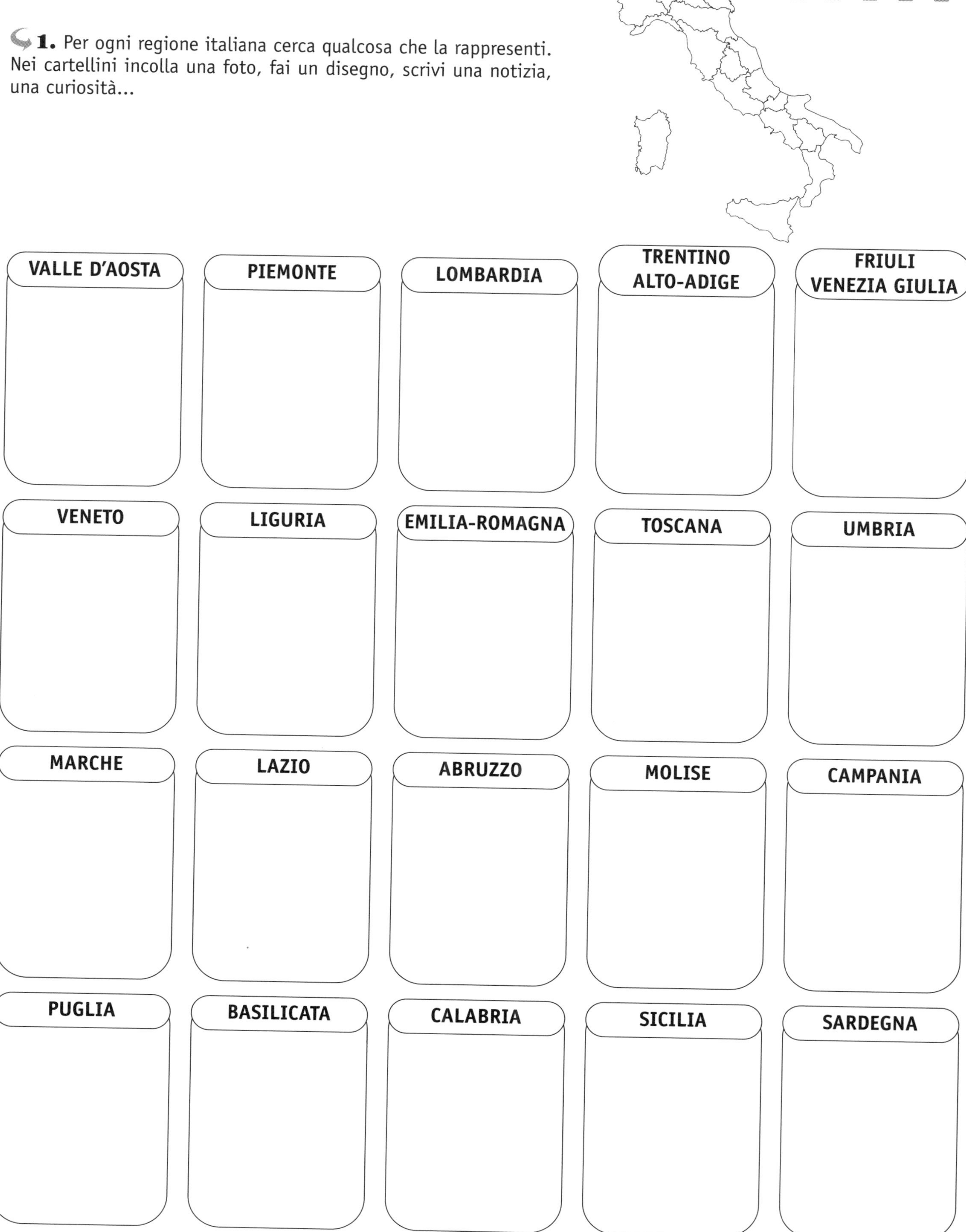

Una ricerca su...

1. Ora che hai studiato le regioni italiane, puoi scegliere, per l'approfondimento, una regione che ti interessa particolarmente. Puoi cercate in Internet, nel sito www.regioni.it, o scrivere agli Enti Provinciali e reginali (consulta l'elenco telefonico) per ottenere materiale illustrativo e notizie sulla regione. Il sussidiario e l'Atlante saranno utili strumenti di lavoro, il materiale illustrativo renderà più ricca la tua ricerca.
Ti suggeriamo uno schema che potrà servirti come "metodo di lavoro".

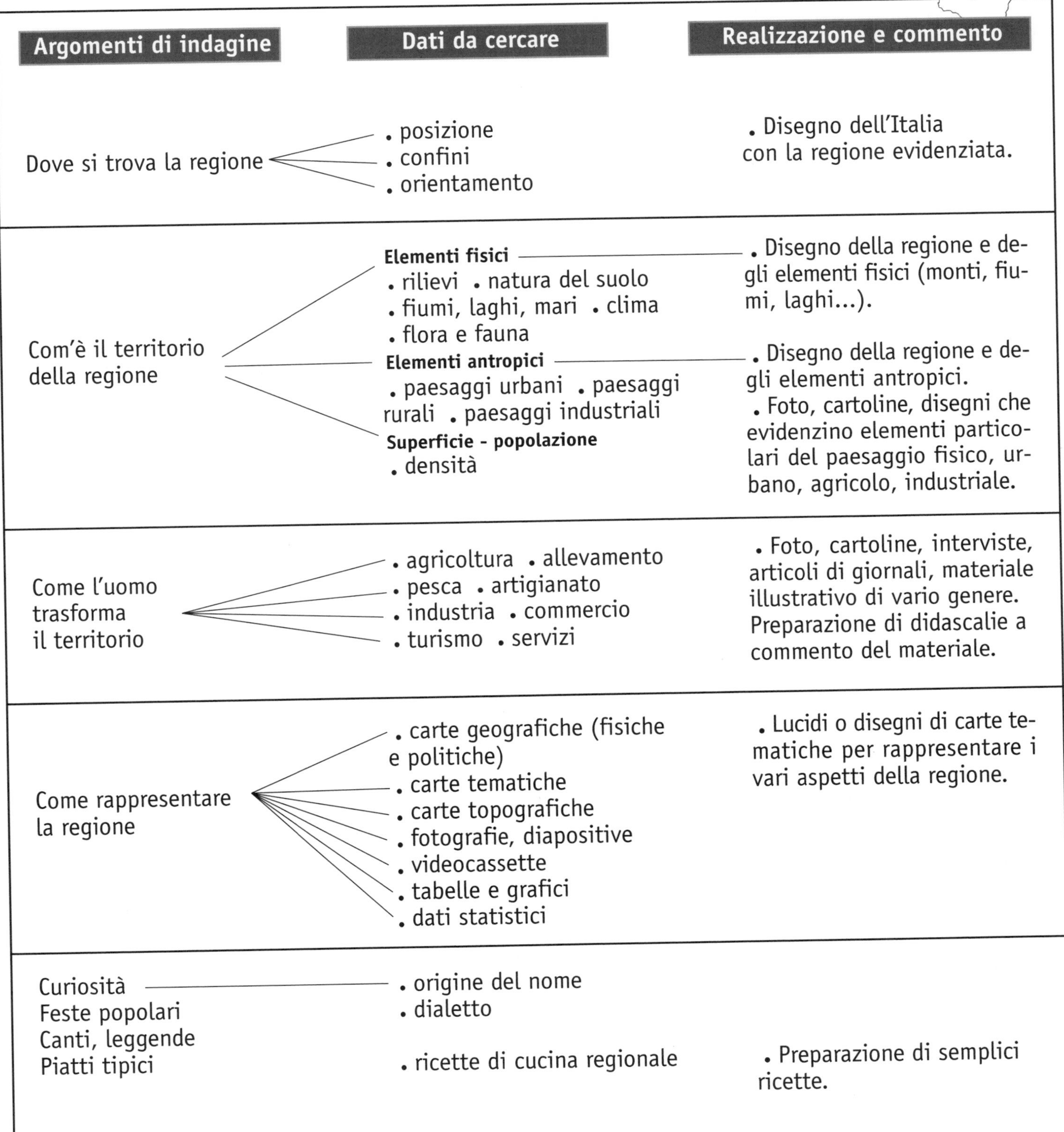

Argomenti di indagine	Dati da cercare	Realizzazione e commento
Dove si trova la regione	• posizione • confini • orientamento	• Disegno dell'Italia con la regione evidenziata.
Com'è il territorio della regione	**Elementi fisici** • rilievi • natura del suolo • fiumi, laghi, mari • clima • flora e fauna	• Disegno della regione e degli elementi fisici (monti, fiumi, laghi...).
	Elementi antropici • paesaggi urbani • paesaggi rurali • paesaggi industriali **Superficie - popolazione** • densità	• Disegno della regione e degli elementi antropici. • Foto, cartoline, disegni che evidenzino elementi particolari del paesaggio fisico, urbano, agricolo, industriale.
Come l'uomo trasforma il territorio	• agricoltura • allevamento • pesca • artigianato • industria • commercio • turismo • servizi	• Foto, cartoline, interviste, articoli di giornali, materiale illustrativo di vario genere. Preparazione di didascalie a commento del materiale.
Come rappresentare la regione	• carte geografiche (fisiche e politiche) • carte tematiche • carte topografiche • fotografie, diapositive • videocassette • tabelle e grafici • dati statistici	• Lucidi o disegni di carte tematiche per rappresentare i vari aspetti della regione.
Curiosità Feste popolari Canti, leggende	• origine del nome • dialetto	
Piatti tipici	• ricette di cucina regionale	• Preparazione di semplici ricette.

L'Europa fisica

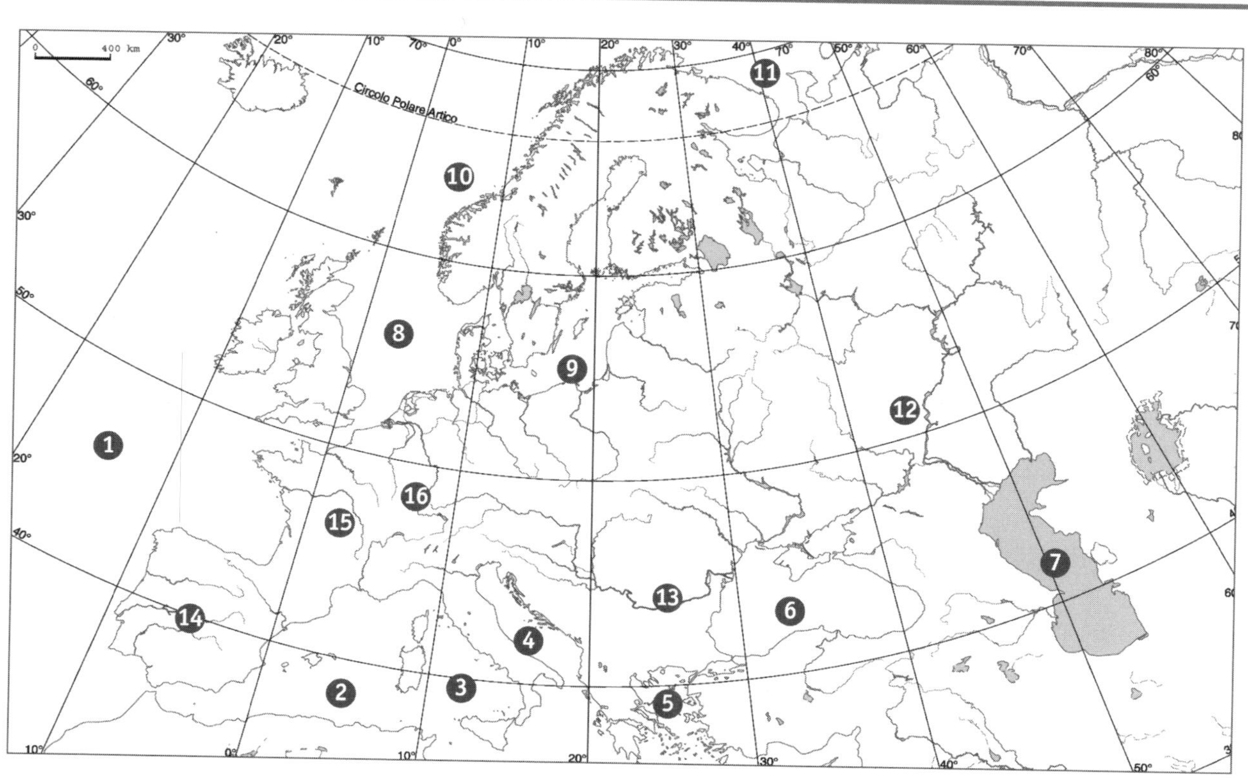

◆ **1.** Scrivi il numero corrispondente, come nell'esempio.

Mar Tirreno (3) ....

Mar Mediterraneo (   ) ....

Oceano Atlantico (   ) ....

Tago (   ) ....

Mar Nero (   ) ....

Mar Caspio (   ) ....

Mar Adriatico (   ) ....

Mar Egeo (   ) ....

Mare del Nord (   ) ....

Senna (   ) ....

Reno (   ) ....

Mar Baltico (   ) ....

Mar di Norvegia (   ) ....

Mar di Barents (   ) ....

Danubio (   ) ....

Volga (   ) ....

◆ **2.** Colora la carta, differenziando mari, pianure, colline, montagne, fiumi e laghi.

3. Ecco l'elenco di alcune importanti catene montuose europee. Scrivi a lato di ognuna gli Stati che attraversa.

MONTI	STATI
Monti Rodope	....
Appennini	....
Caucaso	....
Alpi	....

MONTI	STATI
Pirenei	....
Alpi Scandinave	....
Carpazi	....
Balcani	....

◆ **1.** Osserva la carta. Per ogni numero scrivi il nome dello Stato europeo corrispondente e la sua capitale.

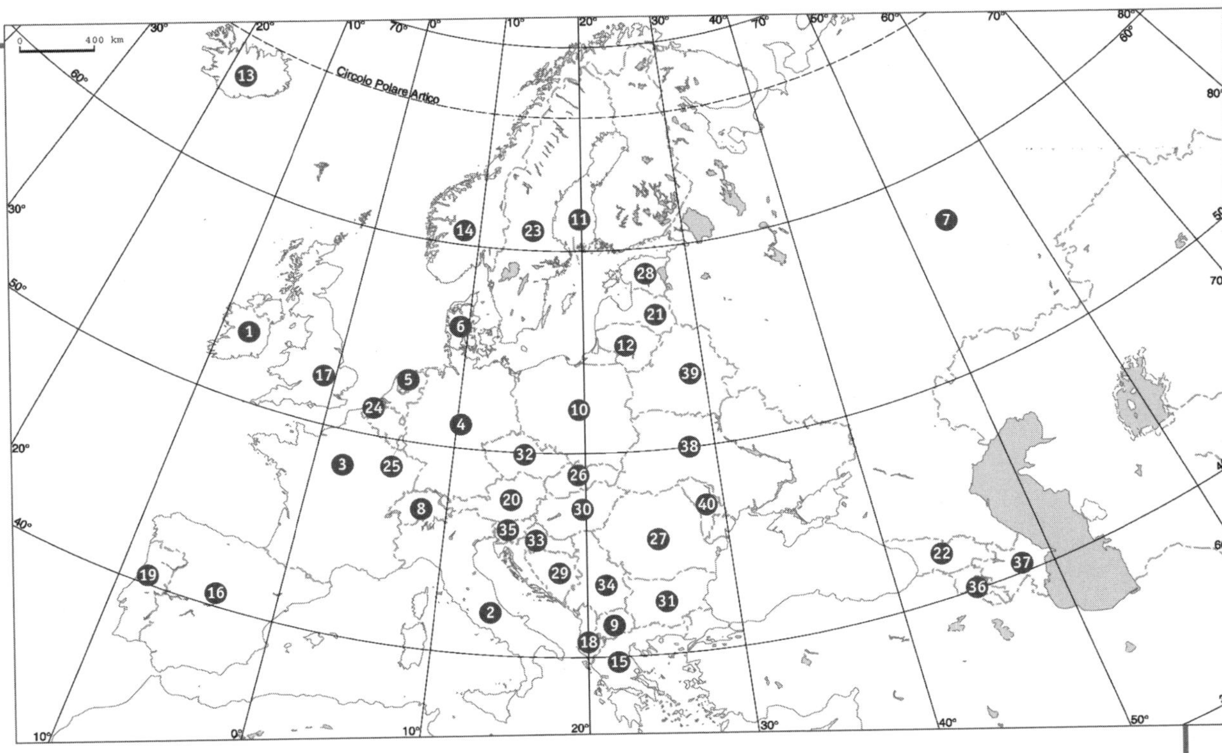

1. ....
2. ....
3. ....
4. ....
5. ....
6. ....
7. ....
8. ....
9. ....
10. ....
11. ....
12. ....
13. ....
14. ....
15. ....
16. ....
17. ....
18. ....
19. ....
20. ....
21. ....
22. ....
23. ....
24. ....
25. ....
26. ....
27. ....
28. ....
29. ....
30. ....
31. ....
32. ....
33. ....
34. ....
35. ....
36. ....
37. ....
38. ....
39. ....
40. ....

educazione alla cittadinanza

IN QUALE STATO EUROPEO SI TROVA?

◆ Sotto ogni fotografia scrivi il nome dello Stato a cui l'immagine si riferisce.

FRANCIA

....

....

....

....

....

L'Unione Europea

1. Colora di giallo solo le affermazioni vere.

L'inno dell'Unione Europea è dal 1985 *L'Inno alla gioia* di Beethoven.

La festa dell'Unione Europea si celebra il 9 maggio.

Le stelle della bandiera europea indicano gli Stati che compongono l'Unione Europea.

L'euro è stato sostituito dalle vecchie monete nel 2002.

La bandiera europea è blu con 12 stelle in cerchio.

L'euro è la moneta di tutti i Paesi dell'Unione Europea.

L'Unione Europea nasce nel 1992 con il trattato di Maastricht.

2. Rispondi alle domande.

- Che cos'è il Parlamento Europeo e di che cosa si occupa?

....

....

....

....

- Che cos'è il Consiglio dell'Unione Europea e di che cosa si occupa?

....

....

....

....

- Che cos'è la Commissione Europea e di che cosa si occupa?

....

....

....

....

3. Colora gli Stati che fanno parte dell'Unione Europea.

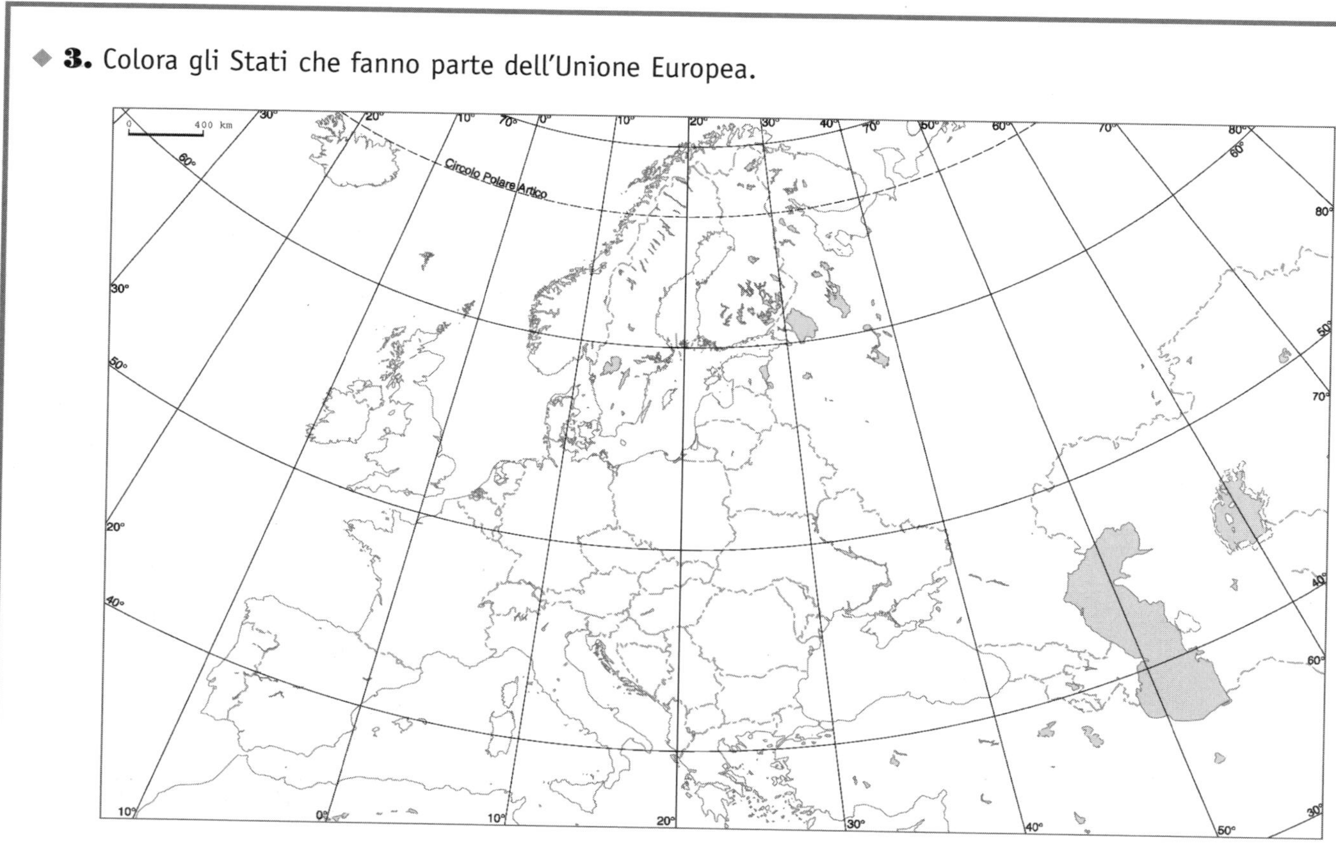